世界文学名著名译典藏

全译插图本

雾都孤儿

〔英〕狄更斯◎著　黄水乞◎译

OLIVER TWIST

长江出版传媒｜长江文艺出版社

图书在版编目（ＣＩＰ）数据

雾都孤儿 / （英）狄更斯著；黄水乞译.-- 武汉：
长江文艺出版社， 2018.6（2019.7 重印）
　（世界文学名著名译典藏）
ISBN 978-7-5702-0286-7

Ⅰ. ①雾… Ⅱ. ①狄… ②黄… Ⅲ. ①长篇小说－英
国－近代 Ⅳ. ①I561.44

中国版本图书馆 CIP 数据核字(2018)第 062292 号

责任编辑：程华清　　　　　　　　　　责任校对：毛　娟
封面设计：格林图书　　　　　　　　　　责任印制：邱　莉　杨　帆

出版：长江出版传媒 ｜ 长江文艺出版社

地址：武汉市雄楚大街 268 号　　　　邮编：430070
发行：长江文艺出版社
http://www.cjlap.com
印刷：湖北恒泰印务有限公司

开本：880 毫米×1230 毫米　　1/32　　印张：16　　插页：4 页
版次：2018 年 6 月第 1 版　　　　2019 年 7 月第 2 次印刷
字数：349 千字

定价：39.00 元

译者序

　　1837年，年仅25岁的英国天才小说家狄更斯写出他的第一部社会小说《雾都孤儿》。我在上世纪60年代的大学英语课本中，就曾读过选自这部小说的名篇《奥利弗要求添粥》。通过后来对原著多遍的熟读、翻译，迄今我仍能感受到它给人的震撼力。

　　首先，《雾都孤儿》把读者引入了一个贫困、压迫和死亡的世界。济贫院里的那些脸黄肌瘦、饥肠辘辘的孩子们所遭受的压迫，来自于济贫院董事会，尤其是"那个身穿白背心的胖绅士"所操纵的政府机构。他是压迫制度的代表。至于那些拿薪俸的政府官吏，如牧师助理邦布尔和女总管等则是其代理人，受其雇佣，替其维持道德和现存的秩序。他们所使用的压迫方法是暴力和饥饿。孩子们常常挨打受骂，个个被饿得几乎要"人吃人"。当然，有压迫就会有反抗。当无辜的小叛逆者奥利弗走到大师傅跟前要求添粥时，这需要有多大的勇气啊！这象征着他们的反抗和斗争。狄更斯的全部创作始终贯穿着人道主义思想。他总是本能地站在被压迫者的一边反对压迫者，不管被压迫者是如何弱小，压迫者如何强大。然而奥利弗的力量太单薄了，除了被暴打一顿外，根本不可能取得胜利。不过，也正因为如此，才赢得读者更多的同情与泪水。至于死亡则无处不见：小说开头奥利弗母亲之死，后来南希小姐之死，以及结尾费金、赛克斯等人的死，再后来奥利弗被牧师助理卖给殡仪员索尔贝里先生当学徒，他睡在棺材铺里，吃的是猪狗食，参加了一连串的葬礼，又目睹了一个个穷人病死、饿死。不少被压迫者为生活所逼，有些变得堕落、腐化，成了压迫者，或成了杀人犯，或成了死尸，如赛克斯和南希，就连奥利弗和他的小伙伴狄克都盼着早早地死去，免得受苦。这是一个多么残忍、悲惨的世界！

《雾都孤儿》的核心，它之所以有价值，是由于它描述了穷人们在英国的悲惨遭遇。除了上述骇人听闻的贫困、压迫和死亡之外，我们还见识了教区的"育婴"农场、令人毛骨悚然的棺材铺、污秽的贼窝、泥泞的伦敦街头小巷、墨黑的泰晤士河水、高大阴森可怖的绞刑架、漫天的大雾、发出恶臭的垃圾堆、以及教堂、监狱等。狄更斯常常用这些来比喻资本主义社会，充分地反映出他对资本主义社会的痛恨之情。

读者也许不禁要问：英国当时的济贫院和社会究竟怎么啦？其实，早在 19 世纪初，英国受法国革命 (1789–1792) 和拿破仑时代 (结束于 1815 年) 的影响，国内社会动荡不安，经济异常萧条。因此，很长时间以来，济贫工作一直是英国的主要问题，贫民的数量日益增加，从伊丽莎白女王时代就开始进行直接的救济活动了。然而，筹措济贫经费需要征收沉重的教区税务，也因此导致了种种弊端，许多体格健全的人宁愿接受政府救济，也不愿去寻找工作。这样反过来又挫伤了渴望独立自救的工人找工作的积极性，形成了恶性循环。1830 年威廉四世上台，托利党控制了政府。1832 年通过了议会选举法修正法案，英国采取了新的理念，以对付伤脑筋的贫民问题。1834 年颁布的《济贫法》规定：凡体格健全的贫民必须住进济贫院。居住济贫院的贫民成了公开耻辱的众矢之的。于是济贫院愈加不受欢迎，因为政府故意让济贫院里的生活条件变得更加苛刻，令人难以容忍。然而从另外一个角度看来，此项计划倒是成功的，因为此后三年之内，济贫院的费用减少超过三分之一。只是新的济贫制度受到严厉的责难，人们把日益增加的犯罪归咎于它。显然，狄更斯在《雾都孤儿》中，将1834 年的《济贫法》作为谴责的目标。

其次，《雾都孤儿》也将读者引入了另一个富足的、善良的及和谐的世界。与上述的济贫院、棺材铺、贼窝等形成鲜明的对比，布朗洛先生和梅利太太两家则是舒适伦敦中产阶级的代表。列宁在参观过资本主义的堡垒伦敦、见过了繁华的西区和贫穷的东区时，曾发出"简直两个国度！"的感慨。即便已经到了20世纪初，美国著名作家杰克·伦敦在其《深渊里的人们》一书中，对此也有更详细的描述。《雾都孤儿》在第十二章描写了奥利弗被警察追赶，失去知觉，被他父亲的好友布朗洛先生从法庭带回家。他一醒过来，发现自己已从先前污秽、贫穷的境遇，来到了一个舒适、祥和的环境。首先映入眼帘的是布朗洛先生和女管家"慈母般的老太太"。后来，小说陆续出现的许多人物，我们都看到了他们的善良之举。譬如，布朗洛先生之前帮助奥利弗摆脱法庭的审讯，而后又帮他夺回被蒙克斯侵吞的财产，最后还收养他为义子，用自己丰富的知识权力地培养他；善良、温柔的奥利弗姨妈——罗斯小姐与养母梅利太太一起，救下了被逼行窃而受伤的奥利弗；善良、热情的洛斯伯恩医生——亦是布朗洛先生的朋友——帮助罗斯小姐设计从警察那儿免除对奥利弗的追查；性格古怪的格里姆威格先生也曾参与为奥利弗追讨财产的努力；南希小姐虽出身贼群、身陷贼窟，但良心未泯，冒着生命危险把偷听来的蒙克斯的阴谋告诉罗斯小姐，结果惨遭赛克斯杀害；奥利弗对布朗洛先生（包括对慈祥的女管家贝德温老太太）、对罗斯姨妈一家，甚至对病恹恹的小同伴狄克表现出的善良和感恩等等。小说的最后一章为读者展现了一幅善良的人们享受亲情和友情、享受天伦之乐的和谐画卷：罗斯小姐和哈里·梅利先生结婚，在乡村教堂安了家；布朗洛先生带着义子奥利弗和女管家搬到离姨妈住宅不足一英里的地方居住，以了却奥利弗的心愿，处处欢声笑语，其乐融融；洛斯伯恩先生、格里姆威格先生与布朗洛先生和哈里牧师等人形成了一个小小的社交团体，成了莫逆之交；奥利弗则在义父的精心培养下茁壮地成长。狄更斯既是一个现实主义者，也是一个理想主义者。这就是他为本小说做出的最后安排，难怪后人将狄更斯捧为"召唤人们回到欢笑和仁爱中来的明灯"。

善有善报，恶有恶报。杀人犯赛克斯在逃亡中坠落，被套索活活吊死；费金因罪大恶极被处以绞刑①；蒙克斯挥霍完财产后又犯下诈骗罪而遭长期监禁，最后死在牢里；牧师助理邦布尔夫妇被免职，沦为济贫院贫民；机灵的蒙骗者道金斯不思悔改，被判无期徒刑；而痛改前非的贝茨少爷最终当上了北安普敦郡的年轻牧场主。

苦难的童年往往能产生出伟大的作家。狄更斯在八个兄弟姐妹中排行老二，父亲负债入狱，十二岁就进鞋油厂当童工。在其短暂的一生中他共创作了十四部完整的小说，还有大量的中、短篇小说。马克思将他和萨克雷、夏洛蒂、盖斯凯尔夫人一起，称为"现代英国的一批杰出的小说家"。马克思称赞"狄更斯在自己卓越的描写生动的书籍中，向世界揭示的政治和社会真理，比一切职业政客、政论家和道德家加在一起所揭示的还要多"。《雾都孤儿》丝毫不比哈门兹的《市镇工人》及恩格斯的《英国工人阶级状况》(1944年) 等社会历史著作逊色。《雾都孤儿》生动地塑造了一批栩栩如生的人物，为读者所熟悉、牢记。他们的苦难与抗争，他们的音容笑貌、喜怒哀乐，唤起了读者的无限同情、怜惜和喜爱。这，就是文学强大的感染力和震撼力！

黄水乞
2012年3月16日于厦门大学北村

---

① 注：1800年的英国，多达220种罪可处以绞刑，其中有不少是轻罪，结果是陪审团常常拒绝证明被告有罪。到了1837年，就只剩下15种罪可判死刑了。

作者序

本书中的一些人物因选自伦敦居民中最罪大恶极、最可耻的堕落者，曾一度被认为是一件残酷的、令人震惊的事。

我写这部小说时，由于看不出为什么人生的渣滓就不能像其浮沫和精华一样为凡人效劳，于是，我冒昧地认为这同样的"曾一度"不能证明一向如此，或甚至一个很长的时间如此。我意识到我有充分的理由继续遵循自己的思路。我阅读过大量的描写窃贼的书，书中的人物大都是一些富有魅力的人（就绝大部分而言都是和蔼可亲的）；他们的衣着无可挑剔，口袋里的钱包胀鼓鼓的；还是挑选马匹的行家；行为放肆，风流倜傥；善于歌咏，饮酒作乐；纸牌游戏或掷骰游戏无一不精，并堪与最无畏的人结伴同行。然而，我从未遭遇到可悲的现实（贺加斯①的作品除外）。在我看来，刻画这样一群实际上确实存在的犯罪同伙，描绘他们的全部缺陷、全部不幸以及他们生活中的全部悲哀和痛苦，如实地反映他们的真实情况：老是提心吊胆、偷偷摸摸地在人生的小径上穿行，无论他们可能转向哪个方向，那些庞大的、恐怖的黑色绞刑架总是堵住了他们的视野。据我看来，我这样做，是试图做一件必要的、为社会效劳的、有意义的事。为此，我已竭尽全力了。

---

① 威廉·贺加斯(1697-1764)，英国油画家、版画家、艺术理论家，作品讽刺贵族，同情下层人民，代表作有铜版画《时髦婚姻》《妓女生涯》，理论著作有《美的分析》。

我知道，在论述这些人物的每一本书中，处处都引人入胜，充满着诱惑与魅力。即使在《乞丐歌剧》①中，那些窃贼也被描述为过着一种还是很令人羡慕的生活，而麦克希思②具有支配一切的魅力，最美丽的姑娘和剧中唯一纯洁的角色对他倾心不已，意志薄弱的观众对他钦佩之至，竭力模仿，不亚于伏尔泰③所说"购得统率两千左右大军以泰然地面对降于头上的死神的权利"的穿红色制服④的杰出绅士。约翰逊⑤提出是否有人会因麦克希思被缓刑而去做贼的问题，在我看来没有说到点子上。我反问自己：是否有人会因为麦克希思被判处死刑，以及因为皮丘姆⑥和洛基特⑦的存在而不敢去做贼呢？回想起这个贼首喧闹的一生，英俊的外貌，巨大的成就和极大的利益，我相信，有这种倾向的人没有哪一个会从麦克希思的故事中引以为戒的，从剧中看到的也是一条如花似锦的、快活宜人的道路，把一个体面的抱负——在一定的时候——引导到泰伯恩刑场⑧。

---

① 这是英国诗人、剧作家约翰·盖伊(1685-1732)以古典题材为根据，作为对时髦的意大利歌剧的讽刺和抗议所创作的一部歌剧，1727年上演时曾轰动了全伦敦。

② 上述歌剧中的主人公，拦路抢劫的强盗。

③ 伏尔泰(1694-1778)，法国启蒙思想家、作家、哲学家，主张开明君主制，信奉英国哲学家J.洛克(1632-1704)的经验论，两次被捕入狱，后被逐出国，著有《哲学书简》、哲理小说《老实人》、悲剧《扎伊尔》及历史著作等。

④ 英国士兵的制服。

⑤ 约翰逊(1709-1784)，英国作家、评论家、辞典编纂者，编有《英语辞典》《莎士比亚集》，作品有长诗《伦敦》《人类欲望的虚幻》等。

⑥《乞丐歌剧》中的人物，由于他的告发而导致麦克希思的被捕。

⑦《乞丐歌剧》中的人物。

⑧ 旧时伦敦刑场，位于泰晤士河支流泰伯恩河岸边。

事实上，盖伊对于社会的巧妙讽刺有着一个总的目的，它使他全然不顾这方面的实例，并给了他别的更广阔的目标。至于爱德华·布尔沃爵士①的令人赞美的著名小说《保罗·克利福德》的情况，也可以这么说。它不能完全被认为在这方面或那方面与这部分主题有关，或有意与这部分主题有关。

在本书中，窃贼的日常生活是被描绘为怎样的生活方式呢？它对于年轻人和居心不良的人具有什么魅力呢？它对于大多数笨头笨脑的青少年具有什么诱惑呢？这儿没有月夜里在石楠丛生的荒原上骑马慢跑的画面，没有在一切可能的大山洞中的嬉戏玩乐场景，没有华丽服饰的诱惑，没有刺绣，没有花边，没有军人的长筒靴，没有绯红色的外套和褶裥饰边，没有自古以来"江湖豪客"曾经拥有的那种洒脱和自由。阴冷潮湿一无遮蔽的子夜伦敦街头；污浊、邋遢的贼窝，罪恶在里边挤得紧紧的，令人毫无转身的余地；充满饥饿和疾病的巢穴，还有那几乎无法连在一起的褴褛衣裳：这些东西的魅力何在呢？

然而也有这样的一些人，他们具有文雅、敏锐的天性，以至他们承受不了对这些恐怖场面的深思熟虑。不是因为他们本能地回避罪恶，而是犯罪人物为了迎合他们必须经过一番巧妙的伪装，正如他们的食物必须加上佐料一样。身穿绿色天鹅绒的马萨罗尼②是个迷人的人，而身穿粗斜纹布的赛克斯却是令人难以消受的家伙。马萨罗尼太太因为是一位身穿短衬裙和化装服饰的女士，便成了舞台造型上人们争相模仿的对象，被绘成石版画印到优美的歌本上。可是穿棉布裙，围廉价围巾的南希就不被人看重。德行

---

① 爱德华·布尔沃－利顿（1803-1873），英国下院议员、殖民大臣（1858）、小说家和剧作家，主要作品有历史小说《庞贝末日》和剧本《黎塞留》等，称号"第一男爵利顿"。

② 原文 Massaroni（马萨罗尼）似为 macaroni（马卡罗尼）之误，指 18 世纪醉心于仿效欧洲大陆派头的英国少年、纨绔子弟。

一见到臭袜子便掉过头去，而邪恶与丝带和有点华丽的服饰结了婚，像已婚女士那样改个姓，便成了浪漫故事，这实在太奇妙了！

可是，由于严酷的事实——尽管在许多小说里对这显赫的一批人的服饰着力加以描述——是本书的意图的一部分，因此，我没有向读者隐瞒"蒙骗者"上衣有破洞，或者南希的乱蓬蓬的头发上有卷发纸的事实。我不相信有人会那么娇气，竟连去看它们一眼都承受不了。我无意使这些读者改变观点；我不在乎他们的看法，不论是好的还是坏的；我不奢望他们的赞成，也不为他们的消遣而写作。

有人评论说南希对野蛮的破门盗贼的忠贞看来似乎是不自然的；同时，也有人对赛克斯这个人物提出了异议——我冒昧地认为，这种意见前后有些矛盾——说是毫无疑问，赛克斯被描绘得太过分了，因为在他身上似乎丝毫不存在着在他情人身上被指摘为不自然的那些可取的特征。对于有关赛克斯的指摘，我只能说，恐怕世上确实存在着一些秉性麻木不仁和冷酷无情的人。他们的邪恶确实已变得彻头彻尾、不可救药了。到底情况是否如此呢？但其中有一点我是肯定的，那就是确实存在着像赛克斯这样的人。经过一段时间和同一连串事件对他们进行密切的观察，发现他们从未曾在瞬间的作用下显示出一点点更善良的天性的迹象。究竟是不是每一种较温柔的人类情感在这些人的心中已泯灭，抑或引起情感的那根弦业已生锈，难以找到呢？我并不自命知道，然而事实正如我所阐明的。这，我敢肯定！

讨论这个姑娘的行为和性格看上去究竟自然或不自然，可能或不可能，正确或错误，这是毫无价值的。确实如此。每个关注人生这些可悲的阴暗面的人谅必都知道确实如此。从对这位可怜的人的初次介绍，到她的血迹斑斑的脑袋搁在那个破门强盗的胸前，没有一句话是夸张或虚饰的。强调地说，这是绝对真理，因为它是上帝在这些堕落、卑劣的胸前留下的真理，希望依然存留在那儿，犹如在杂草丛生的井底的最后一滴甘泉。它涉及到我们天性的最美好的和最邪恶的部分，具有大量的最丑恶的色彩，也有着它的某些最美丽的色调。这是一种自相矛盾的说法，一种反常现象，一件显然不可能的事，但它是真实的。我很高兴它受到人们的怀疑，因为在这种情况下，我必须找到需要诉说的足够的自信（倘若我需要任何自信的话）。

1850 年，一位高级市政官在伦敦公开宣布雅各岛不存在，并且从未曾存在过。可是雅各岛于 1867 年还依然存在（像现在某个缺乏文明的地方那样），尽管它已经有了改进，并发生了很大的变化。

目录

Contents

第一章 讲述奥利弗·特威斯特的
诞生地及出生时的情况

在某座城镇的公共建筑物中——因种种原因、为慎重起见，我还是不提这座城镇的名字，也不想用一个假名——有一个历来大小城市中常见的机构：济贫院。在这个济贫院里，一个婴儿诞生了，他的名字就出现于本章的标题中。至于婴儿诞生的日期，我就不费心赘述了。因为，无论如何，在本阶段它对读者来说，可能无关紧要。

教区医生将这婴儿迎进了这个充满悲哀和苦恼的世界之后，孩子究竟能不能活下来，并拥有自己的名字，长期以来一直是一个相当值得怀疑的问题；诚然，这本传记也许永远也不会出现，这是极有可能的；或者，假如它出现了，也只有三两页，它将成为任何时代或任何国家现存的文献中最简明、最可信的传记样本，这是它具有的最为宝贵的优点。

尽管我无意断言，在济贫院诞生本身可能是降临于某人头上的最幸运和最令人羡慕的事，但我确实认为，在当时特殊的情况下，这对于奥利弗·特威斯特来说是最好的了。事实是，要诱使奥利弗利用自己呼吸的功能有相当的难度。呼吸是件令人讨厌的事，但它对于我们从容的生存又是必要的条件；他在褥垫上躺了一会儿，喘息着，在今生与来世之间徘徊。显然，在徘徊中后者占上风。此刻，如果在这一短暂的时间里，奥利弗被谨慎小心的奶奶、姥姥，焦虑不安的姑母、姨婆，经验丰富的护士和学问渊博的医生们包围着，那么，他将会很快给弄死，这是不可避免和不容置疑的。而今，他身边除了一个贫民老太太和教区医生外，再没有任何人。老太太因啤酒喝得太多而处于迷迷糊糊的状态，而医生则是按照合同来履行义务的。奥利弗和大自然在它们之间的临界点上搏斗，以决一雌雄，结果是，经过几番挣扎之后，奥利弗呼吸了，打了个喷嚏，并发出一声啼哭，开始向济贫院的居住者们宣告：从此教区又添了一张嘴、增加了一个新负担。这哭声之响，如同我们在情理上能够预料到的。但是，他没有一出生就有这一非常有用的附件嗓子，而是在超过3分钟15秒之后才拥有它。

当奥利弗首次证明自己肺部自如和独特的功能时，他被草草地丢在铁床架上的拼缀起来的床罩上，并发出了沙沙的响声；一位年轻妇人的苍白的脸从枕上无力地抬起，一个细若游丝的声音断断续续地吐出这样一句话："让我看看孩子，然后再死。"

那位外科医生一直脸朝着火炉坐着，两手一边搓一边烤着火。听到年轻女人说话，他站起身来，朝那张床头走去，以比人们可以指望的更亲切的语气说道：

"哦，你还不可以谈到死。"

"天啊，不！"护士插嘴道，匆匆忙忙地将一只绿色的玻璃瓶塞进口袋里。她刚才一直在角落里品尝瓶中物，显然感到心满意足，"天啊！先生，当她活到像我这样的年纪，并且生了十三个孩子，除了活着的两个，跟我一起住在济贫院时，她就该懂得不要那么心烦意乱了。天啊！想想当母亲的滋味吧，一个可爱的小宝宝呢，千万想一想。"

显然，以一位母亲的前景来宽慰这位女子未能产生预期的效果。病人摇了摇头，将一只手伸向孩子。

外科医生将婴儿放入她的怀里。她把自己冰冷、苍白的嘴唇深情地印在孩子的前额上。她双手摸了摸自己的脸，惊恐地凝视四周，浑身战栗起来。接着，身子往后一仰——便死了。他们使劲揉她的胸脯、手和太阳穴，可是血液已不再流动了。他们谈到了希望和安慰。很久以来，这位女子却得不到希望和安慰。

"全完了，丁古米太太！"医生终于说道。

"啊，可怜的人儿，真的完啦！"护士说着，拾起绿瓶的塞子，那是她弯下腰抱孩子时掉到枕头上的，"可怜的人儿！"

"护士，如果孩子哭了，随时叫我，不必在意，"医生极其审慎地戴上手套说道，"婴儿很可能会吵闹的，如果他闹了，就喂他一点粥。"他戴上帽子，在朝房门走去时又停在病床边，补充道，"她还是个漂亮女人，她从哪儿来的？"

"她是昨晚被送进来的，"老妇人回答道，"奉教会执事济贫助理之命。有人发现她躺在街上，她已经走了相当远的路，因为她的鞋已破烂不堪。可是她从哪来，要往哪儿去，谁也不知道。"

医生俯身向着尸体，抬起了她的左手。"还是老一套，"他摇摇头，说道，"手上没有戴戒指。啊，晚安！"

医生离开那儿用晚餐去了。护士又一次沉迷于她的绿瓶子。之后，她在火炉前面的一张矮椅子卜坐下来，开始为婴儿穿衣。

从小奥利弗·特威斯特这个例子可以说明衣着的威力有多大！用毯子将他裹起来——毛毯迄今一直是他唯一的覆盖物，他可能是贵族的子女，也可能是乞丐的孩子。最目中无人的陌生人要确定他的社会地位将是非常困难的。可是现在他被旧的白布罩衣包裹着——罩衣因一用再用，已经变黄了，他便被贴上了标签，立即归入他的阶层——教区的孩子，济贫院的孤儿，地位低下的半饥不饱的苦命人，一个在世间被铐上手铐的、挨揍的、受大家鄙视却无人同情的角色。

奥利弗一个劲地哭着。倘若他知道自己是个孤儿，将任凭教会执事和济贫助理摆布，也许会哭得更起劲。

第二章　讲述奥利弗·特威斯特的
成长、教育和膳食情况

在紧接着的八个月或十个月中，奥利弗成了一系列背信弃义和欺上瞒下行径的牺牲品。这个孤儿的饥饿和贫困的情况，由济贫院当局及时地向教区当局汇报。教区当局庄重地询问济贫院当局，是不是济贫院里当时就没有一个定居下来的女人可以为奥利弗·特威斯特提供所需要的安慰和营养。济贫院当局谦恭地回答说没有，于是，教区当局做了一个宽宏大量极其人道的决定：奥利弗应该送去"寄养"，或者，换言之，他应被送到大约三英里之外的一个济贫院分院。在那儿，另外二三十个违反济贫法的小犯人①整天在地板上打滚。他们在一个上了年纪的女人慈母般的监督之下，一点也不必担心吃得太饱或穿得太多这类麻烦事。她每周收到每个小犯人七便士半的报酬。每周七便士半的伙食，对一个小孩来说是很可观的了，可

①　根据英国政府 1834 年颁布的法律，凡"无业游民"或要求社会救济的贫民都要被送到济贫院去从事强制性劳动。狄更斯把奥利弗等无辜的儿童称作"违反济贫法的小犯人"，具有讽刺的意味。

以买好多东西，足够使他吃得过饱，撑得难受。这位老妇人是个有知识、有经验的人；她懂得什么对孩子们有益，同时对于自己有利的也算计得非常精明。于是，她把他们每周津贴的大部分据为己用，留给教区孤儿的生活费用甚至少于规定的标准。因此，她在最深处找到了一个更深的地方，同时证明自己是个伟大的实验哲学家。

人人都晓得另一个实验哲学家的故事，他有个马儿不用吃草就会活的伟大理论，而且他为了详尽地证明这一理论，甚至让自己的马每天只吃一根稻草。倘若这匹马不是在预备享受第一次舒适的空气圣餐之前二十四小时就死去，毫无疑问，他将会使它变成什么也不用吃的一匹烈马。令人遗憾的是，对于照顾奥利弗·特威斯特的这个女人的实验哲学来说，她的哲学体系常常带来类似的结果；因为就在一个小孩设法靠最差的食物中的最少的份额生存的时候，十之八九违反常情的情况发生了：孩子或因饥寒交迫而生病，或因疏忽大意而掉进炉火里，或发生事故而被闷得半死。在上述任何一种情况下，可怜的小东西通常都命归黄泉，见他的老祖宗去了。他自己的祖先甚至还一无所知呢！

偶尔，对受照管的教区孩子被翻倒的床架压死或在洗澡时不经心地被烫死作一些不同寻常的有趣的调查时——尽管后者极少发生，因为寄养所里洗澡的事极为罕见——陪审团经常突然心血来潮地问了不少难题，或者教区居民常常倔强地联名抗议。不过，这些无礼的举动常常很快便被医生的证据和牧师助理的证词所遏止。前者是解剖尸体，发现体内什么食物也没有（这确实是极有可能的），而后者是教区要什么，他就千篇一律地发什么誓，自我牺牲精神着实可嘉。此外，董事会定期地到寄养所"朝圣"，并且总是前一天先派牧师助理去打招呼，说他们要来。当他们去的时候，孩子们看上去都整整齐齐、干干净净的，人们还有什么别的要求呢！

人们不能指望这一耕作制度能够生产出什么令人惊奇和繁茂的

庄稼。奥利弗·特威斯特九岁生日时是个面黄肌瘦的孩子，身材有些矮小，腰围显然太细。然而，天性和遗传在奥利弗的胸中注入了善良又倔强的精神。多亏济贫院简单的饮食，这种精神有了许多扩展的余地。也许，他能活到第九个生日必须归因于这一条件。无论如何，这是他九岁的生日。他正在煤窑里跟挑选出来的另外两位小绅士一起庆祝生日。因为令人震惊的是，他们俩竟敢喊饿，跟他一起被狠揍了一顿之后，一直被关在煤窑里，就在这时候，济贫院慈善的女主人曼太太不经意地被牧师助理邦布尔先生的出现吓了一跳。邦布尔先生正竭力想打开庭园大门上的边门。

"天啊！是你吗，邦布尔先生？"曼太太说道，欣喜若狂地将脑袋探出窗外，一边低声交代苏珊快把奥利弗和那两个小家伙带上楼，马上给他们洗澡，"我的天啊！邦布尔先生，见到你我多高兴啊，真的！"

邦布尔先生是个胖了，性情暴躁，因此，他不是马上答复这位志趣相投的人直率的问候，而是使劲猛摇那扇小边门，然后再踢上一脚。除了牧师助理，谁也不会这么踢的。

"上帝！试想想，"曼太太说着跑了出来，因为这时那三个男孩已经转移了，"试想想看，我竟然忘了大门从里面给闩住了，都是那些可爱的孩子们干的好事！进来，先生，请进，邦布尔先生，请，先生。"

虽然，这一邀请之后是一个足以软化教会执事的屈膝礼，却丝毫也不能使牧师助理平静下来。

"曼太太，教区官员上这儿来处理教区孤儿的事务，你却让他们在你的庭园大门外久等，你认为这是恭敬的、正当的行为？"邦布尔先生拄着拐杖，喘着粗气问道，"曼太太，你不晓得你是，可以说是，一位教区的代表，而且是领薪水的？"

"我当然晓得，邦布尔先生，因此，我只是先去通知一两位喜欢你的可爱的孩子，说你来了。"曼太太毕恭毕敬地回答道。

邦布尔先生很清楚自己的口才和名望。他炫耀了他的口才，又维护了他的名望。他的态度缓和下来了。

"好啦，好啦，曼太太，"他以平缓的语气回答道，"也许正如你说的那样，也许。你带路，曼太太，我有要紧事儿上这儿来的，我有话要说。"

曼太太把牧师助理领进一个用砖铺地的小客厅，为他安排一个座位，殷勤地把他的三角帽和手杖放在他面前的方桌上。邦布尔先生从额头上擦去刚才步行时冒出的汗，自鸣得意地望了一眼那顶三角帽，笑了。是的，他笑了。牧师助理也是人。邦布尔先生笑了。

"你不要对我的话见怪，"曼太太说道，样子非常迷人、温柔，"你走了很长的一段路，是吧，否则我就不提了。喂，邦布尔先生，你喝点什么吗？"

"不喝，什么也不喝。"邦布尔先生挥动右手，仪态威严却语调平静。

"我想你要的，"曼太太说道，她已经注意到他拒绝时的语调和手势，"只喝一点点，加上一点冷水和一块糖。"

邦布尔先生干咳了一声。

"就来一点点。"曼太太劝诱道。

"是什么？"牧师助理问。

"噢，就是我不得不备着以便孩子们生病时掺入达菲糖浆的饮料，邦布尔先生。"曼太太一边说着，一边打开角落的食品橱，拿出一瓶酒和一只玻璃杯，"是杜松子酒。我不骗你，邦布尔先生，是杜松子酒。"

"你让孩子们服用达菲糖浆吗，曼太太？"邦布尔先生问道，目光未离开过她有趣的调酒过程。

"啊，愿上帝保佑他们，我还是让他们喝的，尽管它很贵，"这位保育员回答道，"我不忍心看到他们在我眼皮底下受苦，你知道的，先生。"

"是的，"邦布尔先生称许地说，"是的，你不忍心这样。你是一位仁慈的女人，曼太太。"（这时她放下杯子。）"我一有机会就向董事会提名表扬你，曼太太。"他边说边将杯子挪到自己跟前，"你有一颗慈母般的心，曼太太。"他搅动着掺水的杜松子酒，"我——我乐意为你的健康干杯，曼太太。"然后他一口吞下了大半杯。

"现在谈正事，"牧师助理说道，掏出一本皮革面笔记本，"那个差不多算受过洗礼的孩子奥利弗·特威斯特今天正好是九岁生日。"

"愿上帝保佑他！"曼太太插嘴道，用她的围裙角把自己的左眼揉得又红又肿。

"尽管赏金十英镑，后来增加到二十英镑，尽管教区方面做出了极大的，可以说是异常的努力，"邦布尔先生说道，"我们仍然无法打听到他父亲是谁，也没有查明他母亲的住处、名字和身份。"

曼太太惊愕地举起双手，但考虑了片刻之后，又补充道："那么，他怎么会有名字呢？"

牧师助理无比自豪地挺直身子，说道："我杜撰的。"

"你？邦布尔先生！"

"是我，曼太太。我们依字母顺序给受宠爱的人命名。上一位是字母 S——斯温布尔，我给他取的名字。这一位是字母 T——特威斯特。下一位将是昂温，再下一个是维尔金斯。到字母末尾的名字我都预备好了。一旦到了字母 Z 时，再从头来过。"

"噢，你真有文才，先生！"曼太太说。

"好啦，好啦，"牧师助理说道，显然对这种恭维感到满意，"也许是吧。也许是吧，曼太太。"他把那杯掺水的杜松子酒喝完，又补充道，"奥利弗太大了，不宜留在这儿了，董事会已决定带他回济贫院。我是亲自来带他回去的。马上让他来见我。"

"我马上带他来。"曼太太说完，离开了房间。奥利弗的脸上、手上结满了污垢，替他洗了一次澡勉强清洗掉外层污垢之后，他被领进了慈善的女保护者的房间。

"奥利弗，向这位先生鞠个躬。"曼太太说。

奥利弗鞠了一躬。他的鞠躬半是朝椅子上的牧师助理、半是朝桌上的那顶三角帽。

"奥利弗，你愿意跟我一道走吗？"邦布尔先生以威严的声音说道。

奥利弗正想说他随时乐意跟任何人一块走时，可抬头发现曼太太，就在牧师助理的椅子背后，一脸怒不可遏的样子，并向他挥拳威胁。他马上领会了她的暗示，因为那只拳头常落到他身上，他记忆犹深。

"她能跟我一道去吗？"可怜的奥利弗问道。

"不，她不能。"邦布尔先生回答，"不过她有时会来看看你。"

这对那个孩子来说并不是什么莫大的安慰。他虽然年纪小，也懂得假装舍不得离开。挤出几滴眼泪来对他来说并不难。如果想哭泣的话，饥饿和最近遭到的虐待是最好的催泪剂。奥利弗确实很自然地哭了。曼太太给了他无数次的拥抱，也给了奥利弗更想要的东西——一片面包和黄油，免得他到了济贫院时看上去太饿了。奥利弗手里拿着那片面包，头上戴着褐色的教区小布帽，跟邦布尔先生离开这个可怜的家。在这儿，从来没有一句亲切的话和一个友好的目光照亮他黑暗的童年岁月。然而，当那扇寄养所的大门在他身后关闭时，他却生出一阵孩子气的忧伤。留下来的悲惨的小伙伴是可怜的，但他们是他认识的仅有的朋友；这孩子的心中第一次感到自己在这个大千世界上孤独无援。

邦布尔先生昂首阔步地朝前走，小奥利弗紧紧地抓住他金丝带镶边的袖口，在他旁边快步跟着，每走完四分之一英里就问一次，他们是否"快到那儿了"。邦布尔先生极其不耐烦地回答他的问话，因为掺水杜松子酒在某些人胸中只能唤起的暂时的温和，此刻这种心情业已消失了。他又是原来的牧师助理了。

奥利弗进济贫院还不到一刻钟，第二片面包尚未吃完，邦布尔先生就回来了。他已经将奥利弗交给一位老太太照料，并告诉奥利弗，董事会今晚开会，董事们马上要见他。

奥利弗对什么是董事会没有一个明确的概念，对这一番话感到非常惊讶，不知究竟该笑还是该哭呢。他没有时间来考虑这个问题，因为邦布尔先生用拐杖在他头上轻轻敲了一下，他清醒过来了，接着又在他的背上轻敲一下，他马上紧张起来。邦布尔先生叫他跟着，把他领到一个粉刷过的大房间里。房间里放着一张方桌，围坐着八个或十个胖乎乎的先生。一位圆脸盘、脸色红润又特别胖的先生坐在首席，他坐的扶手椅比其他的椅子都高。

"向董事会鞠躬。"牧师助理说道。奥利弗拭去挂在眼角上的两三滴眼泪，看见只有方桌，没有餐桌，便向方桌鞠了一躬。

"你叫什么名字，孩子？"坐在高椅上的那位先生问道。

奥利弗见到这么多先生吓得要命，浑身不停地发抖。牧师助理又从后面轻轻敲了他一下，他便大哭起来。因发抖和哭泣的缘故，他的回答听上去含糊不清。于是，一位身穿白背心的先生说奥利弗是个傻瓜。这是这位先生以此自娱自乐的重要方法。

"孩子，"高椅子上的先生说，"听我说，我想你晓得自己是个孤儿吧！"

"什么是孤儿，先生。"可怜的奥利弗问道。

"这男孩是个傻瓜——我刚才就认为他是个傻瓜。"穿白背心的先生说道。

"嘘！"第一位开口的先生说道，"你知道你没有爸爸或妈妈，你是由教区抚养的，是吧？"

"知道，先生。"奥利弗回答，伤心地哭泣着。

"你哭什么？"穿白背心的先生问道。是的，这很反常。这男孩有什么理由哭呢？

"希望你每天晚上做祷告，"另一位先生以粗哑的声音说道，"为那些养你、照顾你的人祷告——像个基督徒那样。"

"好的，先生。"男孩结结巴巴地说。最后开口的那位先生无意说对了。倘若奥利弗为抚养他和照顾他的人祷告，就很像一个基督徒，一个了不起的虔诚的基督徒。可是他没有祈祷，因为谁也不曾教过他。

"好啦！你到这儿来是为了接受教育，学会一门有用的手艺。"坐在高椅子脸色红润的先生说道。

"明天早晨6点，你就开始撕麻絮①。"穿白背心的那个粗暴的人补充道。

因为受教育和学手艺这两件恩惠合并为撕麻絮这一简单的工序，奥利弗在牧师助理的提醒下又深深地鞠了一躬，然后被匆匆带到一间大的收容室。奥利弗躺在粗糙而硬邦邦的床上一直哭到睡着为止。这是英国法律多么温和高尚的又一例证！这些法律让贫民们入眠！

可怜的奥利弗！当他进入梦乡对周围的一切一无所知的时候，他根本没有想到董事会就在当天达成了一项决议。它将运用最实质性的影响来控制他今后的一切命运。决议的要点如下。

本董事会成员是些聪明透顶、深谋远虑的哲人；当他们开始把注意力转向济贫院的时候，他们立即发现普通人永远也不会发现的东西——穷人喜欢它！济贫院成了较贫穷的阶层所欢迎的一个公共娱乐场所。它是一个免费的小旅馆，终年提供免费的早餐、午餐、茶点和晚餐；一座砖头灰泥砌成的天堂，在这儿只玩耍不干活。"哦嗬！"董事们说，看起来很有见识的样子，"我们是纠正这种状况的

———————

① 麻絮，用来填塞船缝或管子接头等的材料。

人，我们很快就要制止这一切。"于是，他们制定规则：所有的穷人都应该作出抉择（因为他们不强迫任何人）：要么在济贫院里慢慢地饿死，要么在济贫院外马上饿死。为此他们与城市供水部门签约，让他们无限制地供水，与谷物商签约，让他们定期提供少量的燕麦粥；每天配给三餐的稀粥，加上一个洋葱，每周两次，以及每星期天半个面包卷。他们还制定了许多其他与女士有关的明智和人道的规则，在此就不必重复了。还由于伦敦民事律师公会的费用昂贵而欣然允许已婚的穷人离婚；而且，他们一改先前的习惯做法，不是强迫男人养家，而是把他与其家庭拆散，让他成为单身汉。仅凭最后这两条，如果申请救济不必进济贫院的话，社会各阶层就不知道有多少人要申请救济了。可是董事会的成员都是有远见的人，已为这一困难作好了准备。要救济得进济贫院，喝稀粥；这就把人们全吓退了。

奥利弗·特威斯特被转移之后的头六个月，这项制度正在全面地实施。起初，由于殡葬费用的增加，还得把所有贫民的衣服都改小——喝了一两周稀粥之后，他们变得消瘦、苗条，身上的衣服便哗哗地飘动，因此开销很大。不过，济贫院里的人数也像他们的体重一样在减少。于是，董事会欣喜若狂。

孩子们用餐的房间是个石头砌成的大厅，每一端都有一只大锅。到了进餐时间，系着围裙的师傅在一两位女人的协助下，用长柄勺子从大锅里舀粥。每个男孩只给一小碗粥，再没有了——除非遇到什么盛大的节日或喜庆的场合，可以外加二又四分之一盎司的面包。那些碗从来不用洗。孩子们用汤匙刮，直到它们闪闪发亮为止。刮完之后（这不需要费很长时间，因为汤匙几乎与碗一样大），他们坐着，眼巴巴地盯着那口大锅，恨不得把炉灶的砖头都吞下去似的；同时，不停而专注地吮吸自己的手指，指望手指上残留着偶尔溅出的稀粥。孩子们的胃口通常都很好。奥利弗·特威斯特和他的同伴忍受了三个月慢性饥饿的折磨之后，终于饿得快发疯了。有一个就年龄而言个子算高且没尝过挨饿滋味（他父亲曾经营过一家小饭店）的男孩用威胁的口吻暗示同伴：除非他每天再吃一盆粥，否则，恐怕哪个晚上他会把睡在他身边的孩子吃掉——身边那个孩子碰巧是一个幼弱的少年。这男孩有一双狂野、饥饿的眼睛，他们都毫无疑问地相信他会说到做到的。于是，孩子们商量过了。抽签决定，谁在那天的晚饭后走到大师傅跟前，要求再给添点粥。结果这项任务就落在奥利弗·特威斯特的身上。

夜幕降临了，孩子们纷纷落座。身穿厨师制服的大师傅站在大锅旁，他的帮手们站在他后面。稀粥分配好了，长长的感恩祷告在开饭之前做过了。稀粥三两下就吃光了，孩子们开始窃窃私语，并向奥利弗使眼色。他旁边的孩子还用肘轻轻地推他。虽然奥利弗是个小孩，但他饿极了，并且因痛苦而不顾后果。他从餐桌上起立，手里拿着盆子和汤匙，朝大师傅走去，对自己的鲁莽多少感到有点恐慌，他开口说道：

"对不起，先生，我还要一点。"

大师傅是个胖墩墩的壮汉，但他的脸色一下变得异常苍白。他呆若木鸡地盯着这个小叛逆者足足有几秒钟之久，然后抓住那只大锅以撑住身子。他的助手们也吓得目瞪口呆，孩子们见状也都害怕极了。

"什么！"师傅终于以微弱的声音说道。

"对不起，先生，"奥利弗回答道，"我还要一点。"

师傅用饭勺对准奥利弗的头部击去，并用双臂将他钳住，还尖声地喊叫牧师助理快来。

董事会正在举行秘密会议，这时邦布尔先生无比激动地冲了进来，对坐在高椅子上的先生说：

"林金斯先生，请原谅，先生！奥利弗·特威斯特还想要。"

与会者个个十分惊奇，每个人的脸上无不露出惊骇的神色。

他从餐桌上起立，手里拿着盆子和汤匙，朝大师傅走去。

"还要！"林金斯先生说道，"镇静，邦布尔，清楚地回答我。他吃了按定量配给的晚饭后还想要，我没听错吧？"

"没错，先生。"邦布尔回答道。

"这孩子将来会被绞死，"穿白背心的先生说道，"我知道这孩子将来会被绞死。"

谁也没有反驳这位先生的话，接着他们开展了一场热烈的讨论。奥利弗马上被奉命禁闭起来。第二天早晨，济贫院的大门外贴了一张布告，布告声称：愿出五英镑赏金，奖给愿意接替教区照管奥利弗·特威斯特的人。换言之，任何男人或女人如果想要一名从事手艺、经商或其他行业的学徒，都可得到五英镑并领走奥利弗·特威斯特。

"我一生中从未曾这么确信，"穿白背心的先生第二天早晨敲着大门，看着布告时说道，"我一生中从未曾像现在这么确信：那个男孩将来会被绞死。"

穿白背心的先生的预言到底能否应验，我打算在续篇中揭晓，如果我此刻冒昧地暗示奥利弗·特威斯特将来会遭此厄运的话，也许就会有损于本故事的趣味性（假设它确实有点趣味）。

第三章　讲述奥利弗·特威斯特差点儿谋到一份差事，它可不是一个挂名的差事

　　奥利弗犯了还想要添粥这种亵渎不敬的罪过之后的那一星期，智慧又仁慈的董事会将他囚禁在幽暗而凄冷的房间里严加看管。倘若奥利弗对穿白背心的先生的预言怀有一点敬意，他会将手帕的一端拴在墙上的挂钩上，而把自己系在手帕的另一端吊死，来永久证实这位贤哲的预言不是信口雌黄。乍看起来，这也是合情合理的。然而，为了完成这一举动，有一个障碍：因手帕系明显的奢侈品。董事会曾召开全体会议，通过了一项经他们的签名盖章并庄严地宣布的命令：贫民的鼻子永远与手帕无缘。而奥利弗年幼无知是一个更大的障碍。他只是整天伤心地哭泣，当漫长而又凄凉的夜幕降临时，他把一双小手伸到自己的眼前，遮住黑暗，并蜷缩在角落里试图入眠。他不时被惊醒过来，浑身哆嗦，身子向墙壁越靠越紧，即使墙面冰冷坚硬，在包围着他的黑暗和孤独中也是一种保护似的。

　　别让这一"制度"的敌人以为：奥利弗在单独禁闭期间被剥夺了有益的身体锻炼、社交的乐趣或宗教的慰藉。讲到锻炼身体，在寒冷的晴天，允许他每天早晨在邦布尔先生监督下，到围着石墙的院

子里去，在那儿的水泵下完成沐浴。邦布尔先生频频地用手杖抽打他，让他全身产生火辣辣的感觉，以免他受凉。至于社交方面，他每隔一天被带进孩子们用餐的大厅，在这儿被当众鞭打，以示儆戒。他所得到的宗教慰藉，是每天晚上在祷告时被踢进同一个大厅里，在那里倾听孩子们的集体祈求——包括董事会当局特地插入的一条特别条款——以此来安慰他的心灵。孩子们在祷告中恳求自己变得善良、有道德、满足和恭顺，同时，恳求上帝保佑，以免犯奥利弗·特威斯特那样的罪恶。他们的祈求清楚地表明，奥利弗处在邪魔的专门庇护下，是直接来自魔鬼制造厂的货色。

奥利弗正处于如此吉利和舒适的状态时，一天早晨，扫烟囱的工人甘菲尔德先生碰巧沿大街朝这边走来，心里正在盘算支付房租尾数的方法，因为房东对这些欠租逼得很紧。甘菲尔德先生对自己的财政状况，哪怕做最乐观的估计，也筹措不起所需的五英镑款子。他被这道数学难题逼得近乎绝望，边绞尽脑汁边鞭打毛驴行走着，就在这时，他路过济贫院，看到了大门上的布告。

"吁——遏！"甘菲尔德先生对毛驴吆喝一声。

毛驴心不在焉，很可能在猜想当卸掉驮着的两袋煤烟后可否享用一棵或是两棵卷心菜。因此，它无视主人的命令，缓慢地继续朝前走。

甘菲尔德先生含糊地对毛驴发出凶猛的诅咒，尤其是诅咒它的眼睛；他追赶到毛驴前，在它头上击了一拳。要不是毛驴脑壳，这一拳必定会把任何其他畜牲的脑壳击破的。然后，他抓住缰绳，在它的颚部猛扭一下，旨在温和地提醒它不能自行其是；凭这些方法才让它掉转头来。接着，他又在它的头上打一下，把它打晕，这样在他回来之前它就无法动弹了。如此安排好之后，他走到大门跟前看布告。

穿白背心的先生在会议室发表了一通深奥的见解之后，正背着双手站在大门口，目睹了甘菲尔德先生和那头驴之间的纠纷。当那个人来到跟前看布告时，他高兴地笑了，因为他马上看出，甘菲尔德先生正是奥利弗·特威斯特所需要的那种主人。甘菲尔德细读布告后也喜笑颜开，因为五英镑正是他挖空心思想要得到的一笔钱，至于附带条件提及的那个男孩，甘菲尔德先生了解济贫院每日所规定的食物，很清楚地知道他肯定非常瘦小，恰是钻通风装置炉的材料。于是，他费力地把布告从头到尾重读一遍，然后用手轻触一下皮帽以示谦卑，走上前去跟穿白背心的先生搭话。

"这男孩晓得教区想让他当学徒吗，先生？"甘菲尔德先生问道。

"当然，我的朋友，"穿白背心的先生脸带傲慢的笑容回答道，"这对他又有什么关系呢？"

"如果教区要他学一门正当的合意的手艺的话，打扫烟囱是体面的行当，"甘菲尔德先生说道，"我正需要一个徒弟，我愿意带他走。"

"请进。"穿白背心的先生说道。甘菲尔德先生在后头耽搁了一会儿，他又在毛驴头部击了一拳，勒了一下缰绳嚼子，作为他不在时别跑掉的警告，便跟随穿白背心先生走进奥利弗第一次见到他的那个房间。

"那是个肮脏的行当。"林金斯先生在甘菲尔德先生再一次说明自己的愿望后说道。

"在这之前，不少小男孩曾经被闷死在烟囱里。"另一位先生说道。

"那是为了让他们下来，先将稻草弄湿再在烟囱里点着的缘故。"甘菲尔德先生说，"全是烟，没有火焰。不过，用烟迫使小男孩下来一点用处也没有；因为烟只能使他睡着，这是他所喜欢的。先生，男孩都非常固执、也非常懒惰，为了使他们赶快跑下来，再没有比一阵烈火更有效了。这也是人道的，先生，因为即使他们被卡在烟囱里，脚被火焰一烤，迫使他们挣脱出来。"

穿白背心的先生似乎觉得这一解释非常有趣，不过林金斯先生瞪了他一眼，他赶紧强忍住笑。董事们而后彼此交谈了几分钟，只是声音压得很低，只能听到"节省开支""账面上看来不错""印刷一份铅印报告"等片言只语。这些字眼确实是碰巧被听到的，因为它们常常被反复地强调。

最后，交头接耳的谈话声停止了，董事会成员坐回原位，恢复其庄严的神情之后，林金斯先生说道：

"我们已经考虑过你的要求，可我们不同意。"

"一点也不同意。"穿白背心的先生说。

"坚决不同意。"另一位先生附和道。

当甘菲尔德先生恰好在为使三四个男孩受伤致死的一点污名苦恼的时候，他忽然想到，也许董事会出于某种无法解释的怪念头，心血来潮地认为这种小事会影响他们的交易。诚然，这与他们通常的办事方式大相径庭。不过他并不想重新提起这一传闻，所以他仍然扭转着手中的帽子，慢慢地离开那张方桌。

"这么说你们是不让我要他啰，先生们？"甘菲尔德先生说道，在靠门的地方停下来。

"是的，"林金斯先生回答道，"这是一个肮脏的行当，至少你收的赏金应该比我们所提出的少一点。"

甘菲尔德先生脸上立即露出喜色，又快步地回到方桌旁，说道：

"你们愿出多少，先生们？得啦，别对一个穷人太抠了。你们愿意出多少？"

"据我看，三英镑十先令就很多了。"林金斯先生说。

"十先令不必加了。"穿白背心的先生说。

"得啦，"甘菲尔德先生说，"四英镑怎么样，先生们？出四英镑，你们就可以永远地摆脱他了。好啦？"

"三英镑十先令。"林金斯先生重复道，毫不松口。

"得啦！来个折中的办法，先生们，"甘菲尔德先生怂恿道，"三英镑十五先令。"

"一个法寻①也不增加。"林金斯先生坚决地回答。

"你们简直太抠了,先生们。"甘菲尔德先生犹豫不决地说。

"呸,呸,胡说!"穿白背心的先生说道,"即使没有一分赏金,你要了他也是很划算的。带他走吧,你这个傻瓜!他正是你所需要的男孩。要不时地给他敲打敲打,这对他有好处;他的伙食也不必费多少钱,因为自从他出生以来就未曾给他吃得很饱。哈!哈!哈!"

甘菲尔德先生调皮地环视方桌四围的一张张脸,注意到每张脸上都挂着笑容,他脸上也逐渐绽出了笑容。交易已经达成。邦布尔先生马上接到指示,他必须在当天下午就把奥利弗·特威斯特和学徒契约送到地方行政官那儿去签署和批准。

为了实行本项交易,奥利弗已从苦役中被解放出来,并被吩咐穿上一件干净的衬衫。这令奥利弗莫明其妙。他几乎还来不及完成这一不寻常的体操动作,邦布尔先生就已亲手给他端来了一碗粥及假日才允许配给的二又四分之一盎司的面包。见到这惊人的一幕,奥利弗开始伤心地放声大哭起来。他自然以为董事会一定是出于某种目的决定把他宰了,否则他们不会着手把他养肥的。

"别把眼睛哭红了,奥利弗,只管吃你的饭,同时应该感恩。"邦布尔先生说话的口气十分自负,令人难忘,"你现在要去当学徒了,奥利弗。"

"当学徒,先生?"这孩子浑身哆嗦地问。

"是的,奥利弗,"邦布尔先生说,"当你失去双亲的时候,奥利弗,有这么多对你来说像父母般仁慈、受尊敬的先生们打算送你去当学徒,让你生活上自立,使你真正成为一个男子汉,尽管教区要花费三英镑十先令!——三英镑十先令啊,奥利弗!——七十先令——

---

① 英国旧时值 1/4 便士的硬币或币值。

一百四十六个便士啊！——这全都是为了一个谁也不会喜爱的顽皮的孤儿。"

邦布尔先生以可怕的语调说完这番话、停下来歇口气的时候，泪水从这个可怜的孩子的脸上滚落下来，他伤心地啜泣着。

"好啦，"邦布尔先生说，口气不那么庄重自负。他为自己的口才产生的效果而自鸣得意，"好啦，奥利弗！用夹克衫的袖口揩干眼泪，别让泪水掉进粥里。那是愚蠢的，奥利弗。"那当然是愚蠢的行为了，因为粥已经够稀的了。

在他们前往见地方行政官的路上，邦布尔先生叮嘱奥利弗说，他所要做的，只是露出很高兴的样子。等行政官问他是否想当学徒时，就说他确实非常愿意。对这两项命令，奥利弗答应照办，何况邦布尔先生还温和地暗示：如果两项命令都未能服从，不晓得会怎样处置他。他们抵达办公室时，他独自被关在一个小房间里。邦布尔先生告诫他待在那儿，等他回来接他。

这孩子怀着忐忑不安的心情在那儿待了半小时。半小时一过，邦布尔先生从门外伸进脱去三角帽的脑袋，大声说道：

"好了，奥利弗，亲爱的，找那位先生去。"邦布尔先生说这话时露出一副严厉和威胁的神情，并低声补充说，"记住刚才我告诉你的话，你这个小坏蛋！"

这种忽冷忽热的语调，令奥利弗莫明其妙，他天真地盯着邦布尔先生的脸。这位先生马上带他到隔壁房间，以免他多话。隔壁房间的门开着。这是一个大房间，窗子也很大。在一张书桌后面坐着两位头上搽了粉的老先生，其中一位正在看报，而另一位借助于一副玳瑁眼镜正在细读摆在面前的一小张羊皮纸文件。林金斯先生站在书桌的一侧，脸都没洗干净的甘菲尔德先生站在另一侧。两三个脚穿长筒靴、样子粗鲁的人正在来回闲逛。

戴眼镜的老先生对着那一小张羊皮纸文件打起瞌睡来了。邦布尔先生让奥利弗站在书桌前之后，有个短暂的冷场。

"就是这个男孩，阁下。"邦布尔先生说。

正在看报的老先生抬起头，瞧了瞧，拉了一下另一位先生的袖子，于是，后者醒了过来。

"噢，就是这男孩吗？"老先生问。

"就是他，先生。"邦布尔先生答道，"向行政官鞠躬，亲爱的。"

奥利弗振作了起来，恭顺地向行政官鞠了一躬。他的眼睛紧紧盯住行政官假发上的粉，想搞清楚是不是所有的董事因为天生有那种白白的东西，才成为董事的。

"好啦，"老先生说道，"我想他喜欢扫烟囱吧？"

"他喜欢极了，阁下。"邦布尔先生回答，同时偷偷拧了奥利弗一下，暗示他最好别说不喜欢。

"那么，他愿意当个扫烟囱的，是吗？"老先生又问道。

"如果我们明天安排他学别的手艺，他明天就会跑掉，阁下。"邦布尔回答。

"那么这个人就是他的师傅——你，先生——你会善待他，给他饭吃，诸如此类的事你做得到吗？"老先生说道。

"如果我说做得到，我就说到做到。"甘菲尔德先生固执并生硬地回答。

"你说话粗鲁，我的朋友，但你看上去是一个诚实、直率的人。"另一位老先生说这话时将视线转向争取获取赏金的候选人。甘菲尔德恶棍似的面孔写满了残酷。但是行政官视力既不佳，头脑又简单，其他人所能看出来的东西，不能指望他也能看到。

"但愿我是这样的人，先生。"甘菲尔德先生说着邪恶地斜睨了一眼。

"毫无疑问，你是这样的人，我的朋友。"老先生回答，同时用手托了一下眼镜，使之更稳固地架在鼻梁上，而后四下张望，寻找墨水台。

这是决定奥利弗命运的关键时刻。如果那个墨水台就在老先生认定的地方，他就早已拿笔蘸墨水，在师徒契约上签上字，奥利弗也就马上被匆匆带走了。可是，墨水台碰巧就在他的鼻子底下。结果他依然在书桌上找而找不到。他在寻找的过程中，无意中目光恰好触及奥利弗·特威斯特那张苍白、惊恐的脸。尽管邦布尔在一旁用目光严厉警告他，暗中不断拧他，奥利弗依然一脸厌恶和害怕交织在一起的复杂表情，注视着他未来的师傅那令人憎恶的面孔，显然连眼睛半瞎似的地方行政官都看出来了。

老先生停下来，放下鹅毛笔，先看看奥利弗，又看看林金斯先生。后者装出一副高兴的、漫不经心的样子，试图吸鼻烟。

"我的孩子！"老先生说道，"你看上去脸色苍白、惊慌失措，怎么啦？"

"站得离他远一点，牧师助理，"另一位地方行政官说着，将文件搁在一边，带着好奇的表情俯身向前，"好了，孩子，告诉我们怎么回事，别害怕。"

奥利弗跪下来，两手十指交错地紧握着，祈求他们把他送回黑屋子去——如果他们乐意的话，可以饿他、打他甚至杀死他，但就是别打发他与那个可怕的人一起离开。

"哟！"邦布尔先生说道，以最令人难忘的庄严姿势举起双手，双目仰视，"哟！这是我见过的最狡猾、最诡诈的孤儿，奥利弗，你是最厚颜无耻的人。"

"住嘴，牧师助埋。"邦布尔先生用最后那个形容词发泄怒气后，另一位老先生说道。

"请阁下原谅，"邦布尔先生简直不敢相信自己所听到的话，"阁下是在对我说话吗？"

"是的，闭嘴。"

邦布尔先生吓得目瞪口呆。命令一个牧师助理闭嘴。这简直于道义所不容！

戴玳瑁眼镜的老先生看了他的同事一眼，他的同事意味深长地点了点头。

"我们拒绝批准这份学徒契约。"老先生说着，把那张羊皮文件抛到一边。

"我希望，"林金斯先生结结巴巴地说，"我希望地方行政官不要听信一个小孩的未经证实的言词，就认为教区当局有处置失当的行为。"

"不要要求地方行政官对这个问题发表任何意见，"第二位老先生严厉地说道，"把这个孩子带回济贫院，仁慈地待他。他似乎需要仁慈。"

当天晚上，穿白背心的先生最肯定、最坚决地断言：奥利弗不仅会被绞死，而且还会被开膛和分尸。邦布尔先生带着沮丧而神秘的神色直摇头，说他但愿奥利弗会有好的结果；对此，甘菲尔德先生回答说，他但愿奥利弗会到他那儿去。虽然，在多数问题上他同意牧师助理的看法，但这次的愿望却完全相反。

第二天，公众再次获悉奥利弗·特威斯特又要被"出让"。谁愿意拥有他，就可以获得五英镑赏金。

第四章　奥利弗因有人给他提供另一职位，
　　　　初次踏入社会

　　名门望族之家如果不能为成长中的年轻人谋得实有的、复原的[①]、继承的或可望的有利职位时，通常会送他们去航海。董事会仿效这一明智之举，商议用某条驶往一个有损健康的港口的小商船，将奥利弗·特威斯特遣送走的权宜之计。这是处置他的最佳选择。有可能小商船的船长某一天在午餐后兴致所至将他搂死，或者用铁棍把他的脑浆敲出。大家知道，这两种消遣在那个阶层的先生们当中备受欢迎，也是家常便饭。董事们越是从这一角度看，就越显出其多方面的好处。最后他们得出结论：为奥利弗提供生活出路的唯一有效办法，就是毫不迟延地送他当海员。

　　邦布尔先生被派去打听情况，看是否能找到一位船长需要没有任何亲友的船舱服务生。他完成任务后正返回济贫院复命，在大门口遇到教区殡仪员索尔贝里先生。

　　索尔贝里先生长得高大、瘦削，穿一套破旧的黑衣服，脚上的

————————

　　① 授予的财产或名分在一定条件下复归原授予者或其继承人。

黑长袜是织补过的，一双黑鞋和袜子很相配。他的相貌天生不宜带着笑容，但是他爱从他的职业来取乐。当他朝邦布尔先生走去时，步伐富有弹性，脸上现出内心的诙谐。他友好地与邦布尔先生握手。

"我刚刚给昨晚去世的两个女人量了尺寸①。"殡仪员说道。

"你会发财的，索尔贝里先生。"牧师助理说着，将拇指和食指插进殡仪员递上的鼻烟盒。它是一个精巧的、别出心裁的小棺材模型。"我说你会发财的，索尔贝里先生。"邦布尔先生重复道，用手杖友好地轻敲殡仪员的肩膀。

"你这么认为吗？"殡仪员半信半疑地说道，"董事会规定的收费很低，邦布尔先生。"

"棺材也很小啊。"牧师助理笑着回答，其笑容恰到好处，不失一位显贵的官员的身份。

索尔贝里先生这时被逗乐了，这是很自然的。他大笑不已。"好啦，好啦，邦布尔先生，"他终于说道，"不容否认，自从实行新的伙食制度以来，棺材确实比过去窄一些和浅一些了；但是，邦布尔先生，我们必须获得一些利润。干燥可用的木材很昂贵，先生，而那些铁把手是从伯明翰通过运河运来的。"

"得啦，得啦，"邦布尔先生说，"每门手艺都有它的弊端。当然啦，合理的利润是允许的。"

"当然，当然，"殡仪员回答道，"如果我不能从这件或那件货品获得利润的话，那么，我最终还是可以从别的生意来弥补的，你瞧——嘻！嘻！嘻！"

"正是如此。"邦布尔先生说。

"虽然我得说．邦布尔先生，我必须面对非常不利的条件，胖子死得最快。生活境况较好，多年来从不拖欠税款的人，一旦进了济贫

---

① 量死者的尺寸准备做棺材。

院，他们的健康状况最快急转直下。让我告诉你吧，邦布尔先生，用料超过预计的三四英寸就会使我的利润大大减少，尤其是像我这样需要养家糊口的人，先生。"

索尔贝里先生感到自己很吃亏，因而相当愤慨地说了这番话；邦布尔先生觉得他的看法有损教区声誉，必须及时转换话题。在他的脑子里，奥利弗·特威斯特是最主要的谈论话题。

"顺便问问，"邦布尔先生说道，"你知道谁想要个学徒吗？济贫院有个男孩，眼下是教区的累赘，可以说是套在教区脖子上的沉重负担。条件十分优厚，索尔贝里先生，优厚的条件！"邦布尔先生说着，举起手杖指着在他上方的布告，在"五英镑"的字眼上清脆地敲了三下。"五英镑"用的是大号的罗马大写字母。

"天啊！"殡仪员说着，一把抓住邦布尔先生的公务制服的金边翻领，"这正是我想跟你说的事。你也知道——天啊，你的这些纽扣多么别致，邦布尔先生，我以前怎么没有注意到。"

"是啊，我觉得它们相当漂亮，"牧师助理自豪地朝下望了一眼装饰上衣的那排黄铜大纽扣，"其铸模与教区的图章一样——一个乐善好施者正在医治伤病员。董事会在元旦早晨赠我这件衣服，索尔贝里先生，我记得我第一次穿上它是去参加那位穷困潦倒的商人的验尸调查会。他半夜里死在大门口。"

"我记起来了，"殡仪员说道，"陪审团作出裁决：因寒冷及缺乏起码的生活必需品而死，对吧！"

邦布尔先生点了点头。

"我想，他们还曾做了一个专门的裁决，"殡仪员说道，"通过添加一些词语，其大意是：假如从事救济贫民工作的官员——"

"呸，蠢话！"牧师助理插话，"如果董事会在意无知的陪审员的一切胡说八道，那么，他们要做的事就太多了。"

"对极了，"殡仪员说道，"确实如你所言。"

"陪审员,"邦布尔先生紧紧地握住手杖说道,他大发雷霆的时候有这样的习惯,"陪审员是些没受过教育的、庸俗又卑下的可怜虫。"

"的确如此。"殡仪员附和道。

"除此之外,他们既无哲学、也无政治经济学知识。"牧师助理说完,轻蔑地打了个响指。

"他们什么都没有。"殡仪员默认道。

"我瞧不起他们。"牧师助理说道,脸涨得通红。

"我也是。"殡仪员回应着。

"我只希望有一个独立性质的陪审团在济贫院待一两周,"牧师助理说,"董事会的规章制度会很快地煞煞他们的威风的。"

"别理会他们。"殡仪员回答。说完他赞许地笑了,以便使正在火头上的教区官员平静下来。

邦布尔先生脱掉三角帽,从帽顶内侧拿出一条手帕,擦去额头上因盛怒而冒出的汗水,然后重新戴上三角帽,转向殡仪员,以较平静的声调说:

"那么,你看这个男孩怎么样?"

"噢!"殡仪员回答道,"嗨,你也知道,邦布尔先生,我为穷人的地方税支付了好多钱。"

"唔!"邦布尔先生说,"那么?"

"唉,"殡仪员回答,"我一直在想,当我为他们付出那么多时,我有权尽可能多地从他们当中要回来,邦布尔先生。因此——因此,我想带走这个小孩。"

邦布尔先生一把抓住殡仪员的胳膊,把他领进屋里。索尔贝里先生与董事会在密室里商谈了五分钟。商定奥利弗当天晚上就得随他去"试用"——也就是说,就教区学徒来说,如果经过短期的试用,主人发现这孩子能够帮他干足够的活,又不必在他身上花费太多的食物，主人可以当佣人使唤他若干年。

当天傍晚，小奥利弗被带到"先生们"面前，并获悉他当晚就得离开济贫院，去给棺材制造商当小男仆。同时还被告知，如果他抱怨这种境遇，甚至再逃回教区，那么，他将被送去当海员，在那儿是被溺死，还是被敲破脑袋，那得视情况而定。他听了这些话后表现得十分冷漠，他们一致认定他是个冷酷无情的小坏蛋，并命令邦布尔先生即刻将他带走。

虽然，董事会自然比世上的任何人对缺乏情感的表示感到大为惊讶和恐怖。但在这一特定的事件中，他们是大错特错了。事实是，奥利弗不是太缺乏情感，而是拥有太丰富的情感；而且由于他受到虐待，他有可能处于极其麻木和抑郁的状态。听到自己得被打发到某地的消息，他一声不吭。当行李塞进他手里时，他拉下帽子遮住自己的眼睛。行李拿起来并不难。因为全部行李只装在一个半英尺见方、三英寸厚的牛皮纸包裹里。他再次抓着邦布尔先生的衣袖，让这位尊贵的要人把他带到另一个新的受苦地点。

邦布尔先生拉着奥利弗往前走了一会儿，对他不理不睬。牧师助理的头部保持着挺直的姿势，正如牧师助理向来应该保持的姿势那样。而且那天风很大，小奥利弗完全被邦布尔先生的上衣下摆遮蔽了。牧师助理的上衣下摆被风吹开，露出他摆动的背心和黄褐色的长绒毛短裤。但当他们快抵达目的地时，邦布尔先生还是朝下望一眼，看这孩子是否整整齐齐的，以备新主人的检查。邦布尔先生于是摆出一副合宜的、相称的和仁慈的恩人气派来。

"奥利弗！"邦布尔先生喊道。

"唉，先生。"奥利弗以颤抖的声音低声回答道。

"把帽子拉上来一点，别遮住眼睛了，把头抬起来，你这家伙。"

奥利弗马上按照他的吩咐做，又将另一只空着的手背迅速地抹了一下眼睛，但当他抬起头来看他的管理人时，他的眼睛里还是挂着一滴眼泪。邦布尔先生严厉地看了他一眼,那滴泪水便从脸颊上滚落下来了,紧接着又是一滴,再一滴。这孩子竭力地强忍住泪水,但他的努力失败了。他将另一只手从邦布尔先生的手里抽出来,双手捂脸,直哭到泪水从他的下巴和瘦削的指缝里涌出。

"哟!"邦布尔先生喊道。他突然止步,对受他照管的小孩恶狠狠地瞪了一眼。"哟!在我见过的所有忘恩负义的、不友好的男孩子中,奥利弗,你是——"

"不,不,先生,"奥利弗啜泣着,紧紧地抓住那只握着他所熟悉的手杖的手,"不、不,先生,我会乖乖的,真的,真的,真的我会的,先生!我年纪还很小,先生,只是太——太——"

"太什么?"邦布尔先生惊奇地问道。

"太孤单了,先生!孤单极了!"小孩哭诉道,"人人都恨我。噢,请、请别对我生气!"孩子双手猛击自己的胸部,噙着真正痛苦的泪水直视他的同伴。

邦布尔先生有点诧异地凝视着奥利弗那可怜、无助的模样,嘶哑地咳嗽了三四声,低声抱怨"这讨厌的咳嗽"之后,叫奥利弗揩干眼泪,做个乖孩子。而后,他再次抓起奥利弗的手,带着他默默地继续赶路。

邦布尔先生进来时,殡仪员的店铺刚刚打烊。他正借助最昏暗的烛光在记流水账。

"啊哈!"殡仪员在一个字写到一半时停了下来,从账本上抬起头来,"原来是你呀,邦布尔?"

"正是我,索尔贝里先生,"牧师助理回答道,"喂!我把那个小孩带来啦。"奥利弗鞠了一躬。

"噢!就是那个男孩,是吗?"殡仪员将蜡烛举过头顶,以便把奥利弗看得更清楚些,"索尔贝里太太,请过来一下好吗?亲爱的。"

索尔贝里太太从店铺后面的一个小房间走出来。她个子矮小,瘦削而干瘪，一副泼妇模样。

"亲爱的，"索尔贝里先生恭敬地说道，"这就是我对你提起的那个济贫院的孩子。"奥利弗又鞠了一躬。

"天啊！"殡仪员的妻子说道，"他太小了。"

"是呀，他有点儿小，"邦布尔先生看着奥利弗回答道，仿佛个子小是奥利弗自己的过错似的，"他个子小，这是不容否认的。可是他会长大，索尔贝里太太——他会长大的。"

"啊！我想他会长大的，"太太怒气冲冲地回答道，"吃我们的，喝我们的，他会长大。我不认为领教区的孩子来有什么划算的，我才不这么认为呢，因为要养活他们，所花费用比他们本身的价值更多。然而，男人总是认为他们懂得最多。好啦！下楼去，骨瘦如柴的小东西！"说完，殡仪员的妻子打开一道侧门，把奥利弗从一段很陡的楼梯推入一间又潮又暗的石头小屋。它是煤窖的前厅，被称为"厨房"。这儿坐着一位邋遢的女孩，她脚卜穿着后跟已磨破的鞋子和破得无法再补的蓝色毛线长袜。

"嘿，夏洛特，"跟着奥利弗下楼的索尔贝里太太说道，"把搁在一边给特里普①预备的冷剩饭弄一些给这个孩子吃。特里普从早晨出去后就没回来，不用留着了。我想这个男孩该不会太挑剔，以致不愿吃吧——会吗，孩子？"

奥利弗一听说有吃的，眼睛立刻闪闪发亮，并因渴望狼吞虎咽地饱吃一餐而激动得浑身发抖，于是便做了否定的回答。满满的一盘粗劣、零碎的食物摆到了他面前。

我希望某位营养充足的哲学家——他的酒肉在体内已变成了胆汁，他的血液冷如冰，他的心硬似铁——能够看到奥利弗·特威斯特拼命地攫取那些连狗都不理会的美味食物。我希望他能够证明奥

---

① 狗名。

利弗饿虎扑食般地将那些残羹剩饭扯得粉碎的那股可怕的贪婪劲。我更希望看到的，那就是这位哲学家以同样的食欲，亲自吃一顿同样的饭。

"好啦，"奥利弗吃完晚饭时殡仪员的妻子说道。她一直默默地、恐怖地看着他吃饭，同时，已预见他今后的胃口也差不了，并为此担忧，"你吃完了吗？"

奥利弗伸手可及的地方再也没有可吃的食物了，于是他作了肯定的回答。

"那么，跟我来吧，"索尔贝里太太说着，拿起一盏暗淡、肮脏的灯带奥利弗上楼，"你的床就在柜台下面。我想，你不介意在棺材当中睡觉吧？不过，你介意也罢，不介意也罢，这都毫无关系，因为你没有别的地方可睡。嗜，快一点，别让我整晚待在这儿！"

奥利弗不再磨蹭，温顺地跟着新的女主人走了。

第五章　奥利弗与新伙伴混在一起。第一次参加葬礼，他对主人的生意便有了成见

被单独撂在殡仪员店铺里的奥利弗把油灯放在工人的工作台上，他怀着敬畏和恐怖的心情怯生生地环顾四周。这种心情许多年纪比他大得多的人都可以领会。位于店铺中央的黑色支架上那口尚未完工的棺材，看上去如此阴森，犹如死亡本身一般，因此，他的目光每次投向那个凄凉的物体时，便忽然感到一阵寒冷，浑身直哆嗦。他几乎担心某个可怕的形体会缓慢地从那口棺材里抬起头来，把他吓得发疯。靠墙壁整齐地排列着一长排切成同一形状的榆木板，在昏暗的灯光下，看起来像是些双手插进裤袋里的双肩高耸的鬼魂。地板上撒落着棺盖上的金属牌、榆木屑、头上亮闪闪的钉子和黑布碎片，柜台背后那堵墙用一幅两个戴硬领饰的职业送丧人的生动画像装饰着。职业送丧人正在一个庞大的便门旁守着，四匹黑马拉着一口灵柩从远处驶来。店铺又闷又热，空气中似乎散发着棺材的气味。塞着棉屑的床垫被扔在柜台下面的壁龛里，看起来很像一座坟墓。

令奥利弗沮丧的还不止这些。他独自待在一个陌生的地方，我们都知道，即使我们当中的佼佼者在这样的情况下有时也会感到多

么的凄凉和孤寂。这孩子既没有朋友要他关心，也没有关心他的朋友，他脑子里不是对新近的分离感到遗憾；他感到极为伤心的，也不是见不到珍爱的、记忆犹新的面孔。然而，他依然心情沉重。当他爬上那张狭窄的小床时，他希望那张小床就是他的棺材，希望他能够在教堂墓地平静地长眠，有长长的青草在他头顶上轻轻地摇曳，深沉的古钟声抚慰他入眠。

清晨，奥利弗被店门外一阵猛烈的踢门声吵醒。在他匆匆忙忙地披上衣服之前，这声音又愤怒地、鲁莽地重复了大约二十五次。当他解开门链时，那人不踢了。

"开门，好吗？"一个声音喊道，那声音与踢门的那双脚同属一个人。

"马上开，先生。"奥利弗一边解开链子，转动钥匙开锁，一边回答道。

"我猜想你就是那新来的男孩，不是吗？"那个声音透过锁眼说道。

"是的，先生。"奥利弗回答道。

"你多大啦？"那声音问道。

"十岁，先生。"奥利弗回答。

"那么，我进门后要揍你，"那声音说道，"你等着瞧吧，看我不揍你。就这样，你这个济贫院的臭小子！"作出这一强硬的承诺之后，这声音开始吹口哨了。

遭遇这样的事奥利弗实在太习以为常了（刚刚录下的那个意味深长的单音节词"揍"与这一过程有关），他心中毫不怀疑，那个声音的主人，不论他是什么人，都会最体面地履行他的誓言。他颤抖着拉开门上的插销，把门打开。

奥利弗朝大街上下看了一会儿，又扫视了一下道路。他相信，透过锁眼跟他讲话的那个陌生人已走开了几步取暖去了，因为他只看到一个孤儿院的大男孩正坐在房子前面的木桩上吃黄油面包。他用折刀将面包切成如自己嘴巴大小的楔形块，然后非常灵巧地送入口中。

"对不起，先生，"奥利弗看没有见到别的人出现，终于说道，"刚才是你敲门吗？"

"是我在踢门。"孤儿院的男孩说道。

"你要买棺材吗，先生？"奥利弗天真地问。

听到这句话，孤儿院的男孩露出极其凶狠的神色，说如果奥利弗这样没大没小地跟他开玩笑的话，他不久就需要一口棺材了。

"我猜想你不知道我是谁吧，济贫院小子？"孤儿院的男孩继续说道。他一下子从木桩顶上跳下来，面带训人的庄重神情。

"不，先生。"奥利弗回答。

"我是诺亚·克莱波尔先生，"孤儿院男孩说道，"而你是我的手下。把窗板卸下来，你这个游手好闲的小恶棍！"说完，克莱波尔先生又踢了奥利弗一脚，威风凛凛地走进店铺。这种举动大大地抬高了他的身价。无论如何，一个大脑袋、小眼睛、体形笨拙、面貌粗陋的青年要显得威风是困难的。如果这些动人之处又外加上红鼻子和黄短裤，就更是如此了。

奥利弗卸下窗板，摇摇晃晃地竭力将第一块窗板搬到白天搁窗板的小院子时，因不堪其重压打破了一块玻璃。诺亚便"好心"地帮助他：以"他定会挨骂"的断言来安慰他之后，屈尊俯就地前来帮他搬。不久，索尔贝里先生下楼了，而后索尔贝里太太也来了。诺亚的预言，在奥利弗身上应验了。被"责骂"了一顿之后，奥利弗跟着那位年轻先生下楼去用早餐。

"到火炉边来，诺亚，"夏洛特说道，"我从主人的早餐中给你留下了一小块熏猪肉。奥利弗，把诺亚先生背后的门关上，然后，把我放在面包盘盖上的残羹剩饭端去吃。这是你的茶，端到那个箱子上，就在那儿喝，而且要快。他们要你照看铺子。听见了没有？”

“听见没有，济贫院小子？”诺亚·克莱波尔说道。

“上帝啊，诺亚！”夏洛特说道，“你真是个怪人！你为什么要去惹这个孩子？”

“别惹他！”诺亚说道，“怎么，就此而论，大家对他够放任自流的了。他父母不曾干涉过他。他所有的亲戚全都让他随心所欲、自行其是，是吗，夏洛特？嘻！嘻！嘻！”

“哦，你这个怪人！”夏洛特说着，开心地大笑起来。诺亚跟她一起笑。而后，他们俩轻蔑地看着可怜的奥利弗·特威斯特。奥利弗此刻正坐在房间里最阴冷的角落的箱子上发抖，一边吃着特意为他保留的变了味的剩饭。

诺亚是孤儿院的孩子，但不是济贫院的孤儿。他不是一个私生子，因为他可以根据家谱追溯到自己的双亲。他们就住在附近。他母亲是个洗衣女工，父亲是个酗酒的士兵，因装有一条木制的假腿而被解雇，靠每天两便士半的养老金和极微不足道的一点钱生活。附近的年轻男店员早已习惯在大街上公开以“皮马裤”“施舍”之类的屈辱称号来污辱诺亚了。他也默默地忍受，不敢回嘴。可现在，既然命运让最卑贱的人都可以奚落的私生子落入他手中，诺亚便津津有味地把仇恨转向他。这事发人深省，它让我们明白，人性可以多么美好，多么公正地在最高贵的贵族和最卑劣的孤儿院孩子身上培养起同样可爱的品质。

奥利弗在殡仪员的店里已经待了大约三星期或一个月。一天店铺打烊后，索尔贝里夫妇正在后面的小客厅用晚餐，索尔贝里先生毕恭毕敬地瞥了他妻子几眼之后说道：

“亲爱的——”他本想继续说下去，但见索尔贝里太太抬起头来，样子显得特别不友好，便突然止住不说下去了。

“怎么啦？”索尔贝里太太厉声问道。

"没什么，亲爱的，没什么。"索尔贝里先生说道。

"咄！你这畜生！"索尔贝里太太破口大骂道。

"真的没什么，亲爱的。"索尔贝里先生低声下气地说道，"我以为你不想听，亲爱的，我只是想说——"

"噢，别告诉我你想说什么，"索尔贝里太太插嘴道，"我是个无足轻重的人，请别征求我的意见。我不想干涉你的秘密。"索尔贝里太太说完，发出歇斯底里的大笑。这笑声预示着极端严重的后果。

"可是，亲爱的，"索尔贝里先生说道，"我想征求一下你的意见。"

"不，不，不要征求我的意见，"索尔贝里太太矫揉造作地回答，"你去征求别人的意见。"说到这儿，她又发出了一阵歇斯底里的大笑，把索尔贝里先生吓坏了。这就是一种非常普通的而又十分可取的对付丈夫的手段。它往往是很奏效的。它立即迫使索尔贝里先生请求太太开恩，允许他说出其实索尔贝里太太很想听的话。经过不到三刻钟的短暂争吵后，索尔贝里太太终于大发慈悲，同意了。

"只是有关小特威斯特的事，亲爱的，"索尔贝里先生说道，"一个非常漂亮的男孩，亲爱的。"

"理应如此，因为他吃得够多的了。"太太说道。

"他脸上带着忧郁的表情，亲爱的，"索尔贝里先生继续说道，"这非常有趣。他会成为一个讨人喜欢的职业送丧人的，亲爱的。"

索尔贝里太太抬起头来，露出非常惊讶的表情。索尔贝里先生觉察到了，又接着说道，不让这位好心的太太有发表意见的时间。

"我的意思不是指参加成年人丧礼的普通送丧人，而是指办儿童丧事。儿童葬礼上用孩子来送殡是非常新鲜的。亲爱的。你相信好啦，它会产生极好的效果的。"

在经营殡仪业方面很有鉴赏力的索尔贝里太太听到这个新奇的主意也颇感意外，但是如果她这么直说的话，就会有失她的尊严。因此，她只是严厉地问，这么显而易见的建议为什么以前没有出现在她丈夫的脑子里。索尔贝里先生把这正确地解释为对他的建议的默许。于是，他们迅速地作出决定：必须马上把这一行的诀窍传授给奥利弗。奥利弗必须陪他的主人参加下一次葬礼。

这种机会不久就到来了。第二天早饭后半小时，邦布尔先生来到店里，将手杖倚靠着柜台，掏出一大本皮革面笔记本，从本子上抽出一张小纸条，交给索尔贝里。

"啊哈！"殡仪员面带愉快的笑容，匆匆地看完纸条后说道，"订购棺材，是吗？"

"先订购一口棺材，而后教区办一个丧礼。"邦布尔先生把皮革面笔记本的扣带扎好，回答道。笔记本也像他本人一样臃肿。

"贝顿，"殡仪员的目光从纸条移向邦布尔先生，"以前我从未听说过这个名字。"

邦布尔摇摇头，回答说："一个固执的人，索尔贝里先生，非常固执，而且，恐怕还十分骄傲，先生。"

"骄傲，是吗？"索尔贝里先生冷笑着大声说道，"得啦，那太过分了。"

"噢，令人厌恶，"牧师助理说，"摒弃社会道德规范①，索尔贝里先生。"

"确实如此。"殡仪员表示同意。

"前天晚上我们才听说这个家庭，"牧师助理说道，"本来我们对他们一无所知。后来，一位住在同一幢房子的女人请求教区委员会派教区医生给一位患重病的妇女看病。不凑巧医生出去吃饭了，但他的徒弟（一个非常聪明的小伙子）立即给他们送去装在黑瓶子里的药。"

---

① 原文 Antimonial（含锑药剂）应是 Antinomian（摒弃社会道德规范）之误。

"啊，真利索。"殡仪员说道。

"利索，没错！"牧师助理说道，"可是后果怎么样呢？你知道这些叛逆者有多么忘恩负义吗？哦，病人的丈夫回话说，他妻子的病不适合服用那些药。她不应服用——说她不应该服用，先生！这高效、卫生的良药，一周前还治好了两个爱尔兰工人和一个煤夫的病。免费赠送，用黑瓶子装，而他却回话说她不该服用，先生！"

想到这么恶劣的行为，邦布尔先生气得满脸通红，用手杖狠狠地敲击柜台。

"咳，"殡仪员说道，"我从——未——碰到过——"

"从未碰到过，先生！"牧师助理突然嚷道，"不，谁也没碰到过。可现在她死啦，我们得把她安葬，这是姓名住址。这件事办得越快越好。"

邦布尔先生由于情绪激动，竟把三角帽戴反了，而后，他匆匆离开店铺。

"噢，他太气愤了，奥利弗，甚至忘了向你问候了？"索尔贝里先生边说边目送牧师助理迈开大步沿大街走去。

"是的，先生。"奥利弗说道。邦布尔先生进来时，奥利弗小心谨慎地躲起来，以免被看见。回忆起邦布尔先生的声音奥利弗就会浑身发抖。然而，他不必费心避开邦布尔先生的目光，因为这位教区官员对穿白背心的先生的预言有非常强烈的印象。他认为在殡仪员试用奥利弗期间，这个问题还是避开为好，直到奥利弗牢牢地受合同约束必须为殡仪员服务七年，那时才能有效合法地消除他被退回、交给教区照管的危险。

"好啦，"索尔贝里先生拿起他的帽子，说道，"此事越早办成越好。诺亚，你照看店铺。奥利弗，戴上帽子，跟我来。"奥利弗乖乖地听从命令，跟随主人从事职业所规定的使命。

他们穿过城里最拥挤、人口最稠密的地区，走了一段时间，来到一条狭窄的街道——比他们穿过的任何街道都更肮脏、更破烂，然后停下来寻找他们要找的房子。街道两旁的房子又高又大，可是破旧不堪，租给那些最贫困的人居住。就房子疏于照管的外表就足以说明问题，更不用说那几个两臂交叉、半弯着身子、偶尔躲躲闪闪走过去的男女那肮脏的面容了。大多数出租的住房都有店面，但这些店面都关得严严实实的，并已破败、坍塌，唯有店面楼上的房间才住人。一些因年久失修和崩塌而变得很不安全的房屋，由一根根靠墙竖起和牢牢埋入路上的木梁支撑着，以免它们倒塌。即使这些破败不堪的房屋，似乎也被一些无家可归的人当做夜间的栖身之所，因为许多钉在门窗上的粗糙木板被人扭开，缺口足够一个人的身体出入。下水道堵塞，又脏又臭。那些因饥荒饿死的老鼠横尸街头、腐烂发臭，样子惨不忍睹。

奥利弗和他的主人找到的这栋房子那扇敞开的大门既没有门环，也没有门铃拉手。殡仪员小心地摸索着穿过黑暗的过道，一边叫奥利弗紧挨着他别害怕。他们登上二楼。殡仪员一头撞在楼梯口的一道门上，他用指关节敲门。

一个十三四岁的小姑娘出来开门。殡仪员察看房间里的东西，马上弄清这就是他要找的那个房间。他走了进去，奥利弗紧随其后。

房间里没有生炉子，一个男人机械地蹲伏在空炉子上。一位老太太拉过一条矮凳走到冷冰冰的炉边，坐在他旁边。房间的另一个角落是一些衣衫褴褛的孩子；而门对面壁龛下的地板上一条破毯子覆盖着一样东西。奥利弗朝那个地方匆匆看了一眼，浑身战栗，不自觉地、蹑手蹑脚地更紧挨着他的主人，虽然那东西上盖着毯子，奥利弗仍猜出那就是尸体。

那个男人脸孔消瘦，面色苍白，头发和胡子已经灰白，眼中布满血丝。那位老太太的脸上满是皱纹，仅剩的两颗牙齿从她的下唇中突了出来。她的眼睛既明亮又敏锐。奥利弗不敢看她，也不敢看那个男人。他们似乎太像刚才在外面见到的那些老鼠了。

"谁也不许挨近她,"殡仪员走向壁龛处时那个男人突然凶猛地惊跳起来,说道,"离远些!他妈的,离远些,你不要命啊?"

"别说蠢话,我的朋友。"殡仪员说道,他对形形色色的痛苦皆已司空见惯了,"别说蠢话!"

"我告诉你,"那男子紧握拳头,在地板上猛跺脚,"我告诉你,我不要她被埋入地里。她在那儿得不到安息。虫子会折磨她——不是吃她——她瘦得只剩下骨头了。"

殡仪员对他的胡言乱语不予理睬,却从口袋里掏出一条皮尺,在尸体旁边跪了一会儿。

"啊!"那个男人说着,突然跪在死去的女人的脚下,放声大哭,"跪下来,跪下来——你们统统围着她跪下来,你们听着!我说她是饿死的。我不晓得她病得多重,直到她突然发烧,然后骨头突破了皮。屋里既没有炉火,也没有烛光。她是在黑暗中死去的——在黑暗中!她甚至看不见自己的孩子的脸,尽管我们听到她气喘吁吁地叫出了他们的名字。我为了她到街上要饭,却被投进监狱。我回来的时候她已经快不行了;我心中所有的血液都干涸了,因为她是活活被饿死的。我在目睹这一切的上帝面前发誓!她是饿死的!"他双手揪头发,而后发出一声尖叫,在地板上滚爬。他的双目定定的,满口吐着白沫。

受惊的孩子们伤心地哭泣;可是那位老太太威吓他们,让他们安静下来。她一直保持沉默,仿佛她对发生的一切充耳不闻似的。她解开了仍然伸展着身子躺在地板上的那个男人的领带后,跌跌撞撞地朝殡仪员走去。

"她是我的女儿,"老太太说着,朝尸体的方向点头示意。她说话时眼睛斜睨着,一副蠢相,样子甚至比屋子里的死人还令人恐怖,"老天爷啊,老天爷!唉,实在奇怪,我当年生她时已不年轻了,现在竟然还健在,而她却躺在那儿:这么冰冷,这么僵硬!老天爷啊,老天爷!——试想一想:这实在有趣——非常有趣!"

当这个可怜虫在喃喃自语、极其荒谬可笑地低声轻笑时，殡仪员转身要离去。

"站住，站住！"老太太以响亮的耳语问道，"她是明天后天，还是今晚出葬呢？我来为她作殡葬准备。我必须去送葬，这你也知道。给我送一件大斗篷来：一件好的、暖和的斗篷，因为天气太冷了。我们出发之前还得吃点糕点、喝点酒！没关系，送点面包来——只要一只面包和一杯水。我们吃点面包好吗，先生？"她热切地说道。殡仪员再次朝门口走去时，她抓住了他的上衣。

"好的，好的，"殡仪员说道，"当然，你要什么都行！"他挣脱了老太太的拉扯，拉着奥利弗匆忙离去。

第二天（这户丧家得到两磅重的面包和一块奶酪的救济，邦布尔先生亲自将这些东西寄放在殡仪员家），奥利弗和他的主人重新回到那个邋遢的住所。邦布尔先生由济贫院的四个男人陪着已经来了。那四个男人是来抬棺材的。那位老太太和那个男人在褴褛的衣衫上各披了一件黑色旧斗篷，用螺钉钉牢的没有装饰的灵柩由抬棺人扛到了大街上。

"好啦，老太太，你必须用最快的速度走路！"索尔贝里在老太太耳旁小声说道，"我们已经迟了，让牧师久等可不行。开路，伙计们——你们愿意走多快就走多快！"

接到这一指令后，抬棺人快步走去，因为棺材本来就不重，两位送葬人尽量挨近他们。邦布尔先生和索尔贝里以轻快的步伐走在前面。奥利弗的腿不如他的主人长，就在他身边小跑着。

其实，根本没有必要匆忙赶来，并不像索尔贝里先生所预料的那样，当他们抵达长满荨麻、属教区墓地的偏僻角落时，牧师还没有到，而坐在法衣圣器储藏室的火炉旁的教堂执事估计，牧师可能过一小时才会来。于是，他们将灵柩放在墓穴旁。两位送葬人在潮湿的泥土中耐心地等着，蒙蒙冷雨纷纷落下。被这个场面吸引到教堂墓地的衣衫褴褛的孩子们吵吵嚷嚷地在墓石中捉迷藏，或者在灵柩上跨来跨去，以此来变换娱乐花样。索尔贝里先生和邦布尔因是执事的私人朋友，便跟他坐在炉边看报。

大约过了一小时，邦布尔先生、索尔贝里和教堂执事终于往墓穴方向跑过来。不久牧师来了，边走边穿法衣。接着邦布尔先生痛打了一两个男孩做做样子。那位受人尊敬的牧师读完压缩在四分钟之内的悼文后，将那件白色法衣交给执事便又走了。

"喂，比尔！"索尔贝里对掘墓人说道，"掩埋！"

掩埋工作不太费事，因为墓穴太浅了，灵柩最顶上离地面只有几英尺。掘墓人将泥土铲入墓穴，用脚轻轻地踩几下，就扛起铁铲走了，后面跟着看热闹的孩子们，他们大声地嘀咕着好玩的事结束得太快了。

"喂，亲爱的朋友！"邦布尔拍拍那个送葬男子的背，说道。"他们要关门了。"

这个男人自从在墓边站定，就不曾动弹过。这时，他突然惊起，抬起头来，目不转睛地望着对他说话的人，接着往前走了几步就昏倒了。那位古怪的老太太太忙于悲叹失去斗篷了（殡仪员已经将它收走），没注意到他晕倒了。于是，他们往他身上泼了一罐冷水。他苏醒过来后，他们目送他平安地走出墓地，便锁上大门，各自离去。

"好啦，奥利弗，"他们到家时，索尔贝里说道，"这行当你觉得怎么样？"

"挺好的，谢谢，先生，"奥利弗相当犹豫地回答道，"也说不上喜欢，先生。"

"啊，过一阵子后你就会习惯的，奥利弗，"索尔贝里说道，"你习惯了以后就没什么啦，我的孩子。"

奥利弗心里感到纳闷：索尔贝里先生是否花了很长时间才习惯。不过，他想还是不问为好。他走回店里，一路思考着他的所见所闻。

第六章　受诺亚的奚落刺激的奥利弗奋起反抗，令诺亚惊诧不已

　　一个月的试用期结束了，奥利弗正式成为学徒。这时，正值疾病流行的糟糕季节，按商业上的说法是：棺材的价格正在上扬。在短短的几周内奥利弗取得了不少的经验。索尔贝里独出心裁的投机买卖的成功，甚至超过他最乐观的希望。最年迈的居民也回忆不起麻疹曾经有过如此猖獗，致婴儿于死命。一队队的送葬队伍由小奥利弗打头，丧服的黑帽带长及他的膝部，赢得了城里所有做母亲的难以形容的称赞和感动。

　　奥利弗也陪同他的主人参加大多数成年人的葬礼，以便可以获得一名职业殡仪员必不可少的镇定自若风度和高度的自持力。他有许多机会看到一些意志坚强的人忍受痛苦时的那种令人钦佩的逆来顺受和坚忍不拔。

　　譬如，索尔贝里承办过某位有钱的老太太或老先生的葬礼，这位老太太或老先生有众多的侄子、外甥或侄女、外甥女。这些侄子、侄女、外甥、外甥女在死者患病期间是十分悲伤的。他们即使在大庭广众之下也完全无法控制自己的忧伤。但是他们自己却要多快乐就

多快乐——相当快乐和满足——自由自在、快快活活地在一起交谈，仿佛根本没有发生过什么事令他们烦恼似的。丈夫们也以最大的镇定来忍受他们的丧妻之痛。另一方面，妻子们为她们的丈夫带孝时，远非因悲痛的装束而感到忧伤，反而要让这种装束尽可能显得合身漂亮。葬礼期间处于极度悲痛状态的女士们和先生们，几乎一回到家就恢复过来，在茶点结束之前就相当镇静自若了。这一切看来是非常有趣和富于启迪的。奥利弗对此无比钦佩。

虽然，我是奥利弗的传记作者，但我也没有根据断言，奥利弗因这些有教养人士作榜样而逆来顺受。然而，我可以毫不含糊地说，好几个月来，他一直温顺地顺从诺亚·克莱波尔的支配和虐待。诺亚见新来的男孩手执黑手杖、头戴系黑缎带的帽子，老资格的他却依旧只有松饼状呢帽和皮短裤，便心生妒意。他待奥利弗比以前更不好了。因为诺亚待他不好，夏洛特也待他不好。而索尔贝里太太更是他确定无疑的敌人，因为索尔贝里先生看中他。因此，处于这三个对头和过多的葬礼之间，他压根儿还不如被错关在酿酒厂的谷仓里的那头饿猪来得舒服。

现在，我来谈谈奥利弗经历中非常重要的一件事。我讲述的这件事，也许，表面上看是微不足道的，可是它间接地使他将来的生活产生了重大的变化。

一天，奥利弗和诺亚在通常用餐时间下厨房去享用一小块羊肉——一磅半最次的羊脖子——这时，夏洛特被叫走了，接着有一段短暂的工夫他们俩单独待在一起。诺亚·克莱波尔既饥饿又邪恶，认为这是耍弄小奥利弗的千载难逢的机会。

诺亚一心想拿奥利弗开心。他把双脚抬到桌布上，扯奥利弗的头发，拉他的耳朵，一口咬定他是个"告密者"，进而宣布他乐意看到奥利弗被绞死，无论这一称心如意的事何时发生。接着，他开始谈及其他种种琐碎的、令人恼火的话题，就像一个恶毒的、坏心眼的孤儿院中的男孩那样。可是，这些奚落未能产生使奥利弗哭泣的效果。诺亚试图使出恶作剧的本领。诺亚就像比他名声大得多的巧舌如簧的那些家伙所做的那样——如果他们想要恶作剧的话，他开始对奥利弗进行人身攻击。

"济贫院小子，"诺亚说道，"你妈妈身体好吗？"

"她死了，"奥利弗回答道，"你别再对我提起她的事。"

奥利弗说这句话时脸涨得通红，呼吸急促起来，嘴巴和鼻孔奇怪地抽搐着。克莱波尔先生以为这想必是奥利弗放声大哭的先兆了。因这一点判断，诺亚重新发起攻击。

"她是怎么死的，济贫院小子？"诺亚问道。

"悲伤过度而死的，我们那儿的一位老护士告诉我的，"奥利弗答道，他与其说是回答诺亚的问话，不如说在自言自语，"我想，我晓得那种死是怎么一回事。"

"嘟噜噜，跟着仙女走了，济贫院小子，"诺亚说道，这时，一滴眼泪从奥利弗的脸颊上滚落下来，"什么事让你现在浑身发抖？"

"不是因为你，"奥利弗匆忙拂去眼泪，回答道，"别以为是你。"

"哦，不是我，是嘛！"诺亚冷笑道。

"不，不是你，"奥利弗厉声说道，"好啦，够了，再也别对我提起她的事了。你最好不要再对我提起她！"

"最好不要！"诺亚大声喊道，"好哇！最好不要！济贫院小子，别厚颜无耻。你母亲也是！她是一个正经的人，是吧！哦！天啊！"这时，诺亚富有表情地点点头，尽其肌肉收缩的最大限度皱起了他的小红鼻子。

"你也知道，济贫院小子，"诺亚继续说道，奥利弗的沉默为他壮了胆。他以一种假装同情的嘲笑腔调——所有腔调中最恼人的腔调，说，"你也知道，济贫院小子，现在你是无能为力了。当然。当时你也无能为力。对此我感到遗憾。我肯定我们都感到遗憾，也非常同情你。可是，你必须明白，济贫院小子，你妈妈是一个十足的、彻头彻尾的坏女人。"

"你说什么？"奥利弗迅速地抬起头来问道。

"一个十足的、彻头彻尾的坏女人，济贫院小子，"诺亚冷冷地回答道，"她死了，济贫院小子，倒不是件坏事。否则，她就得在监牢里服苦役，或者被流放，或者被绞死。被绞死比前两种的可能性更大，不是吗？"

奥利弗因狂怒而涨红了脸。他突然站起来，推翻桌椅板凳，盛怒之下卡住诺亚的脖子猛摇。直到诺亚的牙齿直打战，然后，拼足全身的力气击出重重的一拳，把诺亚打倒在地。

一分钟以前，奥利弗看上去还是一个因虐待而变得文静、温和和沮丧的人。然而他的斗志终于被唤醒了。对他死去母亲的刻毒侮辱使他热血沸腾。他的胸脯上下起伏、身子挺直、目光炯炯发亮。这时，他站立着，怒视那个折磨他此刻却蜷缩在他脚下的懦夫，以一种前所未知的力量公然蔑视他。他和从前简直判若两人。

"他要杀我！"诺亚哭诉道，"夏洛特！太太！新来的男孩要杀我！救命啊！奥利弗疯啦！夏——洛特！"

诺亚的喊叫声得到了夏洛特的回应，又得到了索尔贝里太太更大声的回应。前者从边门冲进厨房，后者停在楼梯上，直到她确信没有任何生命危险了才继续下楼。

"噢，你这坏小子！"夏洛特尖叫道，使尽最大的力气揪住奥利弗。这股力量与一个受过良好训练的中等强壮男人不相上下，"噢，你这个忘恩负义的、杀气腾腾的、可怕的小坏蛋！"夏洛特在发出的每个音节中间都使尽全身力气揍奥利弗一下，为了掩人耳目，又伴随一声尖叫。

夏洛特的拳头已属不轻的了，可是，索尔贝里太太唯恐这样还不足以平息对奥利弗的怒气似的，她冲进厨房，用一只手帮夏洛特抓住奥利弗，另一只手去抓他的脸。诺亚在这有利的形势下一骨碌从地上爬起来，从后面用拳头狠狠揍他。

这项运动太剧烈了，以至于无法持久。当他们个个筋疲力尽，再也无法撕打时便把奥利弗拖进煤窖，将他锁在里面。奥利弗挣扎着、喊叫着，毫无惧色。这事干完之后，索尔贝里太太一屁股坐进椅子里，突然大哭起来。

"天啊，她快晕过去了！"夏洛特说道，"拿杯水来，诺亚，亲爱的，赶快！"

"噢！夏洛特，"索尔贝里太太由于呼吸不畅、浇了过多的冷水——诺亚将冷水倒到她的头上和肩上——气喘吁吁地说道，"哦，夏洛特，我们大伙没有全被杀死在床上，真是万幸啊！"

"啊，确实万幸，太太。"夏洛特回答道，"但愿此事对主人是个教训，再也不要搜罗这些可怕的家伙了。他们生来就是凶手和强盗。可怜的诺亚！我进来的时候他差点儿被杀死，太太。"

"可怜的诺亚！"索尔贝里太太说道，同情地看着这个孤儿院男孩。

诺亚（其西装背心顶上的纽扣也许齐奥利弗的头顶高）得到这一番同情后，用双手腕部内侧揩着眼泪，然后又挤出了几滴动人的眼泪，抽了几下鼻子。

"怎么办呢？"索尔贝里太太大声地说道，"你们主人不在家，家里一个男人也没有，奥利弗过十分钟就会把那扇门踢倒的。"奥利弗狠踢那扇门，这种情况极有可能发生。

"天哪！我不晓得，太太，"夏洛特说道，"除非我们叫警察。"

"或者把士兵叫来。"克莱波尔先生建议道。

"不，不，"索尔贝里太太想起了奥利弗的那位老朋友，说道，"诺亚，跑去找邦布尔先生，叫他马上到这儿来，一刻也不能耽误。不用找你的帽子了！赶快！你边跑边用折刀按住你青肿的眼圈，这样可以消肿。"

诺亚停下来，二话没说，以最快的速度出发了。街上的行人大为惊讶，他们看到一个孤儿院男孩头上不戴帽子，用折刀按住一只眼睛，狂奔着穿过大街。

第七章　奥利弗依然倔强

　　诺亚·克莱波尔以最快的速度沿大街奔跑，不曾停下来歇口气，一直跑到了济贫院的大门口。他在那儿休息了一分钟左右，以便准备发出一阵啜泣，使他的眼泪和恐惧令人难忘。他乒乒乓乓地敲起边门，前来开门的年迈的贫民见了他这样一副可怜相，尽管在最佳的境况下他看到的也只是沮丧的面孔，仍不免惊讶地向后退缩。

　　"嗨，这男孩怎么啦？"年迈的贫民说道。

　　"邦布尔先生！邦布尔先生！"诺亚喊道，装出一副惊慌失措的样子。他的声调如此响亮和激动不安，不仅传到邦布尔先生本人的耳朵里（他正巧就在近旁），而且使他慌得来不及戴三角帽就冲进院子里。这一非常异常的情况表明，即使是牧师助理，也可能一时失去自持，忘了个人尊严。

　　"噢，邦布尔先生！"诺亚说道，"奥利弗，先生，——奥利弗——"

　　"什么？什么？"邦布尔先生插话道，闪闪发亮的眼睛中流露出一丝快意，"没有跑掉，他没有跑掉，是吧，诺亚？"

　　"没有，先生，没有。没有跑掉，先生，可是他变得穷凶极恶，"诺亚回答道，"他想杀我，先生，然后他想杀夏洛特，再杀太太。噢，疼死我啦！哦，太疼啦，先生！"此刻，诺亚像鳗鱼似的翻滚着、扭曲着身子，作出各种姿势，让邦布尔先生明白，由于遭到奥利弗·特威斯特的猛烈的和残暴的攻击，他受了严重的内伤，此刻正遭受着最剧烈的痛苦。

当诺亚看出自己所传递的信息完全把邦布尔先生吓呆了时，他又比先前高声十倍地为自己受了重伤而痛哭，以加强效果。见到一位穿白背心的先生穿过院子时，他的恸哭比以前更凄惨了。他看准这会吸引这位先生的注意力，并激起他的义愤。

这位先生的注意力很快地被吸引过来了，他还没有走出三步，便怒气冲冲地回转身来，询问这个小脓包究竟在号叫什么，为什么邦布尔先生不给他点颜色看看，好让他这一连串故意的号叫变成无意的号叫。

"他原是一个免费学校的可怜的男孩，先生，"邦布尔先生回答道，"他差点儿被杀死——几乎被杀死——被小特威斯特杀死。"

"天啊！"穿白背心的先生猛然停住脚步，惊叫道，"我早就知道了！我从一开始就有一种奇怪的预感，那个蛮横无理的小野蛮人总有一天会被绞死的！"

"他还想杀死那个女佣，先生。"邦布尔先生铁青着脸说。

"还有他的女主人。"克莱波尔插嘴道。

"还有他的主人，我想你刚才说过，诺亚？"邦布尔先生补充道。

"不！主人不在家，否则他也会想杀死他的，"诺亚回答道，"他说他想杀死他。"

"啊！说他想杀死他，是吗，我的孩子？"穿白背心的先生问道。

"是的，先生，"诺亚回答道，"对不起，先生，女主人想知道，邦布尔先生能不能抽空马上到那儿走一趟，揍他一顿，因为主人不在家。"

"当然可以，我的孩子，当然可以，"穿白背心的先生慈祥地、轻轻地拍了拍诺亚的脑袋说道，诺亚的脑袋大约比他的脑袋高出三英寸，"你是一个好孩子——很好的孩子。这是给你的一便士。邦布尔，带上你的手杖，上索尔贝里家走一趟，看看该怎么办，别饶了他，邦布尔。"

"好的，我决不饶他，先生。"牧师助理说着，调节好缠在那把作为鞭子的手杖底部的蜡线。

"告诉索尔贝里也别饶他。不把他揍得鼻青眼肿、留下一道道鞭痕，他们就永远也对付不了他。"穿白背心的先生说道。

"我会留心的，先生。"牧师助理说道。这时，三角帽及手杖皆已各就各位令主人满意了，邦布尔先生这才和诺亚·克莱波尔全速地朝殡仪员的店里奔去。

店里的事态一点儿也没有改善。索尔贝里尚未回来，奥利弗依然一个劲地踢着地窖的门。索尔贝里太太和夏洛特把奥利弗的凶猛程度描述得如此触目惊心，因此，邦布尔先生认为，开门之前还是先谈判较为慎重。他从门外踢了一脚，作为开场白，然后将嘴巴凑近锁眼，以深沉、威严的声调说道：

"奥利弗！"

"喂，你把我放出去！"奥利弗在里头应道。

"你知道是谁在和你说话吗，奥利弗？"邦布尔先生说道。

"知道。"奥利弗回答。

"你难道不怕吗，你这家伙？我讲话的时候你难道不发抖吗，你这家伙？"邦布尔先生说道。

"不！"奥利弗勇敢地回答道。

这个回答与他本来期望得到的和惯常听到的如此截然不同，邦布尔先生真是吃惊不小。他从锁眼往后退去，站直身子，惊讶得一句话也说不出来，在三位旁观者当中看看这位，又看看那位。

"噢，你也知道，邦布尔先生，他一定是疯啦，"索尔贝里太太说道，"有他一半理性的男孩没有一个敢于这样对你说话的。"

"这不是疯，太太，"邦布尔先生沉思了片刻之后，说道，"这是肉。"

"什么？"索尔贝里太太惊叫起来。

"肉，太太，肉，"邦布尔严厉地强调着回答说，"你给他吃得太多了，太太。你在他身上唤起了一种虚假的灵魂和勇气，太太。这与他这样的人的身份不相称。正如董事会会告诉你的，太太，他们是注重实际的哲学家。贫民与灵魂和勇气有什么关系呢？我们让他们的躯体活着就足够了。倘若你用稀粥来喂这孩子，这种事就永远也不会发生。"

"啊呀，我的妈呀！"索尔贝里太太突然喊道，虔诚地举目望向厨房的天花板，"这都是慷慨造成的！"

索尔贝里太太所谓的慷慨，是毫不吝惜地给奥利弗没人要的肮脏的残羹剩饭。对邦布尔先生强烈的谴责，她表现出极大的逆来顺受和自我牺牲。说句公道话，无论在思想上、言论上和行动上对她的谴责都是不能成立的。

"啊！"当这位太太的目光重又落到地面时，邦布尔先生说道，"现在，我知道唯一可行的办法，是把他丢在地窖里一两天，直到他有点儿饿了，再把他带出来。在他整个学徒期间只给他喝稀粥。他出身于一个不体面的家庭，本性易激动，索尔贝里太太！护士和医生都说，他母亲历尽千辛万苦走到这儿，任何心地善良的女人早几个星期就死了，谁也受不了。"

就在邦布尔先生说话的当儿，奥利弗听到的话足以使他断定他们又提及他母亲的事，于是他又开始使劲踢门，发出的声响盖过了其他一切声音。就在这个节骨眼上，索尔贝里回来了。他们已将奥利弗的罪状向他诉说了一番。女士们为能激起他的愤怒，还夸大其词、添油加醋。索尔贝里先生立即打开地窖门上的锁，揪住叛逆学徒的衣领，将他拖了出来。

奥利弗挨打的时候衣服已被撕破，脸上青一块紫一块的，伤痕累累，头发披落在额头上。然而，他脸上愤怒的红晕仍未消退。被拖出禁闭室时他毫不畏惧地对诺亚怒目而视，看上去一点也不泄气。

"好了，你是个好小伙子，不是吗?"索尔贝里把奥利弗摇了一下，又扇了他一个耳光。说道。

"他骂我母亲。"奥利弗回嘴道。

"怎么，他骂了又怎么样，你这个忘恩负义的小坏蛋?"索尔贝里太太说道，"她活该挨骂，而且比他们所骂的还要坏着呢。"

"她不是那样的。"奥利弗说。

"她就是那样。"索尔贝里太太说道。

"撒谎!"奥利弗说。

索尔贝里太太突然放声大哭、泪流满脸。

这阵眼泪使索尔贝里先生别无选择。如果他不马上最严厉地处罚奥利弗，那么，每位有经验的读者想必会很清楚，按照夫妻相争的惯例，他将背上畜生、不合人情的丈夫、无礼之徒、假冒的男子汉、卑鄙小人的名声，以及本章篇幅所限多得无法一一枚举的其他各种合适的恶名。说句公道话，就他的权力范围——他的权力并不十分大——他对这个孩子还是友好的。也许，这是他的利益所在；也许是由于他妻子不喜欢这孩子。然而妻子的这阵眼泪使他别无他法。于是他给奥利弗一阵痛打。这阵痛打居然让索尔贝里太太感到满足，邦布尔先生似乎也不需要再动用手杖。那天剩余的时间里，奥利弗被关在后面的厨房里，跟一个水泵和一片面包做伴。晚上，索尔贝里太太在门外讲了一大堆话之后——决非纪念他母亲的赞美的话——朝厨房里面看，并在诺亚和夏洛特的嘲笑和责难中，命令奥利弗上楼，回到他那张凄凉的床上睡觉。

直到奥利弗独自待在殡仪员的寂静、阴暗的店铺里，他才禁不住表露出自己的情感。这一天的待遇很可能被看做已在他幼小的心灵里激起了这些情感。他以轻蔑的神态来倾听他们的奚落；他一声不响地忍受鞭打，因为他感到自己心中有着不断升腾的自尊。这种自尊将会抑制住尖叫声，直到最后，哪怕他们把他活活烧死。而现在，在没有人看见他、听见他说话的时候，他跪在地板上，双手捂住脸，泪如泉涌——上帝赐予我们流泪的天性，可是，像奥利弗这么小的年纪，有几个竟有理由在上帝面前泪流如注！

奥利弗好长时间一动不动地保持这种姿势。当他站起来时，蜡台上的蜡烛只剩下一小截了。他小心翼翼地凝视四周，专心倾听了一会儿之后，轻轻地解开门上的门链、门闩，往室外瞧了瞧。

这是一个寒冷、漆黑的夜晚。在这孩子的眼中，星星离地球似乎比他以前见过的还要遥远。树木投到地面上的昏暗的树影，因太寂静，看起来阴森森的，像死的一般。他又轻轻地把门关上。他利用那截蜡烛熄灭前的余光，将自己仅有的几件换洗的衣服用手帕捆起来，然后坐在一条长凳上等待天明。

随着勉强能透过窗板的第一道曙光，奥利弗站起身，再次将门打开。他战战兢兢地环顾四周，犹疑地站了一会儿，然后随手将门关上，走进空旷的大街。

他左顾右盼，拿不准该往何处逃跑。他记得过去上街时曾看见运货马车艰难地爬坡。他沿着同一条路行走，进入了一条横穿田野的小径。他知道离这条小径不远处又将拐入另一条大路。他开始迈入这条小径，快步往前走。

奥利弗还记得很清楚，当邦布尔先生第一次把他从寄养所带到济贫院时，他就是沿着这条小径在邦布尔先生身边小跑。走这条路要经过寄养所。一想到这儿，他的心跳加剧了；他有点想掉头回去。然而，他已经走了许多的路了，如果他折回去，就会失去许多时间。而且这时天色还早，根本用不着担心被人看见。于是，他继续朝前走。

他来到了寄养所。天色尚早，他看不到屋里有人走动的样子。奥利弗停下来窥视庭园。一个小男孩正在其中的一块小苗床上除草。当他停下来时，小男孩仰起了他那苍白的脸，是奥利弗先前一个同伴的外貌。奥利弗在离开这儿之前很想见他一面，因为他虽然年纪比自己小，但他过去一直是自己的小朋友和玩伴。他们有多少回一起挨打、挨饿，一起被禁闭。

"嘘，迪克！"这小男孩跑到大门边，将小手臂伸出围栏来时，奥利弗说道，"有人起床了吗？"

"除了我之外没有人起床。"这小孩回答道。

"你不可以说看见过我，迪克，"奥利弗说道，"我是偷偷跑出来的。他们打我、虐待我，迪克。我要到很远很远的地方去寻找发迹的机会。我也不知道该上哪儿。你的脸色多苍白啊！"

"我听见大夫对他们说，我快死啦，"这孩子隐隐浮着微笑回答道，"见到你我非常高兴，亲爱的。可是别停下来，别停下来！"

"是的，是的，我不会停下来的，只是想跟你道个别。"奥利弗回答道，"我们会再见面的，迪克。我知道我们会的！你将会是健康和幸福的！"

"但愿如此，"这孩子回答说，"不过，那只能在我死了以后，在我生前不会拥有这些。大夫想必是正确的，奥利弗，因为我常常梦见天堂、天使，我醒来时从未见过的慈祥面孔。吻吻我。"这孩子说着，爬上那低低的大门，猛然张开他小小的双臂，抱住奥利弗的脖子，"再见，亲爱的！愿上帝保佑你！"

这种祝福虽然发自一个幼童之口，却是他第一次听到的祈求降临于头上的祝福。在奥利弗今后挣扎、磨难、困苦和变化的岁月中，他从未曾忘记这一祝福。

第八章　奥利弗步行到伦敦。他在路上遇到一位奇怪的年轻绅士

奥利弗来到了小径尽头处的栅栏梯磴，再次登上大路。现在已是早上 8 点了。虽然他离原来的城镇将近五英里了，但直到中午他依然交替着边跑步边藏进树篱，担心有人追来把他抓走。然后，他坐在里程碑旁边歇息，头一回开始考虑自己该去何处谋生。

他身边的那块里程碑以大号字体标明从那儿到伦敦只有七十英里。伦敦这个名字在奥利弗的心中唤起了一连串新的念头。伦敦！——那个了不起的大地方！——没有人——甚至邦布尔先生——也不能在那儿找到他！他也常常听到济贫院的老人说，有志气的小伙子在伦敦是不会受穷的。在那座大城市里，有种种办法可以生活，这是在乡下长大的人无法想象的。那儿正是一个无家可归的男孩最合适的去处。除非有人帮助他，否则他必然要饿死街头。当他的脑海里闪过这些念头时，他一跃而起，又朝前走了。

他又把自己和伦敦之间的距离整整缩短了四英里，这才想起在抵达目的地之前他该遭受多少苦难。他不得不考虑这个问题时，他放慢了脚步，认真思考抵达伦敦的办法。他的包里有一块干面包片、

一件粗布衬衫和两双长袜。他衣袋里还有一便士——那是他在一次葬礼上干得比平常更出色,索尔贝里赏他的礼物。"一件干净的衬衫,"奥利弗心里想道,"是非常舒适的东西,两双打过补丁的长袜亦然,一便士也是如此。可是,它们对于在冬天步行六十五英里的帮助实在太小了。"然而,奥利弗的思维像大多数人一样,尽管乐于主动地指出其困难所在,却全然想不出任何克服困难的可行办法。因此,在徒劳地想了一阵子之后,他把那只小包裹换到另一只肩膀上,又继续艰难地跋涉。

那天,奥利弗走了二十英里,而在这段时间里,除了干面包片和从路边农舍门口讨来的几口水外,他什么东西也没有吃。当夜幕降临时,他进入了一片牧草地,爬进一个干草堆底下,决定躺在那儿,直到天亮。起初,他觉得非常害怕,寒风凄凉地掠过空旷的田野,他又冷又饿,比先前的任何时候都感到孤单。可是由于走得很累,他很快就睡着了,把一切烦恼扔到了脑后。

第二天早晨起来时他感到很冷,四肢僵硬。他太饿了,只好在他路过第一个村子时将那个便士换了一小条面包。他只走了十二英里天就黑了。他的脚很疼,双腿软弱无力,以致瑟瑟发抖起来。他在荒凉、潮湿的露天里又过了一夜,他的情况更糟了。在第三天早晨再动身时,他几乎走不动了。

他在一处陡坡下等着,直到上来了一辆公共马车,然后才向车顶上的乘客讨钱,可是很少有人理睬他。即便有的乘客告诉他等他们到了坡顶才给钱,也是为了看看他为了半便士能跑多远,可怜的奥利弗试图跟上马车跑一小段路,可是因为疲劳和脚疼,他跑不到坡顶。车顶上的乘客见此情形,又将他们的半便士放回衣袋,断言他是一个游手好闲的小子,什么也不给。于是那辆马车咔嗒咔嗒飞奔而去,在它后面只留下了一阵烟尘。

一些村子里竖着庞大的彩绘牌,警告凡在这个地区内要饭者将被送进监狱。这可把奥利弗吓坏了。他尽量以最快的速度离开这些村子。在其他村子，他常常站在住宅的院子周围，忧伤地注视着每个过往的行人——这一举动，最后通常以女房东叫一个在附近闲荡的邮差赶走这个陌生的男孩而告终，因为她确信他是来偷东西的。如果他在农民家里要饭，十之八九他们会威胁要放狗咬他；当他在店铺露面的时候，他们便谈起牧师助理——他吓得心都要跳出来——这常常使他好几个小时提心吊胆。

事实上，要不是那位好心肠的通行税征收人和乐善好施的老太太，奥利弗就会重蹈他母亲的覆辙，从而缩短了自己的烦恼。换言之，他很可能在那条主要的公路上倒毙。可是，通行税征收人给他吃了一餐奶酪面包，而那位老太太——她自己有个遭船难的孙子光着脚丫子在地球某个遥远的地方流浪——同情这个可怜的孤儿，把她能够提供的那一点点食物给了他，而且，那仁慈和温柔的话语、同情和怜悯的眼泪，比他遭受的一切苦难都更深刻地渗入他的灵魂。

奥利弗离开出生地之后的第七个清晨，他一瘸一拐缓慢地走进巴尼特小镇。商店的窗板关得严严实实，街上空荡荡的，没有一个人起来做买卖。太阳正在升起，壮丽辉煌，在阳光的照射下这个男孩显得越发孤独和凄凉。这时，他坐在门前石阶上，双脚渗血，满身尘土。

店铺的窗板陆续卸下，百叶窗也拉起来了，街上熙来攘往。少数人停下来盯了奥利弗一会儿，或者当他们匆匆而过时转过身来瞪了他一眼，但没有人救助他，或者特意问一声他怎么到这儿来。他不想要饭，于是他老坐在那儿。

他蜷缩在石阶上已有一些时候了，惊叹这儿有那么多的小客栈（在巴尼特每隔一幢房子就是一个或大或小的客栈），无精打采地注视着过往的公共马车，心想，花费了他整整一星期才完成的路程——所需的勇气和决心已超出了他小小的年纪，公共马车竟易如反掌地几小时就能办到了，这看来多么奇怪啊。这时，他看见几分钟以前漫不经心地从他身边经过的一个男孩又踅回来了，令他振作起来。最初，他不怎么留心。可是那个男孩以同一个姿势长时间密切注视他，因此，奥利弗抬起头来，也报以凝视的目光。此刻，那男孩走了过来了。他走到奥利弗跟前时说道：

"喂，小伙子！出了什么事啦？"

向徒步旅行者发问的男孩的年龄大致与他相仿，是奥利弗见过的一个样子最古怪的男孩。他狮子鼻，额头扁平，其貌不扬，而且是一个浑身脏得谁也不愿看的少年。他尚未成年，长着罗圈腿和一双丑陋、敏锐的小眼睛。他的帽子草草地歪戴在头顶上，每时每刻都有掉下来的危险——而且，肯定会经常掉下来的，要不是戴帽的人习惯不时地急速一拉，让帽子恢复原位的话。他身穿一件男人的外套，衣服的下摆几乎延及他的脚后跟。他的袖口挽及手臂，使双手伸出袖子，以便将手插进灯心绒的裤袋里。现在，他的双手就插在那里。他脚穿半筒靴，完全是个身高只有四英尺六英寸，或者还不到四尺六英寸的威风凛凛、狂妄自大的小伙子。

"喂，小伙子！出了什么事啦？"这位陌生的小伙子对奥利弗说道。

"我很饿，也很累，"奥利弗回答道，他说话时双眼噙着泪水，"我已经走了很多路。这七天来我天天在走路。"

"走了七天！"这位小伙子说道，"噢，我明白啦，奉地方治安官之命，是吗？可是，"他注意到奥利弗的惊奇神色，又补充道，"我想你不晓得 beak[①] 是什么吧，我的新伙伴？"

奥利弗温和地回答说，他只听到过鸟的嘴是以该字来描述的。

"天哪，多么幼稚！"小伙子惊叫道，"嗨，beak 就是地方治安官。

---

① beak 在此处作"地方治安官"解，通常意思为"鸟嘴"。

当你奉地方治安官之命步行时，你并不是一直向前的，总是上城里去，再也不回到乡下。你难道没有踩过踏车①吗？"

"什么踏车？"奥利弗问道。

"什么踏车！怎么，踏车——就是占地很少，可以在石罐②工作的那种踏车。它总是在不景气的时候比景气的时候运转得好，因为当人们境况好的时候，他们就找不到工人。不过，听我说，"小伙子说道，"你想要食物，你可以得到。我虽然现在手头很拮据——只有一先令和半便士，不过，在力所能及的范围内，我愿掏钱请客。你站起来。好啦！来吧！快走！"

小伙子扶奥利弗站起来，把他带到邻近的杂货零售商店。他在这儿买了足够的火腿和两磅圆面包，或者，用他自己的话说"四便士麸皮！"他在面包上挖个洞，掏出部分面包屑，然后将火腿塞进去。这个巧妙的办法，可以使火腿保持干净，并防止尘埃。小伙子将面包夹在腋下，走进了一家小客栈，他在前面引路，把奥利弗带到房屋后部的酒吧间里。在这儿，应这位神秘的年轻人的吩咐，一壶酒送上来了。奥利弗在新朋友的招呼下开始吃起来，享用了丰盛的一餐。在用餐期间，陌生的男孩不时专心地瞟他一眼。

"到伦敦去吗？"在奥利弗终于吃完之后，陌生男孩问道。

"是的。"

"有地方住吗？"

"没有。"

"钱呢？"

"没有。"

陌生男孩吹起口哨，尽大衣袖子容许的程度，将双臂插进上衣

---

① 从前罚囚犯踩踏的踏车。

② 指监狱，因当时的监狱皆用石头建成的。

口袋。

"你住在伦敦吗?"奥利弗问道。

"是的。在国内我住伦敦。"这男孩回答道。

"我想,你今晚需要一个睡觉的地方,是吧?"

"我确实需要,"奥利弗回答道,"自从我离开乡下后,我就不曾在屋里睡过觉。"

"别因此而烦躁不安地眨眼皮,"小伙子说道,"我今晚必须到伦敦去。我认识住在伦敦的一位体面的老先生,他将免费为你提供住宿,并且从不向你要零钱——也就是说,假如有一位他认识的先生为你引荐的话。他难道不认识我吗?噢,不认识!根本不认识!一点也不认识。当然不认识!"

小伙子笑了,仿佛在暗示末了那几句的回答是开玩笑的反话。说完他将啤酒一饮而尽。

这一意想不到的为他提供栖身之所的机会实在太诱人了,令人无法抗拒。尤其是紧接着他又保证:所谈到的这位老先生毫无疑问会不失时机地为奥利弗提供一份舒适的工作。这使这场对话更加友好、亲密。从谈话中,奥利弗了解到他朋友的名字叫杰克·道金斯。他深得上述那位老先生的宠爱,是他的得意门生。

道金斯先生的外表并不足以充分表明:他的保护人为所保护的人已谋取生活上的安逸。但是由于他的谈话方式相当轻浮和放荡不羁,而且公开声称在他的密友当中,他们更习惯于叫他的绰号"机灵的蒙骗者",奥利弗推断,从他的放浪不羁和无忧无虑的性格看,他的恩人对他的教诲迄今已白费了。有了这个想法,他暗自决定尽快地培养对那位老先生的良好印象,同时,倘若他发现这位蒙骗者是不可救药的——他多半已怀疑他是这样的,便谢绝跟他进一步交往。

由于杰克·道金斯反对在天黑之前进入伦敦,他们抵达艾斯林顿的收税公路时已将近 11 点了。他们从安吉尔穿入圣约翰大街，朝着尽头是萨德勒的韦尔斯剧院的小街走去。他们穿过埃克斯默恩大街和科派斯罗，沿着济贫院旁边的小庭院行走，越过曾经称为"洞中的霍克利"的文物圣地，从那儿进入萨弗伦小山，再进入萨弗伦大山。蒙骗者快步疾行，叫奥利弗紧随其后。

虽然，奥利弗忙着盯住他的向导已够吃力的了，但是，他路过时，还是忍不住对道路两旁匆匆地看上几眼。这是他从未见过的一个更肮脏、更破烂的地方。街道很窄、泥泞不堪，空气中充满着恶臭的气味。小商店密密麻麻的，然而仅有的商品看来好像是一群群的儿童。即使夜已经深了，他们还在门口爬进爬出，或从里面发出一声声尖叫。在这杂乱的丑陋之中，唯一繁荣的地方似乎是酒吧间。在酒吧间里，社会最底层的爱尔兰人拼命地争吵不休。隔着大街两侧分叉出去的掩蔽的廊道和院子，稀稀落落地显露出一簇簇的房子。那里，喝得醉醺醺的男男女女在污秽中打滚；相貌丑陋的彪形大汉正小心翼翼地从一些人家的家门口出现，显然准备去干不怀好意的勾当。

奥利弗正考虑是否跑掉为妙时，他们已经到了山脚下了。他的向导抓住他的胳膊，推开菲尔德巷附近的一幢房子的大门，把他拉进过道里，随手将门关上。

"喂！"下面的一个声音喊道，以响应蒙骗者的口哨。

"顶好的，满贯！"这是回答。

这似乎是口令或者暗号，表示一切正常，因为在远处过道尽头的墙上闪烁着微弱的烛光，一张男人的脸从旧厨房楼梯栏杆缺口处探了出来。

"你们有两个人，"这个男人说道，将蜡烛再往外伸出一点，用一只手遮住眼睛，"另一个人是谁？"

"一位新伙伴。"杰克·道金斯把奥利弗拉到前面，回答道。

"他从哪儿来？"

"格陵兰。费金①在楼上吗？"

"在，他正在整理手帕。你们上去吧？"蜡烛又缩了回去，那张脸消失了。

奥利弗用一只手摸索着行走，另一只手紧紧地抓住他的同伴，吃力地登上又暗又破的楼梯。他的向导走得非常自如、迅速，这表明他轻车熟路，对这些楼梯非常熟悉。他突然把一间密室的门打开，拉着奥利弗走进去。

这个房间的墙和天花板因年代久远、满是污垢而变黑了。炉火前面摆了一张松木方桌，桌上有一支蜡烛放在姜汁啤酒瓶里，还有两三个白镴壶、一条面包和黄油及一只盘子。置于炉火上并用一根绳子固定在壁炉台上的一只煎锅里正煮着香肠。一位非常年迈、猥琐的犹太人手里拿着烤叉站在旁边守着。他那恶棍似的模样和令人厌恶的面孔被乱蓬蓬的红头发遮蔽着。他身穿一件油腻腻的法兰绒长袍，颈前部裸露着。他似乎把注意力分别用在煎锅和晒衣架上。晒衣架上挂着许多丝手帕。用旧麻袋铺成的简陋的铺位在地板上并排紧挨着。方桌旁围坐着四五个男孩。他们的年纪都比蒙骗者小，却摆出中年男子的架势抽陶制的长烟斗，喝烈酒。当道金斯跟犹太人交头接耳时，这些小男孩全都围着他们的伙伴，然后转过身来对奥利弗咧嘴而笑。犹太人手里拿着烤叉，也咧嘴笑了。

"就是他，费金，"杰克·道金斯说道，"我的朋友奥利弗·特威斯特。"

犹太人露齿而笑，深深地向奥利弗敬礼，并拉起他的一只手，表示希望能荣幸地与奥利弗成为知交。这时，那些抽着烟斗的小家伙们都走到他跟前，有力地握住他的双手——尤其是他拿着小包裹

---

① 费金：Fagin，现在是"教唆犯"之意，因狄更斯在本书中刻画了费金这个人物而得名。

的那只手。有个小家伙急着要替他挂帽子，另一位十分热心，将双手伸进奥利弗的口袋，好让他睡觉时不必亲自费事把口袋的东西掏出来，因为他太疲倦了。若非犹太人的烤叉任意地落到了做出这些举动的挚爱的少年们头上和肩上，这些斯文之举很可能还不会停止。

"我们见到你非常高兴，奥利弗，非常高兴，"犹太人说道，"蒙骗者，把锅里的香肠取上来，拉个木桶到炉火旁给奥利弗坐。啊，你老是盯着那些手帕，是吗？亲爱的！它们太多啦是不是？我们刚刚把它们找出来，正要去洗，就这样，奥利弗，就这样。哈！哈！哈！"

后面这些话受到了快活的老先生所有前途无量的弟子们的热烈欢呼。在这片欢呼声中，他们开始用晚餐。

奥利弗吃完了分给他的那份，犹太人接着又为他调了一杯掺水的热杜松子酒，告诉他必须马上喝，因为另一位先生等着要这个平底无脚酒杯。奥利弗照他的吩咐喝了下去。之后不久，他感觉自己被轻轻地抬到其中的一张麻袋铺位上，然后昏昏沉沉地进入了梦乡。

第九章　本章进一步叙述有关那位快活的老先生及其前途无量的弟子们的详细情况

奥利弗从一次长长的酣睡中醒来时，已经是第二天早晨很晚了。房间里除了老犹太人外再没有别人。他正在用一个深平底锅煮咖啡作早餐。他一边用一把铁汤匙不停搅着咖啡，一边自个儿低声地吹着口哨。楼下一有声响他就停下来倾听，等完全弄清楚之后，才继续边吹口哨边搅拌咖啡。

虽然，奥利弗从酣睡中醒来，但尚未彻底地清醒，介于似醒非醒之间一种迷迷糊糊、昏昏欲睡的状态。像这样半闭着眼对周围发生的一切处于半知觉的时候，五分钟内梦见的事要比双眼紧闭、知觉处于无意识状态的五个晚上所梦见的还多。在这样的时候，一个凡人对自己思维活动的了解，足以形成某种模糊的概念，以为它有非凡的能力，一旦摆脱躯壳，便可脱离尘世，摒弃时间和空间。

奥利弗恰恰处于这种状态。他半闭着眼睛望着犹太人，倾听他低低的口哨声，汤匙刮擦平底锅的周边发出的刺耳声音。然而与此同时，他这些感官却同样关注着几乎所有他认识的人。

咖啡煮好后，犹太人将平底锅放在铁架上。然后，犹豫不决地站了几分钟，仿佛不晓得自己该做什么似的。他转过身来，看了看奥利弗，又叫了他的名字。奥利弗没有回答，显然是睡着了。

犹太人在确信他睡着后，便蹑手蹑脚地走到门前，将门锁上。然后，他拿出一只小盒子。在奥利弗看来，它似乎放在地板上的某个隐蔽处。他把盒子小心翼翼地放在桌上。当他打开盒盖往里瞧的时候，他的双眼闪闪发亮。他拉了一张旧椅子到方桌旁，坐了下来，并从盒子里取出一只华丽的金表。这只金表因镶满钻石而金光四射。

"啊！"犹太人耸了耸肩说道，丑陋地露齿一笑，把眼、口、鼻等每个部位都扭曲了，"聪明的小子！聪明的小子！忠诚可靠，直到最后一刻！从未告诉那个老牧师他们住在何处，从未告发老费金！他们怎么会呢？告发老费金既不会解开绞绳结，也不会使绞刑架的下落板推迟一分钟落下。不，不，不！好小子！好小子！"

说出了这番话，以及类似的含糊不清的想法之后，犹太人又将金表放回其安全的处所。从同一只盒子里分别被掏出来的东西至少还有半打之多，有戒指、胸针、手镯和其他珠宝饰物，也同样被他乐滋滋地逐一观察、欣赏了一番。奥利弗对这些华丽的材料、昂贵的工艺甚至它们的名称都一无所知。

犹太人将这些小饰物放回原处后，又拿出另一只盒子。它的体积太小了，可以放在手掌中。盒子上似乎有极其精细的铭文，因为犹太人将它平放在桌上，用一只手遮住它，长时间地、热切地、专心地研究它。最后，他将它放下，仿佛失去信心似的。他往椅背上一靠，咕哝道：

"死刑是一件多么美妙的事啊！死人从来不后悔，死人从来不将尴尬的事抖搂出来。啊，死刑对这一行当来说是一件美妙的事！他们当中的五个被一溜儿绞死，一个也没有留下来共同作弊或变成胆小鬼！"

犹太人说话时，那双一直茫然地凝视正前方的明亮的黑眼睛的目光落在奥利弗的脸上，而这孩子却默默地、好奇地注视着他。尽管这一切只发生在短暂的一瞬间——可以想象出的最短的一瞬间——但已足以告诉这个老头：他被发现了。他啪嚓一声很响地把盒盖关上，伸手抓住放在桌上的面包刀，突然怒不可遏地站了起来，然而他浑身哆嗦得很厉害，因为奥利弗即使惊恐万分，仍可以看出那把刀在空中颤抖。

"那是什么？"犹太人说道，"你为什么要注视我？你为什么醒着？你看到什么啦？大声讲，孩子！快——快！不然我要你的命！"

"我再也睡不着了，先生。"奥利弗温顺地说道，"如果我打扰你，实在对不起，先生。"

"一小时以前你没有醒着吧？"犹太人狠狠地对这个孩子瞪目怒视。

"没有！没有，真的！"奥利弗回答道。

"你能肯定吗？"犹太人嚷道，神色比先前更加凶狠，态度更具威胁性。

"我向你保证，确实没有醒，先生。"奥利弗认真地回答道，"我没有醒，真的，先生。"

"啐，啐，亲爱的！"犹太人说着，迅速地恢复了原来的态度，在将刀子放下来之前把玩了一会儿，仿佛要让人相信，他刚才很快地拿起刀子，纯粹是为了玩玩而已，"我当然知道，亲爱的。我只是想吓唬吓唬你。你是一个勇敢的孩子。哈！哈！你是一个勇敢的孩子，奥利弗！"犹太人低声轻笑着搓起双手，不过，他还是心神不安地瞥了那只盒子一眼。

"你刚才看见这些漂亮的东西了吗，亲爱的？"犹太人顿了一会儿之后，把一只手放在盒子上，说道。

"看到了，先生。"奥利弗回答道。

"啊！"犹太人说道，脸色骤然变得异常苍白，"它们——它们是

然后，他拿出一只小盒子。在奥利弗看来，它似乎放在地板上的某个隐蔽处。

我的，奥利弗，是我的一点财产。我年迈的时候赖以生存的全部财产。人们说我是守财奴，亲爱的，只是个守财奴，就这么回事。"

奥利弗心里想，这位老先生有这么多手表，竟然居住在这么一个肮脏的地方，想必是一个地地道道的守财奴，但转而又想，也许他对蒙骗者和其他孩子们的爱花费了好多钱。他只是恭敬地看了犹太人一眼，问他是否可以起床。

"当然，亲爱的，当然，"老先生回答道，"等等！门边角落里有一壶水，去把它提过来，我拿个脸盆给你洗脸，亲爱的。"

奥利弗爬起来，走到房间的另一端，俯身去提水壶，只一会儿工夫当他掉过头来时，小盒子不见了。他洗了脸，并照犹太人的吩咐将洗脸水从窗口泼出去。等把一切收拾停当，蒙骗者回来了。陪他一起来的还有一个非常活泼的小朋友。奥利弗在前一天晚上看见他在抽烟，现在，经介绍知道他叫查利·贝茨。四个人坐下来用早餐，喝咖啡、吃点热卷饼和火腿。这些是蒙骗者放在帽顶上带回来的。

"好啦，"犹太人偷偷地瞅了奥利弗一眼，说道，又对蒙骗者补充道，"我希望你们早晨一直在干活对吗，孩子们？"

"干得十分卖劲。"蒙骗者回答。

"连命都豁出去了。"查利·贝茨补充道。

"好孩子，好孩子！"犹太人说道，"蒙骗者，你弄到什么东西啦？"

"两只钱包。"小伙子回答道。

"钱包鼓不鼓呀？"犹太人急切地问。

"鼓鼓囊囊的。"蒙骗者说着，掏出两只钱包，一只绿色的，另一只红色的。

"还不够鼓，"犹太人仔细地查看钱包后，说道，"可是做得非常灵巧，很漂亮，心灵手巧的手工，是吧，奥利弗？"

"确实心灵手巧，先生。"奥利弗说道。查利·贝茨先生对此纵声大笑，使奥利弗大感诧异。对所发生的一切他看不出有什么可笑之处。

"那么，你弄到了什么呢，亲爱的？"费金对查利·贝茨说道。

"手帕。"贝茨少爷回答道，同时掏出了四条手帕。

"唔，"犹太人周密地检查后说道，"它们是很好的手帕，很好。可是你没有把记号做好，查利。那些记号应该用针挑起来，我们将教奥利弗如何做记号，好吗？奥利弗，嗯？哈！哈！哈！"

"如果您愿意的话，先生。"奥利弗说道。

"你想能够像查利·贝茨那么轻而易举地制造手帕，是吗，亲爱的？"犹太人说道。

"确实非常想，如果你愿意教我的话，先生。"奥利弗回答道。

贝茨少爷看出奥利弗的这一回答极为荒谬可笑，于是又爆发出一阵大笑。这场大笑与他正在喝的咖啡相遇，将咖啡带入他的气管，几乎使他过早地窒息夭亡。

"他太天真啦！"查利缓过气来时说道，因自己的不礼貌行为而对同伴表示歉意。

蒙骗者什么也没说，却将一撮遮住奥利弗眼睛的头发，说他不久就会更了解的。老犹太人见奥利弗的脸因此而涨得通红，便转移话题，问那天早晨处决时是否人山人海。这使奥利弗越发感到惊讶，因为从那两个男孩的回答看来，显然他们曾经到过刑场。奥利弗自然很想知道，他俩怎么有时间干那么多活！

早餐结束桌子收拾停当之后，快活的老先生和那两个男孩玩起了一个非常奇怪和不寻常的游戏。游戏是这样做的：快活的老先生在一个裤袋里放了一只鼻烟盒，另一个裤袋里放了一只钱包；在背心口袋放一块挂表，表链挂在脖子上，还在衬衣上别着一枚假钻石饰针，并将外衣纽扣扣紧；他把眼镜盒和手帕放进外衣口袋，挂着拐杖，模仿老人白天在大街上行走的样子，在房间里来来回回地快步走着。他偶尔停在壁炉旁，偶尔停在门口，假装正全神贯注凝视商店橱窗。在这当儿,他常常不断地往四下里张望,生怕小偷似的,并不停地轮流拍打自己所有的口袋,以确保不会丢失东西。其态度如此滑稽好笑和逼真自然,奥利弗笑得连眼泪都掉下来了。那两个男孩自始至终紧紧地跟着他。每当老先生转身时,他们便敏捷地躲得无影无踪。因此,要注视他们的动作是不可能的。最后,蒙骗者不知是踩到了老先生的脚趾上,还是意外地踹了他的一只长筒靴,而查利·贝茨乘机从背后撞了他一下。就在这时候,他们以最惊人的速度偷走了他的鼻烟盒、钱包、挂表、表链、衬衫饰针、手帕甚至眼镜盒。老先生伸手摸口袋时,便大叫东西不见了。然后,游戏又从头来过。

这个游戏玩过好多遍之后,有两位年轻女子来访,要求见那些年轻先生。其中一位女子名叫贝特①,另一位叫南希。她们都有一头浓密的头发,在脑后不太整齐地向上卷起。她们穿的鞋子和袜子很邋遢。也许她们并不见得漂亮,但脸色很红润,看上去很健壮。由于她们的举止异常洒脱和讨人喜欢,奥利弗认为她们实在是非常可爱的姑娘。毫无疑问,她们是可爱的。

这两位客人逗留了很久。因其中一位小姐抱怨她身体发冷,于是烈酒端上来了,谈话也变得活跃和振奋。最后,查利·贝茨认为该是上路的时候了。奥利弗想,这想必是法语"出去"之意。因为不久以后,蒙骗者、查利和两位小姐都一块走了,那位和蔼可亲的老犹太人慷慨地给了他们一点零花钱。

"好啦,亲爱的,"费金说道,"这是愉快的生活,是吧?他们今天又出去玩了。"

"他们干活吗,先生?"奥利弗问道。

"当然,"犹太人说道,"在他们外出时,碰巧遇到什么活的话。毫无疑问,如果他们遇到有活干,他们是不会疏忽的,亲爱的。以他

---

① 即贝特西小姐。

们为榜样,亲爱的,以他们为榜样。"他拿火铲在炉边轻轻地敲,以增加说话的分量。"他们叫你干啥你就干啥,凡事要听从他们吩咐——尤其是听从蒙骗者的吩咐,亲爱的。他将会成为一个伟人。如果你以他为榜样,他也会使你成为一个伟人。——我的手帕挂在我的口袋的外头吗,亲爱的?"犹太人突然把话停住,说道。

"是的,先生。"奥利弗说。

"看看你是否能够把它拿出来而不让我察觉,如今天早晨我们玩耍时你看到他们所做的那样。"

奥利弗用一只手托住口袋的底部——如他看到蒙骗者所做的那样,用另一只手轻轻地将手帕拉出来。

"拿出来了吗?"犹太人大声问道。

"在这儿呢,先生。"奥利弗说着,出示他手中的那条手帕。

"你是个聪明的孩子,亲爱的。"滑稽的老先生拍拍奥利弗的脑袋瓜,说道,"我从未见过比你更精明厉害的小伙子。这是送给你的一先令。如果你继续这样下去,你将成为当代最伟大的人物。好,到这儿来,我教你如何把手帕上的记号拿掉。"

奥利弗心里感到纳闷:做游戏扒窃这位老先生的口袋与他成为伟人的可能性有什么关系。然而想到这位犹太人比他年长那么多,应该最懂事,便默默地跟他到了桌子旁边,不久就专心致志于这一新的"学业"了。

第十章　奥利弗对他的新伙伴的性格更了解了，并以高昂的代价取得经验。在本故事中，这是很短、但非常重要的一章

多日来，奥利弗一直待在犹太人的房间里帮着摘掉手帕上的记号（有许多手帕被带回家），有时参加上面描述过的游戏，那两个男孩和犹太人每天早晨常常玩这种游戏。终于，他开始渴望吸收新鲜空气，有好几次乘机恳求老先生让他跟那两位小同伴一道出去干活。

奥利弗见到这位老先生品行端正，就更急于谋取一份差使。每当蒙骗者或查利·贝茨晚上两手空空地回来时，老先生常常慷慨激昂地阐述游手好闲和懒惰是极大不幸，常常不让他们吃晚饭就打发他们睡觉，把积极生活的必要性强加给他们。有一次，他竟然把他们打得从楼梯上滚下去。不过，这是他执行自己的道德戒律到了不寻常的地步。

一天早晨，奥利弗的恳求终于得到了许可。不见有手帕拿回来，已经有两三天没有活可干了，正餐的食物一直很糟，也许这是老先生同意他出去干活的原因。不管怎样反正他对奥利弗说他可以去，并将他置于查利·贝茨和他的朋友蒙骗者的共同保护之下。

三个男孩出发了。蒙骗者像往常一样，卷起上衣袖子，歪戴着帽子。贝茨少爷双手插在口袋里闲逛着。奥利弗走在他们两人之间，不晓得他们要上哪儿，也不晓得会让他学什么手艺。

他们迈着如此懒散和难看的步态悠然而行，以至奥利弗认为他的同伴想欺骗那位老先生，根本什么活也不干。蒙骗者还有一个不良的癖好，就是喜欢把小男孩头上的帽子摘掉，然后将它们抛到地上。而查利·贝茨对财产权问题提出了一些非常轻率的看法，从下水道旁边的小摊上偷了好几个苹果和洋葱，将它们塞进自己的口袋里。他的口袋的容量大得惊人，似乎从每个角度看都损害了整套衣服的美观。他们所做的事看起来如此不光彩，奥利弗差点委婉地表明自己想回去的意图。恰好在这时候，他的注意力突然被蒙骗者非常神秘的行为引开。

他们刚刚从离克拉肯韦尔的开阔广场（又用某个奇怪反常的词语称它为"公共草地"）不远的一个狭窄的院子里出来，蒙骗者突然停下来，将一只指头放在嘴唇上，极其小心和谨慎地拉他的同伴往后退。

"出了什么事？"奥利弗问道。

"嘘！"蒙骗者回答道，"你看见书摊上的那个老家伙了吗？"

"马路对过那位老先生吗？"奥利弗说道，"是的，我看见了。"

"他就行啦。"蒙骗者说道。

"一家最好的工厂。"查利·贝茨少爷说道。

奥利弗看了看蒙骗者，又看了看查利，吃惊极了，但他又来不及发问，因为这两个男孩已经偷偷摸摸地穿过那条马路，鬼鬼祟祟地走近引起奥利弗注意的那位老先生后面。奥利弗跟在他们后面走了几步，不晓得该前进呢还是后退，默默地愣在那儿旁观。

那位老先生看起来非常体面，脸上搽了粉，戴着金丝边框的眼镜。他身穿衣领是黑色天鹅绒的深绿色外套和白色裤子，腋下夹着一根漂亮的竹手杖。他已经从书摊上拿起了一本书，站在那儿不停地翻阅起来，用心的程度不亚于在自己书房里的扶手椅上看书。事实上，他或许认为就在自家的书房里，这是非常可能的，看他那副出神的样子，显然没有看见书摊、街道和那些男孩。简言之，除了书本身，他什么也没有看见。他把这本书仔仔细细从头看到尾，看到某页最后一行时把书翻到下一页，再从头一行看下来，如饥似渴而有条不紊。

奥利弗眼睛尽可能睁得大大的，站在几步之遥外观望。当蒙骗者将一只手插进那位老先生的口袋，从那儿拉出一条手帕时，奥利弗是何等的恐怖与惊慌！他看见蒙骗者把那条手帕交给查利·贝茨，最后看见他们全速地绕过拐角，逃之夭夭。

霎时，手帕、手表、珠宝和那个犹太人的整个秘密，突然涌进了这个孩子的脑海里。奥利弗站了一会儿，因为恐怖，感到自己血管中的血液如此刺痛，仿佛置身于烈火之中；然后，由于慌乱和恐惧，他拔腿就跑。他自己也不晓得在干什么，只是一个劲儿地奔跑。

这一切都在一分钟之内完成。就在奥利弗开始奔跑的当儿，那位老先生把一只手伸进口袋，发觉自己的手帕不见了。他猛然转过身来，看到奥利弗以这么快的速度飞奔，很自然地断定他就是劫掠者。于是，他一边竭尽全力高喊"捉小偷！"一边拿着书匆匆地追小偷去了。

但是，掀起这阵叫喊抓小偷的不光是这位老先生一个人。蒙骗者和贝茨少爷怕在空旷的大街上奔跑引起公众的注意，便躲进拐角处的头一个门道。他们一听到喊叫声，又见到奥利弗在奔跑，便猜到是怎么回事了。他们非常敏捷地走出来，也高喊着"捉小偷！"像循规蹈矩的公民那样加入捉贼的行列。

虽然奥利弗从小就受过哲学家们的教诲，但他在理论上还不了解"自我保护是第一自然法则"这一漂亮的格言。倘若他了解这一格言，也许他对此就会有所准备。然而，由于没有这种思想准备，他更加惊慌失措了。于是，他飞快地奔跑，老先生和那两个男孩在他身后吼叫、呼喊。

"捉小偷！捉小偷！"这喊叫声具有某种魔力。商人离开柜台，赶马车的离开马车，屠夫扔下盘子，面包师扔下篮子，送牛奶的扔下奶桶，童仆扔下包裹，学生扔下石弹子，铺路工扔下鹤嘴锄，孩子们扔下板羽球板。他们纷纷跑到街上，张皇失措、手忙脚乱。他们飞奔着，呼喊着，尖叫着，拐弯时撞倒了行人，惊得鸡飞狗跳。街道上、广场上和院子里都回响着这一叫声。

"捉小偷！捉小偷！"百来个声音加入这一喊叫。人群在每个转弯处聚集。他们狂奔着，溅起泥浆，咚咚咚地沿着人行道疾飞。一扇扇窗户被打开了，人们拥向街头。民众往前行进，所有读者在情节最精彩之处舍弃了《笨拙》周刊[1]，加入奔跑的人群，声势越来越浩大，给"捉小偷！捉小偷！"的喊叫声注入了新的活力。

"捉小偷！捉小偷！"在人们的心中搜寻某物的热情根深蒂固。一个因筋疲力尽而气喘吁吁、上气不接下气的可怜的孩子，面带恐惧，眼中充满痛苦，豆粒般的汗珠从脸上淌下来，竭力地摆脱追捕他的人。当人们紧随其后，每时每刻都在向他步步进逼时，他们以更大的喊叫声来欢呼他渐渐体力不支，并高兴得大喊大叫。"捉小偷！"唉，看在上帝的分上捉住他，这才是大慈大悲呢！

终于捉住了！巧妙的一击，他倒在人行道上。人群急切地聚集在他周围：每个新来者都互相推搡着、挣扎着要看上他一眼。"站开点！""给他一点空气！""胡说！不值得给！""那位老先生在哪儿？""那不是，他正从街上来啦。""给那位先生让出点空位！""是这个男孩吗，先生！""是的。"

---

① 英国幽默插画杂志。

奥利弗躺在地上，浑身是泥浆和尘土，嘴上流着血，慌乱地环顾着围着他的黑压压的脸，这时，最前面的追捕者殷勤地连推带拉帮那位老先生挤进圈子。

"是的，"老先生说道，"恐怕是这个男孩。"

"恐怕！"人群发出低低的喊喳声，"妙极了！"

"可怜的人！"老先生说道，"他受伤了。"

"是我干的，先生，"一个粗笨的大个子走到跟前，说道，"我的指关节打到他的嘴巴上。是我把他抓住的，先生。"

这家伙露齿而笑，轻触帽檐致意，期望他的功劳能得到一点什么酬报。可是这位老先生以厌恶的目光注视着他，焦急地环顾四周，仿佛他自己也在考虑逃跑似的。他也许企图这么做，从而导致另一场追捕——倘若这时不是一位警察挤过人群，揪住奥利弗的衣领的话（一般在这种情况下，警察是最不愿意来的）。

"喂，起来。"警察粗暴地说道。

"真的不是我，先生，真的，真的，是另外两个男孩。"奥利弗动情地紧握着他的双手，往四下里看了看，说道，"他们就在附近。"

"噢，不，他们不在。"警察说道，他说这句话本意是为了挖苦，不巧恰好被他言中了，因为蒙骗者和查利·贝茨已沿着最近的一个院子鱼贯地离去了，"喂，起来！"

"别伤害他。"那位老先生同情地说道。

"噢，不会的，我不会伤害他的。"警察回答道，为了证明这一点，他将奥利弗的外套从背后扯掉了一半，"喂，我知道你的底细，这可行不通。你站起来，好吗？你这个小坏蛋！"

几乎无法站立的奥利弗勉强地站了起来，马上被揪住夹克衣领迅速地给带走了。那位老先生在警察身边继续跟着他们走，并且像人群中的许多能够稍稍走到前面的人一样，不时地回头盯上奥利弗一眼。那两个男孩发出胜利的欢呼，又继续朝前走去。

第十一章 叙述警务司法官方先生，并提供了他的审判方式的一个小范例

这一违法行为是在这一管区内犯下的，而且，事实上就在一个声名狼藉的大都会警察局的眼皮下发生的。人群只能满足于伴随奥利弗穿过两三条大街，往下进入一个称为马敦山的地方。这时，他被带到一处低矮的拱廊底下，往一个肮脏的庭院走去，由小径进入这一即决裁判的医务所。他们进入一个地面铺过石块的小院子，在那儿遇到一个身材矮胖的男人，他的脸上蓄着一簇连鬓胡子，手里拿着一串钥匙。

"出了什么事？"这个男人漫不经心地问道。

"一个偷丝质手帕的小家伙。"押着奥利弗的人回答道。

"被偷的是你吗，先生？"手里拿钥匙的人问道。

"是的，"老先生回答道，"可是我不能肯定这个孩子真的偷了我的手帕。我——我倒不那么坚持追究这一事件。"

"你现在必须去见警务司法官，先生，"这男人回答道，"法官阁下过一会儿就有空。喂，小坏蛋！"

这算是邀请奥利弗穿过一道门。他边说边开这道门上的锁。这

道门通往一个石砌的小牢房。奥利弗在这儿被搜身。因为在他身上什么也没有找到，他便被监禁了起来。

这牢房的形状和大小有点儿像地窖，只是不如地窖明亮。这个地方脏得实在令人无法忍受，因为是星期一早晨，上星期六晚上牢里曾住过六个醉汉，现在被监禁在别处。但这并不重要。在我们警察局的地牢里，凭着最微不足道的指控（这个词值得注意），每天晚上都有男男女女被禁闭在地牢里。相比之下，新门监狱①那些受审判、被发现有罪并被判处死刑的最凶残的重罪犯住的牢房算得上宫殿。谁对此有怀疑的话，请他去比较这两个地方好啦。

当钥匙在门锁上发出嘎嘎声时，老先生看上去几乎与奥利弗一样沮丧。他叹了一口气，看着无辜成了这一风波之祸首的那本书。

"那孩子脸上有某种东西，"老先生用书的封皮轻叩自己的下巴，若有所思的样子，慢慢地走开，"有某种令我感动、使我感兴趣的东西。他可能是无辜的吗？他看上去像——可是，"老先生突然停住，仰望天空，惊叫道，"我的天啊！我以前曾在哪儿见过像那样的相貌？"

沉思了几分钟之后，老先生带着同一冥想的表情走进了从院子开启的接待室。他待在这儿的角落里，心目中浮现出一个充满各种面孔的巨大的圆形剧场，一道黑黝黝的帷幕遮蔽它们已经好几年了。"不，"老先生摇摇头说道，"这想必是幻觉。"

他又把这些面孔重新在脑海里重温了一遍。他已经揭开了曾遮蔽它们的那道幕，但是要把遮蔽它们这么多年的帷幕重新拉回去并不那么容易。这当中有朋友的面孔，也有敌人的面孔；有从人群中贸然出现、几乎已成为陌生人的许多面孔；有许多现在已变成老太婆的年轻的、容光焕发的姑娘的面孔；还有被坟墓覆盖，已变了样的面孔，但超越死亡力量的记忆仍然将它们以昔日的青春和美貌乔装打

---

① 昔日伦敦一著名监狱，1902 年撤除。

扮着，只是炯炯有神的目光、灿烂的微笑、灵魂透过肉体的假面具笑逐颜开，以及死亡之外美妙的窃窃私语，它们虽为死亡所改变却得以升华，离开人间只是为了提供一盏发出柔和光辉的灯，照亮通往天国之路。

然而，老先生无论如何也想不起哪一张面孔带有奥利弗容貌的痕迹。因此，他对自己唤起的回忆深深地叹了一口气。同时，由于他是一位心不在焉的老先生——这对他来说是一件幸事——他又将这些回忆埋入他那发霉的书页中去了。

有人碰了他的肩膀，使他惊醒过来。带钥匙的人要他跟着他到警察局。他赶快合上书本，立即被领到气概非凡、大名鼎鼎的方先生面前。

警察局设在临街的一个有一堵镶板墙的客厅里。方先生坐在栏杆后面。门的一边一块空地用木制栅栏围着。可怜的小奥利弗已经被安置在那儿了。见到这么威严的场面，他哆嗦得很厉害。

方先生中等身材，干瘦干瘦的，脊背长长的，颈部僵直，头发稀疏，仅有的那几根头发又长在脑袋的后部和两侧。他那张铁板样的面孔非常红润。倘若他不是真的习惯饮酒过量，损害健康的话，他完全可以对自己红润的脸容提出诽谤的起诉，并获得大笔的损害赔偿金。

老先生彬彬有礼地鞠了一躬，走到警务司法官的办公桌旁，掏出名片说道："这是我的名字和地址，先生。"然后，他往后退了一两步，等候查问。

方先生碰巧这时候正在读当天晨报上的一篇社论。社论提及他最近做出的一项裁决，并且第三百五十次提请内政大臣对他特别注意。他很生气。这时，他怒容满脸地抬起头来。

"你是谁呀？"方先生问道。

老先生有点诧异地指了指自己的名片。

"警官！"方先生轻蔑地用报纸将名片扫掉，说道，"这家伙是谁？"

"我的名字，先生，"老先生像绅士那样地说道，"我的名字叫布朗洛，先生。请问在法庭的保护下，无缘无故地侮辱一个体面人士的警务司法官的大名？"布朗洛先生说着，环顾了一下警察局，仿佛在寻找一个可以为他提供这一答复的人似的。

"警官！"方先生将报纸扔到一边，说道，"这个家伙受到什么指控？"

"阁下，他根本没有受到指控，"警官回答道，"他是到庭告这个男孩的，阁下。"

法官对此知道得一清二楚，不过，这是一种惹人恼火的巧妙方法。

"到法庭告发这个男孩，是吗？"方先生傲慢地把布朗洛先生从头到脚打量了一番，说道，"让他宣誓！"

"在宣誓之前，请让我说句话，"布朗洛先生说道，"我要说的是，如果没有亲身体验，我真的不会相信——"

"住口，先生！"方先生专横地说道。

"我偏不，先生！"老先生回答道。

"此刻住口，否则我就把你轰出警察局！"方先生说道，"你是个目空一切、没有礼貌的家伙。你怎敢欺侮法官！"

"什么！"老先生脸涨得通红，叫道。

"让这个人宣誓！"方先生对书记员说道，"我一句也不愿再听，让他宣誓。"

这激起了布朗洛先生的无比愤怒。不过，也许他考虑到如果泄怒，只会伤害这个男孩，因此他抑制住了自己的情感，立即顺从地宣誓。

"好啦，"方先生说道，"你指控这个孩子什么罪？你有什么话要说，先生？"

"我刚才站在一个书摊旁——"布朗洛先生开始说道。

"住口，先生，"方先生说道，"警察！那个警察哪儿去啦？得啦，让这个警察宣誓。喂，警察，这究竟是怎么回事？"

这位警察以应有的谦卑，叙述了他如何抓了被告，如何搜了奥利弗的身，在他身上什么也没找到，此外他什么也不知道。

"有证人吗？"方先生问道。

"没有，阁下。"那位警察回答道。

方先生默默地坐了几分钟，然后转向原告，暴跳如雷地说道："老兄，你打算控告这个男孩吗，或者不？你已经宣誓过了，因此，如果你光站在那儿，拒绝提供证据，我就罚你藐视法庭。我将根据——"

根据什么或谁，没有人晓得，因为书记员和监狱看守恰在此刻大声地咳嗽，而法官把一本厚厚的书掉到地板上（当然是意外发生的），于是，他的话没有人听见。

布朗洛先生被多次的打断和一再受到侮辱，竭力想说明自己的情况，说他在惊奇的当儿看见这个男孩逃跑，他就追逐他；并表示如果法官认为这个孩子虽然不是小偷，但与小偷有牵连，那么，希望在司法的允许下，法官能对这个孩子从宽处理。

"他已经受伤了，"老先生最后说道，"我担心，"他的眼睛往被告席瞥了一眼，有力地补充道，"我真的担心他病啦。"

"哦！是的，我认为是这样的！"方先生冷笑道，"得啦，你别在这儿耍花招了。你这个小流氓，耍花招可不行。你叫什么名字？"

奥利弗想回答，可是他讲不出话来，他的脸色死一般的苍白，整个法庭似乎在不停地旋转。

"你叫什么名字，你这个顽固不化的恶棍？"方先生问道，"警官，他叫什么名字？"

这话是对站在被告席旁边、身穿条子背心的一位粗率的老头说的。警官向奥利弗俯下身，重复一遍法官的问话，却发现他真的不能明白这个问题。他深知奥利弗不回答只会使法官火上浇油，加重对他的处罚，于是他捏造了一个名字。

"他说他的名字叫汤姆·怀特，阁下。"这位好心的公差说道。

"哦，他不愿意大声讲，是吗？"方先生说道，"好吧，好吧，他住在哪儿？"

"他没有固定的住处，阁下。"警官再次假装听到奥利弗的回答，说道。

"他有父母吗？"方先生问道。

"他说他们在他幼年时就去世了，阁下。"警官斗胆地作出这样的回答。

就在询问的当儿，奥利弗抬起头来，以哀求的目光往四下里看了一眼，以微弱的声音恳求喝一口水。

"别废话！"方先生说道，"别想来愚弄我。"

"我看他真的病了，阁下。"警官劝说道。

"我可不相信。"方先生说。

"关照他，警官，"老先生本能地抬起双手，说道，"他快要倒下去了。"

"站开，警官，"方先生喊道，"如果他愿意，就让他倒下去好啦。"

奥利弗获此仁慈的许可昏倒在地。警察局里的人面面相觑，但谁也不敢动一动。

"我知道他是假装的，"方先生说道，仿佛这是不争的事实似的，"让他躺在那儿好啦，他很快就会厌烦的。"

"你打算怎样处理这个案子呢，先生？"书记员低声问道。

"即决裁判，"方先生回答道，"判他三个月拘禁——当然是服苦役了。退堂。"

门被打开了，两个男人正准备把失去知觉的孩子抬进牢房，这时，一位身穿一套黑色旧服装，外表体面却瘦弱的上了年纪的人匆匆忙忙地奔进警察局，朝法官走去。

"且慢，且慢！别把他带走！看在老天爷的分上，请等一会儿！"

新来者喊道。他因仓促赶来而上气不接下气。

虽然，像这样的警察局的主管天才们对女王陛下的国民们，尤其是对那些较贫穷的阶层的自由、好名声、性格甚至生命可以行使即决的和专横的权力；虽然，在这些围墙内，每天都在耍弄异想天开的花招，使天使们[1]哭瞎了眼睛；但是这些对大众是不公开的，除非通过日报[2]这一媒体公布出去。因此，见到一位不速之客毫不相干地胡乱闯入，方先生感到无比愤怒。

"这是怎么回事？这个人是谁？把这个人赶走。退堂！"方先生喊道。

"我要说话，"这位男人说道，"谁也别想把我赶走。这一切我全都看到啦。书摊是我经营的。我要求宣誓。谁也无法使我保持沉默。方先生，你应该叫我诉说。你不该拒绝，先生。"

这位男人是正确的。他的态度坚决，而这个问题变得如此严肃，以至于无法遮掩。

"让这个男人宣誓，"方先生非常勉强地咆哮着说道，"好了，老兄，你有什么话要说？"

"是这样的，"这位男人说道，"我看见三个男孩，其他的两个和这儿的这个囚犯，他们在马路的对面闲逛时，这位老先生正在看书。偷盗是另一个男孩干的，我看见了被盗的全过程。我还看到这个男孩被这件事惊得呆若木鸡。"这时，可敬的书摊老板已经缓过气来了，开始更加连贯地叙述偷盗的详细情形。

"你为什么不早点到这儿来？"方先生顿了一会儿，说道。

"没有人帮我照看书摊，"这位男人说道，"可以帮我的人都参加追捕去了，直到五分钟之前我才找到人来帮我看书摊，我是一路跑

---

① 通常指女子或小孩。

② 或基本上通过日报这一媒体。——原作者注

过来的。"

"原告正在看书，是吗？"方先生又顿了一会儿之后，问道。

"是的，"这位男人回答道，"正在看他手中的那本书。"

"哦。那本书，是吗？"方先生说道，"付了钱没有？"

"还没有。"这个人微笑着回答道。

"天啊，我全忘了！"心不在焉的老先生天真地喊道。

"一个指控可怜的小男孩的大好人啊！"方先生说道，滑稽而竭力地显得仁慈，"我认为，先生，你是在非常可疑和不体面的情况下拥有那本书的。你可能认为自己非常走运，因为物主不打算起诉你。记住这次教训吧，否则，法律还会逮住你。这男孩被释放了。退堂。"

"该死！"老先生一直压抑在心中的盛怒爆发了，喊道，"该死的！我将——"

"退堂！"法官说道，"警官，你们听到了没有？退堂。"

命令被执行了。愤怒的布朗洛先生一手拿着书，一手扶着竹手杖被带了出去。他暴跳如雷，不顾一切。他走到院子，怒气一会儿就消了。小奥利弗仰躺在人行道上，衬衫的纽扣被解开了，太阳穴上给洒了些水，脸色死一般的苍白，浑身冷得直哆嗦。

"可怜的孩子！可怜的孩子！"布朗洛先生向他俯下身去，说道，"叫一辆马车，哪一位请帮忙叫辆马车，马上！"

马车叫来了，奥利弗被小心翼翼地抬在一个座位上。老先生上了车，坐在另一个座位上。

"我叫以跟你们一道走吗？"书摊老板眼睛朝马车里看，说道。

"哦，当然可以，亲爱的先生，"布朗洛先生迅速地说道，"我把你忘了。哎呀！我手里还拿着这本倒霉的书呢。跳上车来。可怜的人！刻不容缓。"

书摊老板上了马车，他们驱车离去。

第十二章 在本章里，奥利弗比以往任何时候 都得到更好的照料。故事重提那位快活的 老先生及其年轻的朋友们

　　马车嘎拉嘎拉地继续朝前走。它所走的路，差不多就是奥利弗第一次由蒙骗者陪着进伦敦所走的那条。马车抵达艾斯林顿的安吉尔旅馆时转向一条不同的路，终于在彭顿维尔附近一条僻静的林荫大道的一幢整洁的房子前面停下来。进了屋，一张床已预备停当。布朗洛先生看到他照管的孩子被小心翼翼、舒舒服服地安顿在床上；他们以无限的仁慈和无微不至的关怀悉心照料着奥利弗。

　　然而，接连好几天，奥利弗对他的新朋友们的这一切善行依然毫无知觉。日出日落，又再次日出日落，此后，又往复了好几回。这个孩子却依然平伸着身子，躺在那张不舒适的床上。发烧耗损了他的精力，使他变得日渐枯萎了。虫子蚕食死尸也比不上这种缓慢的低烧烤活人那样有把握。

　　奥利弗终于像是从一场漫长的和不安的梦幻中醒过来了，显得虚弱消瘦和苍白。他无力地在床上抬起身子，将脑袋枕在一只颤抖的胳膊上，焦虑不安地往四下里张望。"我在哪个房间？我被带到了

什么地方？"奥利弗问道，"这不是我过去睡觉的地方。"他有气无力地说出这些话后，觉得太眩晕、太虚弱了。床头的帘子被迅速地拉开了。一位穿戴得整整齐齐、一丝不苟的慈母般的老太太拉开帘子后，从旁边的一张扶手椅上站起身。她一直坐在那儿做针线活。

"嘘，亲爱的，"老太太以轻柔的声音说道，"你必须非常安静，否则你又会生病。你一直病得很重——几乎再也没有比这更重的了。躺下来，这才是乖孩子！"老太太说完，又将奥利弗的头轻轻地放回枕头上，然后，把他额角的头发往后捋平。她那么慈祥、深情地端详着他的脸，他情不自禁地将自己那只干瘪的小手放进她的手里，并拉着她的手搂住自己的脖子。

"天啊！"老太太噙着眼泪说道，"多么知恩图报的一个小乖乖啊。多么俊俏的孩子！要是他母亲像我这样坐在他身边，现在可以见到他，她会有什么样的感觉啊！"

"也许她现在确实看见我了，"奥利弗交叉着十指，低声说道，"也许她已经坐在我身边。我仿佛觉得她就坐在我的身边。"

"那是你发烧的缘故，亲爱的。"老太太温和地说。

"我想是的，"奥利弗回答道，"因为天堂离这儿太遥远了，况且他们在那儿太快活了，不会到一个可怜的孩子的床边来的。不过，如果她知道我病了，她即使在那儿想必也会可怜我的，因为她去世之前自己也病得很重，虽然她对我的情况一无所知。"沉默了一会儿之后，奥利弗又补充道，"要是她见到我受伤了，她会感到伤心的。我每次梦见她的时候，她的脸部表情看上去总是和蔼和快活的。"

老太太没有回答，却先揩干眼泪，又擦了擦她放在床罩上的眼镜，仿佛眼镜也在流泪似的。她给奥利弗端来了一些冷饮，然后轻轻地拍了拍他的脸蛋，叫他躺着别动，否则又会病倒。

于是，奥利弗一动也不动地躺着，一方面是因为他竭力想听从这位善良的老太太的话，另一方面是因为他说了上述的话后疲劳不堪了。他立即打起瞌睡来。一缕烛光使他从瞌睡中醒来。当烛光靠近床头时，他看到一位先生，手里有一块滴答滴答作响的大金表。他给奥利弗号了脉之后说他的身体好多了。

"你现在好多了，不是吗，亲爱的？"这位先生说道。

"是的，谢谢你，先生。"奥利弗回答道。

"没错，我晓得你好多了，"这位先生说道，"你也饿了，是吗？"

"不，先生。"奥利弗回答道。

"嗯！"这位先生说，"我知道你不饿。他不饿，贝德温太太。"这位先生说道，显得很聪明的样子。

老太太恭恭敬敬地点点头，似乎在说，她觉得医生是个非常聪明的人。医生本人看来差不多也有同感。

"你感到困倦，是吗，亲爱的？"医生说道。

"不，先生。"奥利弗回答。

"不，"医生露出一副非常精明、满意的神色，说道，"你不困，也不口渴，是吗？"

"不，先生，我很口渴。"奥利弗回答道。

"不出我所料，贝德温太太，"医生说道，"他口渴，这是很自然的。你可以给他一点茶，太太，或者不带黄油的一些干面包。不要让他太暖和，太太，可是，小心别让他太冷了，拜托了！"

老太太行了屈膝礼，医生尝了一口冷饮，表示味道还可以之后匆匆地走了。下楼时，他的靴子发出吱吱嘎嘎的响声，样子自命不凡，颇有有钱人的派头。

不久，奥利弗又打起盹来。他醒过来时已将近12点。之后不久，老太太温柔地祝他晚安，将他交给刚来的一位胖老妇人照料。老妇人随身带来了一个小包，包里装了一本小祈祷书和一个大睡帽。老妇人戴上了大睡帽，把祈祷书放在桌上，告诉奥利弗她是来彻夜守护他的。之后，她拉了一张椅子坐到炉火旁，立即打起小盹：每隔一会儿因身体前倾，或各种呻吟声或一口气憋住而醒过来。然而，这些并没有产生什么不良的后果，她只是用力地揉揉鼻子，然后又睡着了。

于是，长夜缓慢地悄然过去。奥利弗醒着躺了一会儿，数着灯草芯蜡烛灯罩反射到天花板上的小光圈，或者以无精打采的目光探索墙上壁纸的复杂图案。房间的一片漆黑和深沉的静寂显得异常庄严肃穆。它们使奥利弗想起，死神①接连几昼夜一直停留在那儿，同时，他脑海里仍然充满着它留下的黑暗和恐怖，因此，他将脸伏在枕头上，热烈地向上帝祈祷。

他渐渐地进入了酣甜、平静的梦乡——梦乡只是对新近遭受的痛苦的补偿；进入了令人不愿意醒过来的平静和安详的休息状态。倘若这是死亡的话，谁愿意再被唤醒来面对生活的一切挣扎和混乱，面对眼下生活的一切烦恼，面对将来的一切忧虑，尤其是面对过去一切令人乏味的回忆呢？

奥利弗睁开眼睛时天已经亮了好几个小时，他感到兴致勃勃、心情舒畅。疾病的危机已经平安地过去，他又重归尘世了。

三天后，他已能坐在用枕头当靠垫的扶手椅上。他的身体仍然太虚弱，无法走路。贝德温太太叫人把他抬到楼下属于她的小房间里。把他安顿在这儿的炉边之后，这位善良的老太太自己也坐下来。她见他的身体大有起色而异常高兴，立即伤心地哭开了。

"别管我，亲爱的，"老太太说道，"我只是习惯性地大哭一场。瞧，现在没事啦，我感到太舒服了。"

"你待我太好太好啦，太太。"奥利弗说道。

"咳，你别把这放在心上，亲爱的，"老太太说道，"这和那些肉汤没有关系。该是你喝掉它的时候了，因为大夫说布朗洛先生今天

---

① 死神，常被画作手持大镰刀、身穿黑袍的骷髅或老人。

上午可能会过来看你，你必须显出最佳的样子。我们看上去越是健康，他老人家就越高兴。"说毕，老太太着手用一个小平底锅热满满的一盆肉汤。奥利弗想，当济贫院的正餐减至规定的定额时，最低估计，这盆肉汤的浓度足够为三百五十个贫民提供一顿丰盛的正餐。

"你喜欢画吗，亲爱的？"老太太问道，她看到奥利弗目不转睛地盯着椅子对面的墙上挂着的一幅画像。

"我不太懂，太太，"奥利弗说道，眼睛仍然没有离开那幅油画，"画我看得太少，几乎不懂。画中的那位太太的脸蛋多么漂亮和温柔啊！"

"啊！"老太太说道，"肖像画家总是把太太们画得比她们本人更漂亮点，否则他们就没有顾客了，孩子。发明照相机的那个人也许已经知道，那玩意儿是永远不会受欢迎的。它太真实了，真实极了。"老太太说着，对自己的敏锐开怀大笑。

"这——这是一幅肖像吗？"奥利弗问道。

"是的，"老太太的视线从肉汤上移开了一会儿，抬起头来说道，"这是一幅肖像。"

"谁的肖像，太太？"奥利弗问道。

"噢，其实，亲爱的，我不知道，"老太太愉快地回答道，"我想，画中的人你我都不认识。它似乎把你吸引住了，亲爱的。"

"它太漂亮了。"奥利弗回答道。

"哎呀，真的，你该不是对它感到害怕吧？"老太太说道。她大为惊奇地观察到这孩子注视这幅画时所怀有的敬畏的神色。

"哦，不，不，"奥利弗迅速地回答，"只是那双眼睛看上去太悲伤了，因此，无论我坐在哪儿，它们似乎都在盯着我，这使我心慌，"奥利弗低声补充道，"仿佛它是有生命的，想跟我说话，却又不能开口似的。"

"老天保佑！"老太太吃惊地喊道，"别那样讲，孩子。你病后身体虚弱又神经不安。我把你的椅子转到另一边去，这样你就看不到它了。瞧！"老太太说到做到，"现在，你无论如何再也见不到它了。"

在奥利弗的心目中，确实还能清楚地看到它，仿佛他没有改变方位似的。不过，他想最好别让这位仁慈的老太太担心，因此，当她注视他时，他温和地笑了。贝德温太太因他觉得更舒服些而感到满意，便往肉汤里加盐和一片片烤面包，如此忙碌，自然与这道食物的配制相协调。奥利弗以不寻常的速度将它一扫而光。他刚吞完了最后一汤匙，就传来了轻轻的叩门声。"进来。"老太太说道。布朗洛先生走了进来。

这位老先生进来时动作够快的，他将眼镜抬向额头，双手反抄起晨衣的下摆，想好好地把奥利弗看个仔细，这时，他脸部表情发生了各种奇特变化。奥利弗因生病看上去非常憔悴瘦弱。出于对恩人的尊敬，他努力想站起来，却未能成功，结果又重重地坐回到椅子里。说实话，布朗洛先生心胸宽广，足以抵得上六位慈善心肠的普通老绅士，靠某种水压作用——我们还不够贤明，无法解释这种作用——他从自己眼里强行挤出了不少泪水。

"可怜的孩子，可怜的孩子！"布朗洛先生清了清喉咙，说道，"今天早晨我的声音很嘶哑，贝德温太太，恐怕我已经感冒了。"

"但愿没有，先生，"贝德温太太说道，"你的东西我都已经晾干，先生。"

"我不知道，贝德温太太，我不知道，"布朗洛先生说道，"我倒认为昨天晚餐时用的一条餐巾很潮湿。不过，别把这事放在心上。你感觉怎么样，亲爱的？"

"很愉快，先生。"奥利弗回答道，"而且，非常感激你对我的好意，先生。"

"好孩子。"布朗洛先生断然地说道，"你给他吃什么滋养品了吗，贝德温太太？流汁之类，有吗？"

"他刚喝了一盆极浓的肉汤，先生。"贝德温太太回答道。她稍微昂首挺胸，着力强调最后一个词，暗示流汁和调配得很好的肉汤之间根本没有丝毫共同之处。

"啊！"布朗洛先生有点战栗地说道，"两杯波尔图葡萄酒对他的身体将大有好处。难道不是吗，汤姆·怀特？"

"我的名字叫奥利弗，先生。"小病人回答道，露出非常惊讶的神色。

"奥利弗，"布朗洛先生说道，"奥利弗什么？奥利弗·环特，是吗？"

"不是，先生，特威斯特，奥利弗·特威斯特。"

"怪名字！"老先生说道，"你怎么会告诉法官你姓怀特？"

"我从未这么向他说过，先生。"奥利弗惊愕地回答。

这听起来很像是谎言，老先生有些严厉地直视奥利弗。怀疑他是不可能的，写在他瘦削脸上的每一个特征都显示出真实。

"是搞错了。"布朗洛先生说道。然而，虽然他目不转睛地盯着奥利弗的动机已不复存在，但奥利弗的外貌特征与某一张熟悉的面孔一模一样的旧念头如此强烈，以致他的眼睛无法从他的脸上移开。

"但愿你不会生我的气吧，先生？"奥利弗抬起头来，哀求地说道。

"不会，不会，"老先生说道，"唔！这是什么？贝德温太太，你瞧！"

他说话时迅速地指着奥利弗头顶上的那幅肖像画，然后又指着这孩子的脸。他的脸简直是它的活的复制品。眼睛、头部、嘴巴，每个脸部特征都相同。那一瞬间的表情也如此相像，好像连细微的线条也是以惊人的精确性复制出来的！

奥利弗不知道引起这一突然的惊叹的原因，因为他的身体还太虚弱，无法承受这样的惊吓，于是，他又昏过去了。奥利弗的虚弱使笔者有机会交代那位快活的老先生的两名年轻弟子,以释读者的悬念——

　　如前所述,蒙骗者和他的朋友贝茨少爷因偷窃布朗洛先生的个人财产而引起追捕奥利弗、大喊捉小偷的事件。他们受一种值得称道的和顾及自己的合乎时宜的想法驱使,也加入到这一追捕行动之中。鉴于国民的自由和个人的自由是忠实的英国人最引以为豪的,我们无须要求读者注意,这一行动有助于提高他们在所有的公众和爱国人士心目中的地位。他们急于明哲保身的这一强有力的证据,有助于支持和证实那部小小的法典的正确性。这部法典是某位学问渊博和明断的哲学家将它作为大自然的一切功绩和行动的主要动力而制定的。上述哲学家非常聪明地将自然本性归纳为格言和理论,同时,通过对它的高度智慧和悟性加以巧妙、狡猾的恭维,把任何有关善良、慷慨的冲动和情感等因素统统抛到九霄云外。因为,这些完全有损于它的尊严。自然本性被公认为远远地置身于诸如心灵冲动等等的缺点和弱点之上。

　　如果我需要为在极其棘手的困境中的这些小伙子的行为找出严格的哲学依据,我就能立即从如下这一事实中(也已记录在本故事的前面部分)找到:他们在大家的注意力集中在奥利弗身上时停止了追赶,并立即抄最近的路回家。虽然,我无意断言,走捷径以得出伟大结论通常是著名的或有学问的哲人之所为(实际上,由于种种迂回曲折和漫无目的的蹒跚而行,犹如醉汉在充满各种思想的压力下易于沉迷的步态那样,他们的路线反而拉长了);然而,我的意思确实是说,而且明白无误地说,在落实他们的理论时显示出极大的智慧和先见之明,避免可能影响他们自身利益的一切突发事件。这是许多非凡的哲学家一成不变的做法。因此,为了成就大业,你可以不拘小节;只要达到的目的是正当的,你可以不择手段;至于什么是大业,什么是小节,或实际上这两者之间的界线,则完全根据有关哲学家对自己特殊情况的明确的、全面的和公正的分析来加以确定。

直到这两个男孩急速地穿过一片最错综复杂的狭窄街道和庭院的迷宫之后，他们才敢于在一处低矮、阴暗的拱道下面停下来。他们在这儿默默地待了一会儿，待足以缓过气来说话之后，贝茨少爷乐不可支地喊了起来，发出一阵无法控制的哈哈大笑，突然扑倒在门前的石阶上，在上面滚来滚去，笑得死去活来。

"怎么啦？"蒙骗者问道。

"哈！哈！哈！"查利·贝茨狂笑不已。

"住口，"蒙骗者小心谨慎地环顾四周，告诫道，"你想给抓走吗，蠢货？"

"我忍不住，"查利说道，"我忍不住！见到他以那样的速度逃跑，抄近路，撞上电线杆，又继续跑，仿佛他和电线杆一样都是铁做的似的，而我口袋里装着那条偷来的手帕，在他后面大喊捉贼——哦，哎哟！"贝茨少爷以自己生动的想象，绘声绘色地让这一幕再现在眼前。他叫了一声"我的妈呀"，又在石阶上打起滚来，比以前笑得更厉害了。

"费金会怎么说呢？"蒙骗者问道。他利用他的朋友的另一次透不过气来的间歇提出了这个问题。

"会怎么说呢？"查利·贝茨重复道。

"是啊，会怎么说呢？"蒙骗者说道。

"怎么，他能说些什么？"查利非常突然地停止了笑声，反问道，因为蒙骗者的态度很威严，"他能说些什么呢？"

道金斯先生吹了两三分钟口哨，然后脱掉帽子，搔搔头痒，点了三下头。

"你是什么意思？"查利问道。

"嘟噜啰啰，胡说八道一番，他不会鞭打我们，只会大吹牛皮。"蒙骗者说道。聪明的脸上带着些许轻蔑的表情。

这是他的解释，但并不令人满意。贝茨少爷也这么认为，于是又问道："你是什么意思？"

蒙骗者没有回答，却又戴上帽子，伸手将长外套的下摆收拢在手臂下面，吐出舌头舔了一下脸颊。以熟习而富有表情的动作在自己的鼻梁上拍了五六下，然后急向后转，偷偷摸摸地从庭院溜走。贝茨少爷带着若有所思的表情在后面跟着。

这场对话后的几分钟，从楼梯上传来的吱吱嘎嘎作响的脚步声把那位快活的老先生惊起。这时他正坐在炉火旁，左手拿着干腊肠和一条小面包，右手握着小折刀，三脚架上放着白镴酒壶。他转过身来时，苍白的脸上挂着卑鄙的笑容，眼睛从浓密的红眉毛底下敏锐地往外瞅，身子紧贴着房门侧耳倾听。

"怎么，这是怎么回事？"犹太人咕哝着，脸色骤变，"只有他们俩？还有一个呢？他们该不会出事了吧。听！"

脚步声更靠近了。他们登上了楼梯平台。门慢慢打开了，蒙骗者和查利·贝茨走进来，顺手将门关上。

第十三章　向聪明的读者介绍了一些新相识，叙述与本故事有关的、跟这些人有联系的各种趣事

"奥利弗在哪儿？"犹太人站起来，面带威胁地问道，"那孩子在哪儿？"

两个小窃贼拿眼瞅了他们的师傅一眼，仿佛对他的激烈言辞感到恐慌似的。他们心神不安地彼此对视着，却一声不吭。

"那孩子怎么啦？"犹太人重复道。他死死地揪住蒙骗者的衣领，以骇人的诅咒威胁他，"大声说出来，否则我就掐死你！"

费金先生看上去如此认真，因此，查利·贝茨——他认为，为预防万一，凡事应该谨慎小心，还认为，会轮到他第二个被掐死也决不是不可能的——跪了下来，发出一阵高声的、持久的号叫。这声音既像是疯牛，又像是喇叭筒发出来的。

"你说不说？"犹太人吼叫着，抓住蒙骗者猛摇。蒙骗者的大衣竟然没有被揪脱，简直是奇迹。

"警察把他逮住了，就这么回事。"蒙骗者满脸不高兴地说道。"得啦，请松手吧！"说着，他猛然一转身，完全脱离了那件长外套——外套留在犹太人的手中——抓起那把长柄烤面包铁叉，向快活的老

先生的背心刺去。如果铁叉刺中犹太人的话，他可就不会那么快活了，其损失也不那么容易补回来了。

在这千钧一发之际，一个衰弱老人以人们所意想不到的敏捷向后退缩，抓起那只酒壶，准备朝对准他的攻击者的头部猛投过去。就在这时候，查利·贝茨发出一声撕心裂肺般的可怕的号叫，分散了犹太人的注意力。犹太人突然改变目标，直接往这个年轻人的身上扔去。

"嘀，究竟出了什么事啦！"一个深沉的声音咆哮道，"谁用那玩意儿扔我？幸亏击中我的是啤酒，而不是壶，否则，我就收拾他。我可以料到是谁扔的了，除了一个穷凶极恶的、有钱的、掠夺成性的老犹太人外，谁能把啤酒乱泼呢——除了是水，即便是水也不行，除非他每季度都能欺骗自来水公司。费金，究竟怎么回事？妈的，要是我的领带没有灌满啤酒就好啦！进来，你这个畏首畏尾的东西①为什么待在外头，似乎为你的主人感到害臊似的。进来！"

咆哮着讲出这些话的人年纪约摸三十五岁，身材矮胖，穿一件黑色粗天鹅绒上衣和一条脏兮兮的灰色斜纹布马裤，脚着一双系带的半高筒靴子和一双灰色的棉长袜。长袜裹住了他两条粗壮的大腿，小腿肌肉显得隆起。穿这样的服装，而两条腿没有脚镣装饰，看起来总显得粗糙和不完整。他头戴一顶褐色的帽子，脖子上围着一条杂色的脏围巾。他边说边用边上已破损的围巾长长的一角将溅到脸上的啤酒抹去。抹完之后露出了一副宽阔、粗糙的面孔。他已经三天没刮胡子了。他的双眼露出不悦之色，其中一只眼睛因新近挨了一拳而显出青一块、紫一块的杂色。

"进来，听见没有？"这位滑稽的恶棍咆哮道。

一条脸上多处被抓伤和扯破皮的粗毛白狗偷偷摸摸地溜进

---

① 指赛克斯养的狗。

房间。

"你刚才怎么不进来?"这个男人说道,"你变得越来越傲慢,在我的同伴面前不认我这个主子了,是吗?躺下!"

下达这道命令时他附带踢了它一脚,把它踢到房间的另一头。不过,这条狗对此已习以为常了。它一声不响地蜷缩在角落里,仅片刻工夫,那双丑陋无比的眼睛便眨了好几回,似乎正忙着观察这个房间。

"你在做什么? 虐待孩子们,你这个贪婪成性的、贪得无厌的、永不知足的、接受贼赃的老浑蛋?"这个人说着,不慌不忙地坐下来,"我真不明白,他们怎么没有把你干掉! 要是我的话,一定会这么干的。如果我是你的徒弟的话,我早就把你干掉了,而且——不,把你干掉之后我就无法把你卖出去啦,因为你什么事也干不了,只配作为丑陋的古董装进一只玻璃瓶里。不过,我想他们不吹制这么大的玻璃瓶。"

"嘘! 嘘! 赛克斯先生,"犹太人浑身哆嗦着说道,"别讲得那么大声。"

"你别称我先生,"这个恶棍回答道,"每当你来这一套时,你总是不安好心。你知道我的名字,就叫我的名字好了! 当时机到来时,我不会辱没自己的名字的。"

"好啦,那么——比尔·赛克斯,"犹太人低声下气地说道,"你似乎缺乏幽默感,比尔。"

"也许是吧,"赛克斯回答道,"我倒认为你情绪欠佳,你把白镴酒壶到处乱扔的时候,就像你喋喋不休时那样怀有恶意,而且——"

"你疯了吗?"犹太人抓住这个人的袖子,指着那些孩子们,说道。

赛克斯先生在自己左耳下面作了一个打结的动作. 把脑袋猛然扭到右肩上,作了一出犹太人看来完全领会的哑剧。然后,他用窃贼的黑话要求来一杯烈酒。他满口都是黑话。倘若在这里将它们——

记录下来，那是相当晦涩难懂的。

"注意可别在酒里下毒哟。"赛克斯把帽子放在桌上。说道。

这是一句开玩笑的话，然而，如果说话者看到犹太人咬住苍白的嘴唇向食橱转过身去时那邪恶的目光，他就会认为这种小心是完全必要的；或者会认为无论如何，刻薄的老犹太有这样的愿望。

赛克斯先生两三杯酒下肚之后，这才以恩赐般的态度来理会这两位小伙子。他这一亲切的举动引起了一席谈话。谈话中，详细地叙述了奥利弗被逮住的原因和情况，叙述过程中对事实真相作了多处的变动和加工，在蒙骗者看来，在那种情况下这似乎是最明智的了。

"我担心，"犹太人说道，"奥利弗可能会说些什么给我们带来麻烦。"

"那是很有可能的，"赛克斯恶毒地露齿而笑，回答道，"你要倒霉啦，费金。"

"要知道我还担心，"犹太人补充道，仿佛没有注意到他的插话似的。同时，他说话时紧紧盯住对方，"我担心如果我们这项计划完蛋的话，那么，还有好多计划也可能完蛋。而且，到头来，你将会比我更惨，亲爱的。"

这男人吃了一惊，转过头来面对犹太人。但老犹太把双肩耸到了耳朵，眼睛呆呆地凝视着对面的墙。

很长时间没人作声。这个体面的小圈子里的每个成员似乎都陷入各自的沉思之中，连那条狗也不例外。它心怀恶意地舔了舔自己的嘴巴，仿佛正在考虑出去时袭击街上可能遭遇到的第一位先生或女士的腿似的。"必须有个人去探听警察局如何判罪。"赛克斯先生说道，声音比刚进来时低了很多。犹太人点头表示同意。

"如果他没有说出去，那么可以放心等到他放出来，"赛克斯先生说道，"然后必须盯住他。你无论如何必须逮住他。"

犹太人再次点了点头。

诚然,这一行动步骤的慎重程度是显而易见的。可是,遗憾的是,采纳这一方案却遇到了极大的障碍。就是说,不论以何种理由和借口走近警察局,蒙骗者、查利·贝茨、费金和比尔·赛克斯先生个个都怀有极端的、根深蒂固的反感。

在这种不十分令人愉快的、举棋不定的情况下,他们究竟会彼此面面相觑地坐多久,实在难以猜测。然而,对这个问题作任何猜测是不必要的,因为奥利弗上次见过的那两位小姐的突然进入,使谈话又重新活跃起来。

"有了合适的人选!"犹太人说道,"贝特愿意去,是吧,亲爱的?"

"去哪儿?"这位小姐问道。

"只是去一趟警察局,亲爱的。"犹太人好言相劝道。

这位年轻小姐没有断然说她不愿去,但是,如果要她去的话,她表示宁可"遭天罚"。这是对犹太人的要求的礼貌和微妙的拒绝。它表明这位小姐具有天生的良好教养。这种教养不忍心让人遭受被直截了当地拒绝的痛苦。

犹太人的脸一下子沉了下来。他的目光从这位小姐——她穿着鲜艳的(虽不能说华丽的)红色女裙服、绿色的靴子,一头黄色的卷发纸——转向另一位女性。

"南希,亲爱的,"犹太人以安慰的口吻说道,"你看呢?"

"我看这不行,所以试也没用,费金。"南希回答道。

"你这是什么意思?"赛克斯态度粗暴地仰起头来,说道。

"我就是这个意思,比尔。"这位小姐泰然自若地回答道。

"啊,你正是干这件事的合适人选,"赛克斯先生劝道,"这附近的人谁也不认识你。""我也不要他们认识我,"南希以同样的镇静态度回答,"与其说我愿意,倒不如说我不愿意,比尔。"

"她愿意去,费金。"赛克斯说。

"不,她不愿意去,费金。"南希说。

"是的，她愿意，费金。"赛克斯说道。

赛克斯先生是对的。凭借威胁、承诺和利诱，这位小姐终于被说服了，愿意承担这一使命。事实上，她拒绝的理由与她那位惬意的朋友贝特小姐不同。她最近刚从遥远但高雅的拉特克利夫郊区搬进菲尔德巷附近。她不必顾虑被她的许多熟人认出来。

因此，在她的女裙服外头扎了一条围裙，将她的卷发纸卷起，塞进无边女式草帽下——这两件饰物来自犹太人取之不尽的库存——南希小姐准备出来跑这趟差使。

"等一会儿，亲爱的，"犹太人说着，拿出一只有盖的小篮子，"把这只篮子提在手上，这样看上去更体面些，亲爱的。"

"让她的另一只手拿着一把钥匙，费金。"赛克斯说道，"这样看起来更真实。"

"是的，是的，亲爱的，确实如此。"犹太人说着，在小姐右手的食指卜挂上了一把临街大门的大钥匙。"你瞧，很好！确实很好，亲爱的！"犹太人得意地搓着手说道。

"哦，我的弟弟呀！我可怜的、亲爱的、可爱的、天真的小弟弟呀！"南希喊道。她的泪水夺眶而出，无限悲痛地扭动着那只小篮子和大钥匙。"他后来情况怎样了！他们把他带到哪儿去啦！哦，先生，可怜可怜我，告诉我怎么处罚这个可爱的孩子。一定要告诉我，先生，对不起，先生！"南希小姐以最可悲和伤心的声调讲了这些话，给了她的听众无限的喜悦之后，顿了一下，对同伴使使眼色，笑容可掬地四下点点头便消失了。

"啊！她是个聪明的姑娘，亲爱的。"犹太人说道。他转身面对他的年轻朋友们，庄重地晃着脑袋，仿佛在无声地告诫他们学习刚刚见到的光辉榜样似的。

"她是女性的光荣，"赛克斯先生说道，一边往杯子里斟酒，一边用他的大拳头猛击桌子，"为南希的健康干杯！但愿他们都喜欢她！"

　　他们正在给多才多艺的南希纷纷祝酒、大加赞扬她的时候，这位小姐以最快的速度赶到警察局。尽管没人保护、独自在街上行走自然会有一点胆怯，但她不久便安然无恙地抵达那儿了。

　　她抄一条偏僻的小路走进去，用钥匙轻叩其中的一个牢门，然后倾听着。里面没有声音。于是她咳嗽一下，然后再倾听。依然没有人应答。于是她说话了。

　　"诺利，亲爱的？"南希柔声地喃喃道，"诺利？"

　　里面除了一个赤脚的可怜囚犯外没有别人。他是因为吹长笛而被捕的。因他对社会所犯的过失已得到清楚的证实，被方先生严格地送交教养院禁闭一个月，理由是这句恰如其分、令人发笑的话：既然他有这么多过剩的元气，那么，将它花在踏车上比花在乐器上更有益处。他没有回答，心里只顾为丢失这把笛子悲伤。那把长笛已被没收，为郡上所用。南希于是移向另一个牢房，并敲了门。

　　"嘿！"一个有气无力的声音叫道。

　　"这儿有个小男孩吗？"南希预先发出一声呜咽，问道。

　　"没有，"这个声音回答，"但愿不发生这样的事！"

　　这是一个六十五岁的流浪汉。他是因为不愿吹长笛而进牢房的，或者，换言之，他是因为在街上要饭、不谋生计而进牢房的。隔壁的牢房里关着另一个男人。他是因为无营业执照叫卖白铁平底锅而进同一座监狱的。因此，他是无视印花税务局而谋生才入狱的。

　　由于这些犯人都不叫奥利弗，对奥利弗也一无所知，南希便直接找那个穿条纹背心的热心的警察。她以最引人哀怜的恸哭和悲叹，要求领回她可爱的亲弟弟；又迅速、有效地运用那把临街大门钥匙和那只小篮子而使自己显得更加可怜。

　　"我没有拘留他，亲爱的。"这老人说道。

　　"他现在在哪儿？"南希发疯似的尖叫道。

　　"咦，那位老先生把他带走了。"警察回答道。

"哪位先生？哦，天啊！哪位先生？"南希惊叫道。

为了回答这个不相干的问题，这位老人告诉这个装模作样的姐姐说，奥利弗在警察局病倒了，由于有个证人证明抢劫者是另一个在逃的男孩干的，他就被释放了；而原告莫明其妙地将他带回自己的住处。这位警察只知道那位老先生住在彭顿维尔某处。因为老先生对马车夫说这个地名时他听到了。

这位悲痛万分的青年女子怀着忧虑重重和将信将疑的可怕心情摇摇晃晃地走到大门口，然后，一改踉跄的行走为迅速的奔跑，沿着她所能想起的最迂回和复杂的路线，回到犹太人的住处。

比尔·赛克斯先生一听到这次探险的描述，就匆匆忙忙地召唤他那条白狗，戴上帽子，风风火火地走了，甚至顾不上问大伙儿早安之类的俗套话。

"我们必须知道他在哪儿，亲爱的，务必要把他找到，"犹太人非常激动地说道，"查利，你什么事也不用干，只要偷偷摸摸地四处走动，直到带回有关他的一些消息！南希，亲爱的，我必须找到他。我相信你，亲爱的——依靠你，以及你的一切本领！等一等，等一等，"犹太人用一只颤颠颠的手打开一个抽屉，补充道，"这儿有钱，亲爱的。我今晚就把这个店关啦。你们都知道上哪儿找我！一刻也不能待在这儿。一刻也不能，亲爱的！"

说完，他将他们推出房间，在他们身后小心地将钥匙转动两次，给房门上了双锁，再将门闩上。他从藏匿处取出被奥利弗无意中见到的那个盒子，匆匆忙忙地将手表和珠宝塞进衣服里。

他正忙着这事，一阵敲门声使他大吃一惊。"谁？"他以颤抖的声音喊道。

"我！"蒙骗者的声音透过锁眼回答道。

"现在又怎么啦？"犹太人不耐烦地嚷道。

"南希问是不是要将奥利弗诱拐到另一个窝？"蒙骗者说道。

"没错，"犹太人回答道，"无论她在哪儿逮到他。找到他，把他找出来，就这么回事！我晓得下一步该怎么办，别怕。"

这男孩低声地作出了聪明的回答，然后匆匆下楼，追赶他的同伴去了。

"他迄今为止尚未告发，"犹太人说着，又继续忙他的事，"倘若他想在新朋友中把我们的秘密泄露出去，我们还来得及堵住他的嘴。"

第十四章　进一步叙述奥利弗住在布朗洛先生家里的详细情况。他出去办事时，一位叫格里姆威格的先生道出了对奥利弗的石破天惊的预言

布朗洛先生的突然惊叫使奥利弗进入了昏厥状态。不久，他便苏醒过来了。在老先生和贝德温太太以后的谈话中，关于那副画像的话题被他们小心地回避了。他们的谈话实际上没有涉及奥利弗过去的事或今后的前景，只局限于能使他开心而不会使他激动的话题。他的身体还太虚弱，不能起来用早餐。可是，第二天当他下楼到女管家的房间里，他的第一个举动就是急不可耐地往墙上瞥了一眼，希望再看看那位漂亮女人的面庞。然而，他的希望落空了，因为那幅画已经被拿走了。

"啊！"女管家注视着奥利弗目光的方向，说道，"瞧，它不见了。"

"我想是的，太太，"奥利弗回答道，"他们为什么要将它拿走呢？"

"它被取下来了，孩子，因为布朗洛先生说，它似乎使你不得安宁。也许它会妨碍你的康复，你也知道。"老太太回答道。

"哦，不，真的。它不会使我不安的，太太，"奥利弗说道，"我喜欢看它，我很爱它。"

"好啦，好啦！"老太太愉快地说道，"如果你的身体尽快地康复，亲爱的，那么，它又会挂上去的。好啦，我答应你！好，咱们谈谈别的吧。"

这就是奥利弗那时候对这幅画像所能了解的全部。在他生病期间因老太太待他太好了，他竭力暂时不再想这个问题。于是他聚精会神地听她给他讲的好多故事：关于她的一个和蔼的、温雅的女儿，她嫁给了一个和蔼的、英俊的男子，并住在乡下；关于她的一个儿子，他给东印度群岛的一个商人当职员，他也是个好小伙子，每年都很孝顺地寄四封信回家。因此，一提起他们，她就止不住地泪流满面。当老太太长时间地、滔滔不绝地详述了她孩子的种种优点及她那位仁慈，善良的丈夫的优秀品质时——他已经死了二十六年了，可怜又可爱的人儿！——这时已到了用茶点的时候。而后，她开始教奥利弗玩一种纸牌游戏，奥利弗很快就学会了。他们趣味盎然，认认真真地玩这种游戏，直到该是病人喝一点掺水温酒，外加一片烤面包，舒舒服服地睡觉去的时候为止。

奥利弗康复的这些日子是快乐的日子。一切都这么寂静、整洁、有序，每个人都那么亲切、文雅。因此，在经历了生活的喧闹和动荡之后，这种生活简直就像在天堂里一般。当他的身体一恢复到有足够的力气可以自己穿衣时，布朗洛先生就吩咐为他买一套崭新的衣服，一顶新帽子和一双新鞋。因有人告诉奥利弗可以随意处理自己的旧衣服，他就把它们给了一个一直待他很好的女仆。奥利弗让她将这些旧衣服卖给一个犹太人，卖得的钱归她所有。对此，她欣然照办。当他朝客厅的窗外望去时，看到那个犹太人将他的旧衣服卷起、装入袋中，然后离去，想到它们已经安然地消失，现在再也不存在重新穿它们的危险了，他感到格外高兴。老实说，它们是些令人伤心的褴褛的衣衫，奥利弗以前从未穿过一套新衣服。

一天晚上，在关于那幅画像的事过了大约一星期之后，他正在跟贝德温太太谈话，这时捎来了布朗洛先生的口信，说如果奥利弗·特威斯特身体感觉良好的话，他想在自己的书房与他见面，同他聊一会儿。

"哎呀，天啊！你去洗洗手，让我把你的头发细心地往两边分开梳理一下，孩子，"贝德温太太说道，"我的天啊！如果我们早知道他要找你，我们就会让你戴上干净的领圈，把你打扮得漂漂亮亮的！"

奥利弗照老太太的吩咐做了。虽然，她当时痛心地哀叹她甚至没时间为他的衬衫衣领镶上小饰边。他具有重要的外貌上的优势，但他看上去如此清秀、英俊，以至她满意地把他从头到脚打量了一番后，甚至说即使他们早就接到通知，也不可能把他打扮得比现在好多少。

奥利弗受到如此鼓励后，便去轻叩布朗洛先生书房的门。布朗洛先生叫他进去，他发现自己来到了一间小密室，满屋都是书。一扇窗户正对着一个怡人的小花园。窗前有一张桌子，布朗洛先生就坐在桌子旁边看书。一见到奥利弗，他把面前的书本推开，叫他走近桌子，然后坐下来。奥利弗照他的吩咐做，心里感到诧异：书似乎是为了让世人变得更聪明而写的，可上哪儿去找能读这么多书的人呢？即使比奥利弗更有经验的人，在他们日常生活中也仍然会对此感到诧异的。

"有好多书，是吗，我的孩子？"布朗洛先生注意到奥利弗十分好奇地打量着从地板延伸到天花板上的书架，说道。

"太多啦，先生，"奥利弗回答道，"我从未见过这么多的书。"

"如果你表现好的话，你可以读它们，"老先生和蔼地说，"你会喜欢读书的，会比光看外表更喜欢它们的——在某些情况下是如此：因为有些书最有价值的是封面和书脊。"

"我想，就是那些沉甸甸的书吧，先生。"奥利弗指着一些封面上了不少金粉的大部头的四开本说道。

"那也不一定，"老先生微笑着拍了拍奥利弗的脑袋说道，"还有一些同样笨重的书，但其体积要小得多。你想长大以后成为一个聪明的人并写书，是吗？"

"我想我宁愿看书，先生。"奥利弗回答道。

"什么！你不喜欢当个写书人吗？"老先生说道。

奥利弗考虑了一会儿，然后终于回答说，他倒认为当个书商要好得多。对此，老先生放声大笑起来，称他这句话说得很正确。奥利弗为说了这样的话而感到高兴，尽管他根本不晓得它正确在哪儿。

"好啦，好啦，"老先生平静下来，说道，"别害怕！我们不会让你成为一个作家的，不过总该学一门正当的手艺，例如制砖之类。"

"谢谢你，先生。"奥利弗说道。见到他那副认真的样子，老先生又笑了，并说了一些有关某种奇怪的本能的话题。奥利弗因为听不懂，对此不怎么在意。

"现在，"布朗洛先生说道，他想尽量说得亲切些，但同时又显得更加严肃了，奥利弗还从未见过他的态度如此严肃，"我要你十分注意我要说的话，孩子。我将毫无保留地跟你交谈，因为我相信，你能够像许多年龄较大的人那样明白我的话。"

"哦，别告诉我你要把我打发走，先生，求求你！"奥利弗惊叫道，对老先生开始谈话时的严肃语气深感恐慌！"别把我赶出门去，让我又在街上流浪。让我待在这儿，当个仆人。别把我送回我原先待的那个恶劣地方。怜悯一个可怜的孩子吧，先生！"

"我亲爱的孩子，"老先生说道，奥利弗突然的诚恳的要求令他感动，"你不必害怕我抛弃你，除非你让我失望，给了我抛弃你的理由。"

"我决不会的，先生。"奥利弗插话。

"但愿你不会让我失望，"老先生回答道，"我认为你决不会。以前，我曾经被自己竭力想帮助的对象欺骗过，然而，我强烈地感到自己乐意相信你。况且我对你的兴趣是远非自己能说得明白的。那些得到我最珍贵的爱的人早已被深深地埋入坟墓中了；然而，尽管我一生的幸福和快乐也早已埋入那儿了，但我的心并未泯灭，也未曾永远地把我最好的情感密封起来。深邃的忧伤只会强化和净化这些情感。"

老先生低声地说出这些话——与其说在对奥利弗说，不如说在自言自语。后来，他沉默了一会儿。奥利弗一动不动地坐着。

"好啦，好啦！"老先生终于以较愉快的声调说道，"我之所以说这些，是因为你拥有一颗年轻人的心。知道了我受过了极大的痛苦和悲哀之后，也许你将会更加谨慎些，别再伤害我。你说你是个孤儿，在世上一个朋友也没有。我所能探听得到的情况都证实了这一说法。让我听听你的经历吧。你从哪儿来？谁养育你？你怎样会让我看到跟那伙人混在一起？讲真话，那么，只要我活着，你就不会没有朋友。"

奥利弗啜泣着，有几分钟说不出话来。当他即将开始叙述自己如何寄养在农家，后被邦布尔先生带到济贫院时，临街的大门传来了两下特别不耐烦的、微弱的敲门声。仆人跑上楼来通报格里姆威格先生的到来。

"他上楼来吗？"布朗洛先生问道。

"是的，先生，"仆人回答道，"他问家里有没有松饼。当我对他说有的时候，他说他是来用茶点的。"

布朗洛先生笑了。而后，他转向奥利弗，说格里姆威格先生是他的一位老朋友，他的举止有点粗鲁，叫奥利弗别介意，因为他本质上是位高尚的人，对此，奥利弗有理由相信。

"要不要我下楼去，先生？"奥利弗问道。

"不用，"布朗洛先生回答道，"我倒希望你留下来。"

这时，一位腿瘸得厉害、又矮又胖的老先生扶着一根粗拐杖走进房间。他身穿一件蓝色外套、条纹背心、本色布裤子和绑腿，头戴一顶绿色帽檐卷起的宽边白帽。一条折得很细的衬衫饰边从背心里露出来；一条很长的钢表链在背心下面松散地晃荡着，末端除了挂着一把钥匙外什么也没有。系着的一条白围巾的末端编织成一个橘子般大小的小球。他的扭动脸部做出的种种表情简直无法形容。他说话时习惯把头扭向一边，并习惯从眼角往外瞅：这不禁令旁观者想起鹦鹉来。他一出现就保持这一姿势，同时，伸直手臂拿着一小块橘子皮，以不满的吼声惊叫道："喂！你看见这个了吧！我每次到别人家里拜访，总会在楼梯上找到这么一块可怜的外科医生的朋友——橘子皮。这难道不是一件最奇妙和不寻常的事吗？我曾经因为一块橘子皮而成了瘸子。我知道这最后将会导致我死亡的。它会的，先生。橘子皮会导致我死亡的，否则，我愿意把自己的脑袋砍掉，先生！"

这就是格里姆威格先生的慷慨提议。它用以支持和证实自己做出的几乎每一个断言。这一提议对他而言更为奇特，因为即使为了争论的缘故，承认科学的进步促成了此事的可能性，使一位先生若愿意的话能够把自己的脑袋砍掉，然而格里姆威格的脑袋又特别大，因此，当代最自信的人也不能希望坐着一口气把他的脑袋砍掉——何况他的脑袋上还搽着厚厚的一层香粉，这就更不可能了。

"我愿把自己的脑袋砍掉，先生。"格里姆威格先生重复道，拐杖在地板上敲得咚咚响，"喂？那是什么！"他一眼看到奥利弗，往后退了一两步。

"这就是小奥利弗·特威斯特，我们过去谈到过的那个孩子。"布朗洛先生说道。

奥利弗鞠了一躬。

"但愿你不是说这就是那位患热病的孩子吧？"格里姆威格先生说着，又往后退了点，"且慢，等等！别说话！停——"格里姆威格先生继续说道。他突然对自己的发现得意扬扬，将对热病的一切恐惧都抛之脑后了。"这就是吃橘子的那个小孩！如果吃橘子并把这点橘子皮扔在楼梯上的不是这个小孩的话，先生，我愿把自己的脑袋，连同他的脑袋一起砍掉！"

"不是，不是，他没吃橘子。"布朗洛先生笑着说道，"得啦！把你的帽子放下，跟我的小朋友谈话。"

"我对这个问题深有感触，先生，"这位急躁的老先生说着，将手套脱掉，"我们大街上的人行道总有橘子皮。我知道，那是拐角处的外科医生的儿子扔的。一位少妇昨晚给一块橘子皮绊倒，撞到我家庭园的围栏上。她马上爬起来。我看见她的眼睛朝招徕生意的可恶的红灯①看。'别找他，'我从窗口向外喊道，'他是个刺客！一个圈套！'他确实如此。如果他不是的话——"说到这儿，这位性情暴躁的老先生狠狠地用手杖在地板上敲了一下；他的朋友们总能明白，这意味着那一习惯性提议——每当它不是用语言表达的时候。然后，他坐下来，手里依然拿着手杖。他打开一副系在一条黑色宽丝带上的眼镜，审视着奥利弗。奥利弗发觉自己成了他审视的对象时不觉脸红起来，又向他鞠了一躬。

"这就是那个孩子，是吗？"格里姆威格先生终于说道。

"正是他。"布朗洛先生答道。

"你身体怎么啦，孩子？"格里姆威格先生说道。

"好多了，谢谢，先生。"奥利弗回答道。

布朗洛先生似乎担心这位怪僻的朋友又要说出什么令人不快的话来，便让奥利弗下楼告诉贝德温太太，说他们快要用茶点了。奥利弗不太喜欢这位客人的举止，欣然下楼去了。

"他是个漂亮的男孩，是吗？"布朗洛先生问道。

"我不知道。"格里姆威格先生怒气冲冲地回答道。

---

① 诊所门前以红灯为标记。

"你不知道?"

"是啊,我不知道。对于男孩子我从未看出有什么差别。我只知道两类男孩:脸色苍白的男孩和肌肉发达的男孩。"

"奥利弗属于哪一类?"

"属于脸色苍白的男孩。我认识一位朋友,他有一个肌肉发达的男孩。他们称他为好男孩,圆圆的脑袋、红红的脸蛋和愤怒的目光;一个极讨人厌的男孩,其身体和四肢看上去像是要把他穿着的那套蓝衣服的缝口撑裂似的。他说话的声音粗得像个领港员,饭量像一匹狼那样大。我认识他!那个小坏蛋!"

"得啦,"布朗洛先生说道,"这些都不是小奥利弗·特威斯特的特征,因此,你无须动怒。"

"它们不是他的特征,"格里姆威格先生回答道,"他也许有更糟糕的特征。"

这时,布朗洛先生不耐烦地咳嗽起来。这似乎给了格里姆威格先生极大的乐趣。

"我说呀,他也许有着更坏的特征。"格里姆威格先生重复着,"他是从哪儿来的?他是什么人?干什么的?他患了热病,情况如何?热病不是善良的人们特有的疾病,是吧?坏人不时会患热病,不是吗?我认识一个人,他因为谋害主人而在牙买加被绞死。他患过六次热病,但他也不能因此而得到宽恕。呸!废话!"

事实是,在格里姆威格先生的内心深处,他极倾向于承认奥利弗的容貌和举止是非常有吸引力的,但他强烈地爱好反驳,此刻他发现了橘子皮,更加剧了此种爱好。他心里暗自决定,关于这男孩是否漂亮的问题谁也不能对他发号施令。因此,他从一开始就已决意反对他的朋友。当布朗洛先生承认自己所做的任何调查都未能获得令人满意的答复,并已推迟调查奥利弗过去的情况,直到他认为这孩子已恢复得足以承受为止时,格里姆威格先生恶意地轻声笑了。

他冷笑着问女管家晚上是否有清点餐具的习惯，因为如果在某个阳光明媚的早晨她没有发现少掉一两把大汤匙，那么，他就心满意足了——如此等等。

虽然，布朗洛先生本人也是一位急性子的人，但是由于他了解朋友的怪僻，对这一切都以愉快的心情加以容忍；同时，在用茶点时，格里姆威格先生谦和地、高兴地对松饼表示赞赏，情况进展得非常顺利；在座的奥利弗开始觉得在这位好斗的老先生面前比刚才自在多了。

"那么，你打算什么时候听奥利弗·特威斯特详细而真实地讲述他的生活和奇遇？"格里姆威格先生用完茶点时问布朗洛先生。他一边重拾这个话题，一边斜瞅着奥利弗。

"明天上午，"布朗洛先生说道，"我倒希望到时候他单独和我在一起。明天上午10点上楼找我，亲爱的。"

"好的，先生。"奥利弗回答道。他的回答显得有点犹疑，因为格里姆威格先生严厉的目光盯得他心慌意乱。

"你听我说，"这位先生悄悄地对布朗洛先生耳语道，"他明天上午不会上来找你。我看到他犹豫不决的样子。他在欺骗你，我的好朋友。"

"我敢保证他不是。"布朗洛先生亲切地说道。

"如果他不是在骗你，"格里姆威格先生说道，"我愿——"他的手杖又"咚"的一声捅到地板上。

"我愿以自己的生命担保这孩子说的是真话！"布朗洛先生敲着桌子说道。

"而我愿用自己的脑袋担保他在撒谎！"格里姆威格先生也敲着桌子说道。

"不久我们就会明白的。"布朗洛先生强行抑制住升腾的怒火，说道。

"我们会明白的,"格里姆威格先生带着挑衅的微笑说道,"我们会明白的。"

如同命运注定了似的,恰好这时候贝德温太太带进了一小捆书。那是那天早晨布朗洛先生向本故事中出现的同一个书摊经营者买的。将这些书放在桌上后,她正准备离开。

"拦住那位送书的仆人,贝德温太太!"布朗洛先生说道,"有东西要他带回去。"

"他已经走了,先生。"贝德温太太说。

"把他喊回来,"布朗洛先生说道,"这是特殊情况。他并不富有。这些书尚未付款,况且还有一些书要送回去。"

临街的大门开了,奥利弗从这边追出去,女仆从另一边追出去。贝德温太太站在门阶上尖叫送书的仆人回来。可是那个仆人已走得无影无踪了。奥利弗和女仆都上气不接下气地回来报告说,没有那个仆人的消息。

"天啊,对此我感到很遗憾,"布朗洛先生大声说道,"我特别希望晚上能归还那些书。"

"叫奥利弗送去,"格里姆威格先生冷笑道,"他定会把它们安全送到的,你也知道。"

"是的,请让我送去,先生。"奥利弗说道,"我会一路跑去的,先生。"

老先生正要说奥利弗无论如何也不能出去,这时,格里姆威格先生发出了一阵最具恶意的咳嗽,促使老先生改变主意,决定让奥利弗去。如果奥利弗迅速地完成这项任务,他可以向格里姆威格先生证明对奥利弗的怀疑是不公正的,至少在这紧要头马上可以证明。

"你可以去,亲爱的,"老先生说道,"那些书就在我桌子旁边的椅子上,把它们取下来。"

奥利弗很高兴自己还能派得上用场,便匆忙地把书取下来夹在腋下，然后手里拿着帽子，听候吩咐该带什么口信。

"你就说，"布朗洛先生目光一直落在格里姆威格身上，说道，"你就说你已经把书带回来了，还说你是来支付我欠他的四镑十先令的。这是一张五镑的钞票，所以你得给我带回十先令的找头。"

"我用不上十分钟就回来，先生。"奥利弗急切地回答道。他将钞票放进上衣口袋，扣紧，又将那些书小心翼翼地夹在腋下之后，毕恭毕敬地鞠了一躬，这才离开房间。贝德温太太跟他走到临街的大门口，告诉他书商的姓名、哪一条路最近以及街道的名称等等。奥利弗回答这些他都记得一清二楚了。老太太又再三嘱咐他要稳重、别受凉等等，最终才允许他离开。

"天啊！"老太太目送着他的背影说道，"让他在我眼前消失，我还真有点受不了。"

这时，奥利弗高高兴兴地回头看了一眼，点了点头，然后才拐过街角。老太太笑容满面地回礼，关上了大门，回到自己的房间。

"让我来看看，他最迟二十分钟就回来。"布朗洛先生说着，掏出怀表，放在桌上，"到时候天就黑了。"

"哦！你真的指望他回来，是吗？"格里姆威格先生问道。

"难道你不指望他回来？"布朗洛先生笑着回答。

格里姆威格先生此刻的抵触情绪太强烈了，而他朋友自信的笑容使他的这种情绪变得愈加强烈。

"不，"他把拳头重重地击在桌上，说道，"我不指望他回来。这男孩身上穿着一套新衣裳，腋下夹着一套贵重的书，口袋里还有一张五镑的钞票。他会去跟他的老朋友——小偷们——会合，然后笑话你。如果这男孩会再回到这儿来，先生，我愿意把自己的脑袋砍掉。"

说完，他将椅子挪近桌子。于是，这两位朋友坐在那儿，默默地期盼着。他们中间放着那块怀表。

为了说明我们对自己做出的判断多么重视，以及我们做出最轻率和仓促的结论时多么自负，必须指出，虽然格里姆威格先生并不是一个坏心眼的人，虽然看到他受人敬重的朋友受愚弄和欺骗他会真诚地感到难过，然而，此刻他真的十分热切地和强烈地希望奥利弗·特威斯特不会回来。

天已经太黑了，怀表上的数字几乎已经看不清楚了，但是这两位老先生依然默默地坐着，他们之间搁着那块怀表。

第十五章　叙述那位快活的老先生和南希小姐如何喜欢奥利弗·特威斯特

　　小萨弗伦希尔最污秽地区的一个低级客栈的偏僻客厅里有个黑暗、阴森的贼窝。这里，冬日里整天燃着一盏闪烁的煤气灯，夏日里从未曾有一丝阳光照射进来。一个身穿棉绒外套、黄褐色短裤，脚穿半高筒靴和长袜的男人坐在这儿，面前摆着一个小白镴量器①和一只小杯子，一边饮酒，一边郁闷地沉思。客厅里充满着浓烈的酒味。即便透过这朦胧的光线，任何有经验的警察都会毫不犹豫地认出他是比尔·赛克斯。他的脚下蹲着一条白毛皮、红眼睛的狗。它正忙着时而向主人眨眼，时而舔着嘴角的一处新的大伤口，看来伤口是新近的一次冲突造成的。

　　"安静，你这好斗的畜生！安静！"赛克斯先生突然打破静默，说道。究竟是他的冥想太专注，以至被狗的眨眼所打扰呢，抑或他用脑过度、神经紧张，需要踢这条不冒犯人的狗来缓解一下呢，这有待讨论。不管是什么原因，反正结果还是狗被踢了一脚，又挨了骂。

---

　　①　一种酒壶。

狗的习性一般不会报复主人，但是赛克斯这条狗有着与主人一样的坏脾气，而且此刻正因遭到伤害而大吃苦头。于是它不再客气，立即将牙齿咬住他的一只半高筒靴。它猛烈地摇动他的靴子之后引退了，蹲在一条长板凳底下龇牙咧嘴、低沉地嗥叫，刚好躲过了赛克斯先生对准它的脑袋扔过来的白镴银量器。

"你竟敢咬我，是吗？"赛克斯说着，一手抓住拨火棒，一手不慌不忙地亮着一把大折刀——那是从他口袋里掏出来的，"来呀，你这天生的魔鬼！来呀！你听到了没有？"

毫无疑问那条狗听到了，因为赛克斯先生的声音本来就够刺耳的，现在听上去更刺耳了。但是他的狗似乎不喜欢自己的喉管被割断，于是它待在原地，比以前嗥叫得更凶了。同时，它咬住拨火棒的一端，像一头野兽那样撕咬着。

这种反抗只能更加激怒赛克斯先生。他跪了下来，开始猛烈地攻击它。那条狗从右跳到左，又从左跳到右，撕咬、嗥叫、狂吠；那男人猛戳、诅咒、攻击和辱骂；就在这场争斗到了难解难分的关键时刻，门突然开了，狗一溜烟地窜了出去，丢下比尔·赛克斯一手拿着拨火棒，一手拿着大折刀。

俗话说，吵架都是双方面的，单方面是吵不起来的。赛克斯先生对狗的退出大为扫兴，于是立即把吵架的对手转向新来者。

"我和我的狗正在干仗，你究竟为什么要进来？"赛克斯凶狠地比画着，说道。

"我不知道，亲爱的，我不知道。"费金低声下气地回答道。新来者正是犹太人。

"不知道，你这个胆小如鼠的小偷！"赛克斯咆哮道，"难道你听不到声音？"

"一点声音也没有，否则，我一个大活人，怎么会听不到呢，比尔？"犹太人回答道。

"噢，不！你什么也没有听见，你没听见。"赛克斯恶狠狠地冷笑着反驳道，"偷偷摸摸地进进出出，谁也听不见你是怎样进来，怎样出去的！但愿半分钟前你是那条狗，费金。"

"为什么？"犹太人问道，脸上露出勉强的笑容。

"因为政府虽然担心像你这样没有恶狗一半胆量的人的性命，却允许人们随意地杀狗。"赛克斯富有表情地将折刀合起来，回答道，"这就是为什么。"

犹太人搓着手，在方桌旁边坐下来，假装听了他朋友的幽默话而发笑。然而，他显然感到很不自在。

"别想讥笑我，"赛克斯说道，将拨火棒放回原处，以粗暴无礼的轻蔑态度审视着他，"一味地露齿而笑。不过，你永远也别嘲笑我，除非我戴上了睡帽[1]。我已经占了你的上风了，费金，而且，该死的，我将保持这种优势。你瞧，如果我完蛋，你也得完蛋，所以，对我留点神。"

"好啦，好啦，亲爱的，"犹太人说道，"这些我都知道。我们——我们——有着共同的利益，比尔——共同的利益。"

"哼，"赛克斯说道，仿佛他认为犹太人占的利益比他多似的，"好吧，你有什么话要对我说？"

"一切都顺利地通过了熔化锅[2]，"费金回答道，"这是你的份儿。它比你该得的要多些，亲爱的，不过，我知道你将会做一件对我有益的事，而且——"

"别胡说八道了，"抢劫犯不耐烦地插话道，"我那份在哪儿？快交出来！"

"好的，好的，比尔，别着急，别着急，"犹太人抚慰他说。"在这

———

① 指罪犯受绞刑时套着的面罩。
② 指用来熔化偷来的首饰或金银餐具等的坩埚。

儿呢！一切安然无恙！"说着，他从怀里掏出一条旧棉布手帕，解开一角的一个大结，拿出一只牛皮纸袋。赛克斯从他手里夺走纸袋，急忙打开，开始数着里面装的英镑。

"就这些，是吗？"赛克斯问道。

"就这些。"犹太人回答道。

"你过来的时候没有在半路把纸袋打开，私吞一两个英镑，是吧？"赛克斯满腹狐疑地问道，"别对这个问题装出一副生气的样子。你已经干过许多回了。拉一把铃铛。"

后头这句话用大家都懂的英语讲就是按铃的意思。应声进来的是另一个犹太人。他比费金年轻些，但外貌几乎跟他一样地粗鄙和令人厌恶。

比尔·赛克斯只是指了指那只空的白镴量器。那犹太人完全明白他的暗示，马上退下去灌满酒。他事先与费金交换了一个引人注目的眼色，费金抬头望了一会儿，仿佛正在期望这个眼色似的。费金摇头答复，动作如此轻微，即便是一位观察力敏锐的第三者，也几乎难以察觉。赛克斯没有察觉到，他这时正蹲下身去系靴带。他的靴带被狗撕裂了。倘若他注意到这一短暂的信号交换，他会认为这对他是个不祥之兆。

"这儿有人吗，巴尼？"费金问道。因为赛克斯已抬起头来，费金说话时甚至眼睛都没有从地板上抬起来。

"一个人也没有。"巴尼回答道。他的话无论是否发自他的内心，反正声音总是从鼻腔出来的。

"没有人吗？"费金惊奇地问道，"这也许意味着巴尼不妨说实话。"

"除了达希①小姐外再没有别人。"巴尼回答道。

"南希！"赛克斯惊叫起来，"在哪儿？如果我不对这姑娘的天才

---

① 即"南希"小姐。

表示敬意的话，就把我击昏好啦！"

"她在酒吧间要了一盘熟牛肉。"巴尼回答道。

"叫她到这儿来，"赛克斯斟了一杯酒，说道，"叫她到这儿来。"

巴尼战战兢兢地望着费金，仿佛为了得到他的首肯似的。犹太人一声不吭，眼睛也不从地板上抬起来。于是巴尼走了，但很快就回来了，把南希领进来。南希以女帽、围裙、篮子和临街钥匙装饰着——样样齐全。

"你掌握了线索了，是吗，南希？"赛克斯递上了一杯酒，问道。

"是的，比尔，"小姐将杯中物一饮而尽，回答道，"我对这事也感到厌倦了。那个小家伙①病了，卧病在床，而且——"

"啊，南希，亲爱的！"费金抬起头来说道。

当时，犹太人皱紧他的红眉毛，半闭着深陷的眼睛，是否这是在警告南希别太多话已无关紧要。我们在此所需要关心的是事实，而事实是：南希突然克制住自己，频频地对赛克斯先生微笑，将话题转到别的事上。过了大约十分钟之后，费金先生发出一阵咳嗽。这时，南希立即拉过披巾盖在肩上，声称她该走了。赛克斯先生发现自己与南希有一小段是同路，表示愿意陪她走一程。他们一起离开了，那条狗在后头的不远处跟着——它一见不到主人，就从后院溜了出来。

赛克斯一出门，犹太人就将脑袋探出门外，目送他沿着黑暗的过道行走。犹太人挥动着攥紧的拳头，小声地发出深沉的咒骂，而后恐怖地咧嘴而笑，重又坐到桌子旁。在这里，他立即全神贯注地读着一页页有趣的《通缉令》。

与此同时，奥利弗正在前往书摊的路上，丝毫没有想到自己会离这位快活的老先生这么近。奥利弗进入克拉肯韦尔大街时意外地拐入一条小巷。这条小巷不是原定的路线，但他走到半路才发现。他

---

① 指奥利弗。

知道这条路的方向没错，认为没必要重新折回去，于是，他尽快地继续前进，腋下夹着书。

他继续往前走，感到自己多么的幸福和满足；想着无论付出多大的代价只要能看上小迪克一眼他也愿意。挨打挨骂、忍饥挨饿的迪克此刻可能正在悲伤地哭泣呢。这时，一位小姐的大声尖叫"哦，我亲爱的弟弟！"使他大吃一惊。他还来不及抬起头来看究竟是怎么回事，她的两只手臂已经紧紧地抱住他的脖子，使他无法脱身。

"别这样，"奥利弗挣扎着喊道，"放开我，你是什么人？为什么要拦住我？"

对此的唯一回答，是拥抱着他的这位小姐发出一阵阵呼天唤地的恸哭。她手里还拿着一只小篮子和一把临街大门的钥匙。

"噢，天啊！"小姐说道，"我找到他啦！噢！奥利弗！奥利弗！噢，你这淘气的孩子，让我为了你的缘故而如此悲伤！回家去，亲爱的，来吧。噢，我找到他啦，谢天谢地，我找到他啦！"小姐语无伦次地惊叫一阵之后，又突然呜呜地哭起来，哭得如此歇斯底里，以至于两位走到跟前的女士问一位头发用板油涂得发亮的肉商伙计（他也站在一旁观看）是否有必要请个医生来。对此，肉商伙计回答说他认为没有必要。这位伙计的性情看起来虽称不上懒惰，至少也是懒懒散散的。

"哦，不，不，没关系，"南希小姐抓住奥利弗的手说道，"我现在好多了。马上回家去，你这个无情的孩子！走！"

"怎么回事，小姐？"其中一位女士问道。

"哦，太太，"小姐回答道，"一个月前他离家出走——父母都是勤劳和体面的人——跟一伙小偷和坏人混在一起，几乎让他母亲心碎。"

"小坏蛋！"一位女士说道。

"回家去，你这个小畜生。"另一位女士说。

"我不是。"奥利弗回答道，他惊慌极了，"我不认识她。我没有姐姐，也没有父母。我是个孤儿。我住在彭顿维尔。"

"你们听听，还死不承认！"小姐大声说道。

"噢，是南希啊！"奥利弗惊叫道。他现在第一次看见她的脸，不禁大吃一惊，直往后退缩。

"你们看，他认识我！"南希求助于旁观者，大声说道，"他克制不了自己。劝他回家去，那才真是好人，否则，他会活活气死他亲爱的爹娘，也会令我心碎的！"

"这究竟是怎么回事？"一个男人突然从啤酒屋里冲出来，后面跟着一条白狗，"小奥利弗！回家找你可怜的妈妈去，你这小家伙！马上回家！"

"我和他们毫无关系。我不认识他们，救命啊！救命啊！"奥利弗喊道，在那个男人强有力的紧握下拼命挣扎。

"救命！"那男人重复道，"是啊，我会救你的，你这个小流氓！这些是什么书？你一直在偷书，是吧？把书交出来！"说着，那男人从奥利弗手中夺走了书，并一拳击中了他的头部。

"完全正确！"一位旁观者从阁楼的窗口喊道，"这是使他恢复理性的唯一办法！"

"毫无疑问！"一个睡眼惺忪的木匠叫道，从阁楼窗口投下了赞同的目光。

"这对他有好处！"那两位女士说道。

"他也得受到惩罚！"那男人说着，又打了他一拳，并揪住了奥利弗的衣领，"快，你这个小坏蛋！嘿，牛眼灯①，盯住他，小东西②！盯住他！"

---

① 皆指赛克斯的那条白狗。
② 皆指赛克斯的那条白狗。

奥利弗因大病初愈，身体虚弱，又挨了几拳，且遭突然袭击，因而被弄得昏昏沉沉的；他受到那条狗的凶猛嚎叫和那个男人的暴行的惊吓，加上旁观者们深信他真的如他们描述的是那么一个冷酷无情的小坏蛋，这一切简直使他无法忍受。一个可怜的孩子还能有什么办法呢？天色已晚，附近又较偏僻，周围无人救助，反抗也是徒劳。又过了一会儿，他已被拖进幽暗、狭窄的庭院的迷宫中，被迫照他们的速度行走。这个速度使得他贸然发出的那几声救命令人无法听清楚。事实上，不论是否有人听清楚，那都是一瞬间的事，因为哪怕他的喊叫声再清楚不过，也没有人会理会它们。

煤气灯还亮着，贝德温太太正在敞开的大门口焦急地等待着。仆人已多次跑上街去看看是否有奥利弗的行踪。而两位老先生依然坚持坐在昏暗的客厅里，他们中间放着那块怀表。

第十六章 叙述奥利弗被南希领回去后的遭遇

终于，狭街陋巷和庭院的尽头是一大片开阔地，可看出零零落落的一些牲畜栏或其他牲口市场的迹象。当他们到达这个地点时，赛克斯放慢了脚步。因为如果按照他们先前行走的速度，南希小姐再也支撑不下去了。赛克斯转身面向奥利弗，粗暴地命令他抓住南希的一只手。

"听见没有？"赛克斯咆哮道，因为奥利弗还犹豫不决，四处张望。

他们来到了远离行人足迹的一个黑暗的角落。奥利弗非常清楚地明白，反抗是完全没用的。他伸出一只手，被南希紧紧地握住。

"把另一只手伸给我。"赛克斯说着，抓住奥利弗的另一只手，"喂，牛眼灯！"

那条狗仰起头来，嚎叫着。

"喂，小东西！"赛克斯将一只手放到奥利弗的喉头，说道，"如果他敢出一点声，你就咬他！好不好？"

那条狗又嚎叫了，舔了舔自己的嘴巴，眼睛盯着奥利弗，仿佛它毫不迟疑地急于要咬破他的气管似的。

"它百分之百愿意。如果它不愿意，你就把我击昏好啦！"赛克斯带着一种严厉的和残忍的称许注视着那条狗，"现在你知道你能指望什么后果了，少爷。所以，你尽快地喊叫吧，那条狗将会马上制止你的鬼把戏的。走呀，小东西！"

牛眼灯摇了摇尾巴，对这种不寻常的、温和的说话语调表示感谢，又对奥利弗发出了另一声告诫性的嚎叫，才往前带路。

穿过的这片开阔地是史密斯菲尔德①。不过，即便这儿是格罗夫纳广场，奥利弗也同样不认识。夜又黑，雾又浓，商店里的灯光几乎无法透过浓浓的迷雾。每时每刻都在变浓的大雾笼罩着黑暗中的街道和房子，使这个陌生的地方在奥利弗的眼中变得愈加陌生，令他不安的情绪变得愈加忧郁和沮丧。

他们刚匆匆忙忙地往前赶了几步，一声深沉的教堂钟声报时了。钟响了第一下时，他的两个向导的头转向了发出声音的方向。

"8 点钟，比尔。"钟声停止时，南希说道。

"还用得着你告诉我吗，我听得见，对吧！"赛克斯回答道。

"我不晓得他们是否听得见。"南希说道。

"他们当然听得见。"赛克斯回答道，"我过去是在巴塞罗缪节②被逮捕的。节日的大集市上连廉价的喇叭都没有，因为我听不到那短促、刺耳的声音。晚上，我被关进牢房之后，外头的喧闹声和嘈杂声使这座异常古老的监狱变得如此静谧，以致我简直要拿脑袋往门上的铁板上撞，让脑袋开花。"

"可怜的人儿！"南希说道，她的脸依然朝着刚才钟声响起的方向，"哦，比尔，他们是多么杰出的小伙子啊！"

"是啊，这就是你们女人所关心的，"赛克斯回答道，"杰出的小

① 伦敦的肉市场。
② 原文 Bartlemy 应为 Bartholomew 之误。"巴塞罗缪节"（8月 24 日），是纪念基督十二使徒之一"巴塞罗缪"的节日。

伙子！唉，他们如今实际上犹如死去一般，因而，这已无关紧要了。"

说完这句劝慰的话后，赛克斯先生看来好像抑制住内心越来越强烈的妒火，更加牢牢地抓住奥利弗的手腕，叫他继续加快步伐。

"等一等！"小姐说道，"如果下一次8点钟敲响时，比尔，如果轮到你被绞死，那么，我可不愿意匆匆离去。我会绕着这个地方走呀走，哪怕地上有雪，而我连一条围巾都没有，直到我累得倒下。"

"那又有什么用呢？"不易动感情的赛克斯先生说道，"除非你能够扔进一把锉刀和二十码结实的绳子，否则，你满可以走五十英里，或根本不走，这对我来说都一样毫无用处。走吧！别站在那儿喋喋不休地说个没完。"

小姐突然哈哈大笑起来，把围巾拉紧一些。他们又出发了。然而，奥利弗感到她的手在发抖。当他们经过一盏煤气灯时，奥利弗抬起头来看她的脸，发现她的脸色变得像死一般苍白。

他们沿着人迹罕至的肮脏的道路又整整走了半个钟头，很少遇到行人或遇到那些从外表看社会地位与赛克斯本人差不多的人。他们终于拐入了一条极其肮脏、狭窄的街道。这儿几乎是清一色的旧衣商店。那条白狗朝前跑了过去，仿佛意识到没有必要警戒似的，在一个店铺门前停下来。店铺的门紧闭着，显然无人租住。房子破败不堪，门上钉着一块木板，表明这房子要出租，看上去仿佛它钉在那里已经好多年了。

"好啦。"赛克斯小心谨慎地往四下里望了一眼，大声说道。

南希弯腰至窗板下面，奥利弗听到了门铃声。他们走到街的对面，在一盏路灯下面站了一会儿。他们听到像是一扇推拉窗被轻轻推起的声音。之后不久，门被轻轻地打开了。接着，赛克斯二话没说揪住这个受惊的孩子的衣领，三个人全都迅速地走进屋里。

过道一片漆黑，他们等着为他们开门的人用链条拴门，再将门上闩。

"有人在这儿吗？"赛克斯问道。

"没有。"一个声音回答道。奥利弗觉得以前听过这个声音。

"老家伙在吗？"这窃贼问道。

"在。"那声音回答道，"而且他一直垂头丧气的。见到你他难道不高兴吗？哦，才不呢！"

这种回答的方式和说话的声音，奥利弗听来很耳熟，但是，在黑暗中要辨认出说话者的轮廓是不可能的。

"我们得有一盏灯，"赛克斯说，"否则，我们会折断脖子或踩到狗身上。如果你们踩到狗，当心你们的腿！"

"站一会儿，别动，我去弄一盏灯来。"那声音回答道。接着，传来了说话者渐渐远去的脚步声。过了一会儿，杰克·道金斯先生，又名机灵的蒙骗者的身影出现了。他右手拿着一支蜡烛。蜡烛粘在一根开裂的棍棒顶端。

这个年轻人除了富于幽默地露齿而笑外，没有停下来对奥利弗做出任何认出他的表示，却掉过脸去招呼来访者跟他步下一段楼梯。他们穿过一个空厨房。当打开了一扇散发着泥土气味的低矮房门时——它似乎建在一个小后院——迎接他们的是一阵哈哈大笑。

"哦，天啊，天啊！"查利·贝茨少爷喊道，笑声已从他的肺部发出，"他来了！哦，天啊，他来了！哦，费金，看看他吧！费金，一定要看看他！我受不了啦，多有趣啊，我受不了啦。哪一位来扶我一把，让我笑个够。"

贝茨少爷抑制不住地迸发出这阵笑声之后，直挺挺地躺在地板上，欣喜若狂地笑闹着，前仰后合地踢着脚达五分钟之久。而后，他一跃而起，从蒙骗者手中抢过那根开裂的棍棒，走到奥利弗跟前，绕着他看个不停，而犹太人则脱去睡帽，频频地对这个不知所措的孩子深深地鞠躬。与此同时，性情较阴沉、在欢乐干扰正事时很少失控的机灵的蒙骗者从容不迫、一丝不苟地搜劫奥利弗的口袋。

"你看看他的衣服，费金！"查利说道，他把蜡烛举得太靠近奥利弗的新外套，几乎使他身上着了火，"看他的衣服！最高档的布料！最时髦的式样！哦，天啊，多么有趣！还有他的书！简直是个绅士，费金！"

"见到你脸色这么好，我很高兴，亲爱的，"犹太人假谦卑地鞠了躬，说道，"机灵鬼①会给你另一套衣服，亲爱的，免得你把最好的衣服损坏了。你为什么不来一封信告诉我们你要来，亲爱的，好让我们为你预备一些热饭菜作晚餐。"

贝茨少爷听到这句话又哈哈大笑起来。他笑得如此大声，使费金本人也变得随和了，甚至连蒙骗者也笑了。可是，机灵鬼此刻正搜出那张五镑钞票，究竟是那句俏皮话抑或发现这张钞票引发他的欢笑，就不得而知了。

"喂！那是什么？"犹太人抓住那张钞票时，赛克斯一个箭步向前，问道，"那是我的，费金。"

"不，不，亲爱的，"犹太人说道，"我的，比尔，我的。你可以得到那些书。"

"不是我的才怪呢！"比尔·赛克斯说着，以坚决的神态戴上了帽子，"那是我和南希的。不然的话我要再把孩子带回去。"

犹太人大吃一惊，奥利弗也吃了一惊，尽管出于不同的原因。奥利弗指望这场争执会真的以把他带回去而告终。

"喂！交出来，好吗？"赛克斯说道。

"这一点也不公平，比尔，一点也不公平，是吧，南希？"犹太人反问道。

"公平还是不公平，"赛克斯反驳道，"交出来，我告诉你！你以为我和南希吃饱没事干，却把宝贵的时间花在搜寻和拐回被你抓去

---

① 即机灵的蒙骗者。

的每个小男孩吗？拿出来，你这个贪得无厌的老浑蛋，拿出来！"

做了这番软言相劝之后，赛克斯先生从犹太人的食指和拇指间抽走了那张钞票，冷漠地直视老头的脸，将它折小，包进自己的围巾里。

"这算是我们付出的辛劳应得的报酬，"赛克斯说道，"还不够我们应得的半数。如果你喜欢看书，那些书你可以留下；如果你不喜欢，就把它们卖掉。"

"这些书很漂亮。"查利·贝茨说道，他扮着各种鬼脸，一直假装在阅读其中的一本书，"精彩的著作，是吧，奥利弗？"贝茨少爷见到奥利弗以那副沮丧的神色注视着折磨他的人，禁不住又狂笑不已，笑闹声比刚才更为猛烈了。

"那些书是那位老先生的，"奥利弗绞着手说道，"那位善良、仁慈的老先生的。我患热病差点儿丧命时，他把我带到他家里，让我得到了护理。哦，请把它们送回去吧。把钱和书给他送回去。你们可以把我一辈子留在这儿，可是请把它们送回去。否则，他会以为我偷了这些东西，还有那位老太太以及待我这么好的每个人都会以为我偷走了这些东西。哦，发发慈悲吧，把它们送回去！"

出于内心极度悲伤，说出了这些话之后，奥利弗跪在犹太人的脚下，完全绝望地拍击着手。

"这孩子说得对，"费金偷偷地环顾四周，把自己的浓眉皱成一个硬结，说道，"你说得对，奥利弗，你说得对。他们会以为你偷了它们。哈！哈！"犹太人搓着手抿着嘴轻声地笑了，"即便我们选择了时机，也不能比这更凑巧的了！"

"当然不可能啦，"赛克斯说道，"我看见他腋下夹着书穿过克拉肯韦尔大街时，马上就懂得这一点了。此事够顺利的了。他们定是些软心肠的、唱圣诗的人，否则他们根本就不会把他带回家。他们不会问他任何问题，生怕他们将不得不起诉，因而让他进监狱。他是够安

贝茨少爷听到这句话又哈哈大笑起来。

全的。"

他们谈话的时候，奥利弗的眼睛看看这个，又看看那个，根本听不懂他们说的话，仿佛自己被弄糊涂了似的。可是，当比尔总结性地发言时，他突然一跃而起，发了疯似的奔出房间，发出一声声救命的尖叫，使这幢空荡荡的旧房子连屋顶都发出回声。

"把狗拦住，比尔！"南希喊道，她身子一蹿，跳到门前，将门关上，而犹太人和他的两个小徒弟已冲出去追赶了，"把狗拦住，它会把这孩子撕成碎片的。"

"他活该！"赛克斯嚷道，竭力想从姑娘的紧握中挣脱出来，"离我远点，否则我就把你的脑袋往墙上撞裂开来！"

"这我不在乎，比尔，这我不在乎。"姑娘尖叫道，不顾一切地同这个男人争斗，"不该让那条狗咬死这孩子，除非你先把我杀了。"

"他怎么不该！"赛克斯咬牙切齿地说道，"如果你不松手，我就马上放狗咬他。"

这个窃贼把姑娘甩到了房间的另一端，恰好这时候犹太人和两个男孩拖着奥利弗回来了。

"这儿出了什么事啦！"费金往四下里望了一眼，说道。

"我想这姑娘疯啦。"赛克斯恶狠狠地回答道。

"没有，我没有疯。"南希说道。因刚才的混战，她这阵子脸色依然苍白，上气不接下气的，"不，我没疯，费金，别以为我疯啦。"

"那就请安静，好吗？"犹太人带着威胁的神色说道。

"不，这我不干。"南希大声地回答道，"喂！你对此有什么看法？"

费金先生对南希这类人的举止和习惯了如指掌，相当肯定地觉得眼下延长跟她的谈话是很不安全的。为了转移同伴们的注意力，他转过身来对着奥利弗。

"看来，你想跑掉，亲爱的，是吗？"犹太人说着，拿起放在壁炉角落的一根凹凸不平、多硬节的棍棒，"嗯？"

奥利弗不作声，但他注视着犹太人的动作，呼吸加快了。

"想得到援助，想叫警察，是吗？"犹太人抓住孩子的手臂，冷笑道，"我们会纠正你这个毛病的，我的小少爷。"

犹太人用棍棒狠狠地在奥利弗的肩上抽了一下。当他举起棍棒要抽第二下时，南希冲向前去，从他手里夺下了棍棒，一把将它扔进炉火里。她太使劲了，以致一些灼热的炭火溅出了炉子撒在地上。

"我不会站在一边袖手旁观，看着你揍他的，费金，"姑娘喊道，"你已经得到这个孩子了，你还要什么呢？——别碰他——别碰他——否则，我将在你们某些人的身上留下那种印记，提前把我送上绞刑架好了。"

姑娘发出这一威胁时狠狠地在地板上跺脚，她双唇紧闭、双拳紧攥，一忽儿瞪着犹太人，一忽儿瞪着另一个窃贼①。她的脸色因勃然大怒而变得异常苍白。

"噢，南希！"过了一会儿，犹太人以安慰的口吻说道。这期间，他和赛克斯张皇失措地面面相觑。"你——你今晚比任何时候都聪明。哈！哈！亲爱的，你表演得太出色了。"

"是吗？"姑娘说道，"小心别让我演得太过火了。如果我那样的话，费金，对你可没有什么好处。我预先警告你，离我远点。"

一个被惹火的女人身上总有某种魅力，尤其是如果她把凶狠的、不顾后果的和绝望的冲动掺入到其他一切强烈的情感中的话。男人们是不愿去惹她的。犹太人看出，再假装误解南希小姐发怒的事实是没有用的。他不自觉地后退了几步，对赛克斯投去了半是哀求，半是怯懦的目光，仿佛在暗示，他是继续这场对话的最合适的人选。

赛克斯先生受到他这样无言的求助，并认为立即迫使南希小姐恢复理性，也许关系到他个人的自尊和影响，因此，他接连发出

---

① 指赛克斯。

三四十种咒骂和威胁。由此可见他具有丰富的创造力。由于它们对发泄的对象产生不了任何明显的效果，他便采用更有效的方法。

"你这是什么意思？"赛克斯问道，还附加了关于人类容貌的最漂亮部分的一个很普通的咒语。这咒语倘若在尘世每说出五万次有那么一次被上苍听见，那么，它将会使尘世的瞎子变得如同麻疹一样普遍。"你这是什么意思？把我干掉！你知道你是谁？干什么的？"

"哦，是的，我知道得一清二楚。"姑娘说着，歇斯底里地大笑起来，同时，蹩脚地装出冷漠的样子，左右晃着脑袋。

"好啦，那就请安静，"赛克斯依然带着对狗说话时那惯用的咆哮，回答道，"否则，我会让你在今后好长时间里都笑不起来。"

姑娘又笑了，尽管不如先前那么镇静自若，同时，飞快地瞥了赛克斯一眼，掉过脸去，咬住嘴唇，直至流出血来。

"你是个好人，"赛克斯以轻蔑的神态审视着她，补充道，"采取人道的和有教养的立场！真是那个孩子——正如你所称呼他的——交朋友的合适对象！"

"愿全能的神保佑我，我就是要跟他交朋友！"姑娘激动地说道，"我宁愿在街上不得好死，或者跟那些今晚路过的将上断头台的人对换位置，也不愿帮着把他带到这儿。从今晚起，他就是小偷、骗子、魔鬼，一切恶名全落在他身上。即便不揍他，这一切对那个老坏蛋还不够吗？"

"得啦，得啦，赛克斯，"犹太人以规劝的语调恳求他，同时也向对眼前发生的一切全神贯注的那些小男孩招手示意，"我们必须讲文明话。文明话，比尔。"

"文明话！"姑娘嚷道，她的愤怒看起来挺吓人的，"文明话，你这个恶棍！没错，你理应从我这儿得到文明话。我还没有这个孩子一半大的时候就为你做贼了！"她指着奥利弗说道，"从那时算起，这一行我干了十二年，为你干了十二年。难道你不知道吗？大声说出来！难道你不知道吗？"

"好啦，好啦，"犹太人试图和解，回答道，"你干这一行，也是为了谋生嘛！"

"是，没错！"姑娘回嘴道，她不是在讲话，而是以源源不断的慷慨激昂的声音来倾诉这些话，"这是我的生活；寒冷、潮湿和肮脏的街道是我的家；而你就是那个坏蛋，很久以前就把我赶到街上，并让我日日夜夜，日日夜夜地待在那儿，直到我死去！"

"如果你再说一句，"犹太人插话道，他被这些指责刺痛了，"我就跟你不客气，让你受更大的伤害！"

姑娘再也不吭声了，却怒气冲冲地揪着自己的头发，撕扯衣服，并向犹太人扑去。若不是赛克斯这时抓住她的双腕，那么，在犹太人身上完全可能会留下了她报复的明显印记。她做了几次徒劳的挣扎后便昏死过去了。

"她现在没事了。"赛克斯让她躺在一个角落里，说道，"每当她这么激动时，她的双臂异常有力。"

犹太人揩去额上的冷汗，笑了，仿佛一场骚乱业已结束，可以松一口气似的。但是，无论是他，还是赛克斯、狗和那些小男孩，似乎都认为这在他们这一行是免不了会发生的寻常事。

"女人最难缠啦，"犹太人说着，将棍棒放回原处，"不过她们很聪明，我们这一行少了她们可不行。查利，带奥利弗睡觉去。"

"我看他明天最好别穿他最漂亮的衣服，费金，是吧？"查利·贝茨问道。

"当然不穿。"犹太人回答道。回答查利的提问时他咧嘴而笑。

贝茨少爷显然很喜欢这项任务。他拿起那根裂开的棍棒，把奥利弗领进邻近的厨房，那儿有两三个铺位。他以前在这样的铺位上睡过觉。在这里他不禁又爆发出一阵阵笑声，拿出了奥利弗卖掉的那套旧衣服。奥利弗当时多么庆幸自己在布朗洛先生家里不必再穿这样的衣服啊！收购旧衣服的那个犹太人意外地向费金炫示这套衣服，这是他们得到的有关奥利弗下落的第一条线索。

"把漂亮的衣服脱掉，"查利说道，"我要把它们交给费金保管。太有意思了！"

奥利弗勉强依从。贝茨少爷将他的新衣服卷起来，夹在腋下，把奥利弗撂在黑暗中，离开了房间，随手将门锁上。

查利哈哈大笑的喧闹声和贝特西小姐的说话声——她恰好及时地前来为她的朋友喷水，并为促使南希恢复知觉做些女性才能做的护理工作——会使比奥利弗处境更好的人，都难以入眠的。可是，奥利弗已心力交瘁，很快就进入了梦乡。

第十七章　奥利弗依然时乖命蹇。一位大人物到伦敦来毁坏他的名声

在所有优秀的凶杀传奇剧①中，经常交替地出现悲喜剧场面，犹如一条咸肉侧边红白相间、层次分明似的，这是舞台上的惯例。若男主角被束缚和不幸压得喘不过气来，一头倒在稻草铺上，在下一个场面，他的忠实的、但尚未察觉的侍从则用一首滑稽的歌来娱悦听众。我们怀着一颗剧烈跳动的心看到，在傲慢和残忍的男爵的魔掌之中的女主角，她的贞操和生命处于危险之中。她抽出匕首，以生命为代价而保护贞操；正当我们的期望被激发到了最高峰时，一声哨音响了，我们立即被送到城堡的大厅。这儿，一位头发灰白的管家和一群更滑稽可笑的家臣正在合唱一首滑稽的歌曲。这群家臣可以自由地进入从教堂地下室到宫殿的各种地方，成群结队地四处漫游，没完没了地唱歌。

---

① 传奇剧于 18 世纪末至 19 世纪中叶流行于欧洲，大都表现抽象的善恶斗争，充满奇情和夸张，通常有惩恶扬善的双重结局。现在则泛指以情节、动作吸引人的戏剧或电影等。

这些变化看来似乎是荒谬可笑的，但是它们并非像乍看起来那么违反常情。在现实生活中，从大摆宴席到临终的弥留之际，甚至从黑色丧服到节日盛装的转变，同样也令人大为惊讶；只是在生活中，我们是忙忙碌碌的演员，而不是冷漠的旁观者，情况就迥然不同了。模拟的戏剧生活中的演员，对激烈的转变、对情欲或感情的突然的冲动视而不见。然而，呈现在观众眼前的这些冲动立即被谴责为无耻的和荒谬的。

场面的突然转换，以及时间、地点的迅速改变，不仅在书本上长期沿用而被认可，而且被许多人视为原作者的伟大艺术：按照这些批评家的说法，作者在他的职业中的技巧，主要是根据他在每一章末尾让他笔下的角色所处的困境来评价的。本章的这一简短的导言也许可以认为是不必要的。诚然，就把它看作是传记作者打算回到奥利弗·特威斯特诞生的城镇的微妙暗示吧。读者理所当然地认为走这一趟是有许多充足的和重要的理由的，否则，他就不愿被邀请来走这一趟了。

清晨，邦布尔先生从济贫院的大门出来，以庄重的姿态和威严的步伐走到大街上。他正处在牧师助理的全盛时期，他的三角帽和外套在晨曦中令人眼花缭乱，他以健康与活力紧紧地握住手杖。邦布尔先生总是高昂着头，不过今天早晨他把头昂得更高了。他目光出神、神态超然，这可以警告观察力敏锐的陌生人：牧师助理的脑子正在思考各种问题——太重要了，以至于不能吐露。

邦布尔先生经过的时候没有停下来与小店主和其他毕恭毕敬地跟他说话的人交谈。他只是向他们挥了挥手，作为回礼；他也没有放慢他庄严的步伐，直到他抵达曼太太用教区的关怀来照料这些幼小贫儿的寄养所。

"讨厌的牧师助理！"听到摇晃庭园大门的熟悉声音时，曼太太说道。

"早上这个时候不是他来才怪！噢，邦布尔先生，我只想到一定是你！噢，天啊，真是一件乐事！请上客厅，先生。"

她的第一句话是对苏珊说的，而快乐的惊叫却是对邦布尔先生发出的。与此同时，这位"慈善"的太太锁上庭园门，怀着无限的殷勤和敬意，把他迎进屋里。

"曼太太，"邦布尔先生说道，他不像一般自大而鲁莽的人那样一下子坐到椅子上，或一屁股倒在座位上，而是让自己渐渐地、缓慢地坐进椅子里。"曼太太，早上好。"

"噢，早上好，先生，"曼太太笑容可掬地回答道，"别来无恙吧，先生？"

"马马虎虎，曼太太，"牧师助理说道，"教区的生活并不是安乐窝，曼太太。"

"啊，那倒是真的，邦布尔先生，"曼太太回答道。所有的幼小贫儿如果听到这句话，一定会很有礼貌地随声附和的。

"教区的生活，太太，"邦布尔先生拿手杖敲击桌子，继续说道，"是充满烦恼和艰苦的。不过，我看所有的政府官员都必须遭到起诉。"

曼太太不太明白牧师助理的意思，便带着同情的神情举起双手，叹了一口气。

"啊！你可以尽情地叹息，曼太太！"牧师助理说道。

发现自己做得对后，曼太太又叹了一口气，显然为了令这位政府官员满意。而他严厉地注视着自己的三角帽，以抑制住自鸣得意的笑容，说道：

"曼太太，我要到伦敦去。"

"啊！邦布尔先生！"曼太太喊道，吓得往后退。

"到伦敦去，太太。"固执的牧师助理继续说道，"乘马车去。我和两个贫民一起去，曼太太！关于一项定居问题的法律诉讼就要开审了，董事会委任我在法院季审之前到克拉肯韦尔去对这个问题宣誓作证，曼太太，而我估计，"邦布尔先生挺直身子补充道，"克拉肯韦尔法庭会发现我很难对付。"

"噢！你不可以对他们太狠了，先生。"曼太太劝道。

"克拉肯韦尔法庭自己惹起的麻烦，太太。"邦布尔先生回答道，"如果克拉肯韦尔法庭发现他们的进展没有原来预料的那么顺利，那么，他们只能怪自己。"

邦布尔先生讲这番话的强硬语气中带有那么大的决心和意志，因此，曼太太不由得肃然起敬。她终于说道：

"你乘马车去吗，先生？我想以前总是用马车把贫民送去的。"

"那是在他们生病的时候，曼太太。"牧师助理说道，"我们在下雨天把生病的贫民装上敞篷的公共马车，以免他们感冒。"

"哦！"曼太太说道。

"回伦敦的马车会将这两个贫民带走，而且费用低廉。"邦布尔先生说道，"他们两个的身体状况都很差。我们发觉将他们转移比埋掉他们要少花两英镑。也就是说，如果我们能够将他们丢给另一个教区的话。我想我们能够办到，倘若他们不在半路上死去而使我们难堪的话，哈！哈！哈！"

邦布尔先生哈哈大笑了一会儿后，目光偶尔触到那顶三角帽，又变得严肃起来了。

"我们把正经事给忘了，太太，"牧师助理说道，"这是本月教区发给你的薪俸。"

邦布尔先生从自己的皮夹里掏出用纸包起来的一些银币，并要她开一张收据，曼太太照办了。

"上面沾了许多污渍，先生，"幼儿寄养所所长说道，"不过，我想它还合乎手续吧。谢谢你，邦布尔先生，非常感激你，真的，先生。"

邦布尔先生漠然地点头答谢曼太太的屈膝礼，并询问了孩子们的情况。

"谢天谢地!"曼太太动情地说道."他们再好不过了,这些可爱的孩子!当然,除了上星期死去的那两个外,还有小迪克。"

"那个孩子的身体没有好点吗?"邦布尔先生问道。

曼太太摇了摇头。

"迪克是教区内一个坏脾气的、邪恶的、不友好的孩子。"邦布尔先生气愤地说道,"他在哪儿?"

"我马上叫他来见你,先生。"曼太太回答道,"喂,迪克!"

喊了一阵子之后,才找到迪克。曼太太把迪克的脸按在水泵下冲了冲,并用自己的长裙将他的脸擦干之后,把他领到可怕的牧师助理邦布尔先生跟前。

这孩子脸色苍白,身体瘦弱。他两颊凹陷,一双眼睛又大又亮。狭小的教区衣服——贫儿制服穿在他虚弱的身上显得松松垮垮的,幼嫩的四肢已经干瘪,就像一个老头的四肢一样。

这就是在邦布尔先生的注视下站着发抖的那个小家伙。他不敢抬起头来,眼睛一直盯着地板,甚至连听到牧师助理的声音都感到害怕。

"你不能抬起头来看着这位先生吗,你这个固执的孩子?"曼太太说道。

迪克温顺地举目仰望,正好与邦布尔先生的目光相遇。

"你怎么啦,教区收养的迪克?"邦布尔先生以适合时宜的幽默问道。

"没事,先生。"这孩子小声地回答道。

"我想也没事。"曼太太说道,邦布尔先生的幽默引得她哈哈大笑起来,"我想你不需要什么吧?"

"我想——"孩子支支吾吾地说道。

"嘿!"曼太太插话道,"我猜想你想说你确实要点什么,是吧?怎么,你这小坏蛋——"

"别说啦,曼太太,你别说啦!"牧师助理装出一副权威的样子,抬起一只手,说道,"譬如说——老兄,嗯?"

"我想,"孩子结结巴巴地说道,"某个会写字的人是否可以替我在一张纸上写上几个字,然后把它折起来,并密封起来,在我埋入地下以后替我保存它。"

"咳,这孩子是什么意思?"邦布尔先生惊叫起来。孩子的认真态度和苍白的面容已给他留下了一些印象,他对此类事已司空见惯了。"你是什么意思,老兄?"

"我想,"孩子说道,"把我宝贵的爱留给可怜的奥利弗·特威斯特,让他知道我经常独自坐着,因想起他孤立无援地在黑暗中流浪而哭泣。我还想告诉他,"这孩子将一双小手合拢起来,热诚地说道,"我还很小的时候就乐意死去,因为,如果我活到成年、变老的话,我现在已在天国的小妹妹也许会把我忘了,或者和我长得不像了;如果我们兄妹小小的年纪就一块上那儿,一定会愉快得多。"

邦布尔先生从头到脚地打量着这个幼小的说话者,惊诧得难以形容。他转身对同伴说:"他们全都众口一词,曼太太。无法无天的奥利弗把他们全给带坏了!"

"我简直不敢相信,先生,"曼太太说着,举起双手,恶狠狠地盯着迪克,"我从未见过这么一个冷酷无情的小坏蛋!"

"把他带走,太太!"邦布尔先生专横地说道,"这些情况必须向董事会说明,曼太太。"

"但愿董事会的先生们会明白,这不是我的过错,是吧,先生?"曼太太说完,可怜巴巴地啜泣起来。

"他们必须明白这点,太太;他们必须了解真实的情况。"邦布尔先生说道,"好啦,把他带走,我不想再见到他。"

迪克马上被带走了,并被锁进煤窖里。之后不久,邦布尔先生也离开,去准备自己的旅行了。

第二天早晨6点,邦布尔先生将三角帽换成圆帽,穿上一件带披肩的蓝大衣，在公共马车的车顶就座，随行的还有两个在定居问题上尚有争议的犯人。他，连同那两人在预定的时间抵达伦敦。除了那两个贫民起诉人的倔强行为给他添些麻烦外，他一路上没有遇到什么挫折。那两个人老是哆嗦，老是抱怨太冷。邦布尔先生声称他们那副样子令他的牙齿嗒嗒嗒地打战，浑身感到很不舒服，尽管他身上穿着大衣。

为这两个性情凶狠的人安排过夜之后，邦布尔先生自己也在公共马车停靠的房子里坐下来，享用了一顿清淡的正餐：牛排、牡蛎酱和黑啤酒。他在壁炉架上放一杯掺水杜松子热酒，拉一张椅子到炉火旁，对不知足和抱怨这种过于普通的罪过发表了各种各样的道德见解之后，静下心来看报。

邦布尔先生的目光凝视的第一段，就有如下一则告示：

五几尼①赏金

鉴于一个名叫奥利弗·特威斯特的小男孩上星期四晚上从彭顿维尔家里潜逃或被诱拐，此后杳无音讯。凡愿意提供情况以便找到奥利弗·特威斯特的，或有助于了解他过去的经历者，都可以得到上述赏金。登广告的人有种种理由对他过去的经历产生浓厚的兴趣。

接着，又详尽地描述了奥利弗的服饰、外貌、他的出现及失踪，并极为详细地附上了布朗洛先生的姓名和地址。

邦布尔先生睁大眼睛，慢慢地、仔细地将告示读了三遍。过了五分多钟，他已动身前往彭顿维尔了。实际上，由于兴奋，他连那杯

---

① 指 1663 年英国发行的一种金币，等于 21 先令，1813 年停止流通；后仅指等于 21 先令即 1.05 英镑的币值单位。

掺水杜松子热酒也顾不上尝一口就走了。

"布朗洛先生在家吗?"邦布尔先生问开门的女仆。

对此,女仆作出一般的,却相当含糊其词的回答:"我不晓得,你从哪来?"

邦布尔先生刚道出奥利弗的名字,想说明自己的来意,一直在客厅门口倾听的贝德温太太赶紧气喘吁吁地走进过道。

"进来,进来,"老太太说道,"我早就知道我们会有他的消息的,可怜的孩子!我早就知道我们会有消息的!我对此有把握!谢天谢地!我始终这么认为。"

说罢,这位可敬的太太又赶快回到客厅,在沙发上落座后,又突然哭了起来。那个不太容易动情地女仆已跑上楼禀告主人,然后又下楼,要求邦布尔先生立即跟她走。他跟着女仆走了。

他被领进后面的小书房,那儿坐着布朗洛先生和他的朋友格里姆威格先生,面前摆着水晶玻璃酒瓶和杯子。后一位先生马上发出惊叫道:"牧师助理,教区牧师助理!要不然我就把自己的脑袋砍下来!"

"请先别插嘴。"布朗洛先生说道,"坐下来吧!"

邦布尔先生坐下来,对格里姆威格先生的古怪态度感到不知所措。布朗洛先生移动了那盏灯,以便使牧师助理的面容一览无遗,并有点急躁地说道:

"好啦,先生,你是看到告示而来的吗?"

"是的,先生。"邦布尔先生回答道。

"你是一个牧师助理,不是吗?"格里姆威格先生问道。

"我是一个教区牧师助理,先生。"邦布尔先生自豪地回答道。

"就是嘛!"格里姆威格先生对他的朋友说道,"我早就知道他是牧师助理,典型的牧师助理!"

布朗洛先生轻轻地摇摇头,要他的朋友安静,又继续说道:

"你知道这个可怜的孩子现在的下落吗?"

"我也不知道。"邦布尔先生回答道。

"那么，你了解他吗？"老先生问道，"如果你有话要说，就大胆地讲出来，我的朋友，你对他了解吗？"

"你该不会碰巧了解到他的什么美德吧，是吗？"格里姆威格先生留心、仔细地观察了邦布尔先生的外貌之后，挖苦地说道。

邦布尔先生迅速地抓住了这个问题，非常严肃地摇头否认。

"明白了吗？"格里姆威格先生得意扬扬地看着布朗洛先生，说道。

布朗洛先生忧虑地注视着邦布尔先生变得严肃的面部表情，要求他尽量简单扼要地把他所知道的奥利弗的情况说出来。

邦布尔先生放下帽子，解开外衣纽扣，交叉双臂，低着头追忆往事的样子。经过片刻的沉思之后，他开始叙述了。

如果按照牧师助理的原话，那就太冗长乏味了，因为他整整讲了二十分钟。不过，其主要内容是：奥利弗是个弃儿，源自下贱和邪恶的双亲。自从他诞生以来，除了奸诈、忘恩负义和恶毒外，不曾表现出任何优秀的品质。他在出生地对一个不冒犯人的男孩发起血腥的和怯懦的攻击而结束其短暂的职业生涯，并且在夜里从主人的家中逃走。为了证明奥利弗是他所描述的那么一个人，邦布尔先生把带到伦敦的文件放到桌上。而后，他又交叉着双臂，等待布朗洛先生发表意见。

"恐怕这是千真万确的。"老先生将文件看了一遍之后悲伤地说道，"就你所提供的情况这点钱不算多。不过，如果你提供的消息是对这个孩子有利的，那么，我乐意给你三倍的钱。"

倘若邦布尔先生在见面之前的早些时候得到这一消息，他定会在自己的叙述中给予非常不同的渲染的，这是完全可能的。然而，现在这样做为时已晚，因此，他严肃地摇摇头，把五几尼装进口袋后，退了出来。

布朗洛先生在房间里来回踱步大约达几分钟之久。显然，牧师助理的叙述搅得他心神不安，连格里姆威格先生都不想再激怒他。

他终于收住了脚步，狠狠地按铃。

"贝德温太太，"女管家上来时，布朗洛先生说道，"那个叫奥利弗的男孩是个骗子。"

"这不可能，先生。这不可能。"老太太激动地说道。

"我告诉你他是个骗子。"老先生反驳道，"你说不可能是什么意思？我们刚刚听了有关他出生以来的详细情况，他一直是一个彻头彻尾的小坏蛋。"

"我决不相信，先生。"老太太坚定地回答，"决不！"

"你们老太婆除了相信江湖郎中和骗人的故事书外，从不相信任何东西。"格里姆威格先生咆哮着说，"我一开始就知道怎么回事。你们为什么不听我的忠告？我想，如果他没患热病的话，你们就会听的，是吧？他很有趣，是吗？有趣！呸！"说完，格里姆威格先生的拨火棒虚晃了一下，拨旺了炉火。

"他是个可爱的、有礼貌的、温柔的孩子，先生。"贝德温太太愤愤不平地回嘴道，"我了解孩子，先生。这四十年来我一直在照料孩子，没有这种经验的人不该随便发表意见，这是我的看法！"

这句话对格里姆威格先生是个沉重的打击，因为他是个单身汉。由于他再没有说什么，只是微笑，老太太把头往后一扬，捋平围裙，正准备发另一通议论时，布朗洛先生出面制止了。

"安静！"老先生假装生气的样子，说道，"千万不要再让我听到这个孩子的名字。我刚才按铃是为了告诉你这件事。千万不要，千万不要以任何借口提起他，请注意！你可以走了，贝德温太太。记住！我是认真的。"

那天晚上，布朗洛先生家的人个个心情沉重。

当奥利弗想起他那些好心的善良的朋友时，他感到心灰意冷。幸亏他无法知道他们所听到的谗言，否则，他会彻底心碎的。

第十八章　奥利弗在他那些说教的、可敬的朋友圈子中如何消磨时光

　　大约第二天中午，当蒙骗者和贝茨少爷出去干他们的老行当时，费金先生趁机长篇大论地教训奥利弗：忘恩负义是极为可耻的罪过；奥利弗蓄意脱离他的忧心如焚的朋友圈子，这已清楚地表明他在很大的程度上已犯了这一罪过；尤其是在为了他的康复已招致如此大的麻烦和巨额的花费之后，他还力图逃脱他们。费金先生极力地强调这样的事实：他接纳奥利弗是爱护他。当时，如果不是他及时帮助他，他也许早已饿死街头了。他还讲述了有关一个年轻小伙子的可怕的和伤心的故事。费金出于善心，在类似的情况下曾救济过这个小伙子。可是，他证明自己不值得费金的信任，并表明了向警察告发的愿望，结果有一天早晨他不幸地在老贝利①被绞死。费金先生并不试图掩盖他在这场大灾难中的罪责，但他噙着泪水，悲叹这个年轻人的错误思想和背信弃义的行为，使得他必然地成了巡回刑事法庭的某一证据的牺牲品：即使这一证据不完全真实，但

---

　　① 英国伦敦中央刑事法院的俗称。

此举对于他（费金先生）和几位至交的安全是完全必要的。在结束时，费金先生描绘了一幅受绞刑的种种难受和令人不快的图景，并非常友好和礼貌地表达了他的殷切希望：他永远不会让奥利弗遭受这种令人不快的刑罚。

小奥利弗听了犹太人的话，不完全理解他话中传递的隐晦的威胁，心里感到不寒而栗。他已经知道，司法本身把只是偶尔和他们交往的无辜者看作有罪，也是可能的。当他回想起犹太人和赛克斯先生之间争吵似乎和过去的某类密谋有关——他认为，老犹太人不止一次地处心积虑炮制计划，是为了毁掉不合时宜认识的或过往甚密的人。当他战战兢兢地抬头一瞥，并与犹太人的锐利的目光相遇时，他觉得自己苍白的脸色和发抖的四肢被细心的老犹太人察觉到了，并令他暗暗高兴。

犹太人丑陋地微笑着，拍拍奥利弗的脑袋，说如果他保守秘密、用心做事，他认为他们可以成为很好的朋友。而后，他拿起帽子，穿上一件打过补丁的旧大衣走出去，并顺手将门锁上。

于是，那天一整天，以及后来连续几天里的大部分时间，从清晨到半夜之间，奥利弗见不到任何人，在这漫长的时间里独自被留下来沉思与内省。由于他总是想到那些善良的朋友，认为他们想必早已对他有了成见，这些沉思与内省变得令人难受。

过了一星期左右，犹太人让房门开着，奥利弗可以自由地在屋里闲逛。

这是一个非常肮脏的地方。楼上的房间有高大的木制壁炉架和大门，嵌镶墙和飞檐直通到天花板；房内装饰并不简朴，但因无人照管和尘埃堆积而变黑。奥利弗从这一切特征推断出，很久很久以前，在老犹太人诞生之前，这幢房子为较体面的人士所拥有，而且，也许曾经装饰得华丽、堂皇，可如今它看起来显得很凄凉、暗淡。

蜘蛛已经在墙角和天花板上织起了网。有时，当奥利弗轻轻地走进房间时，小老鼠匆匆地越过地板奔逃，惊慌失措地跑回它们的洞里。除此之外，再也没有任何生物的影子或声响。常常天已黑了，他又厌倦逐个房间闲逛时，便蜷缩在临街大门旁边的过道的角落里，尽量地靠近活人。他常常待在那儿，侧耳倾听或数着钟声，直到犹太人和孩子们回来。

在所有的房间里，腐朽的窗板关得严严实实的，固定住它们的窗栅用螺丝钉紧紧地拧进木头里，光线只能透过屋顶的圆洞偷偷地投射进来。这使房间变得更加阴森可怖，也使屋中充满各种怪影。顶楼有个后窗没有窗板，外面的窗栅已经生锈。奥利弗常常满脸忧郁、目不转睛地连续几小时从这儿向外凝望。然而，除了杂乱无章和拥挤不堪的屋顶、黑乎乎的烟囱和人形墙外，什么也看不见。诚然，有时可以看见一颗灰白的脑袋从远处房子的护墙上探了出来，但它很快便又缩回去了。因奥利弗的瞭望窗口被钉子钉住，并因多年的雨淋和烟熏而变得模糊，他只能隐约看见远处的各种物体的轮廓，而不能指望被人看见或听见——仿佛与住在圣保罗大教堂的圆顶里一样，他被人发现的机会微乎其微。

一天下午，蒙骗者和贝茨少爷约定那天晚上外出，蒙骗者突然心血来潮，想将自己打扮一番（说句公道话，这决不是他的习惯性癖好）。怀着这个目的，他恩赐般地指使奥利弗马上帮他化装。

奥利弗很高兴自己能派得上用场了，很高兴可以见到一些面孔了——无论它们多么邪恶，很想博得周围那些人的欢心了——如果他能够正当地这么做的话，对这一建议没有提出任何异议。他马上表示乐意为他化装，并跪在地板上，蒙骗者则坐在桌子上，以便奥利弗能够抓住他的脚放在自己膝上。他致力于道金斯先生所谓"擦亮他的脚套子"的一道工序。这句话用明白的英语说，就是擦鞋。

蒙骗者坐在桌子上悠然自得地抽着烟，无忧无虑地来回晃荡着一条腿。有人替他擦鞋，甚至可免去以往那样事先脱掉它们的麻烦，

　　他马上表示乐意为他化装，并跪在地板上，蒙骗者则坐在桌子上，以便奥利弗能够抓住他的脚放在自己膝上。他致力于道金斯先生所谓"擦亮他的脚套子"的一道工序。

也没有以后再穿上去的苦恼来妨碍他的沉思。不知这是不是理性动物也许会感觉到的自由感和独立感，或者是抚慰蒙骗者的情感的烟草的醇厚，或者是安抚他的思绪的啤酒的淡味，眼下，他显然充满着一种与平常的性情大不相同的浪漫的、热情的情趣。他带着沉思的表情俯视了奥利弗一会儿，然后抬起头来，轻轻地舒了一口气，心不在焉地对贝茨少爷说道：

"可惜他不是一个扒手！"

"啊！"查利·贝茨少爷说道，"他不晓得什么对他有益。"

蒙骗者又叹了一口气，继续抽他的烟斗——正如查利·贝茨那样。他们默默地抽了一会儿烟。

"我想，你甚至连什么是扒手也不懂吧？"蒙骗者忧伤地说道。

"我想我知道，"奥利弗仰起头来说道，"就是小——，你就是一个，对吧？"奥利弗突然停下来，问道。

"我就是，"蒙骗者回答道，"我蔑视别的行当。"道金斯先生发表了这个意见之后，狠狠地将帽子一歪，注视贝茨少爷，仿佛意味着如果贝茨发表相反的观点，他会很感激的。

"我就是，"蒙骗者重复道，"查利也是，费金也是，赛克斯也是，南希也是，贝特西也是。我们大家都是，甚至连那条狗也是。它是其中最机警的一个！"

"而且最不会告密。"查利·贝茨补充道。

"它在证人席上甚至叫都不叫一声，担心自己受牵连。不，即使你把它捆在证人席上，没有其他证人，让它在那儿待两星期，它也照样一声不吭。"蒙骗者说道。

"一声不吭。"查利附和道。

"它是一条难对付的狗。当它在客人面前时，难道不会恶狠狠地盯着任何哈哈大笑或唱歌的陌生人吗？当它听到有人拉小提琴时，难道不会嚎叫吗？它难道不会痛恨别的狗，仿佛它们不是它的同类？

噢，它才不会呢！"

"它是个彻头彻尾的基督徒。"查利说道。

这句话本来是打算用来称赞这条狗的才能的，但从另一个意义上说，又是一句恰如其分的话，要是贝茨少爷懂得这点就好啦；因为许多声称自己是彻头彻尾的基督徒的女士们和先生们，在他们和赛克斯先生的狗之间，有着惊人的相似之处。

"好啦，好啦。"蒙骗者说道，他的一言一行总是不忘自己的本行，重新拾起他们偏离的话题，"这和我们这儿的小傻瓜①毫不相干。"

"确实如此。"查利说道，"你为什么不拜费金为师，奥利弗？"

"会使你马上发财。"蒙骗者露齿而笑，补充道。

"将来可以洗手不干，享受富贵的生活：我的意思是待过了四个闰年后到下一个闰年，也就是三一节②——第四十二个星期二我就洗手不干了。"查利·贝茨说道。

"我不喜欢，"奥利弗胆怯地回答，"但愿他们放我走。我——我——宁愿走。"

"可费金才不会让你走呢！"查利回答道。

奥利弗对此知道得很清楚，但心想若更公开地表白自己的看法可能会有危险，于是他只叹了一口气，又继续擦鞋。

"走？"蒙骗者叫道，"哼，你的勇气哪儿去了？你自己难道没有一点自尊心吗？你愿意走，去依靠你的朋友吗？"

"哦，该死！"贝茨少爷说着，从口袋里掏出两三条丝手帕，将它们扔进食橱里，"那就太自私了，确实的。"

"这事我做不出来。"蒙骗者摆出一副轻蔑的、厌恶的神态说道。

---

① 指奥利弗。

② 基督教纪念圣父、圣子、圣灵三位一体的节日，即复活节后的第八周。贝茨在此随便捏造了一个日期。

"可是，你可以丢下你的朋友，"奥利弗脸上半带着笑容说道，"而让你的朋友为你所干的坏事受到惩罚。"

"那，"蒙骗者将烟斗一挥，回答道，"那全是为费金着想，因为警察知道我们是一伙的。如果我们倒了霉，费金就会有麻烦。这是我们的做法，是吧，查利？"

贝茨少爷点头同意，本想说话，却突然回想起奥利弗上一次的逃跑，使吸进去的烟和笑声纠缠在一起，往上冒入脑袋，往下进入喉头，导致一阵咳嗽、跺脚，足足折腾了有五分钟之久。

"喂！"蒙骗者说着，掏出了一把先令和半便士，"这是多么快活的生活！钱从哪儿来的又有什么关系呢？喂，接住，弄到这些钱的地方还有的是。你不要，是吗？哦，你这个大傻瓜！"

"这不是正当的钱，是不是，奥利弗？"查利·贝茨问道，"他总有一天会被勒杀的，是吗？"

"勒杀是什么意思。"奥利弗问道。

"有点像这样，老兄，"查利说着，一边用手握住领带的一端，然后把它竖直地吊在空中，将脑袋垂落在肩头，透过牙齿发出急促的怪叫。他生动的哑剧表明勒杀和绞刑完全是一回事。

"这就是勒杀的意思，"查利说道，"你看他的眼睛瞪得多大，杰克！我还从未见过像他这么棒的伙伴；我的小命会断送在他手里。我知道会断送在他手里的。"查利·贝茨少爷又开心地哈哈大笑之后，眼里噙着泪水，继续抽烟。

"你一直得不到良好的教养。"蒙骗者说道，奥利弗擦好鞋之后，蒙骗者非常满意地打量着鞋子，"不过，费金会使你成为一个有用的人的。否则，你将是他曾经培养出的第一个无利可图的人。你最好马上开始，因为这个行当要取得成功，你需要花费的时间比你所想象的要多得多，而你现在只是在浪费时间，奥利弗。"

贝茨少爷以自己各种不同的道德训诫来支持这一忠告。训诫用尽之后，他和他的朋友道金斯先生开始绘声绘色地描述他们生活中偶尔遇到的许多乐趣，其间穿插着种种暗示：奥利弗唯一能够做的，就是采取他们以前为了同样的目的使用过的手段，刻不容缓地博取费金的欢心。

"你仔细地想想吧，诺利①。"蒙骗者说道，这时，他们听到犹太人在上面开锁的声音，"如果你不拿丝质手帕和滴答响的玩意儿②——"

"说那些有什么用？"贝茨少爷插话道，"他不晓得你是什么意思。"

"如果你不偷手绢和挂表，"蒙骗者说道，让奥利弗能理解他的话，"其他人也会偷，因此，丢失这些东西的人会更糟，你也会更糟，谁也不会更好一点，除了那些懂得弄到这些东西的人——而你像他们一样，有充分的权利弄到它们。"

"一点不假，一点不假！"犹太人说道。他已经走进来了，但奥利弗尚未发现。"一切都非常简单明了，亲爱的，简单明了，相信蒙骗者的话。哈！哈！哈！他懂得他这行当的基本原理。"

老头高兴得搓着手，以这番话支持蒙骗者说得有理，他的徒弟的娴熟的技巧使他乐滋滋地轻声笑了。

此刻，谈话没有继续深入下去，因为犹太人是由贝特西小姐和一位先生陪着回家的。奥利弗以前未曾和这位先生谋面，但蒙骗者上前跟他讲话，管叫他汤姆·奇特林。他刚才停在楼梯上跟小姐相互交谈了几句谦恭有礼的话，方始露面。

奇特林先生的年纪比蒙骗者稍大一些，也许已有十八岁了吧，然而他在举止上对蒙骗者表现出几分敬重。这似乎表明他自己意识

---

① 指奥利弗。
② 即怀表。

到就天才和业务技能而论有点逊色。他生就一双闪闪发亮的眼睛，麻脸，头戴皮帽，身穿深色的灯心绒夹克衫、油腻腻的粗斜纹布裤子，还系着一块围腰布。事实上，他的全部服装都疏于修补，不过，他向同伴请求原谅，声称一小时前他的"刑期"才满，由于过去六周来一直穿着制服，他未能把注意力花在私人的服饰上。奇特林先生愤愤不平地说，在那儿，熏蒸衣服的新方法是完全违反宪法的，因为他们把衣服烧出一个个的洞，可是那些郡太爷真是不可救药。他就剃发的规定提出同样的批评，他认为明显不合法的。奇特林先生最后结束他的话，声称在冗长的、卖力气的四十二天里，他未曾沾过一滴酒，说他"如果不是像石灰筐那么干渴的话，可以再把他关进去"。

"你看这位先生从何处来，奥利弗？"当其他两个男孩将一瓶烈酒放在桌上时，犹太人咧嘴笑着问道。

"我——我——不知道，先生。"奥利弗答道。

"那是谁呀？"汤姆·奇特林轻蔑地瞥了奥利弗一眼，问道。

"我的一位小朋友，亲爱的。"犹太人答道。

"那么，他交上好运了。"这个年轻人意味深长地看了费金一眼，说道，"别在乎我从哪里来，年轻人。我愿以五先令硬币打赌，用不了多久，你也会被送到那儿①去的！"

这句俏皮话引得那两个男孩都笑了。他们对同一个话题又开了一些小玩笑之后，与费金交头接耳了一阵，便离开了。

最后到来的男人和费金单独交谈了几句之后，他们将椅子挪到炉火旁。犹太人叫奥利弗过来坐在自己身边，开始谈一些最能引起他的听众兴趣的话题。这些话题包括：这行当的主要有利条件、蒙骗者的娴熟技巧、查利·贝茨的和蔼可亲、以及犹太人本人的慷慨大方。最后，这些话题显示出完全枯竭的迹象。而奇特林先生也表现出

---

① 指教养院。

同样的倦意，因为在教养院待上一两星期之后他已变得疲惫不堪了。贝特西小姐也起身告辞，让那伙人可以休息。

从这一天起，他们很少让奥利弗独自待着，而几乎总是让他跟那两个男孩在一起。那两个男孩每天同犹太人玩老一套游戏，究竟是为了提高他们俩自己的技巧呢，还是为了提高奥利弗的技巧，费金先生心中最有数。在其他时候，老头会给他们讲起他较年轻的岁月里所犯下的抢劫事件，其中夹杂着那么多滑稽和离奇的故事，奥利弗不禁开怀大笑。尽管他具有优良的天性，但还是觉得好笑。

总之，老奸巨猾的犹太人诱使奥利弗落入他的圈套。通过让他寂寞和忧愁，在思想上对他施加影响：宁愿与任何人交往，也不愿在这么一个沉闷的地方与自己的悲哀思绪为伴。犹太人现在缓慢地在他的灵魂中注入毒药。他希望这种毒药会玷污他的灵魂，并永远改变他的本色。

第十九章　本章里讨论并敲定了一个重要的计划

这是一个阴冷、潮湿和多风的夜晚。犹太人扣上紧紧裹住自己蜷缩的身子的大衣纽扣，将衣领拉上来盖住了耳朵，完全遮蔽脸的下部，然后从他的贼窝出来。门在他身后被关上并用链条拴住时，他在台阶上停下来，倾听孩子们锁门的声音，直到他们在屋内远去的脚步声再也听不见后，才鬼鬼祟祟地尽快溜到街上。

奥利弗被送进来的这幢房子坐落在白教堂①附近。犹太人在街角处停了片刻，疑神疑鬼地往四周瞥了一眼，穿过马路，朝着斯皮塔尔菲尔兹方向走去。

石头路面上沾满了厚厚的一层泥，街上笼罩着一层黑雾，雨慢腾腾地下着，任何东西摸上去都冷冰冰、湿漉漉的。看来这样的夜晚正适合像犹太人这样的人在户外活动。当他在门道和围墙的掩蔽处底下蹑手蹑脚地朝前行走时，这个可憎的老头看上去宛若在他穿行的黏泥和黑暗中生成的令人恶心的爬行动物：在夜间向前蠕动，寻找油腻的下水、杂肉，以饱食一餐。

———————————

① 伦敦东部的一个区，为犹太人的居住区，多为贫民区。

他按原来的方向继续往前走，穿过许多弯弯曲曲的、狭窄的小巷，一直来到了贝思纳尔格林，然后突然左拐，马上被一片简陋、肮脏的街道紧紧包围住了。在这人口稠密的地区，这种街道多如牛毛。

显然，犹太人对他所穿越的地方了如指掌，夜间的黑暗和道路的错综复杂丝毫也不会使他迷路。他匆匆地穿过好几条巷子和街道，最后拐入一条小巷。小巷的照明仅靠另一端的一盏路灯。他敲了小巷里的一幢房子的门，跟开门的人咕哝了几句之后便上楼了。

当他触动房门的把手时，一条狗嗥叫起来，接着，一个男人的声音喝问："是谁？"

"是我呀，比尔，是我，亲爱的。"犹太人说着，眼睛朝里瞅。

"那你就进来吧，"赛克斯说道，"躺下，你这愚蠢的畜生！魔鬼穿上了大衣你就认不出来了吗？"

显然，这条狗有点被费金先生的大衣所蒙骗了，因为犹太人解开大衣纽扣，将大衣扔到一张椅背上时，狗便退回到它刚才起身的角落，边走边摇尾巴，表明它已心满意足了，因为它生来是容易满足的。

"好啦！"赛克斯说道。

"好啦，亲爱的。"犹太人回答道，——"啊！南希。"

后一声招呼足够令人尴尬的，似乎意味着对它能否被接受表示怀疑，因为自从她为了奥利弗的缘故而出面干预以来，费金先生和他这位年轻朋友还尚未见过面。对于这个问题的一切疑虑——如果他有任何疑虑的话——迅速地让这位小姐的行为给消除了。她把搁在火炉围栏上的双脚收起来，将自己的椅子往后挪，叫费金把椅子拉上前去，没有再说别的什么，因为这是一个非常寒冷的夜晚，一点不假。

"天气确实冷，南希，亲爱的。"犹太人一边把那双爪子般的手往炉火上烤，一边说道，"寒气似乎要直接穿过身体似的。"老头摸摸身体的一侧，补充道。

"如果寒气穿透你的心，它想必是个钻孔机。"赛克斯先生说道，"给他倒点酒喝，南希。该死的，赶快！看到他那瘦骨嶙峋的老躯壳抖得那么厉害，仿佛刚从坟墓里爬出来的丑鬼似的，就足以令人恶心。"

南希赶忙从食橱里拿来了一瓶酒。食橱里有很多瓶子，从它们形形色色的外表看，里面装了好几种不同的酒。赛克斯倒了一杯白兰地，叫犹太人将它喝了。

"够了，够了，谢谢，比尔。"犹太人回答道。他的嘴巴刚接触到杯子，就把它放下来。

"什么！你害怕我们暗算你，是吗？"赛克斯眼睛定定地盯着犹太人，说道。"呸！"

赛克斯先生发出粗哑、轻蔑的哼哼声，一把夺过杯子，把杯里剩下的酒泼到炉灰中，像是准备为自己斟酒。果然，他立即为自己斟上了酒。

当他的同伙饮下第二杯时，犹太人扫视了一眼房间。并不是出于好奇，他以前经常来这儿，是出于他焦虑不安和怀疑的习惯。这是一套陈设简陋的房间，只有食橱里的东西能使人相信其占用者根本不是工人，除了放在角落里的两三根沉重的大头短棒，以及挂在壁炉架上的"护身棒"外，没有其他可疑的物件。

"怎么样，"赛克斯哑着嘴说道，"我现在准备好啦。"

"准备好谈生意吗？"犹太人问道。

"准备好谈生意，"赛克斯答道，"所以，你有什么话就直说吧。"

"关于彻特西的行劫地点的事，比尔。"犹太人将椅子往前挪了挪，以非常低的声音说道。

"是的。怎么样？"赛克斯问。

"啊！你知道我是什么意思，亲爱的。"犹太人说道，"他知道我是什么意思，南希，是不是？"

"不，我不知道，"赛克斯先生冷笑道，"或者我不想知道，那是同一回事。大声点讲，讲得具体点，别坐在那儿用使眼色、眨眼睛来暗示我，难道不是你头一个想到抢劫的？你是什么意思？"

"嘘，比尔，嘘！"犹太人说道。他枉费心机地想阻止赛克斯发怒，"有人会听到我们说话，亲爱的。有人会听到。"

"让他们听到好啦！"赛克斯说道，"我不在乎。"然而，赛克斯先生确实在乎，经考虑之后，他说话时把声音压低了，也变得更冷静了。

"好了，好了，"犹太人哄道，"这只是我谨慎而已，没有别的意思。喏，亲爱的，关于彻特西行劫一事，什么时候下手，比尔，嗯，什么时候下手，那么漂亮的餐具，亲爱的，那么漂亮的餐具。"犹太人说罢，搓着手，扬起眉毛，欢天喜地地期待着。

"压根儿不干。"赛克斯冷冷地回答。

"压根儿不干？"犹太人靠在椅背上，重复道。

"是的，压根儿不干。"赛克斯回答，"至少，这不能是个预谋的行为，如我们原先所预料的那样。"

"那么，是这项工作准备得不够充分了。"犹太人气得脸色煞白，说道，"不见得吧！"

"确实如此，"赛克斯反驳道，"你是什么货色竟会不相信？我告诉你，托比·克雷基特两周来一直在那儿荡来荡去，但是他仍然无法物色一个仆人做内应。"

"你该不是要告诉我，比尔，"犹太人说道，当对方激动起来时，他的口气变得温和些了，"说屋里的那两个男仆都争取不过来吧？"

"没错，我确实想这样告诉你，"赛克斯回答道，"那位老太太这二十年来一直雇用他们。你就是给他们五百英镑他们也不干。"

"可是，你该不是说，亲爱的，"犹太人争辩道，"那些女仆也争取不过来吧？"

"毫无办法。"赛克斯回答。

"精明的托比·克雷基特也没有办法？"犹太人怀疑地问道，"想想女仆是些什么货色吧，比尔。"

"不，精明的托比·克雷基特也没有办法。"赛克斯回答道，"他说他戴上了假连鬓胡子，穿淡黄色的背心，这段时间一直在那儿游荡，可一点也没用。"

"他应该试用小胡子和军用裤才对，亲爱的。"犹太人说道。

"他试过了，"赛克斯回答道，"但也如同其他花招一样没用。"

听到这一消息，犹太人露出了茫然若失的神色。他把下巴低垂在胸前，苦思冥想了几分钟之后，抬起头来深深地叹了一口气，说，如果精明的托比·克雷基特的报告没错的话，恐怕一切都没有希望了。

"不过，"老头将双手放在膝上说道，"我们已经费了心血，放弃确实是件遗憾的事，亲爱的。"

"是啊，"赛克斯先生说道，"真倒霉！"

接着是长时间的沉默。在此期间，犹太人陷入了沉思之中，他的脸扭曲成恶魔般的邪恶表情。赛克斯不时偷偷地看上他一眼，而南希显然怕激怒这个坐在那儿的破门窃贼，眼睛一动不动地盯着炉火，仿佛她对发生的一切充耳不闻似的。

"费金，"赛克斯突然打破笼罩着的一片静寂，说道，"如果能安全地从外头抢劫，外加五十个金币值得吗？"

"值得。"犹太人突然振作起来，说道。

"就这么讲定了？"赛克斯问道。

"是的，亲爱的，是的。"犹太人回答道。因这句问话使他兴奋起来，他的眼睛闪闪发亮，脸上的每块肌肉都在颤动。

"那么，"赛克斯轻蔑地猛然将犹太人的手推向一边，说道，"这项计划你爱什么时候实施，就什么时候实施。前天夜里我和托比爬过花园墙，探测了门上的嵌板和窗板。那个行劫的地点晚上都像监狱似的闩得严严实实的，不过有一处我们可以既安全又轻松地突破。"

"哪一处，比尔？"犹太人心急火燎地问道。

"唉，"赛克斯低语道，"当你越过草坪时——"

"是吗？"犹太人说。他身子前倾，脖子伸得老长，眼睛睁得大大的，几乎快从脑袋上突出来。

"哼！"当南希的头微微转过来，突然眼睛往四下看了一眼，指着犹太人的脸时，赛克斯一下子打住了话头，"你别管在哪个地方。我知道，没有我你干不了。不过，跟你这种人打交道的时候最好谨慎行事。"

"随你便，亲爱的，随你便。"犹太人回答道，"除了你和托比外，再不需要帮手了吗？"

"不需要，"赛克斯说道，"除了一把转柄钻和一个男孩外。钻子我们俩都有了，小男孩你必须替我们找。"

"一个男孩！"犹太人尖叫道，"哦！那么，那一定是嵌板了，是吗？"

"别管它是什么！"赛克斯说道，"我需要一个男孩，胖的不行。老天爷啊！"赛克斯若有所思地说道，"要是我能够弄到内德那个扫烟囱的小儿子就好啦！内德故意让儿子保持瘦小的身材，好让他出去干活。不过，当父亲的已被捕入狱。后来，少年罪犯教养所的人来了，把他带走，让他丢掉赚钱的行当，教他学文化，最终使他成为一个学徒。他们教养所到处管闲事，"赛克斯说道，他的怒气因回忆起自己所遭受的冤屈而升腾，"于是他们继续胡闹。如果他们有足够的资金的话（可惜他们没有，谢天谢地），再过一两年，干我们这一行当的小男孩恐怕剩下不到半打了。"

"恐怕不到了。"犹太人默认道。他在赛克斯的谈话过程中一直在思索，只听到了最后一句"比尔！"

"现在又咋啦？"赛克斯问道。

犹太人朝南希点点头——她依然目不转睛地盯着炉火——暗示赛克斯把她从房里支开。赛克斯不耐烦地耸耸肩，仿佛认为这种谨慎没有必要似的。然而，他还是依从了，叫南希小姐去给他拿一壶啤酒来。

"你不需要什么啤酒。"南希双臂抱拢，说道，依然镇定自若地坐着不动。

"我告诉你我需要！"赛克斯回答道。

"胡说，"姑娘冷静地回答道，"继续说下去，费金。我知道他想说什么，比尔。他不必介意我。"

犹太人依然犹豫不决。赛克斯有点诧异地看看这个，又看看那个。

"嗨，你不会在乎这位小姐吧，是吗，费金？"他终于说道，"你认识她这么久了，足可以相信她了，否则就活见鬼了。她不是一个会泄密的人，是吧，南希？"

"当然不是！"小姐说着，将椅子拉到桌子跟前，双肘支在桌上。

"不，不，亲爱的，我知道你不是这号人。"犹太人说道。"可是——"老头又顿了一下。

"可是什么？"赛克斯问道。

"不晓得她是不是又会像那天晚上那样心情不佳，你也知道，亲爱的。"犹太人回答道。

南希小姐对他的这一坦白突然哈哈大笑起来。她吞下一杯白兰地，带着蔑视的神态晃着脑袋，突然爆发出"把游戏进行下去！""不要气馁！"之类的尖叫声。这些醉话似乎令这两位先生放心了，因为犹太人以满意的神态点点头，又重新坐下来，赛克斯先生亦然。

"好了，费金，"南希笑着说道，"马上给比尔讲讲奥利弗的事吧！"

"哈！你真聪明。亲爱的。你是我见过的最精明的姑娘！"犹太人轻轻地拍拍她的颈部,说道,"我要说的正是有关奥利弗的事,果真如此。哈!哈!哈!"

"奥利弗怎么啦?"赛克斯问道。

"他正是你所需要的男孩,亲爱的。"犹太人嘶哑、小声地说道,将一个指头搁在鼻子的一侧,可怕地咧嘴而笑。

"他!"赛克斯惊叫起来。

"要上他,比尔!"南希说道,"如果我是你的话,我就要上他。也许,干这行他不如其他人那么精通。可是,如果只要他替你们开门,那么,他正是你所要的。毫无疑问,他是可靠的,比尔。"

"我知道他可靠,"费金回答道,"过去几周来,他一直在接受良好的训练,也该是他干活糊口的时候了。况且其他男孩个儿都太大了。"

"嗯,他的个头正合我们的要求。"赛克斯先生若有所思地说道。

"而且你要他干什么,他就干什么,比尔,亲爱的。"犹太人插嘴道,"那由不得他自己,也就是说,只要你好好地吓唬吓唬他的话。"

"吓唬他!"赛克斯附和道,"请注意,这吓唬可是动真格的。我们的活儿一旦进入状况时,如果发现他有什么异样,一不做,二不休,你再也别想见到他活着回来,费金。你把这考虑清楚,再把他送过来。你留心听着!"这个破门强盗说着,从床架下面取出一根铁棍比画着。

"我全都考虑过了。"犹太人有力地说道,"我曾经——曾经细心地观察过他,亲爱的,严密地——严密地观察过他。一旦让他感到他是我们当中的一员;一旦使他的脑子里充满着他已经是个贼的想法,那么,他就是我们的了!一辈子都是我们中的一员。哦嗬!这样的结果再好不过了!"老头双臂交叉在胸前,将脑袋和肩膀缩成一团,简直高兴得要拥抱自己。

"我们的一员!"赛克斯说道,"你的意思是你的一员。"

"也许是的，亲爱的，"犹太人发出刺耳的笑声，说道，"就算是我的吧，比尔。"

"什么东西，"赛克斯恶狠狠地瞪眼怒视这个惬意的朋友，说道，"什么东西促使你对这个脸色苍白的孩子这么煞费苦心，而你明明知道每天晚上有五十个男孩在公园附近打瞌睡，你可以从中随意挑选？"

"因为他们对我毫无用处，亲爱的，"犹太人有点慌乱地回答，"不值得我接纳。当他们遇到麻烦的时候，他们的容貌就表明他们有罪。这样，我岂不是前功尽弃。而这个男孩，经过适当的调教，亲爱的，我可以叫他干出其他许多孩子无法干的事来。况且，"犹太人又恢复自制，说道，"倘若他又从我们手里逃走，我们就会败在他手里。因此，他必须和我们同舟共济。不要在乎他怎样上那儿，只要他参与一次抢劫，我对他就有足够的控制权；这就是我所要的。好了，这要比不得不干掉这个小男孩好多了——那样做将是危险的，我们也会因此而遭受损失。"

"什么时候开始行动？"南希问道，制止了赛克斯先生发出狂暴的叫骂——他正想以此对犹太人的假人道表示厌恶之情。

"啊，真的，"犹太人说道，"什么时候开始行动，比尔？"

"我和托比已经计划好了，后天晚上行动，"赛克斯以肯定的语气回答道，"如果他没有从我这儿得到任何相反的消息的话。"

"好。"犹太人说道，"没有月光。"

"是的。"赛克斯回答道。

"运赃物的事都安排好了，是吗？"犹太人问道。

赛克斯点了点头。

"还有关于——"

"噢，都计划好了，"赛克斯打断他的话说道，"不必担心细节。你最好明天晚上把孩子带到这儿。我天亮后一小时就把石块搬掉。

然后，你闭起你的鸟嘴，把坩埚准备好，这就是你必须做的。"

三个人经过一番热烈的讨论之后，决定明天晚上夜幕降临时，南希必须到犹太人的住处把奥利弗带来；费金狡猾地说，即使奥利弗对这事表示勉强，他会比任何人更愿意陪伴南希。她最近为了他的缘故曾如此卖力地出面干预。他们还一本正经地达成了协议：为了计划中的这一次出行，应该无保留地委托比尔·赛克斯先生关照和监护奥利弗；此外，赛克斯应该以他认为合适的方式处治他；对于可能降临于奥利弗头上的任何不幸和灾难，或者可能需要对他施加的任何惩罚，犹太人概不追究责任。不言而喻，为了使这方面的契约具有约束力，赛克斯回来后所做的任何陈述中的重要细节，均须由精明的托比·克雷基特来证实。

这些问题预先解决之后，赛克斯先生开始猛喝白兰地，并令人心惊胆战地挥舞着那根铁棍，与此同时，以最刺耳的声音叫喊出若干歌曲片断，其间还夹杂着狂野的咒骂。最后，出于一阵职业上的狂热，他非要出示他的破门入室的工具箱不可。他跌跌撞撞地把它们搬进来，为了解释里面所装的各种工具的性能特征及构造的特殊妙处而打开工具箱，还未开口，他就醉倒在地板上的工具箱上，并就地酣然入眠。

"晚安，南希。"犹太人说着，又像刚来时那样将自己的身子裹得严严实实的。

"晚安。"

他们的目光相遇，犹太人严密地审视着她。姑娘毫不畏缩，在这个问题上，她如同托比·克雷基特那样坚定和认真。

犹太人再次向她道了晚安。当她转过身去，在黑暗中摸索着下楼时，犹太人对着倒在地上的赛克斯先生的躯体偷偷地踢了一脚。

"老是这副德行！"犹太人往回走时喃喃自语道，"这些女人最糟糕之处，是一件鸡毛蒜皮的小事也会唤起某种早被忘却的情感；

而她们最可爱之处，是这种情感从不会持久。哈！哈！那个男人对抗那个男孩，为的是一袋金币！"

费金先生以这些怡人的念头来消磨时间，一路踏着泥泞，走回自己阴森的住所。这里，蒙骗者还在熬夜，焦急地等待着他的归来。

"奥利弗睡觉了吗？我有话要跟他说。"这是他们下楼梯时他说的第一句话。

"几小时前就睡了。"蒙骗者把一扇门打开，回答道，"他就在这儿！"

这孩子躺在地板上的一个简陋的铺位上酣睡。因忧虑、悲哀和严密的监禁而脸色苍白，他看上去像死人一般。不像在裹尸布或灵柩里的尸体所显示的那种死亡状态，而像生命刚刚离开躯壳所呈现出的样子。此刻，一个年轻、温柔的灵魂在转瞬之间逃亡天国，世间粗俗的空气还来不及侵蚀灵魂所寄寓的尸骨。

"不是现在。"犹太人说着，悄悄地走开了。"明天再说，明天再说。"

第二十章 在本章中，奥利弗被 交给比尔·赛克斯先生

奥利弗早晨醒过来时，发现自己那双旧鞋被拿走了，床边放着一双鞋底厚实坚固的新鞋，感到十分诧异。起初，他对这一发现还很高兴，希望这可能是放他走的前兆。可是，当他和犹太人一块坐下来用早餐时，这些想法很快就烟消云散了。犹太人以一种增添他的恐慌的声调和态度告诉他，当天晚上要把他带到比尔·赛克斯的住处。

"逗——逗——逗留在那儿吗，先生？"奥利弗焦急地问道。

"不，不，亲爱的。不是逗留在那儿。"犹太人回答道，"我们不想失去你。别怕，奥利弗，你可以再回到我们这儿来。哈！哈！哈！我们不会如此残酷，把你撵走的。哦，不，不！"

老头正俯身在炉火上烤着一片面包。他一边这样逗弄奥利弗，一边往四下里望了一眼，抿着嘴轻声地笑，仿佛表明，他知道奥利弗如能够逃脱的话，仍然很想逃脱。

"我想，"犹太人的眼睛定定地盯住奥利弗，说道，"你想知道为什么要到比尔的住处去——是吗，亲爱的？"

奥利弗发现这个老窃贼看出自己的心思，不由自主地脸红了，

但他大胆地说，是的，他确实想知道。

"为什么，你看呢？"费金问道，避而不答这个问题。

"我确实不知道，先生。"奥利弗回答道。

"呸！"犹太人说道，他正密切地审视着这男孩的脸，此刻他带着失望的表情把脸掉转过去，"那就等比尔告诉你吧。"

奥利弗对这个问题没有表示出更大的好奇，对此犹太人看上去感到很恼火。然而，事实是尽管奥利弗非常想知道，却被费金那副严肃、奸诈的神色，以及自己的思绪弄得不知所措，因此当时没有做进一步的询问。他再也没有机会问了，因为直到那天晚上，犹太人一直态度恶劣，一声不响——他晚上准备外出。

"你可以点一支蜡烛。"犹太人把一支蜡烛放在桌上，说道，"这儿有本书给你看，直到他们来接你过去。晚安！"

"晚安！"奥利弗小声地回答。

犹太人走到门口，边走边越过自己的肩膀回头看这个孩子。他突然停下来，直呼奥利弗的名字。

奥利弗抬起头来，犹太人指着那支蜡烛，示意他把它点上。他照着他的吩咐做了。将烛台放到桌上时，他看见犹太人眉头低垂并皱拢着，正从房间黑暗的一端目不转睛地注视着他。

"当心，奥利弗！当心！"老头以警告的架势在奥利弗面前挥动右手，说道，"赛克斯是个粗鲁的人，他发起怒来根本不把流血放在心上。无论发生了什么事，你什么也别说，照他的吩咐做。当心！"说最后这句话他特别加重语气，之后，犹太人的面貌渐渐地露出了惨淡的笑容，点了点头，离开了房间。

老头消失时，奥利弗将脑袋枕在自己手上，揣着一颗颤抖的心，细细地品味刚刚听到的话。他对犹太人的警告想得越多，就越猜不出它的真正意图。他想不出把他交给赛克斯能达到什么邪恶的目的，而他继续待在费金这儿又不能有效地达到这一目的。苦思冥想了很久之后，他断定自己一定是被挑选去为这个强盗干些一般的卑贱的杂活，直到他能雇用到一个更适合这个目的的男仆为止。他已经苦惯了，在这儿也已经受了太多的苦了，因此，他对这一变动的前景并不感到太悲观。他一连好几分钟继续陷入沉思，然后，深深地叹了一口气，剪去烛花，拿起犹太人留给他的书，开始读起来。

他随便翻了几页。起初，他并不在意，可是，偶尔碰到吸引他注意力的章节，便立即专心地读起来。它是一部有关重大罪犯的传记和审判的故事。书页已被翻得很脏。从这本书里，他读到了令人毛骨悚然的可怕的罪行；读到在偏僻路边犯下的秘密谋杀；读到瞒过人们的眼睛藏在深坑、深井中的尸体；深坑、深井不能永远深深地藏匿它们，多年以后，终将要败露的。谋杀的惨状令凶手如此疯狂，以致他们在恐怖中坦白了自己的罪恶，大喊大叫要用绞刑架来结束他们的痛苦。书中，他还读到当夜里万籁俱寂之时，躺在床上的男人被自己邪恶的念头诱惑（据说）并引向可怕的流血事件，令人一想起来就汗毛倒竖、四肢发抖。这些可怕的描述如此真实、生动，灰黄色的书页似乎因凝血而变红；而回响在他耳际的书页中的语言，仿佛由死者的鬼魂以空洞的喃喃声在悄声地诉说似的。

他在一阵恐惧中合上了书本，猛然将它推到一边。而后，他跪下来，祈求上苍使他免却此类恶行，他宁愿立即死去，也不愿等待着去犯下这么可怕的、骇人听闻的罪行。他逐渐地冷静下来，以低沉的、断断续续的声音，祈求上帝能把他从现在的危险中拯救出来，如果要为一个从不知友情或亲情为何物的可怜的、无家可归的孩子提供任何帮助的话，现在正是时候了。此刻，他既孤寂又凄凉，独自置身于邪恶与犯罪的旋涡之中。

他已经做完了祷告，但双手依然抱住脑袋。这时，一阵沙沙声使他突然惊起。

"什么东西！"他喊道，他蓦地站起来，看见一条人影站在门边，

"谁呀?"

"我,是我。"一个颤抖的声音回答道。

奥利弗把蜡烛举过头顶,朝门口望去,原来是南希。

"把蜡烛放下来,"姑娘把头掉过去,说道,"它刺痛了我的眼睛。"

奥利弗看出她的脸色异常苍白,便温和地问她是不是病了。姑娘一屁股坐到一张椅子里,背向着他,绞扭着双手,没有回答。

"愿上帝饶恕我!"过了一会儿,她大声地说道,"我以前从未考虑到这一点。"

"出了什么事了吗?"奥利弗问道,"我能帮你吗?如果我能帮忙,我愿意。我愿意,真的。"

她坐在椅子里来回地轻摇,抓住自己的喉头,发出咯咯声,喘着粗气。

"南希!"奥利弗喊道,"你怎么啦?"

姑娘双手拍打着膝盖,双脚拍击着地板,突然又停下来,把围巾裹紧,冷得浑身直哆嗦。

奥利弗捅一捅炉火。南希将椅子拉近炉火旁,就一声不吭地在那儿坐了一会儿。但她终于抬起头来,环顾四周。

"我也不晓得自己有时候究竟怎么啦。"她假装忙着整理衣服,说道,"我想是这个潮湿、肮脏的房间的缘故。好了,诺利,亲爱的,你准备好了吗?"

"我得跟你走吗?"奥利弗问道。

"是的。我是从比尔那里来,"姑娘回答道,"你必须跟我走。"

"去干什么?"奥利弗畏缩地问道。

"去干什么?"姑娘重复道,她举目上望,可目光一遇到这男孩的脸就移开了,"哦!不干坏事。"

"我不相信。"奥利弗密切地注视着她,说道。

"你爱怎么说就怎么说吧,"姑娘假装哈哈大笑,回答道,"那就不干好事。"

奥利弗看得出来,他对姑娘的良心有点支配力,一时想到就自己的无能为力的状态求助于她的同情心。可是这时候,他的脑海里突然闪出这样的念头:此刻刚刚 11 点,街上还有好多人,在这些人当中,肯定可以找到一些人相信他所说的情况。他一想起了这个主意,便跨前一步,有些匆忙地说他已经准备好了。

他的短暂的考虑和意图都逃不出他的同伴的注意。他说话时,她一直严密地注视他,并向他投去了聪明的一瞥。这一瞥足以表明她猜中在他脑海里掠过的念头。

"嘘!"姑娘说着,朝他俯下身去,一边小心翼翼地环顾四周,一边指着门口,"你无能为力。我已经为你尽了力了,但一切都是徒劳的。你已经被围住了。如果你打算从这儿逃脱,现在不是时机。"

奥利弗为她说话的热切态度所感染,大为惊奇地抬起头来直视她的脸。看来她讲的是实话。她脸色苍白、神情焦虑、浑身发抖。她的态度是认真的。

"我曾经救过你一次,使你免遭虐待。我今后还会救你。现在我也是在救你,"姑娘大声地继续说道,"因为如果我不来,那些来接你去的人要比我粗暴得多。我已经许诺你能够安静、不作声。如果你不愿意,你只会伤害你自己,也伤害我,也许会导致我的死亡。听着!我已经为你忍受这一切,这是千真万确的,上帝可以作证。"

她匆忙地指着自己脖子上和手臂上的一些青黑色的伤痕,快速地继续说道:

"记住这点!眼下别让我为你受更多的苦。要是我能帮你,我乐意帮,可是我无能为力。他们无意伤害你,无论他们叫你干什么,都不是你的过错。嘘!你每说出一句话,都是对我的一次打击。把你的手递给我,赶快!你的手?"

她抓住了奥利弗本能地放在她手里的一只手,吹灭了蜡烛,拉着他跟她上楼。门很快地被隐蔽在黑暗中的一个人打开了。他们出了门后，那扇门又迅速地关上了。外面停着一辆出租马车。姑娘以跟奥利弗谈话一样的热情，把他拉进马车，并将帘子拉上。马车夫不需要吩咐，一刻不停地策马全速前进。

姑娘依然紧紧地握住奥利弗的手，继续将她刚才给予的警告和保证灌进他的耳朵里。一切都来得这么迅速和匆忙，因此，当马车停在犹太人前天晚上来过的房子面前时，他几乎没有时间看看自己身在何处，或者是怎样到那儿的。

在短暂的一瞬间里，奥利弗匆匆沿着空荡荡的大街瞥了一眼，救命的呼喊一直挂在他嘴边。然而，姑娘的警告的声音一直萦绕在他耳际。她以如此痛苦的声调哀求他记住她的话，以致他不忍心喊出来。就在他犹豫不决的当儿，机会错过了，他已经进了屋，门也关上了。

"这边走。"姑娘第一次松开奥利弗的手，说道，"比尔！"

"啊呀！"赛克斯回答道。他手里拿着一支蜡烛出现在楼梯口，"哦！原来是你呀。上来吧！"

像赛克斯这种脾气的人，这可算是非常满意的表示和不同寻常的由衷的欢迎了。因此而显得很高兴的南希亲切跟他打招呼。

"牛眼灯已经跟汤姆一块回家了，"赛克斯说道，一边用烛光引他们上楼，"它碍手碍脚的。"

"完全正确。"南希回答道。

"那么，你把孩子带来了。"他们全都到了房里时，赛克斯说道，一边将房门关上。

"是的，他来了。"南希回答道。

"他一路上安静吗？"赛克斯问。

"就像一只小羊羔。"南希回答道。

"听到这消息我很高兴，"赛克斯说着，目光严厉地盯着奥利弗，

"为了他幼小的身躯的缘故，否则，他就会因此而受皮肉之苦。到这儿来，小家伙，我来给你上一课，你最好能马上接受。"

这样对他的新弟子讲话之后，赛克斯先生脱掉奥利弗的帽子，将它扔到角落里，然后，按住他的肩膀，自己坐到桌上，让这男孩站在他前面。

"好，第一，你知道这是什么东西吗？"赛克斯拿起放在桌上的一把小手枪，问道。

奥利弗作出了肯定的回答。

"那好，请注意，"赛克斯接着说道，"这是火药，那是一颗子弹，这是作填弹材料的旧帽子。"

奥利弗低声地说他懂得所述的各种不同的物体。赛克斯先生开始极为精确、谨慎地给手枪上膛。

"现在，它已经上膛了。"赛克斯先生装好子弹后，说道。

"是的，我明白它已经上膛了，先生。"奥利弗回答道。

"好，"抢劫犯说着，抓住奥利弗的手腕，将枪管抵着他的太阳穴了，这时，这孩子情不自禁地惊跳起来，"当你和我外出时，除了我对你说话以外，你如果出声的话，子弹便会立刻进入你的脑袋。如果你真的下决心未经我许可乱说的话，那你就先做祷告吧。"

赛克斯先生对他的警告对象瞪眼怒视，以加强效果。之后，又继续说道：

"就我所知，如果你被干掉了，几乎没有人会特意询问起你的情况。因此，如果不是为了你好，我就不必多费唇舌对你解释了。你听见了没有？"

"你总的意思是，"南希说道，她说得非常有力，并向奥利弗微微皱眉，仿佛在示意他重视她所说的话，"如果你手头这桩买卖因奥利弗而受挫，你就要开枪打穿他的脑袋，防止他以后搬弄是非，并准备因此冒着被处绞刑的危险，正如在这一行当中，你的生命每时每刻都要为许许多多的事冒险一样。"

"对啦！"赛克斯先生赞同地说道，"女人总是能用最简短的语言来表述——发脾气时除外，那时，她们唠叨个没完没了。既然他完全能够胜任这活计，咱们用点晚餐，出发之前先打个盹儿。"

遵照这一要求，南希迅速地铺好桌布准备开饭。她离开了几分钟之后，马上端来了一罐黑啤酒和一盘羊头肉，这引得赛克斯先生说了不少风趣的俏皮话——那是从"jemmy"①这一黑话的独特的巧合引发的。这一黑话是他们所熟习的，同时也是他们这个行当中常用的一种灵巧的工具。事实上，这位可敬的先生也许受到马上就派得上用场的激励而情绪高涨、心情甚佳。为了证明这一点，在此顺便提一下，他兴致勃勃地把所有的啤酒一饮而尽。同时，据粗略统计，在整个用餐过程中，他仅发出了八十次的诅咒。

晚餐结束了——显然，奥利弗没有什么食欲——赛克斯先生干掉两杯掺水的烈酒，倒头就睡，吩咐南希5点准时喊他起来，因担心误事，又加了许多诅咒。奥利弗遵照同一权威的命令，在地板的床垫上和衣躺下来伸伸懒腰；而姑娘在为火炉添加燃料，坐在炉前，准备好在约定时间唤醒他们。

奥利弗躺了好久一直睡不着，心想南希也许会找机会悄声地给他进一步的忠告，这并不是不可能的。可是，姑娘除了不时地修剪灯芯外，一动也不动地坐在炉火旁沉思。奥利弗守望得疲乏了，又忧心忡忡的，终于睡着了。

他醒来时，桌上已摆上了茶具，赛克斯正在把各种物品往搭在椅背上的大衣口袋里塞。南希则忙着准备早点。天尚未亮，蜡烛还燃着，外头伸手不见五指。一阵滂沱大雨正敲击着窗玻璃。天空一片漆黑，看起来乌云密布。

---

① "jemmy"一词有两个意思：一是羊头；二是（贼语）撬棍。

"好呀！"赛克斯咆哮着，奥利弗突然惊跳起来，"5点半！赶快，否则，你就吃不成早饭了。其实现在已经晚啦。"

奥利弗很快地梳洗完毕，用了一点早餐，回答了赛克斯的恶声恶气的问话，说他已准备就绪。

南希扔给奥利弗一条手帕围脖子，眼睛几乎没有看他；赛克斯给他一条粗糙的大披肩扣在肩膀上。这样打扮之后，他把一只手递给了抢劫犯。赛克斯又停下来以威胁的姿势告诉他，他那把手枪装在大衣侧面的口袋里，然后便牢牢地握住奥利弗的手。跟南希互相道别之后，他带着奥利弗走了。

在他们走到门口时，奥利弗回过头来望了一会儿，希望能与姑娘的目光相遇。可是她已经回到炉前的老位子，一动不动地坐在那里。

第二十一章　出行

　　他们走到大街上时，正狂风大作，大雨倾盆。这是一个凄清的早晨。乌云看上去阴森森的，预示着风暴即将来临。夜间下了一场大雨，路上到处是一个个的大水坑，路边下水道的水四处横溢。天空中有一缕即将来临的黎明的微弱闪光。然而，它与其说是缓解了倒不如说是加重了这场景的阴郁。昏暗的曙色只能使街灯提供的光线变得愈加苍白，而未能使湿漉漉的屋顶和冷清清的街道上的色彩显得更为温暖、更为明亮。在城市的这一地区，看来似乎没有人在走动。房子的窗户都关得严严实实的。他们所经过的那些街道都悄然无声、空空荡荡的。

　　到了他们拐入贝思纳尔格林路的时候，天几乎开始亮了。许多街灯已经熄灭；几辆乡村运货马车慢腾腾地、艰难地朝伦敦方向赶去；时而有一辆溅得满是泥浆的公共马车轻快地飞奔而去。公共马车夫驶过时抽了笨拙的货车车夫一鞭，以示警告。因为货车车夫在逆向的一侧赶车，会使他比原定的时间推迟十几秒抵达。点着煤气灯的客栈已经开门。渐渐地，其他店铺也陆续开门了，可以遇见零零落落的一些人；接着，是零零星星三五成群步行上班的工人；然后，是头上顶着鱼篓的男人和女人；满载着蔬菜的毛驴车；满载着牲畜或已宰好的鲜肉的马车；提着奶桶的挤奶女工；扛着各种生活用品、步履艰难地前往伦敦东郊的川流不息的人群。他们渐近伦敦商业中心时，喧闹声、行人和车辆渐渐多起来了；他们穿行于肖拉迪奇和史密斯菲尔德之间的街道上时，这些声音逐渐增大，形成了一片乱哄哄的喧嚣声。天已大亮了，直到夜幕再次降临，很可能就是这样了。对半数伦敦人来说，忙碌的早晨已经开始。

踅入太阳街和王冠街，穿过芬斯伯里广场，赛克斯先生经由奇斯韦尔街插入巴尔比坎街，从那儿进入长巷。再进入史密斯菲尔德大街，街上发出了一阵令奥利弗大为惊奇的不和谐的喧哗声。

这是集市日的早晨。地面上的污秽和淤泥，几乎齐踝深。不断从散发着恶臭的牲口躯体上冒出来的一缕浓浓的蒸汽，与似乎停留在烟囱顶上的雾气混合在一起，低垂地悬在空中。开阔的空旷地中央所有的牲畜栏，以及空地上能挤得进去的许多临时牲畜栏都挤满了羊群；街沟边的柱子上拴着长长的三四排牲畜和牛。乡下人、屠夫、牛贩子、小贩、男仆、小偷、游手好闲者、各种低级的流浪汉都全然混为一体；牛贩子的口哨声、狗吠声、牛的吼叫声和猛蹿声、羊的咩咩声、猪的呼噜声和短促的尖叫声、小贩的叫喊声、四面八方的喊叫声、咒骂声和争吵声；从各家客栈发出的门铃声和各种喧嚣声；拥挤、推搡、驱赶、敲打、高喊和叫嚷；从市场的每个角落回荡着的可怕的、不和谐的嘈杂声；不断地来回奔跑在人群中的满脸污垢、胡子拉碴、邋邋遢遢、浑身脏兮兮的人影；这一切构成了一幅令人头晕目眩、眼花缭乱的景象，令你的感官不知所措。

赛克斯先生拉着奥利弗紧随其后，从最拥挤的人群中挤过去，对令这个孩子如此惊异的无数景致和声响毫不在意。有两三回他对路过的朋友点头示意，谢绝了每一次共饮一杯的邀请，不断地挤向前去，直到他们远离尘嚣，然后穿过霍西尔巷进入霍尔本大街。

"喂，小家伙！"赛克斯抬头瞅了一眼圣安德鲁教堂的大钟，说道，"快7点了！你必须走快点。快，别落在后面，懒虫！"

赛克斯先生说着，猛地一拉小同伴的手腕。奥利弗加快步伐，几乎一路小跑，竭力跟上抢劫犯迅速的步伐。

他们以这样的速度持续前进，直到经过海德公园的一隅往肯辛顿进发。这时，赛克斯放慢了脚步，直到后面不远处的一辆空的运货马车赶上来。他看见马车上写着"亨斯洛"，他尽量装得温文有礼，问车夫是否可以让他们搭便车，把他们带到艾尔沃思。

"跳上来吧。"车夫说道，"他是你的儿子吗？"

"是的，他是我儿子。"赛克斯紧紧地盯着奥利弗说道，一边心不在焉地将手伸进装着手枪的那只口袋。

"你父亲走得太快，你跟不上，是吗，小家伙？"车夫问道。他发觉奥利弗喘不过气来。

"根本不是如此，"赛克斯插进来回答道，"他习惯快步走。得啦，抓住我的手，内德①，上车！"

这样对奥利弗说话之后，赛克斯帮他上了车。车夫指着车上的一堆麻袋，叫奥利弗躺下来休息。

他们越过了不同的路标，奥利弗感到越来越纳闷：他的同伴究竟想把他带往何处。肯辛顿、哈默史密斯、奇齐克、丘桥、布伦特福都过去了，然而他们依然不断地朝前走，仿佛刚刚开始他们的行程似的。他们终于来到了一家叫"车马"的客栈。在客栈的不远处，似乎有一条分岔，马车就停在这儿。

赛克斯极其仓促地下了车，始终抓住奥利弗的手，直接把他从车上抱下来，恶狠狠地瞪了他一眼，意味深长地用拳头敲击他侧边的口袋。

---

① 赛克斯胡乱使用的奥利弗的化名。

"再见，小家伙。"马车夫说道。

"他正在生气，"赛克斯猛摇了他一下，回答道，"他正在生气。小家伙！你别在意！"

"我才不会呢！"马车夫说道，登上了马车，"今天毕竟是个好天气。"他赶着马车走了。

赛克斯一直等到他走远了，这才告诉奥利弗，如果他愿意的话，可以往四下里看看，而后再次带着他往前赶路。

过了客栈不远，他们向左拐，然后又走右边的路，走了很久。经过道路两边的许多大花园和绅士的住宅，只停下来喝了一点啤酒，一直来到了一座小镇。奥利弗在这儿看见一幢房子的墙上写着"汉普顿"几个漂亮的大字。他们在田野上闲荡了若干小时，最后重返镇上，进入了一家招牌已磨损的老客栈，在厨房的炉火旁买了一些食物当午餐。

厨房是一个陈旧的、低屋顶的房间，天花板中间横过一根大梁，炉火房有许多高背长椅。椅子上坐着几个身穿长罩衫的鲁莽汉子，正在喝酒、抽烟。他们没有注意奥利弗，也几乎不注意赛克斯。由于赛克斯也不理睬他们，因此，他和奥利弗自己坐在角落里，不怎么受在座的客人的干扰。

他们吃了一些冷盘肉，饭后坐了好长时间，赛克斯则纵情地抽了三四袋烟，奥利弗开始确信他们再也不用走了。因旅途劳顿，又那么早起床，他起初有点儿打瞌睡，后来，受不住疲劳和烟草味而呼呼地睡着了。

他被赛克斯猛推了一下而醒过来时，天已经黑了。他竭力地振作精神，坐了起来，往四下里看了看，发现赛克斯这位大人物正和一个工人边喝着一品脱淡色啤酒边聊天，关系很密切的样子。

"那么说，你打算到下哈利福特去了，是吗？"赛克斯问道。

"是的，"那个男人回答道，看情况，他的酒力似乎差一点，或者好一点，"而且很快就动身。我的马回去时拉空车，不像早晨来满载时那么重，要不了多久就可以到家。祝它好运！天啊！它是一匹好马！"

"你能让我们搭便车到那儿吗？"赛克斯问道，将啤酒推向他的新朋友。

"如果你们马上走就行。"那男人回答道，眼睛朝酒壶外看，"你们要到哈利福特去吗？"

"到谢泼顿去。"赛克斯回答。

"那么，我正好可以载你们一程。"那男人回答道，"付账了吗，贝基？"

"付了，另一位先生替你付的。"女侍者回答道。

"喂！"那个男人带着微醉的认真态度说道，"那可不行，你要知道。"

"为什么不行，"赛克斯回答道，"你打算让我们搭便车，为什么要阻止我请你喝一品脱左右的啤酒作为回报？"

陌生人以深思的表情将这话琢磨了一番之后，抓住了赛克斯的手，宣称他是真正的好朋友。赛克斯回答说，他是在开玩笑，因为，如果他没有醉的话，他就会有充分的理由相信自己在开玩笑。

他们彼此又说了些恭维话之后，与其他客人互道晚安，走了出来。他们往外走时，正在收拾酒壶、酒杯的女侍者双手端着这些东西走到门口，目送着他们。

不知人们曾为它的健康举杯的那匹马已套上了车，正站在外面。奥利弗和赛克斯不再讲究客套就上了车。马的主人又逗留了一两分钟以"让马振作起来"，公然宣称世人谁也无法找出一匹马能同它匹敌，而后也上了车。然后，他让客栈的马夫放松马缰绳。当缰绳松开之后，它的脑袋却极不老实，令人大煞风景。它忽然轻蔑地将头往空中一扬，一头伸进对面大街的一个客厅的窗口。表演了这些绝技之后，它又前蹄腾空，以后腿撑起全身达片刻之久，然后才飞快地出发，在辚辚声中威武雄壮地离开小镇。

夜一片漆黑。一缕潮湿的薄雾从河流和周围沼泽般的地面升腾，弥漫在阴郁的原野上。天气也刺骨地寒冷，一切都是阴森森的、灰蒙蒙的。谁也不说一句话，因为马车夫已经困倦，赛克斯又无意诱导他谈话。奥利弗缩成一团坐在马车的角落里。惊慌和恐惧使他不知所措，他想象着萧瑟的树木上的古怪的东西。这些树枝狰狞地来回舞动着，仿佛在凄凉的景色中有着极大的乐趣似的。

当他们经过森伯里教堂时，大钟敲响了7点。对面的候船室窗口有一盏灯，它照射到路上，把一棵底下有座坟墓的深色紫杉投入更忧郁的阴影中。不远处传来了水流往下冲泻的单调声音，那棵古树的树叶在夜风中轻轻地摇动着，仿佛是为安息死者而弹奏的安谧悠闲的乐曲。

森伯里已经过去了，他们重又进入了荒凉的路段。又过了两三英里，马车停下来了。赛克斯下了马车，抓住奥利弗的手。他们又继续往前走。

在谢泼顿，他们没有如困乏不堪的孩子原先期望的那样进入任何房子，而是在泥泞和黑暗中继续穿过幽暗的小巷，越过开阔的荒地，直至见到了不远处的一座城镇的灯光。奥利弗目不转睛地朝前看时，发现他们的下面是一片水域。他们来到了一座桥下。

赛克斯朝前直走，临近大桥时突然拐入左边的河岸。

"河水！"奥利弗心惊胆战地想道，"他把我带到这么偏僻的地方来谋杀我！"

他正想一下子倒在地上，为自己年轻的生命做一次挣扎，这时，他发现他们就站在一幢孤零零的、破败不堪的房子前面。在坍坏了的入口处的两边各有一个窗口，上面有一层楼，但见不到灯光。房子很暗，已被拆毁，从外表看来无人居住。

赛克斯依然抓住奥利弗的手，悄悄地走近低矮的门廊，抬起门闩。门开了，他们一起走了进去。

第二十二章 夜盗

"喂！"他们一踏入过道，一个响亮的声音喊道。

"别这么大声嚷嚷，"赛克斯闩上门，说道，"拿支蜡烛来，托比。"

"啊哈！我的好朋友！"同一个声音喊道，"一支蜡烛，巴尼，一支蜡烛！带这位先生进去，巴尼，如果方便的话，你先醒过来吧！"

讲话人似乎在向他的说话对象扔去脱靴器或此类物件，以便唤醒他，因为可以听到木制品猛然跌落的响声。接着，是一阵含混不清的咕哝声，如同一个介于熟睡和醒着之间的人发出的声音。

"你听见了没有？"同一个声音叫道，"比尔·赛克斯在过道里，没有人对他以礼相待，而你却躺在那儿呼呼大睡，仿佛你三餐服用鸦片酊，比任何药物的药效都强似的。你现在清醒些了吗？难道你需要用铁烛台来彻底地把你弄醒不成？"

这句质问的话说出来之后，传来踢踢踏踏的脚步声，一个穿着塌跟鞋的人匆忙地从光秃秃的地板上走过来。从右边的一道门首先透出一缕烛光，随后是一个人的轮廓。他正是那个说话费力、满口鼻音、在萨弗仑希尔当侍者的人。

"赛克斯先生！"巴尼或真高兴或假高兴地惊叫道，"进来，先生，进来。"

"喂！你先进去。"赛克斯把奥利弗推到自己的前面，说道，"快点！否则我要踩到你的脚后跟了。"

赛克斯对他动作的迟缓发出轻声含糊的诅咒，把奥利弗推到自己的前面。他们走进了一个低矮、幽暗的房间。里面有烟雾弥漫的壁炉、两三张破椅子、一张桌子及一张很陈旧的长沙发：一个男人正伸直身子躺在上面休息，嘴里叼着一根黏土烟斗，双腿跷得比脑袋高得多。他身穿裁剪得很时髦的、上面饰有黄铜大纽扣的黄褐色上衣，一条橘色的围巾，一件惹眼的杂色图案的粗劣背心和褐色斜纹布裤子。克雷基特先生不论头部或脸上毛发都很稀疏，却染成微红色，且扭曲为螺旋状鬈发。他不时地把戴着普通大戒指的脏兮兮的手指头插入头发中梳理。他的个头比中等身材略高，但显然两条腿非常软弱无力；然而，这种情况丝毫不影响他欣赏自己的长筒靴。他极其心满意足地凝视着他那双跷起的长筒马靴。

"比尔，我的朋友！"这个人影将头转向门口，说道，"见到你我很高兴。我几乎担心你会放弃。那样的话，我就得单独冒险啦。啊！"

当他的目光落到奥利弗身上时，他大为诧异地发出这声惊叫，马上坐了起来，问他是什么人。

"那个男孩，就是那个男孩！"赛克斯说着，拉了一张椅子到炉边。

"费金先生的小伙伴们怎么样了？"巴尼咧嘴而笑，惊叫道。

"费金的，是吗？"托比的眼睛瞅着奥利弗，惊叫道，"为了偷小教堂里的太太们的口袋，他将会成为多么宝贵的一个小男孩！他的脸蛋是费金的无价之宝。"

"好啦——够啦。"赛克斯不耐烦地插话道。他对躺着的朋友俯下身去，跟他交头接耳地说了几句。克雷基特先生哈哈大笑起来，以惊奇的目光久久地盯着奥利弗，使他感到不胜荣幸之至。

"好了，"赛克斯重新回到自己的座位上说道，"我们在此等待时，如果你能给我们一些吃的和喝的，那么，你会给我们，或者无论如何给我恢复一点元气的，年轻人，在炉火旁边坐下来休息。今晚你还得跟我们出去呢，尽管不是太远。"

奥利弗惊讶地、战战兢兢地望着赛克斯，默不作声，然后拉了一张凳子到炉边，双手抱住疼得要命的脑袋坐着，几乎不晓得自己身在何处，也不晓得周围正在发生什么。

"喂，"托比，这个年轻的犹太人把一些零碎食物和一瓶酒放到桌上时，说道，"祝夜盗成功！"他站起身来致祝酒词，小心翼翼地把他的空烟斗放在角落里，走到桌子跟前，倒了一杯酒，然后一饮而尽。赛克斯先生也干了一杯。

"给这个孩子喝一点，"托比说着，倒了半杯酒，"喝下去，小傻瓜。"

"其实，"奥利弗可怜巴巴地抬头直视这个人的脸，说道，"其实，我——"

"喝下去！"托比重复道，"你以为我不晓得什么对你有益处吗？叫他喝下去，比尔。"

"我看还是喝下去的好！"赛克斯用手拍拍他的口袋①说道，"该死的，他不比一整帮的蒙骗者的麻烦多才怪呢！喝下去，你这个任性的小魔鬼，喝下去！"

因慑于这两条汉子的威胁，奥利弗赶紧把杯中物吞下去，立即发出一阵猛烈的咳嗽。这使得托比·克雷基特和巴尼异常开心，甚至连粗暴的赛克斯先生也露出了笑容。

此事完结，赛克斯也满足了食欲之后（奥利弗除了吃下一小块他们逼他咽下的干面包片外，什么也吃不下），这两个男人躺在椅子上小睡了一会儿。奥利弗依然待在炉边的凳子上，巴尼用毯子裹着，

---

① 口袋里装着手枪，他不时地以此相威胁。

伸直身子躺在地板上，靠近火炉围栏的外侧。

　　他们睡了或看来好像睡了一会儿：除了巴尼外，谁也没有起来。巴尼起来过一两次，给炉子添煤。奥利弗坐在那儿打盹，想象自己沿着那些阴森森的小巷漫游，或者在教堂墓地徘徊，或者返回昨天的某个场景。这时，托比·克雷基特跳了起来，宣称这时已经早晨1点半了。

　　瞬息之间，另外两个人也都站起来了，全都利索地从事繁忙的准备工作。赛克斯和他的同伴用深色的大披巾裹住脖子和下巴，并穿上大衣；巴尼打开食橱，拿出好几样东西，匆匆地塞进自己的口袋里。

　　"把手枪拿给我，巴尼。"托比·克雷基特说道。

　　"喏，这就是。"巴尼掏出两把手枪，回答道，"你已上了子弹。"

　　"没错！"托比将手枪收好，回答道，"踢马刺呢？"

　　"我已经带上了。"赛克斯回答道。

　　"黑面纱、钥匙、中心钻、遮光提灯——都带齐了吗？"托比问道，将一根小撬棍拴在外套下摆里面。

　　"那好。"赛克斯说道，"拿棍棒来，巴尼。该上路了。"

　　说着，他从巴尼手中拿了一根粗棍棒。巴尼递给托比一根棍棒后，正忙着系牢奥利弗的披肩。

　　"来吧。"赛克斯伸出一只手来，说道。

　　奥利弗完全被这不寻常的举动、气氛，以及被强迫饮下的酒弄得晕头转向，机械地伸出手去让赛克斯抓住。

　　"抓住他的另一只手，托比。"赛克斯说道，"巴尼，到外头望风去！"

　　巴尼走到门口，回来时说外面静悄悄的。这两个抢劫犯把奥利弗夹在中间，出发了。巴尼关好门窗后，又像先前那样将自己裹起来，很快又睡着了。

此刻，天一片漆黑。雾气比夜晚的早些时候浓多了，空气十分潮湿，虽然没有下雨，但在离开房子的几分钟之内，奥利弗的头发和眉毛因四处飘动的半冻结的湿气而变得僵硬了。他们过了桥，继续朝他们先前看到的灯光走去。这些灯光离他们并不远。他们走得很快，不久就抵达了彻特西。

"从镇上悄悄地溜过去。"赛克斯低声说道，"今天晚上路上没有人会看见我们。"

托比默然表示同意。他们匆匆地穿过小镇的主要街道。在这夜深人静的时刻，街道上空无一人。暗淡的灯光不时地从某个卧室的窗口透出来，粗哑的狗吠声间或打破夜间的寂静，可是，外面一个人也没有。教堂的大钟敲 2 点时，他们已经离开了该镇。

他们加快步伐，拐入左手边的一条公路。大约走了四分之一英里之后，他们在一幢四面围着围墙的房子前面停下来。托比·克雷基特几乎顾不得停下来歇口气，一刹那间就上了围墙顶。

"下一个是那个孩子，"托比说道，"把他拽上来，我拉住他。"

奥利弗还来不及环顾四周，赛克斯已将他夹在腋下，三四秒钟后，他和托比已经躺在另一边的草坪上了。赛克斯马上跟着爬了过去。他们小心翼翼地偷偷走近那幢房子。

现在，悲伤和恐惧得几乎快发疯的奥利弗第一次明白破门入室和抢劫——即使不是谋杀——正是这次出行的目的。他两手十指交叉，不由自主地发出轻轻的、恐怖的惊叫声。眼睛被泪水弄模糊了，苍白的脸上冒出了冷汗，他四肢瘫软，跪了下来。"站起来！"赛克斯低声喊道。他气得浑身直发抖，从口袋里拔出手枪来，"站起来，否则我就让你的脑浆溅在草坪上。"

"哦！看在上帝的分上，放我走吧！"奥利弗哭着说道，"放我逃跑，死在田野上吧。我决不会走近伦敦的；决不，决不！哦！请对我发发慈悲吧，别逼我去偷。看在天国里快活天使的分上，对我发发慈悲吧!"

赛克斯发出一声可怕的诅咒,已经扳起手枪的扳机。这时,托比将赛克斯手中的枪击落,一手捂住这孩子的嘴巴,拉着他往房子方向走。

"嘘!"这男人叫道,"这在这儿行不通。你再说一句,我就敲破你的脑袋,亲自把你干掉。这样不会发出声响,而且同样有效,也比较斯文。嘿,比尔,用力把那扇窗板拧开。他现在较有胆量了,我敢担保。我曾经见过像他这个年龄的老手,在一个寒冷之夜最初的一两分钟也是这副德行。"

赛克斯一边祈求可怕的灾祸降临到费金头上,因为他派奥利弗来干这样的差使,一边使劲地挥动撬棍,却没有弄出什么声响。耽误了一会儿之后,在托比的协助下,那扇窗板从铰链上脱开了。

这是房子后面的一个小花格窗,离地面大约五英尺半高。它是过道尽头的一个碗碟贮藏室或小酿酒室的一扇窗子。窗洞太小了,因此居住者可能没有想到该加强保护;但它却能容许像奥利弗这样身材的小孩进入。赛克斯先生略施小技,就拔去花格窗的钩子,窗户很快就敞开了。

"现在听着,你这个小坏蛋,"赛克斯低声说道,从口袋里掏出一盏遮光提灯,把炫目的灯光直接照在奥利弗的脸上,"我要你钻过这扇窗户,提着这盏灯悄悄地登上你前面的楼梯,沿着小门厅,一直走到临街大门,打开大门,让我们进去。"

"门顶有个插销,你够不着,"托比插话道,"站到门厅的一张椅子上。那儿共有三张椅子,比尔,椅上有一只很大的蓝色独角兽和一根金草耙:这些是那位老太太的纹章。"

"你就不能安静点吗?"赛克斯瞪眼威胁道,"房间的门开着,是吗?"

"敞开着,"托比往里窥视,弄清楚了之后说道,"他们的伎俩,是用一个门扣让房门开着，因为狗在这儿有个铺位，它睡不着的时候可以在过道上来回走动。哈！哈！巴尼今天晚上把狗诱开了，干得太利索了！"

尽管克雷基特先生说话的声音低得几乎听不见，赛克斯依然专横地命令他闭嘴开始干活。托比依从了，先取出遮光提灯，将它放在地上，然后用脑袋顶住窗口下方的墙，稳稳地站住不动，双手放在膝盖上，以便用自己的脊背充当梯阶。这个动作刚完成，赛克斯就爬到他身上，抓住奥利弗，叫他先用脚钻进窗口，把他安全地放进屋里的地板上，却没有松开抓住他衣领的手。

"拿着这盏灯，"赛克斯的眼睛朝房里窥视，说道，"你看到面前的楼梯了吗？"

奥利弗吓得半死，气喘吁吁地说："看到了。"赛克斯用手枪管指着那扇街门，简短地劝他当心，因为他一直处于他手枪的射程之内。如果他动摇的话，他将立即倒毙。

"这事马上得完成，"赛克斯以同样低的声音说道，"我一松手把你放开，你就赶快干你的活。听，什么声音？"

"什么声音？"他的同伴低声说道。

他们都聚精会神地听着。

"什么也没有，"赛克斯说着，松手放开奥利弗，"好，去吧！"

奥利弗在短短的一瞬间里不得不重新恢复理性。他已经坚决地拿定主意，不论他在这一尝试中是死是活，他都会竭力从门厅直冲上楼梯，向这家人报警。他带着这一想法，立即不声不响地朝前走。

"回来！"赛克斯突然喊出声道，"回来！回来！"

这地方死一般的静寂突然被打破了，又由于随之而来的高声喊叫，奥利弗被吓坏了，听任手中的提灯掉落在地，不知道究竟该前进呢，还是逃跑。

喊叫声又响起了—— 一盏灯出现了—— 楼梯顶上两个受惊

的、衣衫不整的男人似乎在他的眼前旋转—— 一道闪光—— 一声巨响—— 一缕烟雾——某处发出轰隆一声,但他不知道在何处——于是,他摇摇晃晃地往后退。

赛克斯消失了片刻,但很快又出现了,并在那缕烟雾尚未散尽之前揪住了他的衣领。他用手枪对着那两个已经在后退的男人开火,同时,把奥利弗拽了上来。

"你的手臂抓得再紧一些。"赛克斯说着,把他从窗口拉了出来,"喂,给我拿一条披巾过来,他被击中了。快!这孩子正在大出血!"

接着,传来了响亮的门铃声,还夹杂着枪声和人们的喊叫声。奥利弗觉得自己被扛着迅速地越过高低不平的地面。然后,各种声音在远处变得含混不清了。这孩子的心里不由得产生一种令人不寒而栗的死一样的感觉。于是他再也看不见,也听不见了。

　　这个动作刚完成，赛克斯就爬到他身上，抓住奥利弗，叫他先用脚钻进窗口，把他安全地放进屋里的地板上，却没有松开抓住他衣领的手。

第二十三章　本章包括邦布尔先生和一位太太之间一次愉快的谈话要旨，说明即使牧师助理在某些方面也是易动感情的

　　夜，刺骨的寒。大雪铺在地面上，冻成又硬又厚的一层冰壳。外面咆哮的刺骨寒风将积雪刮入偏僻的小径和角落，寒风仿佛要将剧增的狂怒发泄到它发现的牺牲品身上似的，猛烈地将一团团积雪卷起，急速地旋转成上千个薄雾似的旋涡，在空中飞散。在这凄凉、黑暗、刺骨寒冷的夜晚，住得好、吃得饱的人们围在熊熊的炉火周围，感谢上帝让他们能够待在家里，无家可归、饥寒交迫的可怜人却倒毙街头、默默地死去。此时此刻，多少饱受饥寒的流浪汉在空荡荡的大街上闭上了眼睛。不管他们的罪孽如何深重，他们再也睁不开眼睛看到一个更加悲惨的世界了。

　　这就是户外的状况。此刻，科尼太太——我们已向读者介绍了奥利弗·特威斯特诞生的济贫院女总管——正端坐在自己的小房间里舒适的炉火前，心满意足地瞥了小圆桌一眼。圆桌上放着一只同样小巧的托盘，里面盛着像科尼太太这样的女主管称心如意享用一餐所需的一切。其实，科尼太太正想喝杯茶，聊以自慰。当她的目

光从圆桌移到壁炉上时，一个小得不能再小的水壶正轻轻地发出嗖嗖声，她内心的满足感愈加强烈了，脸上甚至露出了笑容。

"啊！"女总管将一只肘支在桌上，若有所思地望着炉火说道，"我相信大家都有许多值得感谢的东西！许多东西值得感谢，可惜我们不晓得。唉！"

科尼太太悲哀地摇了摇头，仿佛在哀叹那些不懂得感谢的贫民思想上的盲目性似的。她将一把银匙（私人财产）插进两盎司装的锡制茶叶罐的最深处，开始沏茶。

一件区区小事就会扰乱我们脆弱心灵的平静！那只黑色茶壶因为很小，水很容易注满。科尼太太正在考虑道德问题时，水溢出来了，稍微烫到了她的手。

"讨厌的茶壶！"可敬的女总管说道，赶紧把它放在炉旁的铁架上，"一件恼人的小玩意儿，只能盛两杯茶！这对谁也没有用！除非，"科尼太太说着，顿了一会儿，"除非像我这样孤苦伶仃的可怜虫。噢，天啊！"

说完，女总管倒在椅子里，再次用一只肘支在桌子上，想起了自己孤独的命运。那只小茶壶和单只杯子勾起了她对科尼先生的悲伤的回忆（他死了不过二十五年），使她悲痛难忍。

"我再也找不到第二个了！"科尼太太怒气冲冲地说道，"我再也找不到第二个——像他那样的了。"

她这句话究竟是指丈夫呢，还是指茶壶，不得而知。也许指的是后者，因为科尼太太说话时眼睛瞅着茶壶，后来又把它拿起来。她刚刚品尝了第一杯茶，轻轻的叩门声打断了她。

"噢，进来！"科尼太太厉声说道，"哪一个老太太快死了，我想，她们总是在我用餐的时候死去。别站在那儿，把冷空气放进来了，别这样。现在出了什么事啦，嗯？"

"没有，太太，没有。"一个男人的声音回答道。

"天啊!"女总管以更甜的声调惊叫道,"是你吗,邦布尔先生?"

"听候你的吩咐,太太。"邦布尔先生说道,他一直待在门外,将鞋底擦干净,并抖落外套上的雪,现在,他露面了,一只手拿着那顶三角帽,另一只手拿着一捆包裹,"要不要我把门关上,太太?"

太太羞怯地犹豫着未作回答,唯恐关上门会见邦布尔先生会有什么不得体之处。邦布尔自己觉得很冷,趁她还在犹豫,未经许可就将门关上。

"严酷的天气,邦布尔先生。"女总管说道。

"确实严酷,太太。"牧师助理回答道,"这天气和教区过不去,太太。我们已经分发,科尼太太,就在这个该死的下午,我们已经分发了大约八十磅的面包和六磅的奶酪,可是那些贫民还不满足。"

"当然不满足了。他们什么时候会满足呀,邦布尔先生?"女总管啜饮着茶,回答道。

"什么时候会满足,确实的,太太。"邦布尔先生回答道,"有这么一个男人,我们因顾及其妻子和大家庭,分给他四磅面包和整整一磅奶酪。他感激吗,太太?他感激吗?丝毫不感激!你看他干些什么,竟然向我们要几块煤。他说只要满满的一手帕就行!煤!他要煤做什么?用煤来烘烤奶酪,然后再回来向我们要。这些人就是这副德行,太太。今天给他们满满的一围裙的煤,后天他们还会再来要,像雪花石膏那么厚颜无耻。"

女总管表示完全同意这一明白易懂的直喻。牧师助理又继续说下去:"我从未曾见到过这么尢耻的事。"邦布尔先生说道,"前天有个男人——你是个结过婚的女人,太太,我可以对你提及这件事——一个衣不蔽体的男人(听到这儿,科尼太太把头低下来看着地板)来到我们教区职员的家门口。这位职员家正好有客人来吃饭。那个男人说他必须得到救济,科尼太太。因为他赖着不走,令客人大为震惊,这位职员就送给他一磅土豆和半品脱的燕麦片。'我的天啊!'那个不感恩的坏蛋说道，'给我这个有什么用？这跟送我一副铁眼镜有什么两样！''很好，'我们的职员说着，又把它们夺走，'你别想再从这儿得到任何别的东西。''那么我将死在大街上！'流浪汉说道。'噢，不会的，你不会的。'我们的教区职员说道。"

"哈！哈！那太妙啦！这太像格兰内特先生了，是吗？"女总管插话道，"后来怎么样，邦布尔先生？"

"后来，太太，"牧师助理回答道，"他走了，并且真的死在了街上。瞧，真是个顽固不化的贫民！"

"这真的令人难以置信。"女总管强调着说道。"可是，难道你不认为无论如何，街头救济是件很不好的事吗，邦布尔先生？你是一位经验丰富的先生，应该会知道，来，说说吧！"

"科尼太太，"牧师助理说道，脸上带着自知熟悉内情的人的笑容，"办理得当的街头救济，办理得当，太太，是教区的安全保证。街头救济的重要原则是，将正是贫民们所不想要的东西给他们，那样。他们就懒得来了。"

"天啊！"科尼太太惊叫起来，"这也是一个好的原则！"

"没错。你我私下说说，不得外传，太太。"邦布尔先生回答道，"这是一个重要的原则。这就是为什么你看到登在胆大妄为的报纸上的案例时，总是注意到病患之家得到救济的只是几片奶酪。如今，这已经成为全国的规则了，科尼太太。然而，"牧师助理说到这里，停下来解开包裹，"这些都是官方的秘密，太太，不可说出去，只有在像我们这样的教区官员之间谈谈才行。这是董事会为医务室订购的葡萄酒，太太，真正新鲜的纯葡萄酒，今天上午刚出桶，清澈极了，没有半点沉淀！"

邦布尔先生把第一瓶酒举到灯前，摇晃着，肯定其优质之后，就将两瓶酒都放在五斗橱上面，把包着这两瓶酒的手帕折叠起来，小心地放进口袋，拿起帽子，装作要离开的样子。

"在外面走好冷哟，邦布尔先生。"女总管说道。

"风很大，太太，"邦布尔先生将外套的衣领翻上来，回答道，"足以把人的耳朵刮掉。"

女总管眼睛看了看小茶壶，又瞅了瞅牧师助理，他正朝着门口走去。当牧师助理咳嗽一声预备向她道晚安时，她羞怯地问他是否——是否想喝杯茶？

邦布尔先生即刻又将衣领翻下，把帽子和手杖放在椅子上，另外拉了一张椅子到方桌前。他一边慢吞吞地坐下，一边目不转睛地看着这位太太。而她的眼睛则定定地盯着那只小茶壶，邦布尔先生又咳嗽了一下，微微·笑。

科尼太太起身到碗橱又取来一只杯子和一个碟子。她坐下来时，她的目光再次与风流牧师助理的目光相遇，不觉脸红起来，专心地为他沏茶。邦布尔先生又咳嗽了一声——这一次比以前任何一次都大声。

"甜吗，邦布尔先生？"女总管拿起糖缸问道。

"甜极了，真的，太太。"邦布尔先生回答道。他说话时眼睛盯着科尼太太。倘若牧师助理也有温柔的时候，邦布尔先生此刻便是。

茶已沏好，并默默地递了上来。邦布尔先生将手帕铺在膝上，以免面包屑弄脏他华丽的短裤，这才开始用茶点。他偶尔发出一声深深的叹息，以使这些消遣多样化。不过，这种叹息对他的胃口没有产生任何有害的影响，相反地，似乎反而使他对茶和面包有了更好的食欲。

"我看见你养了一只猫，太太，"邦布尔先生说道，他对着在她家中央的炉火前取暖的一只猫瞥了一眼，"还有一窝小猫呢，哇！"

"我太喜欢它们啦，你简直无法想象，邦布尔先生。"女总管回答道，"它们太快乐、太喜欢嬉戏、太令人愉快了。它们是我很好的同伴。"

"非常可爱的动物，太太。"邦布尔先生赞许地回答道，"太驯良了。"

"噢，是的！"女总管热情地说道，"它们很喜欢这个家了。这真是一件乐事，真的。"

"科尼太太，"邦布尔先生以茶匙敲出节拍，慢吞吞地说道，"我的意思是，太太，能跟你生活在一起，却又不喜欢它的家的任何一只猫，不论大小想必是头蠢驴，太太。"

"噢，邦布尔先生！"科尼太太抗辩道。

"隐瞒事实是没有用的，太太，"邦布尔先生说道，以多情而庄重的神态缓慢地舞动茶匙，给人留下加倍深刻的印象，"如果有这样的猫我倒乐意亲手将它溺死，太太。"

"那你是个残忍的人，"女总管伸手去拿牧师助理的杯子时，轻快地说道，"而且是一个冷酷无情的人。"

"冷酷无情吗，太太？"邦布尔先生说道，"冷酷吗？"邦布尔先生不再言语，把茶杯递过去，在科尼太太接杯子的当儿紧捏了一下她的小指头，又在他饰有花边的背心上用张开的手掌拍了两下，大声地叹了一口气，把自己的坐椅移得离壁炉远一点。

这是一张圆桌，当科尼太太和邦布尔先生面对面坐着时，他们之间相距不远，且都面对壁炉。邦布尔先生现在从壁炉那边后退，但仍然靠着桌子，人们将看到他把自己与科尼太太之间的距离拉大了。一些细心的读者无疑地会倾向于赞赏这一举动，并认为这是邦布尔先生的一个伟大的英雄主义行为，因为他多少受到时间、地点和机会的诱惑，会说出一些绵绵情话。这些情话可能出自轻浮的人和无头脑人之口，但是，出自国家的法官、议会议员、国务大臣、市长大人，以及其他重要的公务员之口，确实大失尊严，尤其有失一名牧师助理的威严和庄重。众所周知，他应该是他们所有这些人当中最严厉和最坚定的。

然而，不论邦布尔先生的意图是什么（无疑，它们是最佳的意图），遗憾的是，正如前面已经两次提到过，那张桌子碰巧是张圆桌，因此，当邦布尔先生一点一点地移动椅子时，他很快地缩小了他本人和女总管之间的距离。同时，他继续绕着圆桌的外沿移动，终于使自己的椅子紧挨着女总管的坐椅。事实上，两张椅子相碰了。椅子相碰时，邦布尔先生停止了移动。

现在，如果女总管把自己的坐椅往右挪，她就会受到炉火的烘烤；如果她往左挪，那她准会倒进邦布尔先生的怀里。因此（由于她是一位谨慎的女总管，她无疑地一眼就预见到这些后果），她待着不动，又递给邦布尔先生一杯茶。

"冷酷无情吗，科尼太太？"邦布尔先生搅动着茶，扬起头来，直盯着女总管的脸说道，"那么你是冷酷无情的吗，科尼太太？"

"天啊！"女总管惊叫起来，"一个单身汉提出多么奇怪的问题！你为什么想知道，邦布尔先生？"

牧师助理将那杯茶一饮而尽，吃了一块面包，拂去膝上的面包屑，擦净嘴巴，从容不迫地吻了一下女总管。

"邦布尔先生！"谨言慎行的太太低声地喊道，她这一惊着实不小，因此，她几乎失了音，"邦布尔先生，我要喊啦！"邦布尔先生不作答，却缓慢而庄重地伸出一只手臂搂住了女总管的腰。

由于太太已声言她要喊，对这一变本加厉的鲁莽举动她当然更会喊了。可是这时门上传来的一阵仓促的敲门声，使得这声叫喊变得没有必要。邦布尔先生一听到敲门声，就非常敏捷地冲到酒瓶那儿，开始使劲地掸去上面的灰尘，女总管则厉声地喝问是谁。值得一提的是，她的声音几乎已完全恢复其官腔的严厉——这是奇特的身体功效的一个例证：突然的惊讶抵消了极度恐惧的影响。

"对不起，太太，"一个极其丑陋、干瘪的老贫妇从门口探进头来说道，"老萨利快不行了。"

"可是，这与我有何相干？"女总管生气地反问道，"我没有办法使她不死，是吧！"

"是的，是的，太太。"那个老妇人回答道，"谁也没有办法，她早已没有希望了。我见过许多人死去，从幼小的婴孩到强壮的汉子，因此，我非常清楚地知道死神什么时候到来。可是，她心里不安宁，她的病不时发作，但她这口气咽得很艰难。她说她有事要交代，这你必须听。待到你去，她才会安然地死去，太太。"

听到这个消息之后，可敬的科尼太太对那些甚至快要死了都有意惹她们的上司生气的老妇人破口大骂。她匆忙地拿起一条厚围巾把自己裹紧，简单扼要地要求邦布尔先生待到她回来，免得有特殊的情况发生。她吩咐报信人走快点，别整夜一瘸一拐地爬楼梯，然后非常不情愿地跟着她离开房间，一路上骂个不停。

邦布尔先生被独个儿留下来后的行为相当令人费解。他打开碗橱，数了茶匙，掂估方糖钳子的重量，仔细地检查牛奶壶，以确定它是否纯金属制品。对于这些细节的好奇心满足了之后，他歪戴着三角帽，以不同的节拍非常庄重地绕着圆桌跳了四圈。完成了这一不寻常的表演之后，他又脱掉三角帽，背向着炉火，在壁炉前平直地舒展四肢，似乎脑子里正忙着精确地清点科尼太太的家具。

第二十四章 叙述一个非常不起眼的话题，
但这一章很短，也许读者会发现
它在本故事中的重要性

扰乱女总管房间的宁静的老妇人并不是一个不合适的报丧人。她因年迈而弓着身子，她的四肢因震颤麻痹而发抖；她那张瘪嘴、斜眄的扭曲的脸，与其说是出于大自然的手笔，不如说是某种草率笔法勾勒出的风格怪异的形状。

唉！大自然创造的能一成不变令我们赏心悦目的脸庞实在太少了！烦恼、忧伤和世界的饥荒在改变人们的心的同时，也改变了他们的脸容；只有当那些烦恼消亡，永远失去其控制力的时候，愁云才会渐渐消失，让老天变得晴朗。即便死者的容颜已僵硬，也会恢复到早已被遗忘的睡婴的表情，重现降生时的特有神态，这也是寻常事。他们的容颜又变得如此平静，如此安详，以致那些在他们幸福的童年认识他们的人敬畏地跪在他们的灵柩旁，仿佛在人间看到了天使。

那个干瘪的皱皮老太婆在过道上蹒跚，然后爬上了楼梯，对同伴的责骂作了轻声、含糊的回答。最后，由于不得不停下来喘气，她把手中的蜡烛交给了女总管，自己在后面跟着，让行动更为敏捷的上司朝女病人躺着的房间走去。

这是一个十分简陋的顶楼房间。房间的那一头点着一盏昏暗的灯。床头还有一位老妇人守护着；教区药剂师的徒弟正站在炉边，把一根羽毛管削成牙签。

"寒冷的夜晚，科尼太太。"女总管进来时，这位年轻人说道。

"确实冷极了，先生。"科尼太太以最客气的声调说道。她边说边行了屈膝礼。

"你应该向承包商要质量好一些的煤，"药剂师的徒弟说道，用锈迹斑斑的火钳把炉火顶上的一块煤捣碎，"这种煤在寒冷的夜晚一点也不顶用。"

"这些煤是董事会挑选的，先生。"女总管回答道，"他们最起码应该让我们保暖，因为我们的处境已经够艰难的了。"

这场对话此刻被病人的呻吟声打断了。

"噢！"年轻人说着，把脸转向病床，仿佛先前已把病人忘得一干二净似的，"她完啦，科尼太太。"

"完了，是吗，先生？"女总管问道。

"如果她能拖过两小时，我会感到惊奇的。"药剂师的徒弟说道，目不转睛地盯着他的牙签的尖端，"身体已全线崩溃。病人正在打盹吗，老太太？"

护理员先伏到床上去看一看，然后肯定地点了点头。

"那么，也许她将这样长眠不醒，如果你们不喧嚷的话。"年轻人说道，"把灯放到地板上，这样她就看不到了。"

护理员照他说的话做，同时摇了摇头，暗示那个女人不会那么容易死去。之后，她重新坐在此刻已返回的另一位护士身边。女总管一副很不耐烦的样子，用围巾把自己裹起来，在床脚处坐下。

药剂师的徒弟削完牙签之后，站在炉火前，用它剔牙足足达十分钟之久，而后显然变得百无聊赖，他祝科尼太太工作愉快，然后悄悄地溜之大吉了。

她们默默地坐了一会儿之后，那两个老太太从床边站起来，蹲伏在炉边，伸出她们干瘪的双手来烤火。火焰将鬼一般的亮光投射到她们皱缩的脸上，使她们的丑陋显得更加可怕。就这样，她们开始悄声地谈话。

"我走开的时候，她还说了些什么没有，安妮，亲爱的？"报信人问道。

"一句话也没说，"另一位回答道，"她拉扯了一会儿自己的手臂，但我将她的双手抓住，她很快就又睡着了。她没有什么力气，我很容易使她安静下来。尽管我靠教区的津贴生活，就一个老太婆而言，我还不算太虚弱。不算，不算！"

"她喝了医生叫她喝的热酒了吗？"第一位老丑妇问道。

"我试着让她喝下去，"另一位回答道，"可是她的牙关咬得紧紧的，又死命地抓住杯子，我费了好大的劲才把它夺回来。所以，我把它喝了，它对我的健康有益处！"

这两个老丑妇小心翼翼地往四下里看了一眼，弄清确实没有人偷听，然后更挨近火炉蜷缩着，开心地咯咯笑了。

"我记得当年，"第一个说话者说道，"她自己也往往这么干，后来还拿这种事来大开玩笑。"

"唉，是啊，"另一位回答道，"她生性无忧无虑。多少尸体都是经过她的手入殓的，她把他们收拾得干干净净、漂漂亮亮的，就像蜡像一样。我这双老花眼目睹过——唉，我这双老手还亲自触摸过，因为我曾经多次做她的帮手。"

老妇人说话时，伸出发颤的手指，欣喜若狂地在自己面前猛摇，接着在口袋里乱摸一阵，掏出一只旧的、褪了色的锡制鼻烟盒，从盒里往同伴的手掌中倒了几粒鼻烟，再往自己的手掌中倒了几粒。她们正忙着吸鼻烟时，一直守望着，等待濒死的女人从昏迷中醒过来的女总管已不耐烦了，也走到炉旁，并厉声地问她们该等多久。

"快啦，太太，"第二个女人仰起头来直视她的脸回答道，"我们大家谁也不必为死神久等了。耐心，耐心！死神很快就会降临到这儿，把我们统统带走的。"

"闭嘴，你这个老糊涂的白痴！"女总管严厉地说道，"马莎，你告诉我，病人以前有过这种情形吗？"

"常常这样。"第一个女人回答道。

"但是，她将永远也不会这样了，"第二个女人补充道，"这就是说，除了再醒一次，而且请注意，太太，也不会醒很久，她就再也不会醒过来了！"

"不管是长还是短，"女总管恶声恶气地说道，"她真的醒过来时，会发现我已经不在这儿了。你们俩当心点儿，别再无缘无故地折腾我。看着济贫院里所有的老太婆一个个地死去，这可不是我分内的事儿，我也不愿意，就这么回事。当心，你们这些年迈、冒失的恶妇。如果你们再愚弄我的话，我很快就会来治治你们，我保证！"

她一跃而起，正要猛冲出去时，脸转向病榻的那两个女人的喊叫声使她掉过头来。病人已直挺挺地坐了起来，正向着她们伸出双臂。

"那是谁呀？"病人以沉闷的声音喊道。

"嘘，嘘！"其中一个女人向她伏下身去，说道，"躺下来，躺下来！"

"我活着的时候决不再躺下来！"病人挣扎着说道，"我要告诉她！过来！靠近点！让我跟你说悄悄话。"

她抓住女总管的手臂，迫使她坐在床头的椅子上，正待说话时，她往四下里望了一眼，看见那两位老太婆俯身向前，急不可待地想偷听的样子。

"把她们轰出去，"病人困倦地说道，"赶快！赶快！"

那两个干瘪、皱皮的老太婆一齐插话，开始发出种种可怜的悲叹，说可怜的老大姐病入膏肓了，连她最好的朋友也认不出来了，并提出各种异议：她们决不会离开她。这时，她们的上司将她们推出门外，关上房门，重又回到病榻旁。这两个老太婆一旦被驱逐出去，口气也变了，透过锁眼叫喊：老萨利喝醉啦。这也不是不可能的，因为除了药剂师开的适量的一剂鸦片外，她正因刚才喝了掺水杜松子酒而吃苦头。这些酒是那两位可敬的老太太出于一片好心私下给她弄来的。

"现在，请听我说，"临终的女人出声说道，仿佛竭力想恢复一种潜在的活力似的，"就在这个房间里——就在这张床上——我曾经护理过一位年轻貌美的女子。她被送到这个房间时因长途跋涉，双脚磨破，伤痕累累，浑身尘土，血迹斑斑，弄得脏兮兮的。她生下了一个男孩，然后死去。让我想想——那是哪一年的事！"

"别管它哪一年，"急躁的听者说道，"她怎么啦？"

"唉，"病人喃喃道，重新陷入原先昏昏欲睡的状态，"她怎么啦！——怎么啦——我知道！"她喊道，猛然跳了起来。她脸色发红、眼睛睁得大大的——"我抢了她的东西，我抢啦！她的尸骨未寒——我可以肯定地说，她的尸骨未寒，我就偷了那件东西！"

"偷了什么，天啊？"女总管叫道，那姿势仿佛要喊救命似的。

"那件东西！"病人将一只手捂住对方的嘴，回答道，"她唯一的东西。她明明需要保暖，需要吃饭；可是她把它保管得好好的，一直藏在她的胸前。它是金子，真的！贵重的黄金。本来它可以挽救她的生命的！"

"金子！"女总管随声附和道，病人往后退缩时，女总管急切地向她俯下身去，"继续说下去，继续说下去——是的——那又怎么样呢？那位母亲是谁？那是什么时候的事？"

"她责令我把它保管好，"病人呻吟着回答道，"她信任我，我是当时她身边唯一的女人。当我第一次见到她将那件东西挂在脖子上时，我就动了贼心了。也许，那婴儿的死也是因为我的缘故！如果他们知道了这一切,他们会待他好一点的。"

"知道什么?"女总管问道,"讲!"

"这男孩长得太像他妈妈了,"病人把她的问话当耳边风,继续没完没了地漫谈下去,"因此,如果我看见他的脸,我决不会忘记这件事的。可怜的女人!可怜的女人!她太年轻了!这么一个孱弱的女子!等等,还有可以告诉你的。我还没有全部告诉你,是不是?"

"没有,没有。"女总管说道,她侧身倾听着,因为临终的女人的声音变得越来越微弱了,"快说,否则就要来不及啦!"

"那位年轻的妈妈,"病人做出了比先前更大的努力,说道,"当死亡的痛苦开始向她袭来的时候,年轻的妈妈在我耳边低声地说,如果她的婴儿能够生下来还活着,并能茁壮地成长的话,那时候,就可以向他提起他可怜的年轻的母亲,他就不会感到太丢脸,'噢,仁慈的上帝啊!'她说道,十指交叉地握住双手,'不论他是男孩或女孩,在这扰攘不安的乱世,突然为他降临一些朋友吧,可怜可怜这个听任命运摆布的、孤苦无依的孩子吧!'"

"这男孩的名字呢?"女总管问道。

"他们管他叫奥利弗,"病人声若游丝地回答道,"我偷的金子是——"

"请说下去,请说下去——什么?"女总管叫道。

她急切地俯身贴近病人,听她的回答,却本能地往后退,因为病人又一次缓慢地、僵直地坐了起来,然后双手紧紧地揪住床罩,在喉底低声地发出一些含混不清的声音,倒在床上,咽气了。

"真的断气啦!"其中的一个老太婆说道,门一开她就急匆匆地走进来。

"毕竟,她也没有告诉我什么。"女总管说着,若无其事地走了。

那两个皱皮的老太婆显然忙着准备履行她们讨厌的任务,以致顾不上答理她。她们单独留下来,守护在尸体旁。

第二十五章　在本章中，故事回复到费金先生及其同伙的情况

　　当这一切正在乡村的济贫院发生的时候。费金先生坐在他的旧贼窝里——奥利弗被南希姑娘转移的那个贼窝——对着不旺、多烟的炉火沉思。他拿着一副折式风箱放在膝上。显然，他一直试图用它将炉火扇得更旺一些，可是他却陷入了深思之中。他双臂交叉地搁在折式的风箱上，下巴由两个拇指托着，眼睛出神地盯着生锈的炉栅。

　　他背后的桌子旁坐着机灵的蒙骗者、查利·贝茨少爷和奇特林先生：全都在专心地玩惠斯特①。纸牌游戏；蒙骗者与明手同贝茨少爷与奇特林先生对抗。蒙骗者的面部表情向来特别机灵。他细心观察和聚精会神地察看奇特林先生的手中牌而额外地占了很大的便宜。一有适当的机会，他便一本正经地往奇特林先生手里的牌瞥上一眼，然后，凭借偷看邻座手中牌的结果来调整自己的打法。这是一

――――――――

　　① 惠斯特，四人用全副扑克牌玩的一种两组对打的牌戏（后来的桥牌戏即由此演变而成）。三人玩时，则由一人与明手同另一组（两人）对抗。

个寒冷的夜晚,蒙骗者在室内不脱帽子。其实,这也是他的一种习惯。他嘴里老是叼着黏土烟斗,只是在他认为有必要从放在桌上的夸脱酒壶里喝上几口,以提提神时,才把它放下片刻。那只夸脱酒壶盛满了供这伙人饮用的掺水杜松子酒。

贝茨少爷也很专注于这种游戏,但是,由于他的天性比他的娴熟老练的朋友更易冲动,显而易见,他喝掺水杜松子酒来得更加频繁。此外,他还一味地说了许多与严谨的纸牌戏毫不相称的俏皮话和毫不相干的闲话。事实上,蒙骗者利用了他们的亲密关系,不止一次趁机一本正经地劝告贝茨少爷:他这些话是很不得体的。对所有这些规劝,贝茨少爷都乐意接受,只是叫他的朋友下地狱,或将脑袋插入麻袋里,或只是用其他类似巧妙的诙谐话来回敬。对于这些诙谐话的巧妙运用,奇特林先生赞不绝口,从心里感到佩服。奇特林先生和贝茨少爷总是输,这是出乎意外的。同时,这种情况非但没有引起贝茨少爷发怒,却似乎让他得到了最大的乐趣。每局结束时,他总是纵声大笑,声称他有生以来还从未见过这么有趣的游戏。

"两次加倍叫牌,一局就完了,"奇特林先生拉长着脸,说道,从背心口袋掏出半个克朗①,"我从未见过一个像你这样的人,杰克,你每次都赢。即便我和查利抓到了好牌也没用。"

或者是这件事本身,或者是说这话的态度——他是以非常沮丧的态度说出的——使查利·贝茨如此高兴,以致随之发出的笑闹声唤醒了犹太人的沉思,诱使他问究竟是怎么回事。

"怎么回事,费金!"查利喊道,"要是你看到我们打牌就好了。汤姆·奇特林一分都没赢。我和他配手对抗蒙骗者和明手。"

"唉,唉!"犹太人咧嘴笑道,这足以表明他明白其中的奥妙,"再试试看,汤姆,再试试看。"

---

① 克朗,英国旧制五先令硬币。

"我再也不玩了，谢谢，费金。"奇特林先生回答道，"我受够了。这个蒙骗者有这么一连串的好运气，我们不是他的对手。"

"哈！哈！亲爱的。"犹太人回答道，"要赢蒙骗者，你早晨必须很早起床。"

"早晨！"查利·贝茨说道，"如果你要赢他的话，你必须穿着靴子过夜，每只眼睛装个望远镜，脖子上还得挂上一个观剧镜。"

道金森先生很有理性地接受这些漂亮的恭维，并提出愿意每次出一先令，允许任何人参赌，看谁先拿到花牌①。由于没有人接受这一挑战，他的烟斗此刻又熄灭，他便开始用代替筹码的一支粉笔，在桌上描绘新兴门监狱的示意图自娱，边画边刺耳地吹着口哨。

"汤姆，你太呆板了！"当出现了长时间的沉默时，蒙骗者猛然停住，对奇特林先生说道，"你猜他在想些什么，费金？"

"我怎么知道，亲爱的？"犹太人回答道，他掉头望了一眼，一边不停地扇风，"也许正在想输钱的事，或者想他刚刚离开的乡下那个小小的幽静的处所，是吗？哈！哈！是这样的吗，亲爱的？"

"一点也不对。"蒙骗者回答道，奇特林先生正要回嘴，被蒙骗者阻止了，"你看呢，查利？"

"我看，"贝茨少爷露齿一笑，回答道，"他特别迷恋贝特西小姐。瞧，他的脸有多红！噢，喔唷！这儿有好戏看啰！汤姆·奇特林在恋爱！噢，费金，费金！太痛快了！"

贝茨少爷一想起奇特林先生成了柔情的受害者，便完全地不能自已。他猛然往椅背一靠，因用力太猛而失去平衡，滚落到地板上。这意外事故丝毫也没有减少他的欢乐。他伸直身子躺在那儿，直到这阵笑声结束，才又重新坐好，并又开始哈哈大笑。

"别管他，亲爱的，"犹太人向道金斯先生使眼色说道，又用风箱

---

① 又作"人头牌"，指扑克牌的 K、Q、J。

的喷嘴轻轻地敲了贝茨少爷一下以示责备，"贝特西是个好姑娘。向她求婚，汤姆，向她求婚。"

"我想说的是，费金，"奇特林先生的脸涨得通红，回答道，"这件事与这儿的任何人都毫无关系。"

"以后再也不会这样了，"犹太人回答道，"查利爱说闲话，别理他，亲爱的，别理他。贝特西是个好姑娘。照她的吩咐去做，汤姆，你就会发财。"

"我确实照着她的吩咐去做。"奇特林先生回答道，"要不是听她的劝告，我就不会坐牢。不过，这事结果对你很有利，不是吗，费金？在牢里蹲六星期又有什么了不起？反正迟早是要进去的，何不冬天进去，因为冬天你不想经常在外头逛荡，是吗，费金？"

"啊，当然，亲爱的。"犹太人回答道。

"你不再介意这件事，汤姆，是吗？"蒙骗者问道，向查利和犹太人丢眼色，"如果贝特西小姐没事的话？"

"我就会不在乎。"汤姆愤愤不平地回答道，"就是这样。啊！谁敢像我这样说话，我倒想知道，是吗，费金？"

"没有人，亲爱的，"犹太人说道，"一个也没有，汤姆，我知道除了你之外，他们谁也不敢像你这么说。他们谁也不敢，亲爱的。"

"如果我告发她，我本来是可以为自己开脱的，是吗，费金？"可怜、愚笨的被愚弄者继续生气地回答道，"只要我说一句话就够啦，是吗，费金？"

"毫无疑问，亲爱的。"犹太人回答道。

"可是我没有说出去，对吧，费金？"汤姆说道。他滔滔不绝地提出一个又一个问题。

"没有，没有，一点不假。"犹太人回答道，"你太勇敢了，不会干那样的事。你太勇敢了，亲爱的！"

"也许是吧。"汤姆往四下里看了看，回答道，"如果我是这样的，那么，这有什么好笑的，嗯，费金？"

犹太人发觉奇特林先生相当激动，赶紧向他保证没有人在笑他；为了证明大家的严肃，他求助于主要冒犯者贝茨少爷。可是，遗憾的是，查利在开口回答说他一生中从未像现在这么严肃时，禁不住又发出猛烈的笑声。受凌辱的奇特林先生毫不客气地冲过去，对准冒犯者就是一拳。善于逃避追击的查利迅速地低下头躲开了，而且时机选择得太好了，这一拳不偏不倚地落到快活的老先生的胸口上，使他摇摇晃晃地朝墙角跌去。犹太人站在那里连连地喘息，奇特林先生则惊慌失措地旁观着。

"听！"这时，蒙骗者喊道，"我听到叮当声。"他迅速地举起蜡烛，悄悄地爬上楼梯。

门铃有点急促地再次响起，而这伙人都呆呆地站在黑暗中。短暂的停顿之后，蒙骗者又露面了，神秘兮兮地跟费金交头接耳。

"什么！"犹太人喊道，"独自一人？"

蒙骗者肯定地点了点头，用一只手遮住蜡烛的火焰，以手势暗示查利·贝茨，他这时候最好别开玩笑。做了这一友好的暗示之后，他的目光定定地落在犹太人的脸上，等待他的吩咐。

老头子咬着自己发黄的指头冥想了片刻。这期间他焦虑得脸部抽搐，仿佛惧怕某种东西，比如害怕知道最坏的结果似的。最后，他抬起头来。

"他在哪儿？"他问道。

蒙骗者指了指楼上，打了个手势，像是要离开房间的样子。

"好。"犹太人答复他的无言的询问，说道，"把他带下来，嘘！安静，查利！轻一些，汤姆！退避，退避！"

查利·贝茨及他的新对手立即服从了这一简短的命令。他们无声无息地消失了。这时，蒙骗者走下楼来，手里拿着蜡烛，后面跟着一个身穿粗布长罩衫的男人。这个男人匆匆地往房间里瞥了一眼之后，脱去遮住下半部脸的一条大披巾，露出了精明的托比·克雷基特的脸：憔悴不堪、浑身污垢、胡子拉碴。

"你身体好吗，费金？"这位大人物说着，向犹太人点头打招呼，"蒙骗者，把那条披巾放进我的海狸皮帽里，免得我匆匆离开的时候找不着。这就是最近的行情！你将会成为比你面前这个老奸巨猾的家伙更高明的一名年轻的窃贼。"

说罢，他脱去长罩衫，将它缠在自己的腰间，拉一张椅子到炉边，双脚跷到炉旁的铁架上。

"你瞧，费金，"他闷闷不乐地指着自己的长筒马靴，说道，"啊！你知道从那时候起就再没有给它上过一滴'德伊和马丁'①，没有上过一次黑鞋油。可是，伙计，别那样地看着我。别急，一切都会及时地禀告你的，但我得吃饱喝足之后才能谈正事。把东西拿出来，让我这三天来第一次从从容容地饱吃一餐吧！"

犹太人示意蒙骗者把所有能吃的东西放到桌上，自己在这个窃贼的对面坐下来，等待托比吃饱饭后谈正事。

根据外表判断，托比一点也不急于开始交谈。起初，犹太人还满足于耐心地观察他的面部表情，像是想从中获得他带来的情报的某条线索似的。这是徒然的，托比看上去疲惫不堪。不过，他的面容依然如往常那样带着自鸣得意的平静：透过污垢、胡须和连鬓胡子，他得意的笑容丝毫未减。后来，极不耐烦的犹太人注视着他送入口中的食物，在房间里来回踱步，掩饰不住他的焦急心情。这也完全没用。托比继续吃他的饭，外表满不在乎，直到他再也吃不下去了，这才命令蒙骗者出去，自己将门关上，调制了一杯掺水烈酒，静下心来准备谈话。

"首先，费金。"托比说道。

① 这是一种品牌的鞋油。

"说下去，说下去。"犹太人插话道，将椅子往前挪了挪。

克雷基特先生停下来饮一口掺水烈酒，声称杜松子酒极佳，然后把双脚搁在不高的壁炉台上，让他的靴子处于和眼睛一样的高度，才从容不迫地继续说下去。

"首先，费金，"这个破门盗贼说道，"比尔的情况如何？"

"什么！"犹太人从座位上跳起来，尖叫道。

"怎么，你的意思是——"托比开口道，脸色煞白。

"意思？"犹太人嚷道，怒不可遏地直跺脚，"他们在哪儿？赛克斯和那个男孩！他们在哪儿？他们到过哪儿？他们现在躲到哪里？他们为什么一直没有到这里来？"

"夜盗失败了。"托比有气无力地说道。

"这我知道。"犹太人从口袋里扯出一张报纸，指着它说道，"还有什么？"

"他们开了枪，击中了那一个小孩。我们把奥利弗夹在中间，抄近路越过屋后面的田野——像飞翔的乌鸦那样又快又直地跨过树篱和沟渠。他们追赶过来。该死！全村的人都醒过来了，一条条狗纷纷地向我们扑过来。"

"那孩子呢？"

"比尔背着他，像一阵风似的飞奔。后来我们停下来，一起扛着他走。他的头低垂着，浑身冰冷。他们在我们后头紧追不舍。人人只顾自己逃命。每个人都想逃离绞刑架！我们分道扬镳了，让小家伙躺在沟里，不知他是死是活，这就是我所知道的关于他的情况。"

犹太人再也听不下去了，他大喝一声，双手乱揪自己的头发，冲出房间，继而冲出这幢房子。

第二十六章 在本章中，一位神秘人物登场了，还发生了许多与本故事有关的事

托比·克雷基特的情报对他的震动太大了，老犹太跑到了街道的拐角处才开始恢复过来。他丝毫也没有放慢他不寻常的速度，仍然以同样狂野和失常的举止，继续往前跑。这时，一辆四轮马车突然从他身边猛冲过去，看出他有危险的行人发出一声惊叫，这才驱使他回到人行道上。他尽可能地避开所有的大街，只在偏僻的小路和小巷提心吊胆地穿行，终于走到斯诺山山脚下。这里，他走得比以前更急了，直到再次拐入一个庭院，才放慢脚步。这时，仿佛意识到他现在处于自己的活动范围之内似的，他才按通常的速度拖着脚步走，他的呼吸也似乎更加自如了。

当你穿过伦敦商业中心，走到靠近斯诺山和霍尔本山的交会处的时候，可以看见右边有一条通往萨弗伦希尔的狭窄阴暗的小巷。小巷内肮脏的店铺里出售一串串大小和图案各异的旧丝绸手帕，因为居住在这儿的商人从扒手那儿收购手绢。这些数以百计的手帕悬挂在窗外的衣夹上晃荡，或在门柱上招展。此外，店里的陈列架上也堆满了手绢。尽管费尔德巷不大，但有理发店、咖啡店、啤酒店和炸

鱼店。它本身就是一个商业群落，一个贼赃市场。这个市场在清晨和黄昏由讳莫如深的商人所光顾。他们在阴暗的密室里做着肮脏的交易，来得奇怪，去得莫明其妙。这儿，旧衣商、补鞋匠，废品商人摆出他们的商品。这些商品成了小偷的招牌。这儿，大量的废铁和骨头，以及一堆堆发霉的毛料和亚麻碎片在积满污垢的地窖里生锈、腐烂。

犹太人走进这条巷子。小巷里面带菜色的居民都认识他。他走进去时，正在专心做买卖的人不拘礼数地跟他点点头。他也以同样的态度回答他们的问候，但没有更亲密地搭理他们，直到他来到了小巷的另一端。这时，他停下来对一个身材矮小的店员说话。店员把整个身子尽量地挤进一张童椅里，坐在店门口抽烟斗。

"哟，费金先生，见到你简直可以治好眼疾！"这位体面的商人说道，对犹太人问起他的健康状况表示感谢。

"附近的风声有点紧，莱夫利。"费金说着，扬了扬眉毛，双手交叉搭在肩头。

"唉，以前我也曾经有过一两次听过这样的抱怨，"商人说道，"但是很快就又降温了，难道你不同意我的看法吗？"

费金肯定地点了点头。他指向萨弗伦希尔的方向，询问今晚那儿是否有人。

"在瘸子客栈吗？"这个男人问道。

犹太人点了点头。

"让我想想看，"这个商人继续说道，心里盘算着，"有人，大约有五六个人上那儿，这我知道。我想你的朋友不在那儿。"

"你想赛克斯不在那儿，是吗？"犹太人说道，脸上现出了失望的神情。

"正如律师们的口头禅那样：此人所在不明。"小个子男人回答道，他晃着脑袋，样子显得惊人的狡猾，"你今晚有我经营的货吗？"

"今晚没有。"犹太人说着，转身走了。

"你现在要上瘸子客栈吗，费金？"小个子男人在后面边追边喊道，"等等！我不反对跟你上那儿去喝一杯！"

可是，犹太人回过头来，挥手暗示他更喜欢单独行动，况且，小个子男人无法轻易从那张童椅脱身，瘸子客栈的招牌一时失去接待莱夫利先生光临的荣幸。待到他从椅子里站起来的时候，犹太人已经无影无踪了。于是，莱夫利先生踮着脚站着，希望能看到他，徒劳之后，又迫使自己挤进那张小椅子里，与对面商店的一位太太彼此无奈地摇摇头——其中明显地交织着怀疑和不信任，然后摆出一副庄重的样子，继续抽他的烟斗。

三瘸子客栈，或者更确切地说，瘸子客栈，是赛克斯先生和他的狗经常光顾的客栈，是老主顾们所熟悉的招牌。费金只是向酒吧的一个人做了个手势，便径直走上楼去，打开一个房间，悄悄地溜进去，忧心忡忡地往四下里望了一眼，以一只手遮住眼睛，像是在寻找一个人似的。

房间由两盏煤气灯照明。炫目的灯光被上了闩的窗板和褪了色的红窗帘遮得严严实实，从外面根本看不见房间内部。天花板被漆成黑色，以防它的颜色受煤气灯的损伤。这地方弥漫着浓烈的烟草烟雾，起初费金什么也看不见。然而，当部分烟雾透过敞开的门消失时，渐渐地隐约可以看见一大群人。他们像传入耳际的喧闹声那么乱哄哄的。当他的眼睛变得更加习惯这一场面时，这位旁观者逐渐地意识到在场的有一大堆人，男男女女围着一张方桌：上首坐着手里拿着官方小木槌的主席，而一位鼻子稍带蓝色、因牙疼而将脸包扎起来的职业乐师在一个偏僻的角落里弹奏一架叮当作响的钢琴。

费金轻轻地走进来时，职业乐师的手指在键盘上飞快地掠过，作为序曲，让大家安静下来听一首歌。大家安静下来之后，一位小姐开始为在座的听众演唱一首四节的民歌。每唱完一节，伴奏者都尽量响亮地将曲调从头到尾弹奏一遍。这个节目结束之后，主席发表了感想。之后，主席左右两边的职业歌手主动地提出为大家表演二重唱，博得了听众的热烈掌声。

在人群中观察到一些比较突出的面孔，这倒是稀奇。主席本人（也是店主）是一位鲁莽、粗暴、体格健壮的人。演唱正在进行的时候，他的眼睛骨碌碌地到处转个不停。他似乎沉湎于欢乐之中，对所看到的一切颇具鉴赏的目光，对所听到的一切颇具鉴别能力，而且眼睛、耳朵都非常敏锐。歌手就在他旁边。他们以职业上的冷漠接受这群人的恭维，并依次喝了十来杯由兴高采烈的歌迷提供的掺水烈酒。这些歌迷的面孔几乎都表露出不同程度的邪恶神色，以其十足令人厌恶的特征而引人注目，令人不可抗拒。狡猾、凶残和酗酒是他们最显著的特征；而女人们，正如你所看到的，有的最后残存的那么一点点青春气息几乎快凋谢了；有的则显出性欲完全枯竭的种种痕迹，仅成了放荡和犯罪的令人憎恶的目标，这儿只有少女和少妇，但没有一个过壮年的；她们构成了这幅凄凉的图景最黑暗、最可悲的部分。

费金并非为严肃的情感所困扰。当这些活动正在进行的时候，他心急火燎地看看这张脸，又看看那张脸，但显然没有见到他要找的那张脸。最后，他总算引起了担任主席的那个人的注意。费金微微地向他招手，便像进来时一样悄悄地离开房间。

"有什么事吗，费金先生？"那个人跟着他出来，到了楼梯平台时问道，"你不愿意跟我们一块儿玩吗？他们每个人都玩得很开心。"

犹太人不耐烦地摇了摇头，低声说道："他在这儿吗？"

"没有。"那个人回答道。

"也没有巴尼的消息吗？"费金问道。

"没有。"瘸子客栈的店主回答道，"他会等到一切都平安无事了才出来走动。毫无疑问，他们会追踪到那儿；倘若他出来走动的话，马上就会把事情搞砸了。巴尼没事，否则，我就会听到他的消息。我敢肯定巴尼处理得很恰当。你就不要管他了。"

"他今晚会到这儿来吗？"犹太人问道，依然像刚才那样强调代词"他"。

"你指的是蒙克斯吗？"店主犹豫地问道。

"嘘！"犹太人说道，"是的。"

"当然会来，"那个人从表袋里掏出一只金表，回答道，"在此之前我一直在等他上这儿。如果你等十分钟的话，也会——"

"不，不，"犹太人急忙回答道，尽管他急于想见此人，然而蒙克斯的不在场似乎让他松了一口气似的，"告诉他我来这儿找过他。他晚上必须去找我。不，就说明天吧，因为他现在不在这儿，明天才来得及。"

"好！"那个人说道，"没有别的事了吗？"

"现在没有什么事了。"犹太人说着，走下楼去。

"喂，"对方从栏杆上方望过去，用嘶哑的声音低声说道，"这可是推销的大好时机啊！我已经把菲尔·巴克弄到这儿了，他烂醉如泥，即便是小孩也可以使他上当受骗。"

"啊哈！可是现在不是菲尔·巴克的时机，"犹太人抬起头来，说道，"菲尔还得做一些事，我们才能同他分手；因此，你回到朋友们当中去吧，亲爱的，并告诉他们过快活的日子——只要他们活下去的话。哈！哈！哈！"

店主也对老头子报以爽朗的笑声，然后回到他的客人们中间。犹太人独自一人时面孔就又恢复了先前的忧虑和沉思的表情。经短暂的考虑之后，他叫了一辆出租马车，吩咐马车夫驶往贝思纳尔·格林。他在离赛克斯先生的住处约四分之一英里的地方打发车夫离去，然后徒步走剩下的一段路程。

"好啦，"犹太人一边敲门，一边嘀咕道，"如果这当中有什么莫测高深的把戏，我也要从你这里查个水落石出，姑娘，尽管你非常狡猾。"

那个妇人说南希在自己的房间里。费金蹑手蹑脚地爬上楼,事先不敲门就径直进入她的房间。南希姑娘独自一人,披头散发地将头伏在桌上。

"她一直在喝酒,"犹太人冷静地想道,"或者,也许她只是心里难受。"

老犹太心里一边这么想着,一边转身将门关上。关门的声响唤醒了姑娘。她询问是否有什么消息,又倾听他叙述了托比·克雷基特的情况,目光紧紧地盯着他那张狡猾的脸,他说完之后,她又陷入刚才的姿势,但一声不吭。她不耐烦地将蜡烛推开。她曾经有一两次焦躁地改变她的姿势,脚在地板上滑来滑去,但仅此而已。

沉默期间,犹太人坐立不安地环顾一下房间,仿佛要弄清楚确实没有赛克斯暗地里回来的蛛丝马迹似的。显然,他对自己的检查感到满意,咳嗽了两三次,也做出同样次数的努力想开口说话,可是,这姑娘完全把他当作石头一般。他终于又做出另一次努力,搓着手,用最和解的语气说道:

"依你看,比尔现在在什么地方,亲爱的?"

姑娘呻吟着做出了含糊不清的回答,说她不知道。从她不自觉地发出的透不过气的声音看来,她似乎在哭泣。

"还有那个孩子,"犹太人说着,竭力睁大眼睛,想看看她的脸,"可怜的小家伙!被丢弃在沟里,南希,你想想!"

"那孩了,"姑娘突然抬起头来,说道,"丢在那儿要比待在我们中间强。如果比尔不会因这件事而遭遇不幸的话,我倒希望他躺在沟里死去,让他那把嫩骨头就在那儿烂掉。"

"什么?"犹太人诧异地问道。

"是的,我确实希望如此,"姑娘迎着他凝视的目光,说道,"让他从我的视线消失,并知道最恶劣的情况已经过去了,这我倒高兴。

让他待在我身边我可受不了。一见到他就使我厌恶自己，厌恶你们所有的人。"

"呸！"犹太人轻蔑地说道，"你醉了。"

"是吗？"姑娘痛心地叫道，"假如我没醉，这不是你的过错！如果你一旦有了自己的意志，你从来就容不得我有别的想法，现在的情况除外——我的情绪不合你的胃口，是不是？"

"是的！"犹太人凶巴巴地回答道，"不合我的胃口。"

"那就改变它吧！"姑娘爽朗地笑着回答。

"改变它！"犹太人惊叫起来，对同伴始料不及的固执和当晚的烦恼无比的愤怒，"我就是要改变它！听着，你这婊子。听着，我只要一句话，就可以绞死赛克斯，犹如我的手指现在就捏住公牛的喉咙那么十拿九稳。如果他回来，却把那个男孩丢下！如果他自由地脱身，不管是死是活，却未能把孩子交还我，那么，他就逃脱不过杰克·凯奇①，除非你亲自将他宰了，而且，在他一踏入这个房间的时候就干掉他，否则，当心，那就太迟了！"

"这是什么意思？"姑娘不由自主地叫道。

"什么意思？"费金暴跳如雷，继续说道，"这男孩对我来说具有数百英镑的价值，难道我甘心让一帮我不费吹灰之力就可以打发上西天的酒鬼，就这样把我垂手可得的发财良机断送掉吗？而我还与一个天生的魔鬼私下有约，他只要有意愿，而且有力量去，去——"

老头子气喘吁吁、结结巴巴地想找个恰当的字眼。就在这时候，他抑制住怒气，完全改变了自己的举止。这之前，他紧握的双手还在空中乱抓，双眼睁得大大的，面孔气得发青。可现在，他蜷缩着坐进一张椅子里，缩成一团，因担心自己某些隐秘的恶行被揭露而瑟瑟

---

① 刽子手，原为 17 世纪时英国一刽子手名。

发抖。短暂的沉默之后，他才大胆地抬起头来看他的同伴，见她依然处于他将她唤醒之前那种无精打采的状态，他似乎有点放心了。

"南希，亲爱的！"犹太人以通常嘶哑的声音说道，"你介意我说的话吗，亲爱的？"

"现在别缠着我，费金！"姑娘慢吞吞地抬起头来，回答道，"如果比尔这一回不惹祸，下一回也会惹祸的。他已经为你干过了许多出色的活儿，只要他能办得到，他还会替你干更多的活儿。如果他办不到，那他就不会干，因此，你就别再说了。"

"那么这个孩子呢，亲爱的？"犹太人说着，紧张不安地搓着手掌。

"那个孩子以后的情况只能碰碰运气了，"南希急忙插话道，"我还是那句话，我希望他死去，远离伤害，远离你的魔掌——也就是说，如果比尔没有受到伤害的话。倘若托比逃脱了，那么，比尔肯定也没事，因为在任何时候比尔都顶得过两个托比。"

"那么，关于我刚才所说的事呢，亲爱的？"犹太人说道，炯炯的目光依然一动不动地停留在她身上。

"如果是你要我做的事，你得重新再说一遍。"南希回答道，"诚然，你最好等到明天。你刚才扰乱了我一阵子，现在我又昏昏沉沉的了。"

费金又旁敲侧击地提出了其他几个问题，目的都是为了弄清这姑娘是否在利用他不慎的暗示而获益。可是她这么快就回答了这些问题，且全然不为他锐利的目光所打动，因此，他原先以为她喝得酩酊大醉得到了证实。事实上，南希也沾染上了犹太人的女性徒弟中一个非常普遍的弱点——酗酒。在她们年轻的时候，这一弱点不是被抑制，反而受到鼓励，她的凌乱的外表、弥漫着整个房间的大量的荷兰杜松子酒的香味，都对犹太人假设的正确性提供了确实的、强有力的证据；同时，在她任性的、短暂地发表了上述一通激烈的言辞之后，她平静下来了，先是麻木不仁，后又变得百感交集：在这些情感的影响下，她一会儿流泪，一会儿又发出几声"不要灰心"的叫喊，以及诸如"只要一位女士或先生是幸福的，余者又有多大关系"等各种胡思乱想。费金先生在一生中对此类问题已有相当丰富的阅历，心满意足地看出她确实醉得一塌糊涂。

这一发现令他感到宽慰。既把当晚所听到的消息告诉南希，又弄清楚赛克斯没有回来，在达到这双重目的之后，费金先生便掉头往回走，听任他的年轻朋友将她的头靠在桌上熟睡。

此刻离半夜不到一小时，外头一片漆黑，天气刺骨寒冷。他没有雅兴闲逛。迅速刮过大街的凛冽的寒风，犹如扫尘土一样，扫清了街上的过往行人，因为户外行人很少。显然，他们都正在匆匆忙忙地赶回家。不过，对犹太人来说这倒是顺风。每一阵强劲的风粗暴地驱使他前行时，他浑身直哆嗦。

费金来到了他家那条街道的拐角处，已经在口袋里掏大门的钥匙了。这时，一条黑影从位于阴影深处的一个突出的入口处走出来，横穿马路，神不知鬼不觉地走到他的跟前。

"费金！"一个声音在他耳旁低声说道。

"啊！"犹太人迅速地转过身来说道，"你是——"

"没错！"陌生人打断他的话道，"这两小时我一直在这儿徘徊。你究竟到哪儿去了？"

"忙你的差使去了，亲爱的，"犹太人不安地看了同伴一眼，回答道，边说话边放慢脚步，"整个晚上都在忙你的差使。"

"噢，当然！"陌生人冷笑道，"那么，情况如何？"

"情况不妙。"犹太人说道。

"但愿情况也不坏吧？"陌生人说道。他猛然停住，惊奇地望了他同伴一眼。

犹太人摇了摇头，正要回答，这时陌生人阻止他，示意他到屋里说。他们这时已来到了房子前面了。陌生人声称他得在屋里谈话，因为他在外面站得太久，冻得血都要凝固了，况且寒风吹得透骨凉。

费金看来像是会婉言拒绝在这么荒谬的时刻带客人回家似的，而且，实际上他也小声地咕哝没有生炉子之类的话。可是陌生人以命令式的口气重复了这一请求，于是，他开了门锁，要求陌生人轻轻地随手将门关上，他自己去弄一盏灯来。

"天黑得像坟墓似的。"陌生人摸索着往前走了几步，说道，"赶快！"

"把门关上。"从过道的另一头传来了费金悄悄的说话声。就在他说话的当儿，门砰的一声关上了。

"这不是我干的，"那男人说道，在暗中摸索着前进，"门是风吹上或自动关上的，或是前者，或者后者，两者必居其一。赶紧拿盏灯来，否则在这该死的地方我会撞得脑浆四溅的。"

费金不声不响地步下了厨房的楼梯。不一会儿他回来的时候手里拿着一支点燃的蜡烛，还带来了托比·克雷基特在下面屋里，孩子们在前面屋里睡觉的消息。他招手叫陌生人跟着他上楼。

"我们不得不说的那几句话可以在这儿说了，亲爱的，"犹太人说着，突然打开二楼的一道门，"窗板有不少破洞，我们又向来不让邻居见到灯光，就把蜡烛放在楼梯上。好啦！"

说完，犹太人蹲下来，把蜡烛放在上段楼梯上，就在房门的对面。之后，他带路走进房间。房间里除了一张破扶手椅和一条放在门后没有套子的睡椅或沙发外，没有任何别的家具。陌生人一屁股坐在沙发上，样子显得疲惫不堪。犹太人将扶手椅拉过来，他们面对面地坐着。房间并不太暗，门半开着，外面的烛光微弱地反射到对面的墙上。

他们交头接耳地谈了一会儿。虽然，除了偶尔几个不连贯的词外，谈话内容一点也听不清，但是听者可以易如反掌地看出，费金看来像是极力地为自己辩护，而陌生人似乎很恼怒的样子。他们这样也许谈了至少有一刻钟，这时，多次被犹太人称为蒙克斯的这个陌生人提高了一点嗓门，说道：

"我再次告诉你，此次行动策划得太差劲了。为什么不把那个男孩留在这儿跟其他的在一起，马上将他训练成一个偷偷摸摸的、抽鼻子的扒手？"

"谈何容易！"犹太人耸了耸肩，喊道。

"什么，你的意思是，假如你愿意，你也做不到吗？"蒙克斯厉声问道，"对于其他的孩子，你难道不是办到了吗？如果你有耐心的话，最多只需要一年。难道你不能让他被定罪，把他安然地送出联合王国，也许让他终生回不来吗？"

"这会满足谁的需要呢，亲爱的？"犹太人低声下气地问道。

"我的需要。"蒙克斯回答道。

"但不会满足我的需要，"犹太人谦恭地说，"他本来可以对我有用的。当一笔买卖有两方面介入时，应该考虑双方的利益，这是完全合情合理的，是不是，我的好朋友？"

"那又怎么样呢？"蒙克斯问道。

"我发现要训练他搞这个行当不容易，"犹太人回答道，"在同样的情况下，他不同于其他的男孩。"

"是啊，天杀的！"这男人咕哝道，"否则，他早就成为一个小偷了。"

"我无法使他变坏，"犹太人焦虑不安地注视着同伴的面部表情，继续说道，"他不愿介入，我又没有什么手段可用来吓唬他。这方面，我们在开始的时候总是必要的，否则，我们便会徒劳无功。我该怎么办呢？派他跟蒙骗者和查利一块出去吗？对此，我们从一开始就受够了，亲爱的，我当时为我们大家的安全吓出一身冷汗。"

"那不是我干的。"蒙克斯说道。

"没错，亲爱的！"犹太人继续说道，"我现在也不埋怨这事，因为如果这件事不曾发生的话，你就可能永远也不会注意这个孩子，也就不会发觉他正是你一直在寻找的那个男孩。好啦！我利用南希姑娘替你把他弄回来。后来，她开始袒护他。"

"掐死那个姑娘！"蒙克斯不耐烦地说道。

"唉，我们眼下还不能那么干，亲爱的，"犹太人微笑着回答道，"而且，这种事并不妨碍我们。否则，我总有一天会乐意把这件事了结的。这些女孩子的情况我知道得一清二楚，蒙克斯。那个男孩一旦变得冷酷无情，她就不会再关心他，就像不会关心一块木头一样。你要他成为一个小偷，如果他活着，从这回开始，我可以使他成为一个小偷。假如——假如——"犹太人说着，慢慢地移近对方，——"这不大可能，注意——可是，万一发生最坏的情况，他死了——"

"如果他死了，这不是我的过错！"对方插话道，露出了恐惧的神色，以颤抖的双手紧紧地抓住犹太人的手臂，"记住，费金！这事与我无关，让他干什么都行，就是不能让他死去，我从一开始就告诉过你了。我不愿意造成流血事件。总是要东窗事发的。此外，这种流血事件会导致鬼魂缠身，令人提心吊胆。如果他们开枪打死他，那也不是我的缘故，你听见了没有？放把火将这地狱般的贼窝烧掉吧！那是什么声音？"

"什么！"犹太人叫道，一下子跳了起来，双臂抱住这个懦夫的身体，"在哪里？"

"那边！"这男人回答道，眼睛盯着对面的那堵墙，"那个影子！我看见一个身穿斗篷，头戴女帽的女人的影子像一阵风似的沿着护壁板闪了过去！"

犹太人松开了手，他们慌慌张张地冲出房间。那截蜡烛受气流的损耗，依然立在原来的地方。烛光只让他们见到了空荡荡的楼梯和他们自己苍白的面容。他们屏息倾听着，整座房子像死一般的寂静。

"这是你的幻觉。"犹太人拿起那截蜡烛，面对他的同伴说道。

"我敢发誓我真的看到了！"蒙克斯哆嗦着回答道，"我最初看到它的时候，它正朝前弯着身子；我说话的时候，它就猛然逃走了。"

犹太人轻蔑地瞅了一眼他同伴的苍白的脸，对他说，如果他愿意的话，可以跟他上楼梯了。他们查看了所有的房间。所有的房间都冷飕飕的、空荡荡的。他们经过过道，由此进入下面的地窖。地窖的墙脚长着青苔，蜗牛和蛞蝓的足迹在烛光中闪闪发光，可是，一切都如死一般的寂静。

"你现在还有什么话说？"他们重新回到过道时，犹太人说道，"除了我们，以及托比和那些男孩外，房子里一个人也没有。他们现在都安然无恙。你瞧！"

为了证明这一点，犹太人从口袋里掏出两把钥匙，并解释说，当他第一次下楼梯时，就把他们自己关在里面，以免他们的谈话受到任何干扰。

这一新的证据使蒙克斯先生大大地动摇了。当他们继续进行搜寻而一无所获时，他的异议也就越来越不那么强烈了。这时，他发出了几声奸笑，承认那可能只是自己活跃的幻觉而已。然而，他突然记起已经凌晨一点多了，拒绝继续谈下去。于是，这两个亲密的伙伴分手了。

第二十七章 为前一章极为没礼貌地
把一位太太丢开而赔罪

让牧师助理这样的大人物背向炉火、把外套的下摆拢上来压在手臂下,一直等到作者乐意令他解脱为止,这对于一位身份卑微的作者来说无疑是不恰当的;让牧师助理怀着柔情蜜意的、欲在其耳际倾诉甜言蜜语的太太受到同样的怠慢,这就更不符合作者的身份和骑士风度了。出自这么一位大人物的这些甜言蜜语,完全可以令任何阶层的少女或太太胸中激荡不已。用笔墨描绘这些语言的作者——相信他知道自己卑微的地位而安分守己,对世上那些被委以高级和显要地位的权威人士怀有相当的敬畏——赶快对他们表示了他们的地位所需要的敬意,并以他们崇高的地位和(因此产生的)伟大德行强制性地要求作者给予一切尽职的礼仪来对待他们。为此,作者已打算在这里插入一篇涉及牧师助理的神授之权,解释牧师助理永远不会作恶的论述。这既能使具有正义感的读者感到愉快,又能使他们受益匪浅,只可惜作者因时间和篇幅所限,不得不延缓至一个更方便、更合适的时机。时机一到,作者将准备阐明:一位正式任命的牧师助理,也就是说,一位附属于教区济贫院的、以官方资格参加教区管理的牧师助理，凭借他的职权，具有人类的一切优点和最优秀的品质；而公司助理或法院助理，或甚至小教堂助理（除了小教堂助理外，他们在非常低下的程度上拥有这种权利）都丝毫不容许以上述的任何优点自居。

邦布尔先生又重新数了一遍茶匙，重新掂掇了一遍方糖钳子的重量，更仔细地检查了牛奶壶。准确地弄清楚家具的确切状况，甚至连椅子上的马鬃座部也不放过，而且每一个过程都足足重复了五六次之多。然后，他才开始想到该是科尼太太回来的时候了。一个思考引起了另一个思考，由于没有科尼太太回来的声响，邦布尔先生忽然想到，如果他对科尼太太的五斗橱内部粗略地看一眼，那将是消磨时间的一个毫无恶意甚至称得上高尚的方法。

邦布尔先生在锁眼听了一会儿，弄清楚没有人朝房间走来之后，着手从底部熟悉三个长抽屉里的东西。抽屉里塞满了多种漂亮款式和质地的服装，被谨慎小心地保藏在两层旧报纸之间，还点缀着干薰衣草。这些似乎令他感到极为满意。他终于搜寻到了右边角落的那个抽屉（钥匙放在这个抽屉里），见到里面有个上了锁的小盒。它摇动起来会发出像是硬币碰撞那样的悦耳的叮当声。邦布尔先生迈着稳重庄严的步伐回到了壁炉旁，重新恢复了先前的姿势，以严肃、坚决的神态说道："我会成功的！"继这一惊人之语后，他又滑稽地摇头晃脑达十分钟之久，仿佛在责备自己是这样的一个讨人喜欢的男人似的，而后，装出一副很快乐和兴致勃勃的样子，端详着自己双腿的内侧。

他还在泰然自若地忙着作最后的观察，这时，科尼太太匆匆忙忙地走进房来，气喘吁吁地一屁股坐进炉边的椅子里，一只手捂住双眼另一只手按在心口上，喘着粗气。

"科尼太太，"邦布尔先生向女总管俯过身去，说道，"怎么回事，太太？出了什么事了吗，太太？请回答我，我——我——"邦布尔先生在恐慌中竟然想不出"如坐针毡"这个成语,于是他说,"如坐破瓶子。"

"噢,邦布尔先生!"太太大声叫道,"我简直烦透了!"

"烦透,太太!"邦布尔先生惊叫起来,"谁胆敢——?我知道了!"邦布尔先生带着天生的尊严抑制住怒火,说道,"这准是那帮邪恶的穷鬼!"

"这事想起来太可怕啦!"太太不寒而栗地说道。

"那就别去想它,太太。"邦布尔先生回答。

"我没有办法不想。"太太呜咽道。

"那就喝点什么吧,太太。"邦布尔先生安慰道,"来一点葡萄酒吗?"

"绝对不要!"科尼太太回答道,"我不能——噢!右边角落的顶架上——噢!"说完,太太心烦意乱地指着食橱,忍受着因体内的惊厥引起的痉挛。邦布尔先生一个箭步冲到食橱前,从她语无伦次指明的架子上抓起一只一品脱的绿色玻璃瓶子,倒出一茶杯,递到太太的嘴边。

"我现在好些了。"科尼太太喝了一半之后,身子往后一靠,说道。

邦布尔先生欣慰地将目光虔诚地抬向天花板,然后又落到那只杯的边缘上,把杯子举到自己的鼻子边。

"胡椒薄荷油混合剂,"科尼太太以微弱的声音说道,边说边温柔地对着牧师助理微笑,"试一口!里头有点——有点别的东西!"

邦布尔先生带着怀疑的神色尝了一口药,咂咂嘴,又试了一口,把空杯子放下来。

"这玩意儿是很好的安神剂。"科尼太太说道。

"确实如此,太太。"牧师助理说着,拉了一张椅子到女总管身边,体贴地问什么事使她如此苦恼。

"没事,"科尼太太回答道,"我是一个愚蠢的、易激动的、软弱的人。"

"不软弱，太太，"邦布尔先生把椅子拉得更靠近一点，反驳道，"你是一个软弱的人吗，科尼太太？"

"我们都是软弱的人。"科尼太太阐述了一条总的原则。

"看来我们都是软弱的人。"牧师助理说道。

而后，有一两分钟双方都没再说什么。这一两分钟一过，邦布尔先生把先前搁在科尼太太的椅背上的左臂移到科尼太太的围裙带上，以此来说明自己上述的观点。他的手臂逐渐顺着围裙带搂住了她的腰。

"我们都是软弱的人。"邦布尔先生说道。

科尼太太叹了一口气。

"别叹气，科尼太太。"邦布尔先生说道。

"我没有办法不叹气。"科尼太太说着，又叹了一口气。

"这房间真舒服，太太，"邦布尔先生往四下里看了看，说道，"再有一个房间，加上这间，太太，那就完美了。"

"对一个人来说太多了。"太太咕哝道。

"可是对两个人来说就不多了，太太。"邦布尔先生柔声回答道，"是吧，科尼太太？"

牧师助理说这句话时，科尼太太垂下头来，牧师助理也垂下自己的头来，好看清科尼太太的脸。科尼太太非常得体地把头掉过去，抽出一只手来掏手绢，却又无意识地将这只手放回邦布尔先生的手里。

"董事会给你供煤，对吧，科尼太太？"牧师助理问道，深情地用力捏着她的手。

"还有蜡烛。"科尼太太也轻轻捏着他的手，回答道。

"有煤、蜡烛，另加房租免费，"邦布尔先生说道，"噢，科尼太太，你真是个可爱的天使！"

这位太太抵挡不住这阵情感的爆发，一下子倒进了邦布尔先生的怀里，而那位先生一时激动，竟在她贞洁的鼻子上深情地吻了一下。

"多么完美的教区良缘！"邦布尔先生如痴如醉地惊叫道，"你知道斯劳特先生今晚病情恶化了吗，我的迷人精？"

"知道。"科尼太太忸怩地回答道。

"医生说，他活不了一星期，"邦布尔先生继续说道，"他是这个济贫院的院长，他的去世将会造成院长位置的空缺。这空缺必须填补。啊，科尼太太，一个多么广阔的前景！这正是永结同心、联合家政的大好机会啊！"

科尼太太啜泣着。

"只要简单的一句话，你同意吗？"邦布尔先生将身子贴近羞羞答答的美人，说道，"一句简单、简单的话，我的有福的科尼太太？"

"同——同——同意！"女总管叹息着说道。

"还有一句，"牧师助理继续说道，"在说出这句之前先让你珍藏于心中的情感平静下来。这件喜事什么时候办？"

科尼太太有两次试图开口，但均未成功。最后，她鼓足勇气，展开双臂搂住邦布尔先生的脖子，说他什么时候高兴就什么时候办，还说他是"一个富有魅力的男人"。

事情得到了友好和圆满的解决，就在喝另一满茶杯胡椒薄荷油混合剂时口头约定正式认可了。太太的心情既紧张又激动，喝这种混合剂更有必要了。此事了结之后，她便把那个老太婆亡故的事告诉了邦布尔先生。

"很好，"这位先生一边啜饮胡椒薄荷油混合剂，一边回答道，"我一回去就到索尔贝里家去一趟，叫他明天早晨就把棺材送来。令你恐慌的就是这件事吗，亲爱的？"

"并不特别使我恐慌，亲爱的。"太太含糊其词地说道，

"想必有什么事的，亲爱的，"邦布尔先生催促道，"难道你不愿

意告诉自己心爱的邦布尔吗？"

"不是现在，"太太回答道，"过几天告诉你，待我们结婚之后，亲爱的。"

"待我们结婚之后！"邦布尔先生叫道，"该不是那些男性穷鬼的什么非礼行为吧，譬如——"

"不是，不是，亲爱的！"太太赶快插话道。

"要是真有此事，"邦布尔先生继续说道，"要是他们当中有哪一个胆敢抬起他下流的眼睛来看一眼这张可爱的脸庞——"

"他们不敢这样，亲爱的。"太太回答道。

"他们还是不敢的好！"邦布尔先生攥紧拳头说道，"如果教区内外有哪个男人胆敢这样的话，我会警告他，让他下一次再也不敢放肆！"

倘若这句话未加上手势的渲染，看来似乎并不是恭维太太的魅力。可是，由于邦布尔先生的威胁附带做着许多充满火药味的手势，她被他的这一忠诚的表示深深地打动了，并以无限赞美的神情声称他确实是个温柔可爱的人。

随后，这位可爱的人竖起了衣领，戴上三角帽，同他未来的伴侣长时间地亲切拥抱之后，再次迎着夜间的寒风前进，仅在男贫民的临时收容室逗留了几分钟，把他们臭骂一顿，目的在于确信自己能够以必要的严苛担当起济贫院主持的职务。对自己的水平感到放心之后，邦布尔先生怀着轻松愉快的心情和对今后光明前景的憧憬离开这里，一路来到殡仪员的店铺。

此刻，索尔贝里先生和太太已经出去用茶点和吃晚饭了。由于诺亚·克莱波尔任何时候都不肯承担超出方便地履行吃、喝两项功能所需的体力消耗，因此，虽然这时已经过了打烊的时间，但店铺尚未关闭。邦布尔先生用手杖在柜台上敲了好几下，仍未能引起注意。他看见店铺后面小客厅的玻璃窗透出了灯光，便冒昧地往里窥视，想看个究竟。当他见到了眼前正在发生的一幕时，他大吃一惊。

餐桌上铺好了桌布，放好了餐具，桌上还摆满了面包、黄油、盘子、杯子、一壶黑啤酒、一瓶葡萄酒。在餐桌的上座，诺亚·克莱波尔先生大大咧咧、懒洋洋地躺在一张安乐椅里，两条腿放在椅子一侧的扶手上，一只手拿着一把打开的折刀，另一只手拿着一块涂上黄油的面包。夏洛特小姐紧挨着他站着，从一个桶里拿出一只只牡蛎来揭开，克莱波尔先生则极为贪婪地屈尊将它们一一吞下。这个年轻人的鼻子超乎寻常的赤红，右眼不时地眨几下，表明他有点儿醉了；他迫不及待地、津津有味地吞食牡蛎的那副馋相，也表明他有几分醉意；除了他十分欣赏牡蛎对他灼热的身体有清凉的作用外，没有其他恰当的解释。

"这是一只肥美、可口的牡蛎，诺亚，亲爱的！"夏洛特说道，"来吧，尝尝，就这一只。"

"牡蛎的味道好极啦！"克莱波尔先生吞下这一只后说道，"吃得太多了竟会使你觉得很不舒服，实在太遗憾了，是不是，夏洛特？"

"这是相当残酷的行为。"夏洛特说道。

"确实如此。"克莱波尔默然同意道，"你难道不喜欢牡蛎吗？"

"不怎么喜欢，"夏洛特回答道，"我喜欢看到你吃牡蛎，胜于我自己吃，诺亚，亲爱的。"

"上帝！"诺亚若有所思地说道，"多奇怪啊！"

"再来一只"，夏洛特劝道，"这只还有着多么漂亮、娇嫩的鳃！"

"我再也吃不下去了。"诺亚说道，"非常抱歉。过来，夏洛特，我要亲亲你。"

"什么！"邦布尔先生突然闯进房里说道，"再说一遍，你这家伙。"'

夏洛特发出一声尖叫，赶紧用围裙把脸遮起来。克莱波尔先生只是让双腿垂到地上。他的姿势没有多大变化，眼睛带着醉态的恐惧盯着牧师助理。

"再说一遍，你这个卑劣的、厚颜无耻的家伙！"邦布尔先生说道，"你怎么敢说这样的话，你这个家伙！而你怎敢怂恿他，你这个不知羞耻的轻佻女子？亲她！"邦布尔先生愤愤不平地喊道，"呸！"

"我是说着玩的！"诺亚哭诉道，"她老是亲我，不管我喜欢不喜欢。"

"噢，诺亚！"夏洛特责备地叫道。

"你就是这样的，你也知道你自己就是这样的！"诺亚反驳道，"她老是这么干。邦布尔先生，她抚弄我的下巴，先生，做出了种种求爱的表示！"

"闭嘴！"邦布尔先生厉声喊道，"你下楼去，小姐。诺亚，你把店门关了。在你主人回家之前若胆敢再说一句，后果自负；如果他真的回来了，告诉他邦布尔先生叫他明天早晨早饭后给济贫院的一个老太婆送副棺材去。听见了没有，你这家伙？亲吻！"邦布尔先生举起双手，高喊道，"本教区内下层社会的罪孽和邪恶太可怕了！如果议会不考虑他们的恶劣行径，这个国家就毁啦，农民的品质就永远荡然无存了！"说完，这位牧师助理带着一副高傲的、阴森的神态，阔步地走出殡仪员的家。

既然到目前为止我们一直伴随着邦布尔先生到了他回家的路上，而且也为那个老太婆的葬礼做好了一切必要的准备了，让我们开始打听一下小奥利弗的情况，弄清他是否还躺在赛克斯将他摆下的沟里。

第二十八章 关照一下奥利弗，并开始叙述他的奇遇

"让狼撕裂你们的喉咙吧！"赛克斯咬牙切齿地咆哮道，"但愿有朝一日你们被我追赶时，让你们一个个喊得喉咙嘶哑。"

赛克斯以其无法无天的天性表露出来的最不顾一切的凶狠，咆哮着发出这一诅咒时，他将受伤的孩子的身体横着搁在自己弯曲的膝上，并回头了片刻，望了一眼追赶他们的人。

在薄雾里和黑暗中几乎什么也看不清，可是，回荡在空中的人们的高喊声，以及被警铃吵醒的邻近的狗的狂吠声在四面八方回响。

"站住，你这个胆小如鼠的家伙！"赛克斯在托比·克雷基特的后面喊道，他充分地运用自己的长腿，已经跑到了托比的前面，"站住！"

第二声"站住"使托比站在原地不动，因为他没有把握自己是否已处于手枪的射程之外，而赛克斯是没有被耍弄的雅兴的。

"帮忙抬这个小孩，"赛克斯喊道，怒不可遏地向他的同伙示意，"回来！"

托比装出要回来的样子，可是当他慢吞吞地走过来时，却低声地、因喘不过气来而不连贯、冒昧地表示了他的不情愿。

"快点!"赛克斯喊道,将小孩放在他脚下的一条干水沟里,从他的口袋里拔出了一支手枪,"别跟我耍花招!"

这时,后面的追赶声更近了,赛克斯再次环顾四周,现在可以看到追捕他们的人已经在爬他们站着的那块地的篱笆门了,有几条狗已经蹿到了他们前面几步远的地方。

"彻底完蛋了,比尔!"托比叫道,"丢下孩子,赶快逃跑。"说完了这句离别的忠告之后,克雷基特先生宁愿可能挨他的朋友的子弹,也不愿确定无疑地被他的敌人逮住,竟然掉头逃跑,并以最快的速度猛冲。赛克斯咬紧牙关,往四下里看了看,将匆匆忙忙裹住自己头部的披肩盖在躺倒在地的奥利弗身上,沿着树篱的正面逃跑,仿佛想把后面那些追赶的人的注意力吸引过来,以免他们发现孩子躺在那条沟里。他在与那条沟直角交会的另一道树篱前停了片刻,高举着手枪在空中打转,然后一跃跳过树篱,逃之夭夭。

"嗬,嗬,你看!"后面的一个颤抖的声音喊道,"手切尔①!内普丘恩②!过来,过来!"

这两条狗和它们的主人一样,似乎对它们参加的这种追捕游戏不怎么特别感兴趣,欣然听从召唤它们回去的命令。这时,已经往地里跑得相当远的三个男人停了下来,一块儿商量对策。

"我的忠告,或者,至少,我不妨说,我的命令是,"这群追捕者中最胖的那个男人说道,"我们马上回家去。"

"凡是贾尔斯先生赞同的东西,我都同意。"一个较矮的男人说道。他不算瘦,脸色异常苍白,而且彬彬有礼,受惊的人们常常如此。

"我不愿意显得举止粗暴,先生们,"第三个男人说道,他就是把狗叫回来的那个人,"贾尔斯先生应该懂得怎么办。"

---

① 这是两条狗的名字。
② 这是两条狗的名字。

"当然，"个子较矮的男人回答道，"不论贾尔斯先生说了什么，我们都不会反对。不，不，我知道自己的处境！谢天谢地，我晓得自己的处境。"说实在的，这个小个子男人似乎确实知道自己的处境，而且完全知道这种处境一点也不利，因为他说话时牙齿不断地打战。

"你害怕了，布里特尔斯先生。"贾尔斯先生说道。

"我不怕。"布里特尔斯说道。

"你怕了。"贾尔斯说道。

"你胡说，贾尔斯先生。"布里特尔斯说道。

"你扯谎，布里特尔斯。"贾尔斯先生说道。

这四句反唇相讥的话是由于贾尔斯先生的冷嘲热讽引起的，而贾尔斯先生的冷嘲热讽是由于他对以恭维为幌子，把返回的责任强加于他头上感到愤怒。第三个男人非常达观地结束了这场争执。

"你们听我说，先生们，"他说道，"我们大家都害怕。"

"你在替自己辩护，先生。"贾尔斯先生说道。他是这些人当中脸色最苍白的。

"没错，"那个男人说道，"在这种情况下，害怕是自然的、正常的。我是害怕。"

"我也是。"布里特尔斯承认道，"只是没有必要这么狂妄地指责别人害怕。"

他们的坦率缓解了贾尔斯先生的对立情绪。他马上承认自己也害怕。这时，他们三人转过身来，意见完全一致地往回跑，直到贾尔斯先生（在他们这些人当中他最喘不过气来，且为一把干草叉所累）极为慷慨地坚持要停下来，为自己在盛怒之下所说的气话表示歉意。

"然而，这是令人惊奇的，"贾尔斯先生解释说，"当一个人发怒的时候，他什么事干不出来呀！如果我逮住他们其中的一个恶棍的话，我可能会杀人——我知道我可能会这么干。"

类似的预感给另外两个人留下了很深的印象，他们也像他一样，怒气已经全消了。因此，他们对自己性情突然变化的原因产生了某种推测。

"我知道是什么原因了，"贾尔斯先生说道，"是那一道篱笆门。"

"如果真是那道篱笆门，我也不会感到惊奇。"布里特尔斯接受了这个想法，惊叫道。

"请你们相信，"贾尔斯先生说道，"那道篱笆门阻止了我们激动情绪的高涨。当我在爬那道门的时候，我觉得自己的一肚子气全消了。"

也许是惊人的巧合，另外两个人就在这时候也有了这一相同的、令人不快的感觉，正是那道篱笆门的缘故，这是显而易见的。尤其是关于这种变化发生的时间毫无疑义，因为三个人都记得，变化正好发生在他们进入盗贼视线的一瞬间。

这场对话是在撞见了窃贼的那两个男人和一个流动补锅匠之间进行的。补锅匠一直睡在外屋，他和他的两条杂种狗都被吵醒，加入了追捕的行列。贾尔斯先生担任这座宅邸的男管家和管理员的双重角色。布里特尔斯是个多面手，他从小就给老太太当仆人，尽管他现在已经三十多岁了，但仍然被看做一个有前途的男仆。

他们三人以这样的谈话彼此互相鼓气，但他们却始终紧挨在一起，一有风吹草动、枝叶摇曳，就胆战心惊地四下张望。他们匆匆忙忙地回到了一棵树跟前。刚才他们将灯笼放在这棵树后面，生怕灯光暴露目标，使窃贼朝这个方向开枪。这时，他们迅速地拾起这盏灯笼，以轻快、矫捷的步伐尽快地往回赶。在他们的黑黝黝的身影消失了很久之后，仍然可以看见那盏灯在远处闪烁、摇曳，被提着迅速地穿过潮湿、阴郁的雾气。

天渐渐地亮起来，气温也越来越低了。雾气犹如一团浓烟沿着地面翻滚着。草地上湿漉漉的，小径和低洼地变成一片泥沼，一阵潮湿的、不利于健康的邪风带着沉重的凄切声有气无力地刮过去。奥利弗依然一动不动、不省人事地躺在赛克斯把他摆下的那个地方。

已是清晨了。当晦暗的曙色——与其说是白天的诞生，不如说是黑夜的死亡——在天空发出闪烁的微光时，寒风变得愈加凛冽和刺骨了。黑暗中看上去模糊、可怕的物体变得越来越清晰，逐渐地变成了它们熟悉的轮廓。下雨了，密集的雨点滴滴答答地打在光秃秃的灌木丛上。可是，当雨点落到奥利弗身上时，他却毫无知觉，因为他依然伸展着四肢、不省人事、孤立无援地躺在泥床上。

终于，一声微弱的、痛苦的呻吟声打破了四周的静寂。这孩子发出了这一叫声之后就苏醒过来了。用披巾草草包扎的左臂沉重、徒然地垂在他的侧边，绷带被鲜血浸透了。他太虚弱了，几乎无法坐起来；当他终于坐起来时，他无力地环顾四周，寻求救援。伤口疼得他直呻吟。刺骨的严寒和筋疲力尽使他每个关节都发抖。他试图站立起来，却从头到脚浑身直哆嗦，终于又跌倒在地。

奥利弗又短暂地陷入昏迷状态之后不久，受内心某种蠕动的恶心感觉的驱使（这种恶心的感觉似乎在警告他，如果他继续躺在那儿，他就必死无疑），他终于站了起来，竭力想走路。他头晕目眩，像个醉汉那样来回摇晃。然而，他坚持不倒下去。他的脑袋无精打采地低垂在胸前，跌跌撞撞地往前走，却不知往何处去。

现在，许多令人困惑不解和混乱不堪的念头涌上了他的心头。他似乎还被夹在赛克斯和克雷基特中间行走，他们正在愤怒地争吵不休——因为他们说的话甚至还在他的耳边回响。实际上，当他竭力使自己免于跌倒而让注意力高度集中时，他发现自己正在与他们谈话。然后，他单独与赛克斯在一起，如前天一样沉重、缓慢地朝前走；当影子般的人们与他们擦肩而过时，他觉得那抢劫犯抓紧了他的手腕。忽然，他听到了枪声，惊得直往后退缩，空中顿时喊声四起，灯光在他的眼前闪烁。当一只看不见的手带着他匆匆逃跑时，周围一片喧哗和骚动。因这一稍纵即逝的幻觉，一阵模糊的、不安的疼痛感掠过全身。这种感觉不停地折磨着他，使他疲惫不堪。

于是，他摇摇晃晃地往前走，几乎机械地在门栅之间爬行，或者穿过路上遇到的一个个树篱的缺口，直到抵达大路。这里，雨开始哗啦啦地下起来，他也彻底地清醒了。

他往四下里看了看，看见不远处有一栋房子，也许他能够走到那里。他们可怜他的处境，可能对他生出怜悯之心；倘若他们没有怜悯之心，他想，死在靠近人群的地方总比死在孤零零的旷野上强。他使出全身的力气做最后的努力，踏着跟跄的步伐朝着那栋房子走去。

临近房子的时候，他忽然觉得以前见过这房子，细节他一点也记不起来了，可是建筑物的形状和外表却似乎是他所熟悉的。

那堵花园墙！他昨晚曾经跪在墙内的草地上，恳求那两个强盗发发慈悲。这正是他们企图抢劫的那幢房子！

奥利弗认出这个地方时，忽然感到一阵恐惧，以致他一时忘了自己的伤疼，只想到逃跑。逃跑！他站都站不稳，况且，即便他完全拥有了他脆弱、幼小身躯的全部力气，他又能逃往何处呢？他使劲地推着花园门。门没有上锁，靠铰链的转动，门被打开了。他蹒跚着穿过草坪，爬上台阶，有气无力地敲了敲门。他已耗尽了全部的力气，身子靠在小门廊的一根圆柱上，随即便昏倒在地。

碰巧，就在这个时候，贾尔斯先生、布里特尔斯和补锅匠经过一夜的劳累和惊骇之后，正在厨房里用茶点和零食，以恢复体力。和地位较低下的仆人亲近，这并不是贾尔斯先生的习惯，他倒是习惯以一种高傲的友善来对待他们，以使自己的举止得体。这种友善尽管令人满意，却仍能让他们想起他优越的社会地位。然而，死亡、火灾和夜盗使所有的人都处于平等的地位。因此，贾尔斯先生伸开双腿，坐在厨房的火炉围栏前，左臂靠在桌上，以右臂作手势，详细地描述了这起抢劫案的始末。他的听众（尤其是他们当中的一个厨子和一个女仆）屏息着，听得津津有味。

"大约早晨 2 点半,"贾尔斯先生说道,"或者已经接近 3 点了,我不能肯定,我醒过来,并在床上翻了个身,可能是这样的(说到这儿,贾尔斯先生在椅子里转过身来,拉起桌布的一角模仿被子盖住自己的身子),我想我听到了一个声音。"

他讲到这儿的时候厨子脸色苍白,叫女仆把门关上,女仆叫布里特尔斯去关,布里特尔斯叫补锅匠去关,补锅匠假装没听见。

"——听到一个声音,"贾尔斯先生继续说道,"起初,我想,这是幻觉,于是我静下心来睡觉。这时,我又一次清楚地听到这种声音。"

"什么样的声音?"厨子问道。

"一种爆裂的声音。"贾尔斯先生往四下里看了看,回答道。

"更像是铁棒在豆蔻磨碎机上摩擦的声音。"布里特尔斯暗示道。

"你听到时它像那种声音,老兄,"贾尔斯先生说道,"可是,我听见时它像一种爆裂的声音。我掀开被子,"贾尔斯把桌布卷起,继续说道,"在床上坐起来侧耳倾听。"

厨子和女仆不约而同地突然发出"上帝!"的叫声,然后将她们的椅子拉得更靠近些。

"这时,我听到了,清楚得很,"贾尔斯先生继续说道,"'有人,'我想,'正在撬门窗,该怎么办呢?我得把那个可怜的小男仆布里特尔斯喊醒,免得他在床上被人杀死,或者他的喉咙被人从左耳割到右耳而他自己还不知道。'"

此刻,大家的目光全部投向布里特尔斯,而他目不转睛地盯着说话人,嘴巴张得大大的,脸上露出极其恐惧的神色。

"我甩开了被子,"贾尔斯说着,扔掉桌布,眼睛盯着厨子和女仆,"悄悄地溜下床,穿上一条——"

"有女士在座,贾尔斯先生。"补锅匠低声说道。

"——一双鞋,老兄,"贾尔斯生气地对他说道,强调了一个"鞋"字,"抓起一把上了膛的手枪,每晚我把它连同餐具篮一起带上楼,然后，踮着脚走到布里特尔斯的房间。'布里特尔斯，'我把他喊醒时，说道，'别害怕。'"

"你确实是这么说的。"布里特尔斯低声地说道。

"'我想我们是死定了，布里特尔斯，'我说，"贾尔斯继续说道，"'可是别害怕！'"

"他害怕吗？"厨子问道。

"一点也不怕，"贾尔斯先生回答道，"他跟我——啊！几乎跟我一样沉着。"

"如果是我的话，我会马上给吓死，真的。"女仆说道。

"你是女人嘛。"布里特尔斯鼓起了一点勇气，反驳道。

"布里特尔斯说得对，"贾尔斯先生赞同地点点头，说道，"对于一个女人来说，别的没有什么可指望的。因为我们是男人，就从布里特尔斯的炉边的铁架上拿起一盏遮光提灯，在一片漆黑中摸索着下楼——情况大致是这样的——"

贾尔斯先生已从座位上站起来，闭着眼睛走了两步，以恰如其分的动作来补充他的描述。就在这时候，他和在座的其他人一样，猛然惊跳起来，赶紧坐回他的椅子里。厨子和女仆尖叫了起来。

"敲门声。"贾尔斯先生装出一副完全沉着的样子，说道，"哪一位去把门打开？"

谁也不动一动。

"这么早就有人敲门，这事看来有点怪，"贾尔斯先生说着，打量了围绕着他的一张张苍白的面孔，他自己的脸看上去也毫无表情，"可是，门是必须打开的。你们听见没有，哪一位去开门？"

贾尔斯先生说话的时候眼睛看着布里特尔斯。可是这位年轻人天性谦虚，也许认为自己是小人物，管家不是对着他发问，反正他没有搭腔。贾尔斯先生把恳求的目光投向了补锅匠，可是他突然睡着了。那两个女仆更不在考虑之列了。

"如果布里特尔斯宁可在证人面前开门，"贾尔斯沉默了片刻之后说道，"我乐意当个证人。"

"我也乐意。"补锅匠说道，他入睡得突然，醒得也突然。

布里特尔斯在这些条件下妥协了。他们这些人由于发现（打开窗板发现的）现在已是大白天了，多少有点消除了疑虑，便朝楼上走去，狗走在前面，那两个女仆因害怕留在楼下，现在也殿后跟上来了。根据贾尔斯先生的忠告，他们都要高声说话，以便警告外头心怀恶意的人：他们人多势众。同时，按照同一位别出心裁先生想出的绝招，在大厅里故意将狗尾巴紧紧夹住，让它们疼得狂吠不已。

采取了这一系列预防措施之后，贾尔斯先生紧紧地抓住补锅匠的胳膊（正如他开玩笑说的，防止他逃跑），然后发出了开门的命令。布里特尔斯服从命令开了门。这群人怯生生地透过彼此的肩膀窥视，只看见可怜的奥利弗这么一个说不出话、筋疲力尽的可怕的小东西。奥利弗扬起了疲惫的眼睛，无声地请求他们的怜悯。

"一个男孩！"贾尔斯先生惊叫道，猛然将补锅匠推到后面，"这究竟是怎么回事？噢——布里特尔斯——喂——你也不知道吗？"

开门时躲到门后去的布里特尔斯一见到奥利弗就大叫起来。贾尔斯先生抓住了这个男孩的一条腿和一只胳膊（幸亏不是受伤的那只），硬是将他径直往大厅里拉，然后把他全身平放在大厅的地板上。

"我们抓到他啦！"贾尔斯激动万分地向着楼上高声喊叫，"太太，这是其中的一个窃贼！小姐，这是一个窃贼！小姐，他受伤啦！是我开枪击中的，小姐，当时布里特尔斯替我掌灯。"

"——使用一盏遮光提灯，小姐。"布里特尔斯喊道，他以一只手作杯状置于嘴边，以便让声音传得更远些。

两个女仆飞奔上楼去传递贾尔斯先生逮到一个抢劫犯的消息；补锅匠想方设法让奥利弗恢复知觉，以免他被绞死之前就死去。在一片喧哗和骚动中，传来了一个女人悦耳的声音，其他声音马上静了下来。

"贾尔斯！"从楼梯顶上传来了这悄声呼喊。

"在这儿，小姐。"贾尔斯先生应道，"别害怕，小姐，我没有受什么伤，他没有做出任何拼死的反抗，小姐！我很快就制服他了。"

"嘘！"小姐回答道，"你使我伯母受了惊吓，程度不亚于那些窃贼对她的惊吓。那个可怜虫伤得厉害吗？"

"伤得非常厉害，小姐。"贾尔斯回答道。他那副自鸣得意的样子简直难以形容。

"他看上去快不行啦，小姐？"布里特尔斯依然像先前那样大声嚷嚷，"你不下来看一看他吗，小姐，万一他真的不行的话！"

"请安静，这才是有教养的人！"小姐回答道，"安静地稍等片刻，我去禀告伯母。"

说话人轻快地走了，她的脚步声如同她的说话声一样的轻柔。她很快又回来了，还带来了老太太的吩咐：必须小心地将受伤的人抬到楼上贾尔斯先生的房间；布里特尔斯必须为那匹矮种马装鞍，马上骑马到彻特西去让警察和医生立刻赶来。

"可是，你要不要先看一看他，小姐？"贾尔斯先生问道，样子显得很自豪，仿佛奥利弗是他巧妙打伤的一只羽毛罕见的飞鸟似的，"不稍微看上一眼吗。小姐？"

"无论如何不是现在，"小姐回答道，"可怜的人儿！噢，看在我的分上，好好待他，贾尔斯！"

当她转身离开时，老仆人抬起头来望着她，目光里充满着自豪的赞美，仿佛她是他自己的孩子一般。然后，他把身子贴近奥利弗，像一个女人那样关怀备至地帮着把他抬到楼上。

第二十九章 本章介绍一下奥利弗求助的这户人家

　　在一间十分雅致的房间里——尽管房内家具的外观与其说具有现代的优雅，不如说有着老式的舒适——两位女士坐在已摆好了美味佳肴的早餐的餐桌旁。一丝不苟地穿上一身黑衣的贾尔斯先生正在侍候她们。他们的位置介于餐具柜和餐桌之间。他昂首挺胸、笔直地站立，头部稍微往一侧倾斜，左腿在前，右手插进背心里，左手拿着一只托盘垂在一侧，看上去像是一个对自身的价值和重要性感到沾沾自喜、格外惬意的人。

　　这两位女士当中，一位年事已高，然而她的腰板比她坐着的高背栎木椅还直。她的穿着极为考究、整饬，身穿旧式和对流行品味稍作让步的古怪的混合服装。这种让步与其说削弱了旧风格的效果，不如说怡人地加强了这种风格。她端坐在那儿，举止庄重，双手抱拳放在面前的餐桌上。她的眼睛丝毫不因年迈而变得模糊，此刻正聚精会神地注视着年轻的同伴。

　　年轻小姐正处于女性美好的花季和青春焕发的妙龄期，在她这样的年纪，如果真有天使为了上帝的良好心愿而附身于凡人躯壳中的话，那么，这些天使可以毫无不敬地认为应该存在于像她那样的形体中。

她还不满十七岁。她是如此羸弱，似用精致的模子铸造出来的，如此温柔、和善，如此纯洁、美丽，以致尘世似乎与她格格不入，世间粗暴无礼的凡人不是她合适的同伴。她那双深蓝色的眼睛显露出来的来自她高贵的脑海里的聪明才智似乎不属于她那样年纪，也不属于这个世界。然而，那不断变化着的亲切的、愉快的表情，那闪动在她脸上、不留任何阴影的千道容光，尤其是那笑容，欢乐的、幸福的笑容，是完全为了家庭、家庭的和睦和家庭的幸福而存在的。

她正忙着在餐桌上帮忙。老太太在注视她时，她碰巧抬起头来，于是，她便将朴素地扎在额头上的头发顽皮地往后一拢，在她欣喜的神色中注入这么一种慈爱和朴素动人的表情，即使天堂里的天使们见到她，也会笑容满面的。

"布里特尔斯已经去了一个多小时了，是吧？"停顿了一会儿之后，老太太问道。

"一小时又十二分了，太太。"贾尔斯先生看了一下自己的银质怀表，说道。怀表是由一条黑缎带系着的。

"他总是慢慢吞吞的。"老太太说道。

"他向来是个反应迟钝的仆人，太太。"侍从说道。顺便提一句，布里特尔斯三十多年来一直是一个迟钝的仆人，要他再变成一个敏捷的仆人似乎是不可能的。

"我想，不是变得更敏捷，而是变得更迟钝了。"老太太说道。

"如果他半路上停下来跟别的仆人玩耍，那就更不可原谅了。"小姐笑着说道。

显然，贾尔斯先生正在考虑自己也作一个恭敬的微笑是否得体。这时，一辆双轮马车在花园的篱笆门前停下来，从车上跳下一位胖乎乎的绅士。他径直走到大门口，通过某种不可思议的方法迅速地走进房子，闯入房间，差点儿把贾尔斯先生连同餐桌一起撞翻。

"我从未听说过这样的事!"胖绅士喊道,"亲爱的梅利太太——谢天谢地——而且在夜深人静的时候——我从未听说过这样的事!"

说了这番安慰的话后,胖绅士和两位女士一一握手,往前拉了一张椅子,问她们觉得身体怎样。

"你们肯定吓得半死。"胖绅士说道,"你们为什么不捎个口信?天啊,我手下的人马上就会赶到的,我也会赶来的,我的助手也会乐意来的。我相信在这种情况下任何人都会乐意来的。天啊!天啊!太出乎意外了!而且发生在夜深人静的时候!"

医生似乎对出人意料的抢劫以及试图在夜间作案特别感到不安,仿佛侵入住宅行窃在中午进行,并提前一两天寄一份邮件约定时间是梁上君子的惯例似的。

"你呢,罗斯小姐?"医生转过头去问年轻小姐道,"我——"

"噢!确实怕极了,真的。"罗斯打断了他的话,说道,"可是楼上有个可怜的人,伯母希望你去给他看看。"

"啊!当然可以,"医生回答道,"这么说还真有人受伤。贾尔斯,我知道,这是你的杰作了。"

一直在紧张地摆正茶杯的贾尔斯先生涨红了脸,说他荣幸地干了这件事。

"荣幸,是吗?"医生问道,"哦,我可不晓得,也许在后厨房击中一个窃贼跟在十二步之遥击中你的对手一样光荣。你想想,他朝天开枪,而你像是在进行决斗似的,贾尔斯。"

贾尔斯先生认为,这么轻描淡写地看待这件事是企图不公正地贬低他的荣誉,于是恭敬地说,像他这样的人无资格对此妄加评判;不过,他倒认为对方不是闹着玩的。

"天哪!这倒是真的!"医生说道,"他在哪儿?你给我带路。梅利太太,我下来的时候再来看你。他就是从那个窗口进来的吗?哦,我简直不能相信！"他一路讲个不停，跟着贾尔斯先生上楼了。他上楼的时候，读者可以先了解到，洛斯伯恩是本地的外科医生，方圆十英里之内以"医生"闻名，他的发福与其说是由于生活优裕，不如说是由于心情舒畅。他是一位既善良、热情，却又古里古怪的老单身汉。世界上的任何考察家在五倍于这个范围之内才会发现他这样一个人。

医生离开的时间，比他自己或那两位女士原先预料的要长得多。一只扁形的大药箱从双轮马车上取了出来，卧室的铃声不时地响起，仆人们楼上楼下跑个不停。从这些表征可以正确地判断，有件重大的事情正在楼上进行。医生终于下楼来了。在答复有关病人情况的焦急询问时，他显得异常神秘，小心翼翼地把门关上。

"这事非常怪，梅利太太。"医生说道。他背着门站着，仿佛不让门打开似的。

"但愿他没有什么危险吧？"老太太问道。

"噢，在这样的情况下，危险是很正常的事，"医生回答道，"尽管我认为他现在没有什么危险。你们见过这个窃贼了吗？"

"没有。"老太太回答道。

"也不知道有关他的任何情况？"

"不知道。"

"请原谅，太太，"贾尔斯先生插话道，"我正要把他的情况告诉你，洛斯伯恩医生就进来了。"

事实是，贾尔斯先生起初根本不愿坦率地承认他开枪击中的只是一个男孩。鉴于他的勇敢行为受到大家的极力赞扬，他无论如何也要推迟几分钟再作解释。在这几分钟里，他处于勇气无畏的短暂的名誉的巅峰。

"罗斯曾想去看看他，"梅利太太说道，"可是我不同意。"

"哼！"医生回答道，"他的外表并不怎么吓人。在我的陪同下去看看他，你们不反对吧？"

"如果有必要的话，"老太太回答道，"我当然不反对。"

"那么，我看有必要，"医生说道，"无论如何，我相信，如果你们推迟见他的话，你们将会为自己未能早些见到他而深感遗憾的。现在，他已完全平静和安适了。请允许我——罗斯小姐，你允许我搀扶吗？一点也不用害怕那个窃贼，我以自己的名誉向你们保证！"

第三十章 叙述奥利弗的新探视者们对他的看法

医生喋喋不休地一再保证，她们对罪犯的外貌将会感到又惊又喜，一边拉着年轻小姐的手臂挽住自己的一只手臂，一边将空着的一只手递给梅利太太，庄重、有礼地领着她们上楼。

"好了，"医生轻轻地转动卧室的门把手，低声地说道，"让我听听你们对窃贼的看法。他最近一直没有理发，尽管如此，他看上去一点也不凶。不过，请站住！让我先看看他的健康状况是否适合探视。"

他跨步向前，走在她们前头，眼睛朝房里望去。他示意她们朝前走。她们都进来了以后他将门关上，轻轻地把床上的帘子拉开。床上只是躺着一个因疼痛和疲惫而憔悴不堪、昏昏入睡的小孩，而不是她们原先预期见到的一个顽固不化的、容貌黑不溜秋的恶棍。他那只已包扎过、用夹板固定住的受伤的手臂横放胸前，他的头斜倚在另一只手臂上，这只手臂一半被飘落在枕头上的长发遮住。

这位诚实的绅士用手抓住帘子，默默地旁观了一分钟左右。他正在这样地注视病人的时候，年轻小姐悄悄地走过去，坐在床边的一张椅子里，把遮住奥利弗脸上的头发拢起来。当她向他俯下身去时，她的眼泪扑簌簌地滴落在他的前额上。

这孩子动弹了一下，在睡眠中微笑，仿佛这些怜悯的同情的标志已经唤醒了他过去从未晓得的某种慈爱和深情的美梦似的。于是，一支柔和的乐曲，或者一处寂静之地的潺潺流水声，或者一朵鲜花的芬芳，或者对一个熟悉的字眼的提及，有时将会勾起一生中从未存在过的景象的突然的、朦胧的回忆。这些景象像一口气那样消失得无影无踪，对某种早已消逝的幸福生活的短暂回忆似乎才会唤醒它们；否则，无论自己怎样绞尽脑汁都回忆不起来。

"这究竟是怎么回事呢？"老太太喊道，"这个可怜的小孩决不会是强盗的徒弟吧！"

"罪恶能在许多神殿栖身。"外科医生放下帘子，叹息道，"谁能够说一位外貌姣好的美人就不会将她的罪恶深植于心里呢？"

"可是在这么小小的年纪！"罗斯强调道。

"亲爱的小姐，"医生悲哀地摇了摇头，回答道，"罪恶像死亡一样，并不是只局限于老人和面容枯槁的人。最年轻和最漂亮的常常被选中为牺牲品。"

"可是，你能——哦！你真的能够相信这个羸弱的男孩一直是罪大恶极的社会渣滓的自愿的同伙吗？"罗斯说道。

医生摇了摇头。他的态度表明他担心这是非常可能的，又说他们会打扰病人，就把她们带进隔壁的一个房间。

"可是，即便他是邪恶的，"罗斯继续说道，"想一想他多么年轻；想一想他可能从未得到过母爱，或家庭的温暖；想一想虐待和挨打，或缺乏面包可能驱使他与强迫他犯罪的那些人同流合污。伯母，亲爱的伯母，看在上帝的分上，先想想这些吧，然后再让他们把这个病孩投进监狱。无论如何，监狱很可能会把他所有的悔改机会统统断送掉。噢！既然你爱我，而且也知道由于你的善良和慈爱，我从未感受到自己失去双亲的痛苦，否则，我本来也会感到这种痛苦，也会像这个可怜的孩子那样孤立无助、无依无靠的。可怜可怜他吧，要不然就来不及啦！"

"亲爱的，"老太太把泪流满脸的姑娘搂在怀里，说道，"你以为我会伤害他的一根毫毛吗？"

"噢，不会的！"罗斯急忙回答道。

"当然不会，"老太太说道，"我在世上的日子已经不多了，我宽恕别人，但愿也能得到别人的宽恕！我该做些什么才能拯救他呢，先生？"

"让我想想，太太，"医生说道，"让我想想。"

洛斯伯恩医生双手插进口袋，在房里来来回回兜了好几圈，不时停下来，踮着脚尖以保持身子的平衡，他皱眉蹙额的样子挺吓人的。在高喊了几次"我现在想出来了"和"不，还没有"，又重新多次来回踱步和皱眉蹙额之后，他终于突然站定，说了如下的话："我想，如果你全权委托我去吓唬贾尔斯和那个小伙子布里特尔斯，这件事我就有办法对付。贾尔斯是个忠厚老实的人，又是一个老仆人，这我知道；可是你可以用无数的方法去补偿他，并因为他是这么一个神枪手而奖赏他。这样你不反对吧？"

"除非还有其他保护这孩子的方法。"梅利太太说道。

"没有别的办法了，"医生说道，"没有别的办法了，相信我的话吧。"

"那么，我伯母授予你全权负责，"罗斯破涕为笑，说道，"可是，除非绝对必要，对那两个可怜虫别太苛刻了。"

"你似乎以为，"医生反驳道，"除了你之外，现在人人都冷酷无情，罗斯小姐。为了整个新兴的男性的缘故，我希望第一位求助于你的同情心的合适年轻人，会发现你也像现在这样的脆弱和心慈手软。但愿我是一个年轻人，以便可以当场利用像现在这样一个有利的机会求助于你的同情心。"

"你像可怜的布里特尔斯本人一样，是一个大男孩。"罗斯红着脸回答道。

"这个嘛，"医生开怀大笑道，"倒不是一件太难的事儿。不过，咱们回到这个孩子的话题上来吧。我们的协议的要点还在后头呢。我想，他再过一小时左右就会醒来。尽管我已经对楼下那个愚笨的警察说了，由于小孩有生命危险，既不可以移动，也不可以跟他说话。但是，我想，我们现在跟他交谈毫无危险了。现在，我提出这样的条件：我将当着你们的面查问他。如果我们从他所说的话判断，并且我可以以令你清醒的头脑满意的方式表明，他是一个货真价实的、彻头彻尾的坏蛋（这是非常可能的），那么，无论如何我就不再插手这件事，必须让他听天由命。"

"噢，不行，伯母！"罗斯恳求道。

"噢，行，伯母！"医生说道，"一言为定？"

"他不会沦为一个冷酷无情的坏蛋的，"罗斯说道，"这是不可能的。"

"很好，"医生反驳道，"那就更有理由同意我的提议了。"

最后，协议达成了，双方有点不耐烦地坐下来等待奥利弗醒来。

这两位女士的耐心注定要经受时间的考验，而且比洛斯伯恩医生预料的时间更长，因为时间一小时又一小时过去了，奥利弗仍昏睡不醒。事实上，一直到了晚上，这位心地善良的医生才给她们带来了消息：奥利弗已充分地恢复过来，可以跟他交谈了。他说，这孩子由于失血过多，伤势严重，身体还很虚弱，但是他的心神极为不安，急着想透露些什么，因此，他认为给他机会，要比到第二天早上才让他开口强。要不然的话，他是应该保持沉默的。

这次谈话持续了很长时间。奥利弗把他不算复杂的一切经历告诉他们，伤口的疼痛和乏力常常迫使他停下来。在这黑暗的房间里，倾听一个受伤男孩以微弱的声音，叙述冷酷无情的坏人给他造成的、令人厌倦的一系列的不幸和灾难，这委实是件严肃的事。啊！如果我们压榨同类的时候，只要考虑到人类这些罪恶证据，会像密布的乌云那样冉冉上升——没错，升腾得很慢，但毫无疑问一定会升到天国——以致今后报复到我们头上；如果我们在想象中仅听那么一瞬间死人的声音所做的深藏不露的证词——没有任何力量能够压制这些声音，没有任何尊严能够阻挡这些声音——那么，日常的生活哪里还会有伤害、不公正、痛苦、苦难、残酷和冤屈！

那天夜里，奥利弗的枕头有一双温柔的手为他抚平，而当他睡着的时候，善良和德行守护着他。他感到平静和幸福，可以毫无怨言地默默死去。

这次重要的谈话一结束，奥利弗又镇定下来休息。医生揩干了眼泪，突然谴责自己的眼力差劲之后，就到楼下找贾尔斯先生理论去了。当他发现客厅里没有人时，他忽然想到，在厨房里开始这件事也许更有效。于是，他走进厨房。

这个家政议会的下议院聚集着女仆、布里特尔斯先生、贾尔斯先生、补锅匠（考虑到补锅匠的效劳，他被特邀在余下的那一天里接受款待）和警察。这位警察手持一根大警棍，长着一颗大脑袋，粗眉大眼，脚蹬半高筒靴。他看上去似乎已经喝了不少啤酒——事实确实如此。

前天夜里的冒险经历尚在讨论之中。贾尔斯先生正在详述自己如何镇定沉着时，医生进来了。布里特尔斯先生手里拿着一杯啤酒，在他的上司尚未说出之前就证实他说得不错。

"坐着别动！"医生挥动一只手说道。

"谢谢你，先生。"贾尔斯先生说道，"太太和小姐想赏大家喝点啤酒，先生，由于我不想待在自己的小房间里，先生，又想有人陪着，所以就到这儿跟大家一起喝酒了。"

布里特尔斯带头发出一阵窃窃私语，在座的男女仆人们对此都心领神会，表达了他们对贾尔斯先生的赏脸的感激之情。贾尔斯先

协议达成了，双方有点不耐烦地坐下来等待奥利弗醒来。

生以恩人的气派环顾了一下四周，样子似乎等于说只要他们表现好，他就决不会亏待他们。

"晚上病人的情况怎样，先生？"贾尔斯问道。

"还行，"医生回答道，"我倒担心你自己遇到麻烦了，贾尔斯先生。"

"但愿你的意思该不会是，先生，"贾尔斯先生浑身发抖，说道，"他快死了吧。如果我猜中了，我将永远也高兴不起来。我不愿意杀害一个孩子，不，甚至也不会伤害这儿的布里特尔斯，哪怕全郡的金质餐具都给我，我也不愿意，先生。"

"问题不在这儿，"医生神秘兮兮地说道，"贾尔斯先生，你是一个新教徒吗？"

"是的，先生，但愿如此。"贾尔斯先生结结巴巴地说道，脸色变得异常苍白。

"那么你呢，小伙子？"医生厉声地对布里特尔斯说道。

"老天保佑，先生！"布里特尔斯大吃一惊，回答道，"我——我和贾尔斯先生一样，先生。"

"那好，你们俩都告诉我，"医生说道，"你们俩！你们打算站出来发誓，说楼上那个孩子就是昨天夜里被塞进小窗口的那个孩子吗？说出来？说呀！我们准备好听你们发誓！"

这位被普遍认为是世界上脾气最好的人之一的医生，以如此惊人的盛怒的声调提出这项要求，致使被啤酒和兴奋搞得昏昏沉沉的贾尔斯和布里特尔斯彼此面面相觑，处于麻木状态。

"警官，请注意他们的回答，好吗？"医生说道，以极其严肃的姿态摇着食指，并用它轻轻地叩击自己的鼻梁，以显示正在运用这位大人物极度敏锐的观察力，"很快事情就会有结果的。"

警官尽量显得明断的样子，提起他的警棍：它一直懒洋洋地斜倚在壁炉边。

"你将会发现，这是一个简单的验明身份的问题。"医生说道。

"正是如此，先生。"警官说着，猛烈地咳嗽起来，因为他匆匆地将啤酒喝了，可是部分啤酒进入了气管。

"这是被窃贼破门而入的房子，"医生说道，"两个男人在弥漫的硝烟中，在一片惊恐、黑暗的混乱中瞬间看见了一个男孩。这是第二天早晨到同一幢房子的一个男孩，由于他碰巧有只胳膊包扎着，这两个男人就对他下毒手，从而使他的生命垂危，并发誓说他就是窃贼，现在的问题是，事实是否证明这两个人是正确的；如果不正确，他们把自己置于什么样的境地？"

警官深深地点头。他说，如果这不是权威性的断言，那么他倒乐意知道什么是权威性的断言了。

"我再问你一次，"医生怒喝道，"在庄严的誓言的约束下，你们能够辨认出这个男孩吗？"

布里特尔斯疑惑地看着贾尔斯先生，贾尔斯先生疑惑地看着布里特尔斯。警官将一只手作杯状置于耳朵后面，以便听清他们的回答，两个女仆和补锅匠探过身来倾听，医生敏锐地往四下里瞥了一眼。这时，从大门口传来了门铃声，与此同时，又传来了辘辘的车轮声。

"警官到啦！"布里特尔斯喊道，显然大大地松了一口气。

"什么人？"医生惊叫道，现在轮到他被吓呆了。

"博街①的巡警，先生。"布里特尔斯说着，拿起了一支蜡烛，"我和贾尔斯先生今天早晨派人去请他们来的。"

"什么？"医生嚷道。

"没错，"布里特尔斯回答道，"我让马车夫捎个口信去。我只感到纳闷，他们为什么不早点来。先生。"

"你们请他们来，是吗？那么你们该死的——该死的马车，这时候才到，我的话说完了。"医生边说边匆匆地走开了。

————————

① 伦敦市中心一街名，主要警察法庭的所在地。

第三十一章 本章涉及了一个危急情况

"谁呀？"布里特尔斯问道。门上还挂着链条，他把门开出一条缝，用一只手为蜡烛遮风，往门外窥探。

"开门，"外面的一个男人说道，"是博街的巡警，你们今天派人去请的。"

听这么一说，他大感宽慰，将门尽量地打开，迎面站着一个身穿大衣的魁梧的男人，他二话没说就走进来，在蹭鞋垫上擦鞋，从容得仿佛在自己家里一般。

"派个人去接替我的同事好吗，年轻人？"警官说道，"他在双轮马车里照看着马。你们这儿有没有马车房，好让这辆马车停上五分钟或十分钟？"

布里特尔斯做了肯定的回答，为他指了马车房。大个子男人又退到大门外，帮助他的同伴把马车安放停当。布里特尔斯则为他们掌灯，显出非常羡慕的样子。而后，他们重新回到屋里，被领进一个客厅里，脱去了大衣和帽子，露出了他们本来的样子。

敲门的这个男人中等身材、壮实、矮胖，年纪约莫五十岁上下，有一头剪得很短的发亮的黑头发，蓄着半截连鬓胡子，一张圆圆的脸和一双敏锐的眼睛。另一个红头发，骨瘦如柴，脚蹬长筒马靴，其貌不扬，翘鼻子，看上去样子挺凶的。

"告诉你家主人，布莱塞斯和达夫来了，好吗？"身材较胖的那位说道，他将平了自己的头发，将一副手铐放在桌上，"噢！晚上好，医生。对不起，我可以私下跟你聊几句吗？"

这话是对洛斯伯恩医生说的，他现在又露面了。医生示意布里特尔斯退下，自己将两位女士带进来，把门关上。

"这位是女主人。"洛斯伯恩医生指着梅利太太说道。

布莱塞斯先生鞠了一躬。主人请他坐下来，他将帽子放到地板上，坐到一张椅子里，并示意达夫也坐下来。达夫先生或者似乎不太习惯上流社会的交往，或者对这样的交往不那么自在，反正二者必居其一，四肢肌肉痉挛了一阵，并有点难堪地将手杖顶部塞进自己的嘴里之后，才坐了下来。

"嗨，关于这起抢劫案，医生，"布莱塞斯说道，"情况究竟如何呢？"

洛斯伯恩医生似乎想争取时间，便非常详细地、啰啰嗦嗦地叙述了盗窃案的情况。布莱塞斯先生和达夫先生看上去很老练，不时地互相点头表示会意。

"当然，要等到我亲自看了他们所干的活儿才能断定，"布莱塞斯说道，"不过，我初步的看法——我不介意在这一程度上发表自己的看法——这不是乡巴佬干的，是吗，达夫？"

"当然不是。"达夫回答道。

"而且，把'乡巴佬'这个词儿译给女士们听，我领会你的意思是，这事不是乡下人干的，是吗？"洛斯伯恩医生笑着问道。

"没错，医生，"布莱塞斯回答道，"这就是这个盗窃案的全部情况，是不是？"

"全部情况。"医生回答道。

"喂，仆人们正在谈论的这个男孩究竟是怎么回事？"布莱塞斯问道。

"一点事也没有。"医生回答道，"其中一个受惊的仆人竟以为他与破门而入的未遂的夜盗行动有些关系。但这是胡说八道，纯属荒唐。"

"如果是这样，那很容易解决。"达夫说道。

"他说的话完全正确。"布莱塞斯说道，他肯定地点了点头，并漫不经心地玩弄手铐，仿佛它们是一副响板①似的，"这孩子是什么人？他自己是怎么说的？他从哪里来？他该不是从天上掉下来的吧，医生？"

"当然不是，"医生回答道，忐忑不安地望了两位女士一眼，"我知道他的全部经历，但是这事眼下我们不能谈。我想，你们首先想看一看窃贼下手的地点吧？"

"当然，"布莱塞斯先生说道，"我们最好先检查房屋，然后询问仆人。这是办事的老规矩。"

于是，灯烛弄来了。布莱塞斯先生和达夫先生在地方警官、布里特尔斯、贾尔斯，总之在其他人的陪同下，走进了走道尽头的那个房间里，站在窗前往外看；又经由草坪绕到外头，从窗口往里瞧；接着，拿了一支蜡烛照着窗板察看了一番；后来，拿了一盏灯寻找脚印；临了又拿了一把干草叉搜索灌木丛。之后，在所有旁观者全神贯注的当儿，他们又回到屋里，贾尔斯先生和布里特尔斯对他们在前一天夜里的历险中出过的一份力作了夸张的描述：反反复复地讲了大约六次，彼此互相矛盾，第一次至少有一个重要的方面互相矛盾；最后一次至少有十二个重要的方面互相矛盾。这件事完成之后，布莱塞斯和达夫让大家离开房间。他们留下来一块商量了好长时间。相

---

① 用硬木或象牙制成，套在拇指上，跳舞时合击发音。

比之下，名医就最棘手的医术问题的会诊也只不过是儿戏而已。

与此同时，医生在隔壁房间里坐立不安，不断地来回踱步；而梅利太太和罗斯小姐的脸上带着焦虑的神色在旁边观望。

"说实在的，"医生在房里迅速地转了几圈之后戛然止步，说道，"我简直不晓得该怎么办。"

"无疑，"罗斯说道，"如实地向这两位警官重复这个可怜的孩子的经历，足以使他免罪。"

"我对此表示怀疑，亲爱的小姐，"医生摇了摇头说道，"我认为，不论是对他们还是更高级的法官来说，都不能使他免罪。毕竟，他们会问：他是干什么的？一个出逃者。仅从世俗的因素和趋势判断，他的经历是非常可疑的。"

"你相信他的经历，是吧？"罗斯插话道。

"说来奇怪，我相信他。也许我这样做是个老傻瓜。"医生回答道，"然而，我认为，这根本不是为经验丰富的警官编造的故事。"

"为什么不是呢？"罗斯问道。

"因为，我的漂亮的盘问人，"医生回答道，"因为在他们看来，他的经历中有不少丑陋之处；他只能证明显得对他不利的部分，不能证明那些有利的部分。这些该死的家伙，他们一定会问明原因，决不会把任何东西视为理所当然的。你瞧，据他自己说，他在过去某段时间里一直是盗贼的同伴。他因被指控扒窃一位先生的口袋而被送到警察局。他从那位先生家里被强行带到一个他既无法描述也无法指认的地方。他对那个地方的情况一无所知。他被两个男人带到彻特西。这两个人似乎特别喜欢他，不管他愿不愿意。后来，他被塞进一个窗口去抢劫一户人家；然后，正当他打算惊动这家子人，以便做出使自己走上正道、洗刷罪名的举动时，半路突然蹿出像笨狗般没教养的男管家，并向他开枪！仿佛有意阻止他做出任何对自己有益的事似的！这一切难道你不明白吗？"

"我当然明白。"罗斯对医生的急躁情绪一笑置之，回答道，"但是我仍然一点也不明白为什么要给这个可怜的孩子定罪。"

"不明白，"医生回答道，"当然不明白！愿上帝保佑你们女性的明亮的眼睛！不论好歹，它们只是看到问题的一面，而且总是看到它们最初见到的那一面。"

医生发表了一通经验之谈之后，将双手插进口袋，又以比刚才更快的速度在房里来回踱步。

"对这个问题我考虑得越多，"医生说道，"就越清楚，如果让这些人知道这孩子的真实经历，将会带来没完没了的麻烦和困难。我敢肯定他们不会相信。况且，即便最终他们不能怎么处置他，但继续把这事拖延下去，对此提出种种怀疑并张扬出去，实际上一定会妨碍你们把他救出苦海的慈善计划的。"

"噢！那该怎么办呢？"罗斯喊道，"天啊，天啊！他们为什么叫这些人来？"

"为什么，真是的！"梅利太太大声说道，"无论如何，我可不要他们到这儿来。"

"我们唯一的办法是，"洛斯伯恩医生终于异常冷静地坐下来，说道，"我们必须硬着头皮试着将这件事对付过去。我们的目的是正当的，据此我们就情有可原。这孩子患有严重的热病症状，其健康状况再也不允许任何人跟他交谈。这是一大慰藉，我们必须充分地利用它；如果毫无用处，那也不是我们的过错。进来！"

"好了，先生，"布莱塞斯走进房间说道，后面跟着他的同事，他先将房门关紧，然后才继续说道，"这案子不是预谋的。"

"那么究竟什么才是预谋的呢？"医生不耐烦地问道。

"当仆人介入的时候，女士们，"布莱塞斯侧过身来对她们说道，仿佛他可怜她们的无知，却又蔑视医生的无知似的，"当仆人介入时，我们就称它为预谋的抢劫案。"

"在本案中，没有人怀疑过他们。"梅利太太说道。

"很可能没有人怀疑，太太。"布莱塞斯回答道，"不过，尽管如此，他们本来可以介入。"

"正因为无人怀疑的缘故，他们更有可能介入。"达夫说道。

"我们发现，这是伦敦人干的，"布莱塞斯继续报告道，"因为作案的手法是一流的。"

"确实很巧妙。"达夫低声附和道。

"有两个人作案，"布莱塞斯继续说道，"他们还带来了一个男孩，从那扇窗口的大小一看就明白。眼下能说的就这么多。对不起，我们马上要看看楼上的那个孩子。"

"也许他们想先喝点什么，梅利太太？"医生说道，脸上露出喜色，仿佛他想出了新主意。

"噢！当然可以！"罗斯热情洋溢地大声说道，"如果你们愿意的话，这不过是举手之劳，马上可以办到。"

"哦，谢谢，小姐！"布莱塞斯说着，拉起衣袖在嘴上抹了一把，"这种差事容易令人口渴。什么方便就喝什么，小姐，别特意为我们劳神了。"

"喝什么呢？"医生说着，随小姐来到了餐具柜。

"来点儿烈酒，医生，如果你们无所谓的话。"布莱塞斯回答道，"从伦敦一路乘马车过来很冷，太太。况且我总是发现烈酒更容易御寒，令人有一种热乎乎的感觉。"

这一有趣的看法是向梅利太太发表的，她非常风雅有礼地采纳了。就在布莱塞斯正在向她发表这一见解时，医生悄悄地溜出房间。

"啊！"布莱塞斯先生说道，他不是拿着酒杯的脚，而是用左手的拇指和食指抓住杯底，把它举到自己的胸前，"在我一生中，像这类案子我见得多啦，女士们。"

"埃德蒙顿后巷的那次溜门撬锁案就是，布莱塞斯。"达夫先生帮着同事回忆道。

"那次作案的方式跟这次有点像，是不是？"布莱塞斯先生回答道，"那次是康基·奇克威德干的，没错。"

"你老是把那个案子挂到他头上，"达夫回答道，"那次是法米利·贝利干的，我可以肯定。康基跟那案子再没有任何关系，就像跟我没有任何关系一样。"

"胡说！"布莱塞斯先生反驳道，"我不至于如此无知。可是，你留心康基自己的钱被抢的时间了吗？那是多么令人吃惊的啊！比我读过的任何小说都精彩！"

"那是怎么回事？"罗斯问道。她迫不及待地想鼓励这两位不受欢迎的客人身上表现出来的任何愉快心情。

"这是一起本来谁也不会深究的抢劫案，小姐，"布莱塞斯说道，"这个康基·奇克威德——"

"康基的意思是大鼻子，小姐。"达夫插话道。

"小姐当然知道这个，是吧？"布莱塞斯先生问道，"怎么老打岔，你这个搭档！这位康基·奇克威德在巴特尔市里奇小巷开了一家客栈，小姐。他还拥有一个地窖，许多青年贵族都上那儿观看斗鸡、耍獾之类的把戏。游戏是以理性的方式进行的，我常常去观看。那时候，他还不是这个家族的一员；一天夜里，他放在粗帆布袋里的三百二十七个几尼被人抢走了。那是一只眼睛戴着黑眼罩的高个子男人从他的寝室偷走的。窃贼先躲在床底下，抢了钱之后突然纵身跳出窗外，因为那扇窗户只有一层楼高。他的动作敏捷。不过，康基的动作也很快，他被这一响声惊醒了，从床上一跃而起，用一把老式大口径短枪向小偷身后开了一枪，惊动了左邻右舍。他们马上大喊'抓贼'。当他们在附近搜索时，发现康基击中了盗贼，一路上血迹斑斑，直到相隔很远的围篱，血迹才消失。然而，强盗携带现金逃跑了。因此持有售酒执照的客栈老板奇克威德先生的名字就跟其他破产者一起出现在公报上。于是，为这个可怜人组织了形形色色的救济、捐款，诸如此类的活动不一而足。他因蒙受损失而情绪低落，连续三四天在大街上来回踱步，绝望地揪自己的头发，许多人担心他可能会自杀。一天，他匆匆忙忙地走进地方公署，私下会见了地方保安官，交谈了很长时间之后，保安官按铃命令和杰姆·斯派尔斯（杰姆是一个能干的警官）进来，叫他协助奇克威德先生捉拿抢劫他家的盗贼。'我看见他，斯派尔斯，昨天上午从我家经过。'奇克威德说道。'你为什么不霍地跳起来将他逮住？'斯派尔斯问道。'我太惊慌失措了，以致任何人用一支牙签就能使我的脑壳破裂，'这位可怜人说道，'不过我们一定能逮着他，因为晚上10点到11点之间他还会从我家经过。'斯派尔斯一听到这句话，就往口袋里装了一条干净的内衣和一把梳子，说不定他需要逗留一两天。然后，他出发了，把自己安置在客栈的窗口旁，用红色小窗帘作掩护。他戴着帽子，一切准备就绪，说出击就出击。夜深了，他正在这儿抽着烟斗，这时，奇克威德突然大喊'他来啦！捉贼！杀人啦！'杰姆·斯派尔斯冲了出来，看见奇克威德飞也似的跑到街上，边跑边大喊捉贼。斯派尔斯也跑了过去。奇克威德继续往前跑。人们转过身来，人人都高喊'捉贼！'而奇克威德本人也像发疯似的一直不停地叫喊。当他沿街角拐弯的时候，斯派尔斯有一瞬间再也见不到他的踪影；他飞快地冲过拐角，看到了一小群人，便探头进去。'哪一个是贼？''该死！'奇克威德说道，'又让他给跑啦！'这事非常蹊跷，但到处都找不到，于是他们又返回客栈。第二天早晨，斯派尔斯又守在老地方，从窗帘后面留心地守候一个一只眼睛戴着黑眼罩的高个子男人，直到他两眼再次发疼。最后，他忍不住合起双眼，想让它们放松片刻；就在他闭起双眼的当儿，他又听到奇克威德大喊：'他来啦！'他再次猛冲出去，奇克威德跑在他前头，已跑到沿街的半路上。在跑了比昨天多一倍的路程之后，那个贼又不见了！这样的追捕又重复了一两次，直到半数的邻居声称奇克威德是被魔鬼抢劫了,魔鬼以后又来捉弄他;而另一半邻居则认为可怜的奇克威德先生已因忧伤而发疯了。"

"杰姆·斯派尔斯是怎么说的?"医生问道。他在这个故事开始之后不久就回到房里了。

"杰姆·斯派尔斯,"警官继续说道,"有好长时间什么话也不说,却耳听八方,但表面上却看不出来,这表明他精通本行。可是有一天早晨,他走进酒吧间,掏出鼻烟盒,说道:'奇克威德,我已经找到抢劫犯了'。'是吗?'奇克威德说道,'噢,亲爱的斯派尔斯,只要让我报仇,我死也心甘!噢,亲爱的斯派尔斯,坏人在哪儿呢?''喂!'斯派尔斯说着,给了他一撮鼻烟,'别再胡说八道了!这全是你自己干的。'这事确实是他干的,而且从中他还赚了不少钱。倘若他不是这么急于想装门面,那么谁也不会发现!"布莱塞斯先生说着,放下酒杯,叮当一声把手铐合上。

"确实非常蹊跷,"医生说道,"现在,如果你们愿意的话,可以上楼了。"

"如果你愿意的话,先生。"布莱塞斯先生回答道。两位警官紧跟在洛斯伯恩医生后面,上楼来到奥利弗的房里,贾尔斯先生拿着一支点燃的蜡烛走在最前面。

奥利弗昏昏沉沉的,看上去病情更重了,热病也比表面看来来得严重。在医生的协助下,奥利弗设法在床上坐直了一分钟左右,眼睛看着这两个陌生人,根本不晓得是怎么回事——实际上,他似乎想不起来自己身在何处,或者发生了什么。

"这,"洛斯伯恩医生说道,他说话的声音很轻柔,却很热情,"这就是那个小孩。他因年幼无知,擅自闯入某某先生后面的庭园,而意外地被弹簧枪击伤,今天早晨来到这家求助,马上被手里拿蜡烛的这位机灵的先生逮住,并受到粗暴的对待。他已经将这孩子的生命置于非常危险的境地。作为医生我可以证明这一点。"

　　当贾尔斯先生被这样介绍给他们时，布莱塞斯先生和达夫先生的目光一直注视着他。这位手足无措的男管家怀着既恐惧又困惑不解的荒谬可笑的复杂心情先看看他们，又看看奥利弗，然后再看看洛斯伯恩医生。

　　"我想，你该不是想否认吧？"医生说着，又将奥利弗轻轻地放到床上。

　　"我这样做完全——完全出于好意，先生！"贾尔斯回答道，"我真的以为他就是那个男孩，否则我就不会干预他。我不是一个生性残酷的人，先生。"

　　"以为他是什么男孩？"年长的警官问道。

　　"盗贼的儿子，先生！"贾尔斯回答道，"他们——他们当然有一个男孩。"

　　"是吗？你现在还这么认为吗？"布莱塞斯问道。

　　"现在认为什么？"贾尔斯问道，毫无表情地望着提问人。

　　"还认为是同一个男孩？笨蛋。"布莱塞斯不耐烦地说道。

　　"我不知道，我真的不知道，"贾尔斯愁容满脸地回答道，"我当时不能断定。"

　　"你现在认为怎样？"布莱塞斯先生问道。

　　"我不知道该怎么认为，"可怜的贾尔斯回答道，"我认为他不是那个孩子。其实，我几乎可以肯定他不是。这不可能，你也知道。"

　　"这个人喝醉了吗，先生？"布莱塞斯回过头来问医生道。

　　"你真是一个大傻瓜！"达夫极其轻蔑地对贾尔斯先生说道。

　　在上述短短对话的过程中洛斯伯恩医生一直在给奥利弗诊脉。现在，他从床边的椅子站起来，说，如果警官对这个问题有任何疑问的话，不妨到隔壁房间问问布里特尔斯。

　　根据这一建议，他们走到隔壁房间。被叫到那里的布里特尔斯先生和他可敬的上司贾尔斯一样陷入一阵矛盾百出、无中生有的奇妙的迷惘中，除了他本人感到极其困惑外，对于解开这个疑案没有什么特别的帮助。事实上，他只是声称，如果此刻作案的小孩站在他面前，他也辨认不出来；他把奥利弗当作那个作案的孩子，只是因为贾尔斯先生说他就是这个小孩；况且，贾尔斯先生在五分钟前还在厨房承认，他开始感到非常抱歉，说他过于草率了。

在其他种种别出心裁的猜测中，后来他们又提出了这样的问题：贾尔斯是否真的开枪击中过任何人？检查了与他用过的那支配对的另一支手枪之后，发现原来除了装上火药和牛皮纸外，根本没有装上毁灭性的子弹。这一发现给每个人留下了很深刻的印象——医生除外，他在大约十分钟前把子弹取出来了。谁也比不上贾尔斯先生印象深刻。好几个小时以来，他一直在为致命地伤害一个同类而苦恼。现在，他已不得不抓住这一新的看法，极力加以赞成。最终，这两位警官不再怎么操心奥利弗的事，让彻特西的警察留在屋里，他们自己到镇上过夜，答应第二天早晨再回来。

翌日早晨，流传着这样的谣言，说有两个男人和一个男孩被关在金斯敦牢房里，他们是昨天夜里因形迹可疑被逮捕的。于是，布莱塞斯先生和达夫先生便赶到了金斯敦。然而，经调查，所谓形迹可疑终归变成了这样的事实：他们被人发现在干草堆下面睡觉。虽然这是一大罪行，但只能判处监禁；同时，从宽大的英国法律以及从法律对君主的一切臣民的博爱的角度看来，在没有其他证据的情况下要判那个睡觉者或那些睡觉者犯有伴随暴力的夜盗罪，从而让他们被处死，尚缺乏令人满意的证据。布莱塞斯先生和达夫先生一无所获，只好又悻悻地回来。

总之，经过进一步的审查和大量的交涉之后，附近的地方保安官终于被说服，允许梅利太太和洛斯伯恩医生联合保释奥利弗，但法庭一有传唤，奥利弗必须随叫随到。布莱塞斯和达夫获得两三个几尼的奖赏之后，带着对此案的不同看法回到了镇上。达夫先生在对所有的情况作出了成熟的考虑之后，倾向于认为这桩未遂的夜盗案系法米利·贝特所为；而布莱塞斯先生同样倾向于把这起案件的全部功劳归于大窃贼康基·奇克威德先生。

与此同时，奥利弗在梅利太太、罗斯和善良的洛斯伯恩医生的共同照料下渐渐地康复。倘若充满感激、发自内心、滔滔不绝的热情祷告在天国能够听到——如果它们不被听到，那算什么祷告！——那么，这个孤儿为他们祈求的神恩已进入了他们的灵魂，传播着安宁和幸福。

第三十二章　叙述奥利弗开始和善良的
朋友们过着幸福的生活

　　奥利弗的病痛既不轻也不少。除了被打断的手臂感到疼痛和延误护理之外，由于暴露在潮湿、寒冷的户外还引发了热病和疟疾。他病魔缠身达数周之久，使他瘦得皮包骨头。然而，他的健康状况终于渐渐地好转起来了，有时也能含着热泪说上几句，说他多么深刻地感受到两位女士的善良，多么热切地希望自己的身体变得强壮、痊愈之后，能够做点什么事表示他的感激之忱；仅仅做点什么，让他们可以看出他内心充满着的爱和责任，不论是多么微不足道的小事，都将会向他们证明，他们的慷慨和仁慈并没有白费，相反地，以他们的仁慈从痛苦和死亡中拯救出来的这个可怜的孩子渴望真心实意地为他们效劳。

　　"可怜的人儿！"当奥利弗有一天用虚弱的声音竭力说出浮现在他苍白的嘴上的这些感激的话语时，罗斯说道，"如果你愿意，你可以有许多替我们效力的机会。我们打算到乡下去，我伯母的意思是你可以陪我们去。用不了几天，那个安静的地方、纯净的空气，以及一切春天的乐趣和美妙的事物，就能使你的身体复原。如果你不怕麻烦的话，我们用得着你的地方多着呢。”

"麻烦！"奥利弗大声说道，"噢，亲爱的小姐，要是我能替你们干活，要是我能替你们浇花而让你们快乐，或者照看你们的鸟儿，或者整天跑上跑下来让你高兴，要是能够这样的话，我还有什么不愿付出的啊！"

"你什么也不用付出，"梅利小姐[①]笑着说道，"因为，正如我前面对你说的，我们用得着你的地方多着呢。要是你花刚才所承诺的一半的工夫来使我们开心，你确实会使我感到非常高兴的。"

"高兴，小姐！"奥利弗大声说道，"你这么说太厚道了！"

"无论我怎么说，也比不上你将给我带来的快乐，"年轻小姐回答道，"一想起我亲爱的、善良的伯母竟然是出力把一个人从你向我描述的那么痛苦的深渊中拯救出来的关键人物，我就感到有说不出的高兴。可是，知道了她的善行和怜悯的对象是个真诚感激的和有情义的人，这给予我的喜悦，你是难以想象的。你明白了我的意思吗？"她注视着奥利弗若有所思的脸，问道。

"噢，明白，小姐，明白！"奥利弗急切地回答道，"可是我刚才在想我现在是忘恩负义的。"

"对谁忘恩负义呢？"年轻小姐问道。

"对那位仁慈的老先生和那位可亲的老保姆。他们以前对我太关照了，"奥利弗回答道，"如果他们知道我现在多么幸福，我相信他们也会感到高兴的。"

"我相信他们会的，"奥利弗的女恩人说道，"洛斯伯恩医生已经答应在你能承受旅途劳顿的时候陪你去看望他们。"

"他答应了吗，小姐？"奥利弗喜形于色，喊了起来，"我再次见

---

① 即罗斯小姐，因为梅利太太收养她，把她视为自己的亲生女儿。

到他们慈祥的面容时简直会高兴得不知如何是好！"

不久以后，奥利弗的身体已恢复到禁得住这趟出行的辛劳了。于是有一天早晨，他和洛斯伯恩医生乘着梅利太太的一辆小型的四轮马车出发了。他们抵达彻特西大桥时，奥利弗顿时脸色煞白，大声尖叫起来。

"这孩子怎么啦？"医生像通常一样，慌忙喊道，"你看见什么啦——听见什么啦——感觉到什么啦——是吗？"

"那幢，先生，"奥利弗指着车窗外喊道，"那幢房子！"

"是的，那又怎么啦？停一下，车夫，在这儿停下。"医生大声说道，"那幢房子怎么啦，老弟，嗯？"

"那些窃贼——他们把我带进去的那幢房子！"奥利弗低声说道。

"这些浑蛋！"医生大声说道，"喂，好啦，让我下车！"

可是，马车夫还来不及从座位上下来，医生已经匆匆忙忙地设法爬出车厢，跑到那幢已废弃的房子前面，开始发了疯似的踢门。

"喂！"一个相貌丑陋、驼背的小个子男人说道，他的门开得太突然了，以至于医生因最后那一脚的冲力，差点儿往前扑倒在过道上，"这儿出了什么事了？"

"什么事！"医生不假思索地扭住他的衣领喊道，"事多着呢，抢劫案就是。"

"也许还有谋杀案呢。"驼子冷冷地回答道，"把你的手放开，听见没有？"

"我听见啦，"医生说着，对被他揪住的人猛摇了一下，"那个该死的家伙，那个恶棍的名字叫什么——赛克斯，对啦。赛克斯在哪儿，你这个窃贼？"

驼子瞪着眼，仿佛极其惊奇和愤怒似的。接着，他敏捷地从医生的紧握中挣脱开来，咆哮着发出一阵连珠炮似的、可怕的诅咒，然后退入屋里。然而，他还来不及关门，医生没有多费口舌就擅自进入客厅了。他焦急地往四下里看了看，客厅里没有一件家具，没有任何东西，不论是有生命还是无生命的；甚至连食橱的位置都与奥利弗的描述不符！

"喂喂！"驼子的目光一直敏锐地注视着他，说道，"你这样气势汹汹到我家来是什么意思？你想抢我，还是想杀我？究竟是哪一样？"

"你到底认不认识一个坐双驾马车出来抢劫、杀人的男人，你这可笑的老吸血鬼？"急躁的医生说道。

"那么，你想干什么？"驼子问道，"你滚开吧，免得我动手，天杀的！"

"我要在认为合适的时候走，"洛斯伯恩医生说着，又往另一个客厅里窥视。这个客厅像前面那个一样，一点也不像奥利弗所描述的那样，"我总有一天会把你揭露出来的，朋友。"

"是吗？"相貌丑陋的驼子冷笑道，"你什么时候来缉拿我，我都在这儿。我在这里已经住了二十五年了。我既不是傻瓜，也不是单独一人，还怕你不成！你必须为此付出代价的，你必须为此付出代价的。"说罢，这个畸形小恶魔大叫一声，在地上狂跳不已，仿佛气得发疯了似的。

"这事真是愚蠢之极，"医生喃喃自语道，"那孩子想必搞错了。喂！把这装进口袋，再将自己禁闭起来。"说着，他扔给驼子一枚硬币，重新回到马车里。

驼子一直跟到马车门口，一路发出最粗野的辱骂和诅咒；可是当洛斯伯恩医生掉过头去跟车夫说话时，他往马车里看，瞅了奥利弗一会儿，其目光如此锐利和凶狠，又那么疯狂和充满恶意，奥利弗在以后的几个月里不论醒来还是睡着都无法忘掉它。驼子继续发出最可怕的辱骂，直到马车夫重新坐回自己的座位。他们再次上路了，依然可以见到驼子远远地留在后面跺脚、揪头发，怒不可遏的样子——不论是真是假。

"我真蠢！"在长时间的沉默之后，医生说道，"你以前知道那个地方吗，奥利弗？"

"不知道，先生。"

"那么下一次别忘了。"

"真蠢，"沉默了几分钟之后，医生又说道，"即便地方没搞错，人也没搞错，我单枪匹马又能做些什么呢？就算有人帮我，这么干除了暴露自己，且不可避免地要说明自己是怎样遮掩此事的外，我看不出有什么用处。不过，那样我也是活该。我总是凭一时冲动行事，使自己陷入这样、那样的困境。这一教训也许对我有益。"

事实是：这位杰出的医生一生所做的任何事情都是凭一时的冲动。然而，他非但没有陷入任何特别的麻烦和不幸，却赢得了所有认识他的人的最真诚的尊重和敬佩。这是对他冲动的天性很好的恭维。说实在的，他在开头一两分钟之内是有点生气，因为他对获得有关奥利弗经历的佐证大失所望，而这正是他获得佐证的第一次机会。但他的怒气很快地平息下来了。同时，发现奥利弗的回答他的问题时依然像先前那么坦率和始终如一，依然带着像过去那样显而易见的真诚和真实表达出来，他决心从那时候起完全相信它们。

奥利弗知道布朗洛先生居住的那条街名，所以他们这回可以直接驱车到那儿。马车拐入这条大街时，奥利弗的心口如此剧烈地跳动，几乎透不过气来。

"好啦，孩子，是哪一栋房子？"洛斯伯恩医生问道。

"那一栋！那一栋！"奥利弗心急火燎地指向车窗外，回答道，"那栋白色房子。哦！快一点！请快一点！我觉得自己仿佛会死去似的。我激动得浑身发抖。"

"得啦，得啦，"善良的医生拍拍他的肩膀，说道，"你马上就可以见到他们了。他们发现你安然无恙，一定会非常高兴的。"

"噢！但愿如此！"奥利弗喊道，"他们待我太好啦，待我太好、太好啦。"

马车继续辘辘前行。它停了下来。不，不是那一栋，是另外一栋。马车又继续走了几步，然后又停下。奥利弗抬头仰望那些窗户，幸福的、期望的热泪从脸上淌下来。

哎呀！那栋白色房子是空的，窗口上贴了一张"招租"布告。

"敲敲隔壁家的门，"洛斯伯恩医生挽着奥利弗的手，大声说道，"过去住在隔壁的布朗洛先生怎么啦，你知道吗？"

仆人不知道，但她愿意进去问一下。不久，她回来说，布朗洛先生六周前已变卖了动产，前往西印度群岛去了。奥利弗两手十指交叉，身子无力地往后倒下去了。

"他的女管家也走了吗？"洛斯伯恩医生停了一会儿又问道。

"是的，先生，"女仆回答道，"那位老先生、女管家，还有布朗洛先生的一位朋友，他们一起走的。"

"那就打道回府吧，"洛斯伯恩医生对马车夫说道，"在你走出这该死的伦敦之前，中途别停下来喂马！"

"还有那位书摊的老板，先生？"奥利弗说道，"我认识去那儿的路。请去看看他吧，先生！一定要去看看他！"

"可怜的孩子，这一天已经够扫兴的了，"医生说道，"颇够我们俩受的了。如果我们再去找书摊老板，我们一定会发现他死啦，或放火把自己的房子烧啦，或跑掉啦。不，马上回家！"于是，在医生的一时冲动下，他们回家了。

这一会儿难堪的失意使奥利弗大为伤心和悲痛，尽管他此刻正处在幸福之中。在他生病期间，他曾多次想起布朗洛先生和贝德温太太将会对他说的话，以此聊以自娱。而且，告诉他们他度过了多少漫长的日日夜夜，回想他们为他所做的一切，悲叹与他们的痛苦的分离，这将是多么令人愉快的事啊。最终能为自己向他们辩白、解释自己如何被胁迫离开的希望，鼓舞着他、支持着他承受新近的种种磨难。如今，一想起他们已经到了那么遥远的地方，又在他们的记忆中保留着他是个骗子和盗贼的看法——直到他们临终可能依然无法改变的看法——几乎令他无法承受。

然而，这件事并没有引起他的恩人们的任何改变。又过了两周之后，当天气完全开始转晴，变得暖和的时候，当每一棵花草树木开始长出嫩绿的新叶，绽开富丽、鲜艳的花朵时，他们正在做离开彻特西的家几个月的准备。他们把曾经引起费金如此贪婪的金银器皿寄放在银行里，又留下贾尔斯和另一个仆人照看房子之后，动身前往远处的一个乡间别墅，并把奥利弗也带去。

谁能形容这个多病的孩子在内地乡村清香的空气里和青山密林中所感受到的心境的平静、安宁、快乐和喜悦！谁会晓得沉寂、宁静的景色，是如何深入到闷热、喧闹的城市中那些因痛苦而憔悴不堪的居民们的脑海里的，是如何带着它们的清新深深地进入他们精疲力竭的心里。终生辛勤劳作，生活在拥挤、禁闭的街道上并从未曾希望改变这些状况的人们，习惯已成为他们的第二天性的人们，以及那些几乎开始爱上了构成他们狭窄的日常活动天地的一砖一石的人们，当死神即将降临到头上的时候，最终也渴望能对大自然的面貌短暂地瞥上一眼；他们一旦远离了昔日的痛苦和欢乐的环境，似乎进入了一个崭新的生存状态。当他们日复一日地悄悄前行，来到一个绿草如茵、阳光灿烂的地方时，一见到天空、山脉、平原和波光粼粼的水域，他们心中马上唤起了无数的回忆，甚至预先体味着这种天堂滋味，便已减缓了他们身体的迅速衰老。于是，他们犹如几小时前见到从自家孤寂的寝室窗口西沉，从他们朦胧的、微弱的视力中消失的落日那样安详地死去！平静的乡间景色唤起的回忆不具有这个世界的特征，也不具有这个世界的思想和希望的特征。这些回忆的感化力可以教会我们如何为我们所钟爱的那些人的坟墓编织鲜艳的花环；可以净化我们的思想，并在这些感化力面前战胜旧仇宿怨；

然而在这一切下面，在还能思考的脑子里，这些情感依然存留着某个遥远时期早已持有一种模糊的和半成熟的意识。这种意识呼唤庄严、遥远时代的思想的来临，却将傲慢和俗气踩在脚下。

他们去的正是这么一个可爱的地方。一生中一直在邋遢的人群中、在嘈杂声和喧闹声中过日子的奥利弗，似乎在这儿开始进入了新的生活。玫瑰和忍冬依附在别墅的墙壁上；常青藤绕着树干蔓延；花园里的鲜花使空气散发出馥郁的香气。附近是一块小小的教堂墓地。它没有簇拥着高高的、不雅观的墓碑，却挤满了覆盖着新草皮和青苔的粗陋的坟墩，坟墩下面安息着这个村子的老祖先。奥利弗常常到那儿闲逛。想起他妈妈长眠的那座凄凉的坟墓，他有时会坐下来偷偷地啜泣；可是，当他举目对着头顶上深邃的天空时，他不再想到她躺在地下，虽常常伤心地为她垂泪，但不觉得痛苦。

这是一段幸福的时光。白天宁静、安详；夜晚也不会带来恐惧和忧虑；没有在糟糕不堪的监狱里的忧郁，也不必结交那些不幸的男人；除了令人愉快和幸福的思绪外，什么也没有。他每天早晨去找那位白发苍苍的老先生。这位老先生住在小教堂附近，他教奥利弗读书、写字。他说话如此和蔼、如此耐心，奥利弗无论怎样竭力使他高兴都不为过。然后，他常常陪梅利太太和罗斯小姐一块散步，听她们谈论书本，或者在某个阴凉处坐在她们身边，听年轻小姐朗读。他可以一直这样听下去，直到天太黑了，看不见书上的字。接着，他要准备第二天的功课。他常常在一个面朝花园的小房间里用功，直到夜幕徐徐降临。这时，女士们又要出去散步。他陪同她们散步，乐滋滋地倾听她们所谈论的一切。倘若她们要他攀折一朵花，或跑回去取一件她们忘了的东西，他总是乐此不疲，恨不得马上办到。当天色已晚，他们回到家里时，年轻小姐就坐下来弹钢琴，弹奏一支悦耳的乐曲，或以低柔的声音唱一首她伯母喜欢听的旧歌。在这样的时刻从不点蜡烛，奥利弗就坐在其中的一扇窗口旁出神地聆听着优美的音乐。

星期天到来时，在这里过星期天的方式跟以前多么迥然不同！而且又是多么愉快，犹如这段最愉快的时光中的其他日子一样！早晨的小教堂，绿叶在窗口飘动，小鸟在户外啾鸣，芳香的空气悄然地飘进低矮的门廊，使这栋朴实的建筑物弥漫着馥郁的芳香。那些穷人穿得那么整齐、干净，那么虔诚地跪着祈祷，他们一起聚集在教堂里似乎不履行冗长乏味的义务，而是一种乐趣。虽然唱诗的歌声也许是拙劣的，但它是真实的，听起来（至少在奥利弗听来）比他以前在教堂里听过的任何歌都悦耳、动听。接着，是通常的散步和走访许多劳动者干净的住宅。晚上，奥利弗读一两章《圣经》。他整星期都在读《圣经》。在完成这项任务的过程中，他觉得比自己当上牧师还要自豪和高兴。

清晨，奥利弗6点就开始在田野上漫游，从四处的树篱上采摘一束束野花，满载而归。他对这些野花加以精心挑选，以便装饰早餐餐桌。他还用新鲜的野生植物千里光来喂养梅利太太的鸟。奥利弗在能干的乡村牧师的指导下一直在钻研这门手艺，并以最令人称许的鉴赏力用千里光来装饰鸟笼。把这些鸟儿打扮得整整齐齐、漂漂亮亮之后，奥利弗通常到村子里履行某个小小的慈善任务；或者如果没有任务的话，偶尔打打板球，有时就在草地上进行；再不然的话，花园里总有点活儿干，也不过就是一些花草树木的活儿。奥利弗（他一直在向同一位老师学习这门技术，这位老师是搞园艺的）怀着由衷的诚意力于照料这些植物，直到罗斯小姐露面。这时，她总会对他所做的一切赞不绝口。

于是，三个月一晃就过去了。这三个月在那些最幸运的、最得宠的人们的一生中也许是纯粹的欢乐，可是在奥利弗的一生中，这三个月则是真正的幸福。一方是最纯洁、最亲切的慷慨行为，另一方是最真诚的、最热烈的、最刻骨铭心的感激之忱。难怪三个月结束之后，奥利弗·特威斯特已经和老太太及其侄女完全融为一体了，强烈的爱在他那颗年轻的、敏感的心中燃烧，而她们回报了他的爱，并引以为豪。

第三十三章 在本章中，奥利弗和他朋友们的 幸福生活突然中断

春天稍纵即逝，转眼间夏天来临了。倘若这个村子当初在春天里是漂亮的话，那么，现在则是鲜艳夺目、郁郁葱葱了。几个月前看上去皱巴巴、光秃秃的大树如今突然迸发出强大的生命力和勃勃生机，伸出它们绿色的枝叶遮盖着干燥的地面，把开阔、裸露的地方变成了优良的隐蔽处。这儿有浓密、宜人的树荫，从这儿可以眺望沐浴在阳光下延伸到远处的大片景色。大地已经披上了最鲜艳的绿色斗篷，到处散发出最浓烈的芳香。这是一年之中的朝气蓬勃的全盛时期，万物欣欣向荣，一派繁荣景象。

然而，在小小的别墅里，人们继续过着平静的生活。同样欢乐、恬静的生活依然支配着别墅里的人们。奥利弗早已变得强壮、健康了。然而不管健康或病患，丝毫也不影响他对自己身边的人的亲切情感。尽管它们会影响许多人的情感。他仍然像病痛消耗他的体力、依赖照料他的那些人的悉心照料和安慰的时候那么温顺、忠诚和充满深情。

一个美丽的夜晚，他们外出散步的时间比平常长了一些，因为

那天天气异常暖和，而且明月当空，和风吹拂，确实令人心旷神怡。罗斯也一直兴致勃勃的，他们谈笑风生，继续往前散步，直到远远地超出了他们通常的散步范围。因梅利太太太累了，他们以比平时缓慢的速度走着回家。年轻小姐只是匆匆地脱掉朴素女帽，如平常一样坐下来弹钢琴。她的手指心不在焉地在键盘上飞快地掠过，几分钟之后，她开始弹奏一支低调的、非常严肃的曲子。她弹奏时，他们听到她仿佛在哭泣。

"罗斯，亲爱的!"老太太说道。

罗斯没有回答，却弹得更快了，仿佛这句话把她从一些痛苦的思绪中唤醒似的。

"罗斯，亲爱的!"梅利太太喊道，她迅速地站起来，将身子贴近她，"怎么啦? 你在流泪! 亲爱的孩子，什么事使你这么伤心?"

"没什么，伯母，没什么，"年轻小姐回答道，"我不知道是怎么回事。我说不上来，但我觉得——"

"不是生病吧，亲爱的?"梅利太太插话道。

"不是，不是! 噢，不是生病!"罗斯回答道，她说话的时候浑身直哆嗦，好像有股致命的寒气从她的头上掠过似的，"我很快就会好的。请把窗户关上!"

奥利弗赶紧满足她的要求，将窗户关上。年轻小姐努力恢复她的愉快心境，力求弹奏一支比较轻松活泼的曲子，可是她的手指却无力地停落在键盘上。她双手掩脸，坐到一张沙发上，眼泪像断了线的珠子扑簌簌地往下掉，现在她再也忍不住了。

"孩子!"老太太说道，张开双臂将她抱住，"我以前从未曾见过你这样。"

"如果我能够避免，我就不愿让你担忧，"罗斯回答道，"实际上我已经努力试过了，可还是无能为力。我恐怕是病了，伯母。"

她确实病啦。当蜡烛拿上来时，他们发现自从散步回来才过了一会儿，她的脸色已经变得如大理石一样苍白。她的脸丝毫没有失去其美貌，但它确实改变了。她那温柔的脸上充满着忧虑的、憔悴的神色，这是以前从未曾有过的表情。一会儿之后，她的脸上泛出深红色的红晕。她那双温柔的蓝眼睛变得异常狂野。不一会，这种现象又消失了，犹如一朵浮云投下的阴影似的。她的脸色再次变得死一般的苍白。

奥利弗焦虑不安地注视着老太太，发现这些现象使老太太颇为恐慌。其实，他自己也是如此。可是，见到她装作不在乎的样子，他也竭力这么做。他们做得很成功，以至于当伯母劝罗斯上床睡觉的时候，罗斯的情绪已好些了，甚至身体看上去也好些了。罗斯叫他们放心，她相信第二天早上醒来时就没事了。

"但愿没有什么要紧吧？"梅利太太回来后，奥利弗说道，"虽然她今晚看上去身体不适，但是——"

老太太示意他不要说话，她自己在房间的　个黑暗的角落里坐下来，好长一会儿一声不吭。终于，她以颤抖的声音说道："但愿没什么要紧，奥利弗。几年来我跟她在一起一直很幸福。也许太幸福了。可能该是我遭遇什么不幸的时候了。不过，但愿不是这样。"

"什么样？"奥利弗问道。

"失去这个可爱的女孩子而遭受沉重打击。"老太太说道，"这么长时间以来她一直是我的安慰和幸福。"

"噢！但愿不是这样！"奥利弗慌忙惊叫道。

"愿你遂心所愿，我的孩子！"老太太使劲地绞扭着双手，说道。

"肯定不会发生那么可怕的事吧？"奥利弗问道，"两小时以前她还好好的。"

"她现在病得很重，"梅利太太回答道，"而且病情还会变得更糟，真的。我亲爱的、亲爱的罗斯！噢，没有她我该怎么办呢？"

她禁不住悲伤万分，奥利弗只好抑制住自己的情感，冒昧地规劝她，同时，真诚地恳求她，为了这位可爱的姑娘本人的缘故，她应该更加镇定。

"况且，你想想，太太，"奥利弗说道，止不住泪眼汪汪，尽管他努力克制自己，"噢，想一想她是多么的年轻和善良，她给身边的人带来多大的欢乐与安慰。我相信——肯定——非常肯定——为了你的缘故，你多么善良，为了她自己的缘故，为了所有从她那儿得到这么多幸福的人们的缘故，她不会死。上帝决不会让她这么早夭折的。"

"嘘!"梅利太太说着，将一只手搁在奥利弗的头上，"你想得太天真了，可怜的孩子。不过，无论如何，你让我知道我自己的责任。我一时将它给忘了，奥利弗。但愿我能得到宽恕。我年纪太大了，看够了疾病和死亡，深知与我们所爱的人分离的极度痛苦；我还看够了这种情况，知道未必最年轻和最善良的人因有那些爱他们的人而得以幸免；不过，在我们的悲哀中，这种想法应该让我们感到安慰，因为上帝是公正的；而且，这些事情告诉我们：还有一个比这个世界更加光明的世界，而通往这个世界是迅速的。上帝的意志必须服从!我爱她，上帝对此了如指掌!"

见到梅利太太说出这番话时仿佛在努力地抑制自己的悲伤，并且昂首挺胸，变得镇定和坚强起来，奥利弗感到大为诧异。见到这种坚强持续下来了，而且梅利太太对紧接下来的照料和看护已做了充分准备，镇定自若地、从容不迫地，况且就外表看来甚至是兴致勃勃的履行她所肩负的一切职责，奥利弗更为惊奇了。可是，他还年轻，还不晓得人们在逆境中能表现出多么坚强的意志。拥有坚强意志的人都很难得了解他们自己，奥利弗又怎能懂得呢?

接踵而至的是一个令人忧心忡忡的夜晚。当早晨来临时，梅利太太的预言得到了很好的验证。罗斯处于危险的高热病的第一阶段。

"我们必须积极主动，奥利弗，不可以屈服于徒劳的忧伤，"梅利太太说着，将一只手指放在嘴唇上，一边目不转睛地直视着他的脸，

"这封信必须以最快的速度送到洛斯伯恩医生手里。必须先将它送到集镇。若走田野的小路，集镇离这儿最多四英里。信从那儿由专差骑马快递，直达彻特西。让客栈里的人把信送出去。我知道我可以信任你监督他们把信送出去。"

奥利弗未能作答，但脸上露出焦虑的神色，巴不得立即出发。

"这儿还有另一封信，"梅利太太停下来想了一下，说道，"不过，我也拿不定主意，是现在送去，还是待我观察罗斯的病情演变情况后再说，除非我所担心的最坏的情况发生了，否则，我就不把这封信寄出去。"

"这封信也是发往彻特西的吗，太太？"奥利弗问道。他急于要办所托之事，伸出一只颤抖的手要接这封信。

"不是。"老太太回答道，机械地将信交给了他。奥利弗粗略地看了一下信封，发现是寄往乡下某个大勋爵住宅，交哈里·梅利先生收的，在什么地方他弄不懂。

"这封信也要发出去吗，太太？"奥利弗焦急地抬起头来问道。

"我看先别发出去，"梅利太太说着，又把信收回来，"等明天再说吧。"

说完，她将钱包交给奥利弗。奥利弗立即以最快的速度出发。

他迅速地穿过田野，沿着田野的乡间小道奔跑。这些小道时而几乎被两边高高的玉米遮住，时而出现在一片开阔的田野上：那儿，收割者和晒干草的人正忙着农活。除了不时地停几秒钟喘口气外，他不曾停卜来，直到他浑身发热，风尘仆仆地来到那座镇上的小集市。

他在这里停下来，四处寻找客栈。这儿有一幢白色房子是银行，一幢红色的房子是酿酒厂，一幢黄色的房子是镇公所。在一个角落里有一座大房子，它的木头部分全部漆成绿色，房子前面的招牌上有"乔治客栈"的字样。他一见到这块招牌，就立即往那儿奔去。

他问了一个正在门口打盹的邮差。邮差听了他要办的事后叫他去找马夫；马夫听了他再次陈述来由后，又叫他去找客栈老板。店主是个高个子，系蓝领结、戴白帽子、穿土黄色马裤和一双靴面与马裤颜色相配的长筒靴子，正倚在马厩门边的水泵上，用银牙签剔牙。

这位先生慢吞吞地走进酒吧间去开账单——花了好长时间才开好。等开好之后付了账，得给一匹马上鞍，邮差还得穿好衣服，这样足足又花去十分钟。在这段时间里，奥利弗焦急不堪、忧心如焚，恨不得亲自跨上那匹马，拼命地飞驰到另一站。终于，一切准备就绪，那个小包裹递上去了。奥利弗又是吩咐，又是请求，要求迅速地把信送出去，邮差这才策马嗒嗒嗒地越过集市高低不平的石子路，几分钟之后便出了镇，沿着收税大道疾驰而去。

奥利弗觉得请求救援的信肯定已发出去，且时间没有耽误，这多少是一种安慰。于是，奥利弗以较轻松的心情匆匆地走过客栈的院子。他正要离开大门口，这时，意外地撞在一个裹着斗篷的高个子男人身上。这个人此刻正从客栈的大门出来。

"哈！"这男人喊道，眼睛定定地盯着奥利弗，突然往后退缩，"这究竟怎么啦？"

"对不起，先生，"奥利弗说道，"我正急着要赶回家，没有看见你走过来。"

"要死啦！"这男人喃喃自语道，睁大一双乌黑的大眼睛对这个孩子怒目而视，"谁会料到有这样的事！把他磨成灰！否则，他还会从石棺里突然站起来，挡住我的去路！"

"对不起，"奥利弗结结巴巴说道，这个怪人的疯狂神色扰得他心慌意乱，"但愿我没有伤到你！"

"浑蛋！"这男人暴跳如雷、咬牙切齿地咕哝道，"要是我过去有勇气说这话，我一夜之间就能摆脱你。愿灾祸降临在你头上，黑死病降临在你心脏里，你这个小魔鬼！你在这儿干什么？"

这男人一边语无伦次地说出这些话，一边挥舞着拳头。他朝着奥利弗走过来,仿佛想给他一拳似的,可是他却猛然瘫倒在地,突然满地打滚,口吐白沫。

奥利弗呆呆地看了一会儿这个疯子(奥利弗以为他是个疯子)的挣扎,然后冲到屋里求救。见到他被安全地抬进客栈后,他才掉头往回走。他尽快地奔跑,以便把耽误的时间夺回来,同时,带着极大的惊奇和后怕回想起他刚刚遇到的那个男人的古怪行为。

然而,这件事并没有很久地停留在他的记忆里,他抵达别墅时有太多的事让他牵挂着,使他完全没有考虑自身的余地。

罗斯·梅利的病情迅速地恶化了,不到半夜,她已神志不清。一位当地的医生昼夜护理着她。他第一次给她看病之后,就把梅利太太拉到一边,宣称她的病情十分令人忧虑。"事实上,"他说道,"如果她痊愈了,那简直是奇迹。"

那天夜里,奥利弗有多少回从床上跳起来,蹑手蹑脚地溜到楼梯口,侧耳倾听从病室里发出的最微弱的气息!不知有多少回他被突然响起的脚步声吓得浑身直哆嗦,额头直冒恐怖的冷汗!他担心某种可怕的令人不敢想的事已经发生了。他怀着极大的痛苦和悲哀的心情,为蹒跚在深深的坟墓边缘的这位温柔的姑娘的生命和健康祈祷!相比之下,他过去曾经做过的一切祈祷在热切程度上差得太远了!

噢!当我们所深爱着的一个人的生命处于危急之中的时候,那种站在一边束手无策的焦虑实在可怕。噢!由于脑海里浮现出的影像而涌上心头的折磨人的想法使人心跳加剧、使呼吸加快。那急于想做点什么,以减轻痛苦或减少危险的不顾一切的热望(我们没有能力减轻这种痛苦或危险),那可悲地回想起我们的孤立无助所产生的灵魂和精神的颓丧,有什么折磨能比得上这些折磨;在这最紧要、最关键的时刻,有什么主意和尝试能够消除它们呢!

早晨来临了,小别墅既荒凉又寂静。人们低声地说话,焦虑的面孔不时地出现在大门口，妇女和儿童噙着眼泪离去。整整一个白天及天黑后的几小时里，奥利弗轻轻地在花园里来回踱步，每一瞬间都抬起头来仰望那个病室，见到那扇变暗的窗户便战栗起来，它看上去像是死神伸展着四肢躺在房子里面似的。夜深了，洛斯伯恩医生终于来了。"这实在令人难以忍受，"医生说道，他说话时将头侧了过去，"这么年轻，这么受人疼爱，可是希望非常渺茫了。"

又一个早晨来到了。阳光灿烂，灿烂得仿佛看不到痛苦或忧伤。白肤金发的年轻小姐正躺在病榻上，身体迅速地衰弱下去，而她周围的花草树木正枝叶繁茂，鲜花盛开；生命、健康、欢乐的声音和景象正全方位包围着她。奥利弗蹑手蹑脚地走到旧教堂墓地，坐在其中的一座绿草萋萋的坟墩上，默默地为她垂泪，为她祈祷。

景色如此寂静、优美；阳光照耀下的风景如此璀璨夺目、如此充满欢乐；夏日百鸟的歌声如此轻快悦耳；头顶上急速翱翔的白嘴鸦如此自由自在；世间万物如此生机勃勃、充满欢乐，以致当这个孩子抬起发疼的双眼环顾四周时，他本能地想到：这不是死亡的时刻。既然这些小东西都如此欢畅，罗斯肯定不会死的；坟墓只适合于寒冷和阴郁的冬天，与阳光和芬芳是格格不入的。他几乎认为，裹尸布只适用于老朽、皱缩的尸体，它们从不以其可怕的褶层来包裹年轻、优美的形体的。

教堂的一声钟声无情地打断了他这些散发着青春气息的稚气的思绪。又一声！再一声！它是为葬礼而鸣的。一群地位卑微的送葬者走进墓地大门，身上佩戴着白色丝带，因为死者尚年轻。他们脱帽伫立在坟墓旁，在哭泣的出殡行列中有一位母亲——死者的母亲。但是阳光依然灿烂，百鸟继续歌唱。

奥利弗掉头往回走，一边思量着他从年轻小姐那儿得到的诸多帮助，希望再有这样的机会，以便他可以不断地向她表示他对她多么感激和依恋。他没有理由为自己的怠慢或不周到而自责，因为他始终一心一意地为她效劳。然而，许许多多的场合浮现在他眼前。在这些场合中，他想象自己本来可以更热情些、更真挚些，可惜他没有。每当一个人去世时，总会使某个小圈子里活着的人想到这么多的事忽略了，这么多的事还没有做。想到这么多的事给忘了，还有多少事本来是可以弥补的。因此如何对待我们身边的人，我们就需要十分谨慎！再也没有比徒劳的后悔更令人痛心的了。倘若我们想免遭这种后悔的折磨，让我们及时地记住这一点吧！

他到家时，梅利太太正坐在小客厅里。一见到她，奥利弗的心就猛然下沉了，因为她从未曾离开侄女的病榻半步。一想起有变化会驱使她离开，他便浑身发抖。他获悉罗斯已经酣睡，她将会从酣睡中醒来。届时，她要么痊愈和活过来，要么向他们告别，然后与世长辞。

他们接连几小时坐在那儿，倾听着，不敢讲话。饭菜原封不动地撤回去了。他们带着心不在焉的神情观看太阳越沉越低，终于，它给天空和大地投射出预示日落的万道霞光。他们灵敏的耳朵听到了朝他们走过来的脚步声。洛斯伯恩医生进来时，他们都本能地冲到门口。

"罗斯的情况怎样？"老太太叫道，"马上告诉我！我能受得了；只是受不了悬念！噢，告诉我！看在上帝的分上！"

"你必须镇定，"医生扶着她说道，"请镇静，亲爱的太太。"

"看在上帝的分上，放开我！我亲爱的孩子！她死啦！她快死啦！"

"不！"医生激动地嚷道，"由于上帝是善良的慈悲的，她今后还会活好多好多年，来为我们大家祝福。"

老太太跪了下来，想交叉十指，可是，这么长时间支撑着她的活力，连同她第一次的感恩祷告一起逃往天国去了。她瘫倒在展开双臂接纳她的朋友的怀抱里。

第三十四章　本章包括对现在登场的一位年轻先生的初步介绍，以及奥利弗的一次新的奇遇

这太令人高兴了，简直令人难以消受。奥利弗被这一意料不到的消息弄得目瞪口呆、不胜惊愕。他既哭不出来，也说不出话来，更无法安下心来。他简直无法明白已经发生了什么事，直到他在静谧的夜风中漫步了很久之后，才突然宽慰地放声大哭。他似乎一下子认识到已经发生的这一令人高兴的变化，以及从心中卸下的几乎令人难以忍受的痛苦重负的全部含义。

当他往回走的时候，夜幕正很快地降临。他捧着许多为装饰病室而精心挑选的鲜花。他沿着那条路轻快地行走，突然听到身后响起马车疾驰的声音。他掉头一看，发现一辆驿站马车，正飞快地向他疾驶过来。马在飞奔，路又窄，奥利弗就倚靠在一道门上站着，等待马车过去。

马车朝前猛冲过去的时候，他瞥见一个头戴白睡帽的人。他似乎觉得这个人有点面熟，尽管这一瞥太短暂了，他认不出来。一两秒钟之后，戴睡帽的脑袋突然伸出车窗外，一个洪亮的声音吼叫马车夫停下来。马车夫让马车停下了。接着，睡帽再度出现，同一个声音

直呼奥利弗的名字。

"喂!"那个声音喊道,"奥利弗,有什么消息吗?关于罗斯小姐的消息!奥利弗少爷!"

"你是贾尔斯吗?"奥利弗跑到马车门前,大声说道。

贾尔斯突然又把戴睡帽的脑袋探出来,预备回答的样子。这时,坐在马车另一个角落里的一位年轻先生突然把贾尔斯往后拉,心急火燎地问有什么消息。

"一句话!"这位先生大声说道,"病情好转还是恶化?"

"好转——好多啦!"奥利弗急忙回答道。

"谢天谢地!"这位先生惊叫道,"你敢肯定吗?"

"十分肯定,先生。"奥利弗回答道,"这种变化仅仅数小时前才发生。洛斯伯恩医生说这一切危险都过去了。"

这位年轻先生不再吭声,却打开车门,从车上跳下来,慌忙抓住奥利弗的手臂,把他带到一边。

"你完全肯定吗?你不会弄错,是吧,老兄?"这位先生以颤抖的声音问道,"别唤起无法实现的希望来欺骗我。"

"我决不会这样,先生。"奥利弗回答道,"其实,你可以相信我。洛斯伯恩医生的原话是'她今后还会活好多好多年,来为我们大家祝福'。我听见他这么说的。"

当奥利弗回想起这番欢乐开端的那一场面时,他的双眼噙着泪水;那位年轻先生把脸掉过去,有几分钟一言不发。奥利弗认为自己不止一次听到他的啜泣声,但奥利弗不敢重新开口来打扰他——因为他完全可以猜出他此刻的心情——于是,他站到一边,假装忙着整理手中的花束。

在这段时间里,贾尔斯先生戴着白睡帽,一直坐在马车的踏板上,双肘分别支撑在双膝上,用一条缀满白点的蓝色棉手帕擦眼泪。这位年轻先生侧过身来跟他说话时,贾尔斯用一双通红的眼睛凝视着他，这充分地表明这位老实人一直在掩饰着自己的情感。

"我想，你最好坐马车继续前往我母亲那儿，贾尔斯，"他说道，"我倒想慢慢地往前走，以便在见到她之前赢得一点时间。你可以告诉我母亲，我马上就到。"

"请原谅，哈里先生，"贾尔斯说道，用手帕最后擦了擦脸上的泪痕，"可是如果你们能让邮差去转达这句话，我将会非常感激。让女仆们看到我这副样子不妥，先生；要是让她们看到了，我在她们中间就再没有威信了。"

"好吧，"哈里·梅利笑着回答道，"随你便，让邮差带着行李先走，诚如你所愿，然后你跟我们走。只是先把睡帽脱掉换上更得体的帽子，否则，人家会以为我们是疯子。"

贾尔斯被提醒服饰有失体统之后，把睡帽脱下来一把塞进口袋里，然后，换上一顶从马车上取出的式样庄重、朴素的帽子。之后，邮差驱车离去，贾尔斯、梅利先生和奥利弗在后面悠闲地跟着。

就在他们朝前走的时候，奥利弗以极大的兴趣和好奇心不时地瞅上这位新来者一眼。他的年纪看上去约摸二十五岁，中等身材，相貌坦诚、英俊，举止随和、大方。尽管他同老太太之间年龄差距很大，但他长得太像老太太了，如果他未提及她是他母亲，奥利弗也不难猜出他们之间的母子关系。

哈里抵达别墅时，梅利太太正心急火燎地等着接她儿子。这次见面双方都非常激动。

"妈妈！"年轻人低声说道，"你为什么不早点给我写信？"

"我早就写了，"梅利太太回答道，"可是经考虑之后，我决定把信扣下来，待我听了洛斯伯恩医生的意见再发出去。"

"可为什么呢？"年轻人说道，"为什么冒这种风险呢，这样的事差点儿发生呀！倘若罗斯已——我现在说不出这个词儿——如果这场病的结果不是这样，你怎能原谅自己！我怎能再尝到幸福的滋味！"

"如果情况是那样的话，哈里，"梅利太太说道，"我怕你的幸福就全毁了，你早一天或晚一天抵达这儿已经无关紧要了。"

"如果果真如此，谁会感到奇怪呢，妈妈？"年轻人回答道，"再说，我为什么要说'如果'呢——这是——这是肯定的——你知道，妈妈——你想必知道！"

"我知道，她应该得到男人可以奉献出的最好、最纯洁的爱情，"梅利太太说道，"我知道，她天性的忠诚和感情所需要的不是一般的回报，而应该是深厚的、持久的回报。如果我没有深切地感受到这一点，也不知道她所爱的人的行为的变化会使她心碎，那么，当我履行在我看来是严格的职责的时候，我就不会觉得我的任务如此难以完成，或者在我心里不得不产生这样激烈的思想斗争了。"

"这是冷酷的，妈妈，"哈里说道，"你还以为我是一个不了解自己的想法、误解自己灵魂的冲动的毛孩子吗？"

"我以为，亲爱的孩子，"梅利太太将一只手搁在他肩上，回答道，"青春具有许多慷慨的、无法持久的冲动；在这些冲动中，有些因为得到满足而稍纵即逝。我想，尤其是，"老太太的眼睛定定地盯着她儿子的脸，说道，"一个热情的、忠实的和雄心勃勃的男人同一个名誉受玷污的女人结婚——尽管这污点不是因为她的过错引起的——但是，冷酷的和卑鄙的人可能会将这污点强加于她，甚至强加于他们的孩子，而且，这个男人在事业上越成功，他就越可能受到奚落和成为嘲笑的对象。无论他的天性多么慷慨和善良，有朝一日，他可能会后悔年轻时建立起来的婚姻关系，而她可能会痛苦地知道他在后悔。"

"妈妈，"年轻人急躁地说道，"那个有此种行为的人将是一个自私自利的畜生，既辜负了一个人的名声，也配不上你所描述的那个姑娘。"

"这只是你现在的想法，哈里？"他母亲说道。

“永远是这么想的！”年轻人说道，“最近两天里我遭受的精神上的痛苦，迫使我坦率地向你承认自己的恋情。这，正如你清楚地知道的，既不是昨天才有的，也不是草率建立起来的。我的心已经倾注在亲切、温柔的姑娘罗斯身上：我的坚定程度比得上任何男人对女人的倾心！我的全部思想、观点、希望和她分不开。如果你在这个有着重大利害关系的问题上反对我，那你就将我的安宁和幸福牢牢地抓在你的手中，将它们抛到九霄云外。妈妈，改变这个想法，也改变对我看法吧，别漠视你似乎考虑得很少的别人的幸福。”

“哈里，”梅利太太说道，“正因为我对热情、敏感的情感考虑得太多了，我才不愿意让这种情感受到伤害。不过，我们现在对这个问题谈得够多了，简直太多了。”

“那就由罗斯来决定吧。”哈里插话道，“到目前为止，你不会坚持你的这些过分牵强附会的观点，以致阻碍我吧？”

“我不会，”梅利太太回答道，“可是我要你考虑——”

“我已经考虑过了！”哈里不耐烦地回答道，“妈妈，我已经考虑了好多年啦。自从我有了严肃的思考能力之后，我就已经考虑过了。我的感情依然没有改变，今后也不会改变；为什么我该遭受延迟吐露这些感情的痛苦呢？这没有任何好处。不！在我离开这里之前，罗斯必须听我表白。”

“她必须听。”梅利太太说道。

“从你的态度似乎可以悟出点什么，这几乎意味着罗斯将会冷淡地听我的表白，妈妈。”年轻人说道。

“不是冷淡地，”老太太回答道，“远非如此。”

“那将会是怎样的呢？”年轻人催促道，“她没有爱上别人吧？”

“这倒没有，”他母亲回答道，“你对她的感情已经具有很强的控制力，要不然就是我看错了。我想说的是，”老太太在儿子正要开口的时候阻止了他，继续说道，“在你将全部赌注押在她身上之前，在你被带向希望的顶点之前，亲爱的孩子，请想一想罗斯的身世吧；想想她知道了自己可疑的身世之后对她的决定可能会产生什么影响吧；尽管她以那颗高尚的心和彻底的自我牺牲忠于我们。在大大小小的事情上，这种自我牺牲一直是她的性格特征。"

"你这是什么意思呢？"

"留待你去发现吧，"梅利太太回答道，"我必须回到她那儿去。上帝保佑你！"

"我今晚还会再见到你吗？"年轻人热切地问道。

"要不了多久，"老太太回答道，"待我从罗斯那里回来。"

"你愿意告诉她我在这儿吗？"哈里问道。

"当然愿意。"梅利太太回答道。

"告诉她我一直多么焦急，我遭受多么大的痛苦，我多么渴望能见到她。这你不会拒绝吧，妈妈？"

"不会，"老太太说道，"我会把一切都告诉她。"她深情地紧握着儿子的手，匆匆地走出房间。

这次仓促的谈话正在进行时，洛斯伯恩医生和奥利弗依然留在房间的另一端。前者如今向哈里·梅利伸出一只手，他们彼此之间互致衷心的问候。然后，医生回答了他的年轻朋友提出的五花八门的问题，详细地向他叙述了他的病人的情况。正如奥利弗的陈述燃起他希望的那样，罗斯的病情是很令人宽慰和充满希望的，而假装忙着捣鼓行李的贾尔斯先生全神贯注地把这一切都听进去了。

"你最近射中了什么特别的目标了吗，贾尔斯？"医生说完之后问道。

"没有什么特别的，先生。"贾尔斯先生回答道。他的脸一下子红到了耳根。

"也没有抓到什么小偷，也没有人认出什么盗贼吗？"医生说道。

"什么也没有，先生。"贾尔斯先生一本正经地回答道。

"哎呀，"医生说道，"太遗憾了，因为你是干这事的行家高手。请问布里特尔斯身体好吗？"

"那孩子身体很好，先生。"贾尔斯先生说道，重又恢复通常那副恩人气派的声调，"他要我转达对你的敬意，先生。"

"很好，"医生说道，"见到你在这儿，贾尔斯先生，使我想起我被匆忙叫来前，应你们善良的女主人的要求我为你办的一件小事。请你到这个角落来一会儿，好吗？"

贾尔斯先生带着自命不凡和有点惊奇的神情走到角落里，并以能和医生进行一次简短的、交头接耳的谈话而感到荣幸。交谈结束后，他频频地鞠躬，迈着稳重、庄严的步伐退下了。这次交谈的话题没有在客厅里透露，可是有关的话题在厨房里很快就传开了。贾尔斯先生径直走到厨房，要了一杯啤酒之后，摆出了一副威严的气派——这是非常有效的——宣布：鉴于他在上次未遂的抢劫中表现出的英勇行为，女主人在地方储蓄银行专门为他存入一笔二十五英镑的款项。听了这个消息后，两个女仆随即举起双手、抬起头来，以为贾尔斯先生从现在起一定会非常高傲的。对此，贾尔斯先生拉平了自己衬衫的褶边。回答说："不会的，不会的。"还说，如果她们发觉他对下属有什么傲慢的行为，他将感谢她们给他指出来。后来，他又发表了许多别的议论，表明了他的谦恭态度。这些议论同样受到欢迎和赞扬，而且它们像伟人的议论那样，既独到又中肯。

那天晚上余下的时间里他们在楼上主人的住处过得非常愉快，医生的兴致很高，不管起初哈里·梅利多么疲劳、心事重重，他都禁不住这位可敬先生的好心情的影响。医生谈笑风生，说了种种俏皮话，回忆了许多职业上的趣事。在奥利弗看来，这是他曾经听过的最滑稽可笑的话，他捧腹大笑，显然这令医生非常得意。医生对自己的滑稽话纵情大笑，并凭借感应力的作用，几乎让哈里笑得一样开心。因此，在这种情况下，即使他们能够举行一次愉快的聚会，效果也不过如此而已。一直到很晚他们个个才怀着轻松和感激的心情上床睡觉。在经受了不久前的疑惑和悬念之后，他们需要好好地休息一下了。

奥利弗第二天醒来时心情好些了，怀着多日来所没有的希望和欢乐从事原先清晨的例行工作。鸟笼又挂了出来，让鸟儿在它们的老地方歌唱；他又采来了最芳香的野花。美丽的鲜花令罗斯赏心悦目。在这个忧心如焚的孩子悲伤的眼里，过去几天来一直笼罩着每一件事物——尽管它们都是美丽的——的忧郁气氛已不可思议地烟消云散了。露珠似乎在绿叶上闪烁着更加耀眼的光辉；微风似乎伴着更加悦耳的音乐在绿叶中沙沙作响；天空本身看上去显得更加湛蓝和明朗。我们的心境其实会对外界物体产生影响。有时人们看待大自然和他们的同胞，声称一切都是黑暗和阴郁的。的确不错，然而这些阴沉的颜色，是他们自己带有偏见的目光和心情的反映。真正的色彩是柔和的，它需要一个更为敏锐的视觉。

值得一提的是奥利弗当时也注意到这一点，他每天清晨的外出不再是单独一人了。哈里·梅利就在第一天清晨遇到奥利弗抱着鲜花回家之后，突然对鲜花发生了浓厚的兴趣，并在插花方面表现出强烈的爱好，以至于远远地超过了他的年轻同伴。奥利弗虽然在这方面不如他，但他知道上哪儿去采集最好的野花；他们天天早晨一起走遍乡间，搜寻鲜花，把盛开着的最美丽的鲜花带回家。现在，小姐房间的窗户打开了。她喜欢让馥郁的夏日空气源源不断地流进来，以清新的空气让自己恢复活力和健康。可是，就在花格窗的内侧，每天早晨总有一小束经过精心整理的鲜花插在水中。奥利弗不能不注意到，虽然那只小花瓶定期地补充鲜花，但凋谢的花从不被扔掉；他也不能不注意到，不论医生什么时候走进花园，他总要抬头往那个特别的角落看上一眼，然后意味深长地点点头，开始进行清晨的散步。在进行这些观察的过程中，时光飞快地流逝着，罗斯的身体也正在迅速地康复。

虽然，小姐尚未离开她的寝室，而且除了偶尔跟梅利太太作短距离的散步外，傍晚也不出去散步，但是奥利弗并不觉得时间过得缓慢无聊。他加倍勤奋地向那位白发老先生请教。他太用功了，他进步的速度连自己都感到吃惊。就在他埋头学习时，发生的一件最意料不到的事使他大为惊愕和苦恼。

他习惯坐下来埋头苦读的那个小房间位于别墅后面的底层。这是一个真正的乡村房间，装有一个花格窗。窗子的四周是一簇簇的茉莉花和忍冬，一直爬过窗扉，这个地方弥漫着扑鼻的芳香。房间面朝花园，从花园那儿有一道边门直通一个小围场，在更远处是壮丽的牧场和树林。在这个方向再没有别的住宅。从这里眺望，视野非常开阔。

一个天气宜人的傍晚，暮色开始降临大地时，奥利弗坐在窗前专心地读书。他已经用心地研读了一些时候了。由于天气异常闷热，他也够用功了，因此，说他渐渐地睡着了，这对那些书的作者来说（不管他们是谁），并不是一种贬损。

有一种睡眠有时会悄悄地向我们袭来。这种睡眠虽然使身体失去自由，但是并没有使脑子摆脱对周围事物的感觉，照样让脑子随意漫游。只要难以抑制的疲倦、力量的衰竭以及完全无能力控制自己的思想或运动能力可以称为睡眠，那么，这就是睡眠。然而，我们对周围正在发生的一切具有一种模糊的意识，而且，如果我们在这样的时候做梦，此刻说过的话、或此刻存在的声音非常容易地与我们的幻觉相适应，直到现实和想象如此奇妙地混成一体，以至于后来要将它们两者分开几乎是一件不可能的事。这还不算这种状态下最令人惊异的现象。虽然，我们的触觉和视觉会暂时失灵，然而，绝对无声地存在的某个客观物体却能对我们睡眠中的思想和梦见的景象产生影响，这是毋庸置疑的事实；尽管当我们闭上眼睛时，客观物体可能不在我们附近，而且，我们醒着的时候也没有意识到它就在近旁。

奥利弗知道得十分清楚：他在自己的小房间里，他的书本摊开在面前的桌上，新鲜的空气在外面的蔓生植物中摇动。然而，他睡着了。突然，景象变了：天气变得闷热，令人窒息；他怀着强烈的恐惧以为自己又回到了犹太人的贼窝。这个丑陋的老头就坐他习惯坐在的角落里，正指着他，同时，与坐在他身边的、脸掉过去的另一个人窃窃私语。

"嘘。亲爱的！"他觉得自己听到犹太人说道，"是他，果真是他。走吧。"

"是他！"另一个人似乎在回答，"你以为我会看错吗？倘若有一群鬼装扮得跟他一模一样，而他站在它们中间，我总有办法把他指出来。倘若你将他埋入五十英尺深的地方，带我从他的坟墓上穿过，即使坟上没有任何标志，我想我也知道他埋在那儿！"

这个人似乎带着刻骨仇恨来说这番话，以致奥利弗惊醒过来，并一跃而起。

天啊！是什么东西使他的血流向心脏时会有刺痛之感，使他发不出声音、也动弹不得！那儿——犹太人在那儿——站在窗外——就在他面前——靠得这么近，以致在他退缩之前几乎可以触摸到他。犹太人双眼凝视着他的房间，与他的目光相遇！犹太人身边有一个面貌阴沉的人，他因盛怒或害怕，或两者兼而有之而脸色煞白。他正是奥利弗在客栈庭院里遇到的那个人。

这是一刹那、一瞥、一闪现的事，然后他们就消失了。可是他们认出了他，他也认出了他们；他们的神态牢牢地留在他的记忆里，仿佛这种神态被深深地刻到石头上，自从他出生起就放他面前似的。奥利弗呆呆地站了一会儿，然后从窗口向外一跃，跳进花园里，大喊救命。

第三十五章　本章包括奥利弗的奇遇不能令人满意的结果，以及哈里·梅利和罗斯之间一次颇为重要的谈话

屋里的人听到奥利弗的喊叫声匆匆赶到他呼救的地点。他们发现奥利弗脸色苍白，狂躁不安，朝着屋后草地的方向指去，几乎连话都说不清："那个犹太人！那个犹太人！"

贾尔斯先生茫然不知所措，无法理解这喊叫是什么意思，可是哈里·梅利领悟得快一点，而且从他母亲那儿听说了奥利弗的经历，马上就明白了。

"他朝哪个方向跑啦？"哈里问道，顺手抓起放在角落里的一根大棒。

"那个方向，"奥利弗指出那个人逃跑的方向回答道，"我一转眼就看不见他们了。"

"那么，他们一定在沟里！"哈里说道，"跟我来！尽量靠近我。"说着，他越过树篱，以别人难以跟上的速度猛冲出去。

贾尔斯紧紧跟上，奥利弗也跟了上去。一两分钟后，在外面散步、刚刚回来的洛斯伯恩医生也跟着他们跑去。他在树篱上绊了一

跤，而后，以令人难以想象的敏捷爬了起来，以不可轻视的速度朝同
一个方向跑去，边跑边拼命地大喊大叫，想知道究竟是怎么回事。

　　他们全部继续往前跑，不曾停下来歇口气，直到那位领头的蹚
入奥利弗所指的一处角落，开始细细搜寻沟渠和毗邻的树篱；这样
后面的人才有时间赶上来，奥利弗才有时间向洛斯伯恩医生说明这
场紧张追捕的起因。

　　搜寻行动完全徒劳。他们甚至没有发现有新的脚印。此时他们
站在一座俯瞰着方圆三四英里空旷田野的小山顶上。左边的山谷里
有个村庄，可是，如果那两个人沿着奥利弗指出的路线逃跑，要到达
那儿，必定要绕旷野一周。在这么短的时间里，他们是不可能做到的。
在另一个方向，一片密林和草地连接着；可是，出于同样的理由，他
们也无法抵达那个掩蔽处。

　　"想必是一场梦吧，奥立弗。"哈里·梅利说道。

　　"噢，确实不是梦，先生，"奥立弗回答道，一回想起那个老坏蛋
的面貌，他就不寒而栗，"我把他看得再清楚不过了。我看到他们，
犹如现在我看到你们一样清楚。"

　　"另一个是谁呢？"哈里和洛斯伯恩医生不约而同地问道。

　　"就是我告诉过你们在客栈突然遇到的那个男人，"奥立弗说道，
"我们刚才彼此双目相对，我可以发誓就是他。"

　　"他们走这条路吗？"哈里问道，"你敢肯定吗？"

　　"正如那两个人站在窗前一样肯定，"奥立弗回答道，他边说边
朝下指了指隔开别墅花园和草地的树篱，"高个子男人从树篱上跳
过去，而犹太人跑向右边，从那个缺口爬过去。"

　　这两位先生注视着奥利弗说话时脸部认真的表情，然后目光从
奥利弗身上移开，彼此互相看了一眼，似乎对奥利弗的描述的精确
性感到满意。然而，不论在哪一个方向，都没有那两个人仓皇逃跑留
下的踪迹。草长得很高，但是，除了他们自己踩过的地方，别处没有

被践踏过。沟渠的侧面和边沿都是湿土，但是他们看不到哪个地方有男人的鞋印或表明数小时前有人踩过的最细微的痕迹。

"这就怪啦！"哈里说道。

"怪吗？"医生随声附和道，"布莱塞斯和达夫遇到这样的事也摸不着头脑。"

尽管他们的搜寻明显是徒劳的，但他们一直搜索到夜幕降临，觉得再搜下去毫无用处时才停止，即便在那时候，他们也是勉强地放弃的。就那两个陌生人的外貌和服饰奥立弗向贾尔斯作了最准确的描述后，贾尔斯被派往村里的各个啤酒店。在这两个陌生人当中，犹太人无论如何是够引人注目的。如果他被人发现在哪个地方喝酒或闲逛，人们是不会忘记的。可是，贾尔斯回来时没有带回任何可能消除或减少这一疑团的消息。

第二天，他们又重新搜寻和调查，但都未能取得较好的结果。第三天，奥利弗和梅利先生到集镇去，希望在那里能见到或听到有关那两个陌生人的情况，但这一努力同样一无所获。几天后，这件事像大多数事情一样，开始被人遗忘。怪事没有新养料的维持，便自行逐渐消失了。

与此同时，罗斯迅速地康复。她已经能够离开自己的寝室到户外走动了，也能重新与家人待在一起，将欢乐带进每个人的心里。

虽然这一可喜的变化对这个小圈子影响不小，虽然别墅里可以再次听到欢声笑语，但是这里的一些人——甚至罗斯本人——不时流露出不寻常的拘谨态度。奥利弗不能不觉察到这一点。梅利太太和她儿子常常关在密室里进行长时间的商谈，罗斯不止一次带着满脸的泪痕出现。洛斯伯恩医生决定启程前往彻特西之后，这些迹象的次数增多了；显然，存在着影响年轻小姐以及其他人的平静的某种因素。

终于，有一天早晨，当罗斯独自一个人在餐厅时，哈里·梅利进来了。他有些犹豫地请求跟她交谈片刻。

"一会儿——很短的一会儿——就足够了，罗斯，"年轻人说着，拉了一张椅子到她身边，"我要说的话已经浮现在你的脑海里了，我心中怀有的希望已经让你知道了，尽管你还没有听我亲口说出来。"

罗斯从他进来的那一刻起就脸色煞白，但这可能是她最近生病的缘故，她只是点了点头，俯身审视旁边的一些花草植物，默默地等待他继续说下去。

"我——我——我早就应该离开这儿了。"哈里说道。

"你确实应该离开。"罗斯回答道，"原谅我这么说，不过，我但愿你已经离开了。"

"我是被最可怕、最痛苦的忧虑带到这儿来的，"年轻人说道，"我担心失去唯一的心上人。我的每一个愿望和希望都寄托在她身上。你一直处于生命垂危状态，在尘世和天国之间徘徊。我们知道，当年轻、漂亮和善良的人们受到疾病的侵袭时，他们纯洁的灵魂不知不觉地转向了它们光明的长眠之地；我们知道，我们人类中最优秀、最漂亮的人往往英年早逝。愿上帝帮助我们！"

听到这些话时，这位温柔的姑娘眼里噙着泪水：一滴泪珠滴落在她下面的一朵鲜花上，在花萼里闪闪发亮，使这朵鲜花显得更加美丽。看来，她那充满青春活力的内心情感的流露与自然中最美好的事物交相辉映。

"一个人，"年轻人继续动情地说道，"一个犹如上帝自己的天使一样美丽和正直的人在生与死之间摇摆不定。哦！当她所亲近的遥远的世界半展现在她面前时，谁能希望她竟会回到今生的悲哀和灾难中来！罗斯，罗斯，知道你会像上天的光线投射到人间的柔和阴影那样消逝；不能指望你会因为那些继续留在这儿的人们而得到赦免；也几乎不知道你为什么应该得到赦免；感觉到你属于许多最漂亮、最优秀的人早已飞去的光明天体；然而，尽管有这些可以自慰，仍祈求上帝能把你归还给爱你的那些人；所有这些几乎是超乎寻常的、令人无法忍受的。它们使我日日夜夜为此分心；接着，是来势凶猛的如洪水般的恐惧、忧虑和自私的悔恨，唯恐你会死去，却不知道我多么真诚地爱着你。它们几乎把我的知觉和理性统统卷入这股洪流中。你康复了。你一天比一天忙，一小时比一小时健康，它与在你体内有气无力地循环着的虚弱不堪的生命之流融合在一起，重新上涨，成为波涛汹涌、奔腾不息的浪潮；我用一双热切和深情的泪眼注视着你几乎从死亡中活过来。别告诉我你但愿我错过这样的机会，因为它软化了我的心，使我对全人类变得温和起来。"

"我不是这个意思，"罗斯流着泪说道，"我只希望你已经离开这儿，希望你本该重新开始崇高和高尚的追求——完全配得上你的追求。"

"除了争取赢得像你这样的一颗心外，再没有更值得我追求的了，也不存在最崇高的追求了。"年轻人拿起她的一只手说道，"罗斯，我亲爱的罗斯！多年来——多年来——我一直爱着你，希望自己能功成名就，然后自豪地回家告诉你，我只是为了让你分享才这样孜孜不倦地追求的。在我的白日梦中，我考虑着在那个幸福的时刻，我会怎样提醒你：我已经多少次流露一个男孩无言的爱慕，并将会怎样向你求婚，以履行我们之间早已达成的某种默契！这个时刻尚未到来。尽管我功未成，名未就，尽管年轻时期的梦想尚未实现，然而我在此向你奉献出早已属于你的一颗心，并将我的一切寄托在你回答我这一求婚的一句话上。"

"你的品行向来是仁慈和高尚的，"罗斯抑制住自己被激起的情感，说道，"由于你相信我不是一个冷漠无情和忘恩负义的人，所以请听我回答。"

"你的回答是，我可以努力争取配得上你，是吧，亲爱的罗斯？"

"我的回答是，"罗斯说道，"你必须努力把我忘掉。不是忘掉我是你深深依恋的旧伙伴，因为那样会深深地伤害我，而是忘掉我是你所爱的对象。放眼世界，天涯何处无芳草，有那么多可爱的人，你会因获得这些人的宠爱而感到自豪的。如果你愿意，向我吐露别的感情吧，我将是你最诚实、最热心、最忠实的朋友。"

此刻出现了短暂的停顿。这期间，罗斯用一只手遮住脸，眼泪扑簌簌地往下掉。哈里依然握住她的另一只手。

"你的理由是什么，罗斯？"他终于低声说道，"你为什么做出这样的决定？"

"你有权知道我的理由。"罗斯回答道，"但是你说什么也无法改变我的决定。这是我必须履行的责任。我对别人和对自己一样都负有这一责任。"

"对你自己？"

"是的，哈里，我对自己负有这一责任。因为我举目无亲、一无所有、名声又不好，不该让你的朋友怀疑我出于卑鄙的动机答应你第一次恋情，让自己成为你一切希望和计划的累赘。对你和你的家人来说，我有责任阻止你出于慷慨的天性为自己的前途设置这个巨大的障碍。"

"如果你的意愿同你的责任一致……"哈里开始说道。

"它们不一致。"罗斯涨红了脸说道。

"那么，你爱我吗？"哈里问道，"只要你这么说，亲爱的罗斯，只要你这么说，就足以缓解这一令人难以忍受的失望的痛苦！"

"如果我可以这么做而不致使我所爱的人受大委屈，"罗斯回答说，"我就会……"

"就会以完全不同的方式接受我的这一爱情表白吗？"哈里问道，"至少别向我隐瞒这一点，罗斯。"

"是的。"罗斯说道，"别说啦！"她把她的手抽出来，补充道，"我们何必延长这种痛苦的会面呢？这对于我来说是最痛苦的，尽管它会产生持久的幸福，因为，知道在你的心目中我曾经拥有我现在占据的崇高位置就是幸福的，你一生中取得的每一个成就将会增添我的毅力。再见吧，哈里！我们今后再也不会像今天这样会面了。但是，我们可以保持长久的、幸福的友谊，而不是建立今天的谈话可能使我们导致的那种关系。愿一颗忠实、诚挚的心祈祷一切忠实、诚挚的源泉降下神恩于你，并给你带来快乐和成功！"

"还有一句话，罗斯，"哈里说道，"用你自己的话说明你的理由。让我听你亲口说出来！"

"你的前途无量，"罗斯坚定地说道，"伟大的才能和有影响力的亲戚能够帮助人们在社会生活中达到的一切荣誉都在等着你。可是那些亲戚是妄自尊大的：我既不愿意跟瞧不起给了我生命的母亲的那些人交往，也不愿意给如此胜任地充当我母亲的她①的儿子带来耻辱或失败。总之，"罗斯因一时失去了坚定侧过脸说道，"我的家庭有污点，世人将它降罪于无辜的人。我不愿意连累别人，这种指责应由我单独承担。"

"我再说一句话，罗斯，最亲爱的罗斯！再说一句！"哈里一下子扑到她跟前，大声说道，"如果我没有——没有世人常常称之为的幸运，如果我命该过着默默无闻的、平平静静的生活；如果我一贫如洗、病魔缠身、孤立无援，那时，你会嫌弃我吗？还是因为我可能取得荣华富贵而使你产生这样的顾虑？"

"别逼我回答，"罗斯说道，"没有出现这样的情况，也永远不会出现这样的情况。强人所难是不公正的、近乎不仁慈的。"

"如果你的回答正是我几乎敢于希望听到的，"哈里反驳道，"它将会在我孤寂的人生道路上投下一线幸福的希望，照亮我面前的道路。你简单地说几句话，对于一个爱你胜过其他一切的人来说，这决

---

① 指哈里的母亲，她收养了罗斯。

不是一件无聊的小事。噢，罗斯！为了我的炽热的、持久的爱慕之情，为了我为你而遭受的一切痛苦和你注定要使我遭受的一切痛苦，回答我这个唯一的问题吧！"

"那好，如果你的运气没有这么好，"罗斯回答道，"如果你的地位比我高一点，而不是相差这么悬殊，如果我在任何平静、隐退的环境中能够帮助或安慰你，而不是在雄心勃勃的和身份显赫的人群中成为您的耻辱或障碍，我就不会遭受这样的磨难。现在，我有充分的理由感到幸福，非常幸福；但另一方面，我承认我本来还可以更幸福。"

在罗斯坦率地承认这一点的时候，对她还是一个女孩子时所怀抱希望的种种回忆纷纷涌上了她的心头。然而，正如昔日破灭的希望在记忆中重现时那样，这些回忆也使她热泪盈眶，却又令她感到宽慰。

"我对自己的这一弱点无能为力，不过，这使我的意志更加坚定。"罗斯说着，伸出一只手来，"现在我必须离开你了，真的。"

"我要你答应一件事，"哈里说道，"请你允许我就这个问题再跟你谈一次，譬如说一年之内，但可能大大地提前。一次，只再谈一次。"

"别逼我改变我正确的决定，"罗斯苦笑着回答道，"这是没有用的。"

"不，"哈里说道，"为了听你重复一遍，如果你愿意——最后重复一遍的话，无论我可能拥有什么样的地位和财产，我都愿意拜倒在你的脚下；倘若你仍然坚持你现在的决定，我不会试图以言论或行动来改变它。"

"那就这样好啦，"罗斯回答道，"这只能增加一次痛苦，不过到了那时候，也许我更能承受得住。"

她再次伸出手来。但是年轻人将她一把搂进怀里，在她漂亮的前额上使劲地吻了一下，这才匆匆地离开房间。

第三十六章　这是很短的一章，看起来也不怎么重要，但它应该作为上一章的继续，也作为接下来一章的承上启下的关键来读

"那么，你决定今天早晨跟我一块走，是吗？"哈里·梅利和医生及奥利弗一起用早餐时，医生问道，"哎呀，你的心思和意图前后半小时各不相同啊！"

"你总有一天会对我作出不同的评判的。"哈里说道，无缘无故地涨红了脸。

"但愿我能有充分的理由这么做，"洛斯伯恩医生回答道，"虽然我承认不大有信心。昨天早晨你匆匆忙忙地拿定主意要留在这儿，像个孝子一样陪着你母亲去海滨。可是不到中午，你又宣布在回伦敦的路上和我结伴，使我感到不胜荣幸。而晚上，你却神秘兮兮地催促我在女士们起床之前就动身，结果使小奥利弗被困在早餐桌旁脱不了身，而此刻，他本该踏遍草地，寻找各种各样的奇花异卉的。太遗憾了，是不是，奥利弗？"

"如果你和梅利先生离开的时候我不在家，我会感到非常遗憾的，先生。"奥利弗回答道。

"这才是好孩子,"医生说道,"你回伦敦的时候要来看我。不过,说正经的,哈里,你是不是得到什么有钱有势的大人物的消息,使你这么心急火燎地要离开?"

"我猜想,"哈里回答道,"你也将我最高贵的亲戚归在大人物之列。可是自从到这儿之后,我压根儿就没有跟他们通信;况且在这个时节也不可能发生什么事需要我陪伴他们。"

"噢,"医生说道,"你是个怪人。不过,他们自然会在圣诞节之前的选举中让你进入议会。你突然改变主意的作风倒是为今后的政治生涯做好了准备。这不是没有道理的。良好的训练总是可取的,不论角逐的是职位、奖杯或是彩票。"

哈里·梅利看起来似乎会用一两句让医生大为吃惊的话来继续这次简短的对话,但他只是说"我们等着瞧吧",就没有再继续讨论这个话题。不久以后,驿递马车来到了门口,贾尔斯进来取行李时,医术高明的医生赶忙跑出来关照捆扎、打点行李的事。

"奥利弗,"哈里·梅利低声说道,"让我跟你说句话。"

奥利弗走进了梅利先生招手叫他去的窗龛处,对梅利先生整个举止表现出的悲喜交集的复杂心情大感诧异。

"你现在信可以写得很好了,是吧?"哈里把手搁在他的手臂上,说道。

"但愿如此,先生。"奥利弗回答道。

"我又要离开家了,也许要过一些时候才能回来。但愿你能够写信给我,譬方说两周写一次,每隔一周的星期一寄到伦敦邮政总局,好吗?"

"噢,当然愿意,先生,我将为此而感到自豪。"奥利弗惊叫道,因有了这项任务而无比喜悦。

"我想知道——想知道我母亲和梅利小姐的身体怎样,"年轻人说道,"你可以写满一页,告诉我你们如何散步,谈了些什么,她——

我的意思是她们——看上去是否愉快，身体是否很健康。你明白我的意思吗？"

"哦，明白了，先生，明白了。"奥利弗回答道。

"我倒希望你不要向她们提起写信的事，"哈里匆匆地说道，"因为这样一来会使我母亲急于更常给我写信，而这对于她是件麻烦的事。让这件事成为你我之间的秘密吧。务必把这一切情况告诉我！我就指望你啦！"

奥利弗因意识到自己的重要性而得意扬扬，并感到无比荣幸，诚心诚意地答应在通信过程中保守秘密、详尽报道。梅利先生向他辞别，再三保证要对他多加关心和保护。

医生已经坐在马车里了。贾尔斯（据安排，他必须留下来）为他们打开了马车门，女仆们在花园里旁观。哈里朝那扇花格窗稍微瞥了一眼后也跳上了马车。

"出发！"他说道，"狂奔、快速、疾驰！今天只有策马飞奔才符合我的心情。"

"喂！"医生喊道，赶紧把前面的玻璃窗放下来，又对马车夫嚷道，"今天只有驶得很慢才符合我的心情。你听见了没有？"

驿递马车叮叮当当、咔嗒咔嗒、蜿蜒地沿着大路前进，几乎被淹没在一阵尘雾中，直到远得让人听不见它的响声，只能见到疾驶远去的踪影。它时而完全消失，时而再次露面，这取决于路中的障碍物和错综复杂的景物，直到它在灰蒙蒙的尘雾中再也看不见了，旁观者才散去。

驿递马车走出好几英里以外，仍有一位观旁者的眼睛依然定定地盯着马车消失的方向。罗斯就坐在白色窗帘背后，当哈里朝着那扇窗口举目仰望的时候，白窗帘把她遮住了。

"看来他心境极佳、心情愉快，"她终于说道，"我还一时担心他可能是另一种样子。我想错了。我太高兴、太高兴了。"

眼泪不仅是忧伤的标志，而且也是快乐的标志；可是，当罗斯忧郁地坐在窗前，依然目不转睛地凝视同一个方向的时候，那沿着她的脸颊淌下来的眼泪中悲伤的成分多于欢乐的成分。

第三十七章　在本章中，读者可以看到在婚姻问题上常见的婚前婚后的截然不同

邦布尔先生坐在济贫院的客厅里，眼睛忧郁地盯着毫无生气的壁炉。这时正值夏季，壁炉里看不到火焰的燃烧。反射光是从壁炉冰冷、发亮的表面反射出来的。天花板上晃悠悠地悬挂着一只捕蝇笼。他带着忧思偶尔举目往上瞅了一眼。当粗心大意的昆虫在俗气艳丽的网状物四周盘旋时，邦布尔先生常常深深地叹一口气，脸上又堆满了更加沮丧的阴影。邦布尔先生正在苦思冥想，也许那些苍蝇使他回想起自己过去生活中的痛苦经历。

不光是邦布尔先生的忧郁心情能在旁观者心中唤起怡人的愁思，还有其他的跟他的身份密切相关的迹象表明，他的境况已发生了重大的变化。那件镶有花边的外套还有那顶三角帽，不知哪儿去了。他依然穿齐膝短裤，下肢依然穿深色的棉长袜，可是，它们已不是过去的马裤了。外套是宽下摆的，在这一点上，倒和原来的那一件相像，可是，哦，它们多么迥然不同！威风凛凛的三角帽被朴素的圆帽取而代之。邦布尔先生不再是牧师助理了。

生活中有些高位，除了它们本身带来的物质利益外，其特殊的

价值和尊严还跟与之有关的外套、背心之类的衣着有关。陆军元帅拥有他的制服，主教拥有他的绸围裙，律师拥有他的绸长袍，牧师助理拥有他的三角帽。剥去主教的围裙、牧师助理的三角帽和饰带，他们是什么人呢？人，只是普通人而已。尊严，甚至还有神圣，与其说是一些人的想象，不如说是外套、背心等衣着赋予他们的。

邦布尔先生和科尼太太结婚后，成了济贫院的主持人。另一位牧师助理开始当权。三角帽、金饰边上衣和手杖这三样东西便都落到新牧师助理身上了。

"到明天，这件事才过去了两个月！"邦布尔叹了一口气说道，"仿佛过去了很久很久似的。"

也许，邦布尔先生本来的意思是，他把所有的幸福生活浓缩在短短的八周里；可是那一声叹息——在那声叹息中有着无限深刻的含义。

"我把自己出卖了，"邦布尔先生继续反思道，"只换了八把汤匙、一把方糖钳子、少量的旧家具和二十英镑现金，我把自己贱卖了。便宜，便宜极了！"

"便宜！"一个刺耳的声音在邦布尔先生的耳旁喊道，"无论以何种价格买你都是昂贵的。我为你付出了昂贵的代价了。这老天爷知道！"

邦布尔先生回过头来，面对着他那位有趣的配偶的脸。对偷听到的那几句牢骚话她还没有完全领会，就大胆进言、妄加指摘。

"邦布尔太太，太太！"邦布尔先生带着感伤的严厉态度说道。

"怎么啦！"太太嚷道。

"请看着我。"邦布尔先生双眼定定地盯着她，说道。（"如果她受得住我这样的目光，"邦布尔先生暗自思量着，"那么，她什么都受得住。我知道这种目光对贫民从未失灵过。如果对她失去作用，那么，我的威力也丧失殆尽了。"）

他的眼睛微微一睁就足以镇住那些贫民,是由于他们食不果腹、身体状况不佳,还是这位前任的科尼太太特能经得起锐利的目光,这是见仁见智的问题。事实是,这位济贫院的女总管一点也没有被邦布尔先生的怒容所制服,相反地,她却对之嗤之以鼻,甚至因此而发笑。这笑声听起来不像是装的。

一听到这最意料不到的笑声,邦布尔先生先是显出怀疑的样子,后来则露出惊愕。于是,他重又恢复到原先的状态,直到同伴的声音再次唤起了他的注意,他才振作起来。

"你打算整天坐在那儿打呼噜吗?"邦布尔太太问道。

"我打算坐在这儿,我认为坐多久合适就坐多久,太太,"邦布尔先生回答道,"虽然刚才我并没有打呼噜,但是,只要我高兴,我一定会打呼噜、打呵欠、打喷嚏、大笑、大喊。这是我的特权。"

"你的特权!"邦布尔太太带着难以形容的轻蔑冷笑道。

"正是我刚才说的,太太,"邦布尔先生说道,"男人的特权就是发号施令。"

"那么,女人的特权究竟是什么?"已故科尼先生的遗孀嚷道。

"服从,太太,"邦布尔先生怒喝道,"你那已故的、不幸的丈夫本该教会你这个。如果那样,也许他现在还会活着。但愿他还活着,可怜的人!"

邦布尔太太一眼便看出,现在决定性的时刻已经来临,而且,不论哪一方,为控制权而进行的战斗这必定是最后的,也是决定性的一次。她一听到提及已故的人,就倒在椅子里,尖声叫嚷邦布尔先生是个冷酷无情的畜生,然后放声大哭。

然而,眼泪是渗透不进邦布尔先生的灵魂的,他的心是不透水的。就像可洗的海狸皮帽因雨淋而变得更好一样,一阵阵泪水也会使他的神经变得更强壮、更有活力。泪水因为是虚弱的象征,是迄今为止对他的权力的默认,使他感到心满意足、得意扬扬。他以极为满意的神色看着他太太，并怂恿她痛快地哭：医学界认为大哭有益健康。

"大哭张开了双肺、清洗了面容、锻炼了眼睛、平息了怒气，"邦布尔先生说道，"所以，继续哭吧！"

说完这些轻松的幽默话后，邦布尔先生从衣帽钩上取下他的帽子，潇洒地歪戴在头上，如一个觉得已经得体地维护了自己的优势的人那样，双手插进衣袋，悠然自得地朝门口走去，脸上的表情显得从容和滑稽。

这位前任的科尼太太先以眼泪试探，因为眼泪比动手攻击较不费事。可是，她对采用后一种行动早已有了准备。邦布尔先生很快就领教了。

他体验到事实果然如此的第一个证据是一声巨响，紧接着，他的帽子突然飞到了房间的另一端。这一初步行动使他的脑袋光秃秃了，之后，这位经验老到的太太用一只手紧紧地掐住他的喉头，然后以罕见的力量和敏捷挥动另一只手，使雨点般的拳头落到他身上。而后，她变幻了一点小花样，开始抓他的脸、揪他的头发。此刻，她认为对这个冒犯者已给予必要的惩罚之后，将他推倒在刚好放在那里的一张椅子上，然后，问他还敢不敢侈谈他的特权。

"起来！"邦布尔太太以命令的口吻说道，"从这儿滚出去，否则，我什么事都干得出来。"

邦布尔先生站了起来，面部表情异常沮丧，真不知道她会干出什么不顾一切的事儿来。他拾起帽子，眼睛朝门的方向望去。

"你滚不滚？"邦布尔太太喝问道。

"当然走，亲爱的，当然走，"邦布尔先生回答道，更快地朝门口走去，"我刚才无意——我这就走，亲爱的！你太凶了，以致我确实——"

这时，邦布尔太太匆匆地跨前一步，其实只是想把刚才扭打中被踢歪的地毯放平，邦布尔先生再也顾不得考虑那句没说完的话，马上冲出门去，让前任的科尼太太完全占据这块地盘。

邦布尔先生被冷不防这么一吓，精神十分颓丧。他确实有着恃强凌弱的癖好，从卑劣的残忍中获得不少乐趣。因此，不言而喻，他是个懦夫。这决不是贬低他的个性，许多深受尊敬和钦佩的官方人物都有类似弱点。其实，这样说倒是对他有利无弊，目的在于让读者公正地判断他的任职资格。

然而，他的堕落还远不止这些。在对济贫院做了一番巡视之后，他第一次认为济贫法对穷人确实太严厉了，还认为那些扔下他们的妻子、把她们甩给教区抚养的男人按理不应该受到任何惩罚，而应该把他们作为遭受许多痛苦的有功之臣给予奖励。邦布尔先生来到了一个房间。有几个女贫民通常在这儿忙着洗教区的衣服、被褥，高声的谈话现在正从那儿传出来。

"哼！"邦布尔先生使出他全部天生的尊严，说道，"至少这些婆娘应该继续尊重男人特权。喂！喂喂！你们这些贱妇！"

说着，邦布尔先生打开门，气势汹汹地走了进去。当他的目光出乎意外地落到他那贵妇般的妻子身上时，这副神态立即变成最卑躬屈膝、最畏缩不前的可怜相了。

"亲爱的，"邦布尔先生说道，"我不知道你也在这儿。"

"不知道我在这儿！"邦布尔太太重复道，"你来这儿做什么？"

"我想她们话说得太多了，影响干活，亲爱的，"邦布尔先生回答道，一边心不在焉地瞥了洗衣盆旁边的两位老太婆一眼。她们正在窃窃私语，对济贫院主持人的谦恭感到惊诧不已。

"你认为她们话说得太多了？"邦布尔太太说道，"这事与你何干？"

"什么，亲爱的——"邦布尔先生唯唯诺诺地说道。

"这事与你何干？"邦布尔太太再次喝问道。

"没错,你是这里的女总管,亲爱的。"邦布尔低声下气地说道,"可是我想你这时候不可能在这儿。"

"你听我说,邦布尔先生,"他妻子回答道,"我们不要你来多管闲事。你太喜欢插手与你无关的事了,惹得济贫院里的每个人在你一转身就在背后嘲笑你,一天到晚让自己看起来像个大傻瓜。滚开!滚!"

邦布尔先生怀着极为痛苦的心情看到那两个贫民老太婆欣喜若狂地在一起窃笑,便犹豫了片刻。邦布尔太太的耐心容不得半点拖延。她迅速地舀起一碗起泡沫的肥皂水,指着门,叫他滚出去,并命令他马上离开,否则就将肥皂水往他肥胖的身子泼去。

邦布尔先生还能有什么办法呢?他沮丧地往四下里看了看,偷偷地溜走了。当他走到门口时,老贫妇的窃笑突然爆发成一阵刺耳的、抑制不住喜悦的咯咯笑声。这正中邦布尔太太的下怀。邦布尔先生在她们面前丢人现眼,甚至在那些贫民面前失去了社会地位和身份。他已经从牧师助理的高贵地位跌落到最受人鄙视的怕老婆的无底深渊。

"头尾才两个月!"邦布尔先生垂头丧气地说道,"两个月啊!仅仅两个月前,就教区济贫院而言,我不仅是自己的主人,也是其他每个人的主人,而如今——"

这太过分了。邦布尔先生打了替他开门的男仆一耳光(他一路沉思着来到了大门口),然后神不守舍地走到街上。

他走过了一条街,又沿着另一条街走,直到步行缓解了他最初的悲伤情绪。接着,情绪的突变使他感到口渴。他经过了许许多多的小酒店,最后在偏僻小路上的一家小酒店前停下来。他从窗帘上方往里匆匆地瞥了一眼,他推断这家酒店的幽雅单间除了一个客人外,里面空荡荡的。这时,天开始下起大雨来。这促使他拿定主意。邦布尔先生走了进去,经过酒吧间,进入了从街上窥视到的幽雅单间,叫了一些饮料。

坐在那儿的男人是个高个子，皮肤浅黑，披一件大氅。他像是个陌生人，而且，从他有点憔悴的神色及衣服上满是尘土污垢、风尘仆仆的样子判断，他似乎已经走了不少路。邦布尔进来时，这个男人对他瞟了一眼，但几乎不屑地点头感谢他的问候。

就这两个人而言，邦布尔先生是够傲慢的，即便这个陌生人更亲切些，情况也一样。他默默啜饮掺水杜松子酒，派头十足地看着报纸。

然而，正如在这种场合下常常会发生的那样，邦布尔先生不时地感到很想偷看陌生人一眼——对此他无法抗拒；同时，每当他这么做时，他总是有些心慌意乱地把自己的目光移开，因为他发现陌生人此刻也在偷偷地看他。正是陌生人眼睛里的这种奇异的表情增加了邦布尔先生的尴尬。陌生人的目光既敏锐又明亮，却蒙上了不信任和怀疑的阴影，跟他先前曾经见过的任何目光都迥然不同，而且看起来令人厌恶。

"嗯。"

"地点是那间破烂不堪的陋屋。无论在什么地方，那些无耻的、邋遢的女人尽管自己往往被剥夺生命和健康，却会生下哭哭啼啼的孩子来让教区抚养，然后她们撒手尘寰，把耻辱隐藏在坟墓里，她们自己也在坟墓里腐烂！"

"我想那是产房吧？"邦布尔听不太懂陌生人的描述，问道。

"是的，"陌生人说道，"一个男孩在那儿诞生。"

"太多男孩在那儿诞生了。"邦布尔先生心灰意懒地摇了摇头，说道。

"愿小魔鬼遭瘟！"陌生人喊道，"我说的是一个样子温顺、脸色苍白的男孩。他给这儿的一个棺材制造商当过学徒——但愿制造商为他制造一口小棺材，把他装进去，再用螺钉钉住——后来，据说他逃到伦敦去了。"

"噢，你指的是奥利弗！小特威斯特！"邦布尔先生说道，"我当然记得他啦。再也没有一个比他更顽固的小坏蛋——"

"我想了解的不是他。关于他的情况我听得够多了，"陌生人说道，阻止邦布尔先生对可怜的奥利弗的恶行发表攻击性的长篇演说，"我要了解的是一个女人，护理奥利弗母亲的老丑妇。她现在在哪儿？"

"她在哪儿？"邦布尔先生说道，掺水杜松子酒使他变得诙谐起来，"这很难说。不管她到什么地方去，那里都不需要助产士。因此，我想她肯定失业了。"

"你这是什么意思？"陌生人厉声问道。

"我的意思是她去年冬天死啦。"邦布尔先生回答道。

当他提供了这一消息时，陌生人的双眼定定地盯着他。虽然过了半晌仍然没有把目光移开，但他的凝视渐渐地变得茫然和出神，似乎陷入了沉思之中，有一会儿他似乎拿不准究竟对这条消息该感到宽慰呢，抑或该感到失望；但他终于更加自如地呼吸了。他移开了视线，说这无关紧要。说罢，他站起身，仿佛就要离开似的。

然而，邦布尔先生也够狡猾的，他马上看出赚钱的机会来了，可以把他老婆拥有的某个秘密高价出售。老萨利去世的那个晚上他记得很清楚。他有充分的理由回忆起那天所发生的事，因为当时他正向科尼太太求婚。虽然，这位太太未曾把只有她一个人知道的这个秘密向他透露，但他已经听得够多了，那是那个老太婆当济贫院护士、护理奥利弗·特威斯特的年轻妈妈时发生的事。邦布尔先生匆匆地回想起这件事，神秘兮兮地告诉陌生人说，就在那个凶恶的老丑妇去世之前不久，有个女人和她在房里密谈；还说他有理由相信她可以为他想打听的事提供一些线索。

"我怎么才能找到她呢？"陌生人问道。他解除了戒心，清楚地表明了他的所有恐惧（不论它们是什么恐惧）重又被这一消息唤起了。

"只能通过我。"邦布尔先生回答道。

"什么时候？"陌生人急忙问道。

"明天。"邦布尔回答。

"明晚 9 点。"陌生人说着，掏出一张纸，在上面写了一个靠河边的偏僻地址，他的字迹不自觉地露出了他的激动心情，"明天晚上 9 点把她带到我那里。至于保密，我不必提了，因为这是你的利益所在。"

说罢，他带着邦布尔先生朝门口走去，中途停下来付了酒钱。陌生人简短地说了句他们不同路之后便走了。除了再三地强调第二天晚上的约会时间外，他没有来别的客套。

教区官员粗略地看了一下地址，发现上面没有名字。陌生人尚未走远，于是他追上去问。

"你有什么事？"邦布尔碰了一下他的胳膊，陌生人迅速地回过头来，大声说道，"跟踪我吗？"

"只想问个问题，"邦布尔指着纸条说道，"请问我该找什么人？"

"蒙克斯！"陌生人回答道，匆匆地大踏步离去。

第三十八章　本章叙述邦布尔夫妇和蒙克斯先生夜里会面的情况

　　这是一个阴沉、闷热、多云的夏日之夜。整个白天不曾散去的乌云以浓密、缓慢的雾团扩散开来,已凝结成大滴大滴的雨点,同时,似乎预示着一场猛烈的雷雨即将来临。这时,邦布尔夫妇走出镇上的主要街道,朝着离该镇大约一英里半的几幢七零八落、破败不堪的房子走去。这些房子盖在毗邻河边的一块不卫生的低洼沼泽地上。

　　他们俩身上都裹着破旧的外套。也许这样既可以避雨,又可以不被人发现。丈夫提着一盏灯笼,然而没有点亮。因路面很脏,他在前面几步远的地方跋涉,仿佛好让妻子可以踏着他的沉重足迹行走似的。他们默默地往前走。邦布尔先生不时地放慢脚步,回过头来,似乎在确定他的终身伴侣是否已跟上来;发现她紧随其后时,他便加快步伐,以更快的速度继续朝他们的目的地前进。

　　这是个什么地方不难猜测,它早已因成为卑劣歹徒的藏身之地而闻名。这些歹徒在以劳动谋生的种种幌子下,主要靠抢劫和犯罪为生。这儿是大量清一色的简陋小屋:有的是用疏松的砖头草草建起来的,其余的则是用已被虫蛀的旧船木料搭盖的。它们杂乱无章地排列在一块，而且大部分建在离河岸仅几英尺的地方。有几条被拉上来的漏船搁在泥中或拴在岸边矮墙上，四处散落着一些船桨和绳索，乍看起来，似乎这些蹩脚小屋的居住者在河上从事某种职业，然而，只要看出这些东西破烂不堪毫无用处，就能使过路人轻而易举地推测出，它们被放置在那儿，与其说为了实际的用途，不如说为了装门面而已。

在这簇木屋的中心，有一幢先前是一家制造厂的庞大建筑物坐落在河边，俯临这条河流。从前，它也许曾为周围的居民提供过就职机会，可现在它早已成了废墟了。老鼠、蛀虫和湿气的侵蚀，已使支撑建筑物的基桩腐烂不堪；建筑物有相当一部分已经沉入水中，剩余的部分摇摇欲坠地伏在深色的溪流上，似乎在等待有利的时机追随它们的老伙伴，接受同样的命运。

这对可敬的夫妇正停在这幢破败不堪的建筑物前面。此刻，远处的第一声响雷在空中回荡，雨开始哗啦啦地下起来了。

"那地方大概就在这附近。"邦布尔看了手里捏着的那张纸条，说道。

"喂喂！"一个声音在上面喊道。

邦布尔先生循着这个声音抬起头来，看出一个男人从三楼一扇齐胸高的门里探出头来。

"站住，稍等片刻，"那声音喊道，"我马上就下来。"说完，那颗脑袋消失了，门也关上了。

"就是那个人吗？"邦布尔太太问道。

邦布尔先生肯定地点了点头。

"那么，记住我对你说的话，"女总管说道，"注意尽量少说话，否则，你马上就会使我们露出马脚的。"

一直带着非常沮丧的神色观看这幢建筑物的邦布尔先生显然正想对眼下进行的这个计划是否可取表示疑虑，他还来不及开口，因为这时蒙克斯出现了。蒙克斯打开了一道小门——他们就站在这道门边——并示意他们进去。

"进来！"他不耐烦地喊道，在地板上直跺脚，"别让我老待在这儿！"

那个女人开始还有点犹豫，但未等他再次邀请就大胆地走进去。邦布尔先生或耻于落后，或生怕落后，也跟着进去，显然感到局促不安，因为他通常表现出的那种引人注目的尊严几乎荡然无存。

"究竟怎么回事，使你们站在雨中磨磨蹭蹭？"蒙克斯随手闩上门之后，转过身来对邦布尔说道。

"我们——我们只是想让自己凉快凉快。"邦布尔忧心忡忡地环顾四周，结结巴巴地说道。

"凉快！"蒙克斯反驳道，"无论过去的雨水还是将来会落下的雨水都扑灭不了地狱之火①，同样也扑灭不了一个人身上固有的欲望之火。你们要凉快，谈何容易，休想！"

说了这番动听的话之后，蒙克斯突然转向女总管，眼睛紧紧地盯住她，直到不那么轻易被吓唬住的她不得不把眼睛移开，转向地板。

"她就是那个女人，是吗？"蒙克斯问道。

"嗯，就是她。"邦布尔先生留心妻子的告诫，回答道。

"我想，你以为女人永远不会保守秘密，是吗？"女总管插话道，一边说着，一边对蒙克斯投去锐利的目光。

"我知道她们会永远保守一种秘密，直到它被人发现。"蒙克斯说道。

"那是什么秘密？"女总管问道。

"失去她们自己好名声的秘密。"蒙克斯回答道，"根据同样的道

---

① 又称"炼狱火"，即迷信说法所称的上帝惩罚罪人之火。

理，如果一个女人和某个秘密有关，而这个秘密可能使她上绞刑架或被驱逐出境，那么，我就不怕她把秘密告诉别人。我才不怕呢！你明白吗，太太？"

"不明白。"女总管回答道，她说这话时有点脸红。

"你当然不明白！"蒙克斯说道，"你怎么会明白呢？"

蒙克斯对这两个同伴的态度介于微笑和皱眉之间，再次示意他们跟上他，匆匆地走过了一个面积相当大、屋顶却很低的房间。他正要爬上很陡的楼梯，或者更确切地说，爬上通往上面另一层仓库的梯子时，一道雪亮的闪电从隙缝中射下来，接着是隆隆的雷声，使整座破烂不堪的建筑物都摇晃起来。

"听到了吧！"他身子往后退缩，喊道，"听到了吧！雷声隆隆，电光闪闪，仿佛它从魔鬼藏身的一千个洞里发出的回声似的。我讨厌这声音！"

他沉默了片刻，然后，突然把捂住脸的双手移开，看得出他的脸已严重的变形和变色，令邦布尔先生说不出的心慌意乱。

"我不时会这样突然发作，"蒙克斯注意到对方的恐慌，说道，"有时是打雷引起的。现在别管我啦，这一回又全过去了。"

说罢，他带头登上梯子，匆忙关上通往一个房间的窗板，把用绳子和滑轮吊在天花板的一根大梁上的一盏提灯放低。那盏灯将暗淡的灯光投射到底下的一张旧桌子和三张椅子上。

"好啦，"他们三人都坐下来时，蒙克斯说道，"我们还是早谈正事，这对我们大家都有好处。这位女士知道是怎么回事，对吧？"

这问题是对邦布尔提出来的，可是他妻子抢先回答，暗示她对此事知道得一清二楚。

"他说那个老丑妇死的那个晚上你跟她在一起，还说她告诉了你什么，是吗？"

"关于你提到的那个男孩的母亲，"女总管打断他的话，回答道，

“没错。”

“第一个问题是，她的消息是属于什么性质的？”蒙克斯说道。

“那是第二个问题，”这个女人字斟句酌地说道，“第一个问题是，这条消息可以值多少钱？”

“不晓得它是什么消息，谁能说得上值多少钱呢？”蒙克斯问道。

“我相信，谁也不如你清楚。”邦布尔太太回答道。她并不缺乏勇气，这一点她的配偶完全可以作证。

“哼！”蒙克斯意味深长地说道，露出一副急于打听的神色，“也许可以得到值钱的东西了，是吗？”

“也许是吧。”对方镇定自若地回答。

“从她那儿拿走的东西，”蒙克斯说道，“她身上戴的东西。某种——”

“你最好先开个价，”邦布尔太太打断他的话，“我已经听够了。你的话使我确信，你正是那个需要知道内情的人。”

对这个秘密邦布尔先生除了原先掌握的外，他妻子迄今仍未把大部分秘密告诉他。于是，他伸长脖子、睁大眼睛地倾听他们谈话。他以不加掩饰的惊讶神情一会儿看看妻子，一会儿看看蒙克斯。当蒙克斯厉声地问要多少钱才肯透露这个秘密时，邦布尔先生的惊讶神情更是有增无减。

“这个秘密对你来说能值多少钱？”那女人问道，如先前一样镇定自若。

“它也许一钱不值，也许可以值二十英镑，”蒙克斯回答道，“大声讲，让我知道究竟要多少。”

“在你刚才说的那个数字上再加五英镑，给我二十五英镑，”这个女人说道，“我就把我知道的全告诉你。在此之前一切免谈。”

“二十五英镑！”蒙克斯惊叫道，身子直往后退缩。

“我已经讲得再明白不过了，”邦布尔太太回答道，“况且，这又不是一个大数目。"

"二十五英镑买一个微不足道的秘密还不算是大数目！这秘密讲出来时也许一钱不值。"蒙克斯不耐烦地嚷道，"而且，这个秘密已经隐藏了十二年或十二年以上了！"

"这类事情保存得很好，而且，像好酒一样，随着时间的推移，其价值常常加倍，"女总管回答道，仍然保持着原先采取的坚定的冷漠态度，"至于说到隐藏，据你我所知，有些隐藏了一万二千年，甚至一千二百万年的秘密最终还是会被发现其中有离奇、古怪的故事！"

"如果我付了钱，它却一文不值，怎么办？"蒙克斯犹豫地问道。

"你可以易如反掌地再把钱要回去。"女总管回答道，"我只是一个女人，孤身在此，没有人保护。"

"不是孤身，亲爱的，也不是没人保护，"邦布尔先生以吓得发抖的声音顺从地说道，"我在这儿呢，亲爱的。而且，"邦布尔先生说道，他说话时牙齿颤抖得咔嗒咔嗒响，"蒙克斯先生是个正人君子，不会试图对教区人员使用暴力的。蒙克斯先生知道我不是一个年轻人了，亲爱的，也知道我可以说有点儿衰老了。可是，他听说过了，我是说蒙克斯先生毫无疑问已经听说过了，亲爱的，听说我是一位非常坚定的官员，我一旦被激怒，有着异乎寻常的力量。我只需要一点点刺激就够了。"

邦布尔先生一边说着，一边装出十分果断却又可悲的样子，牢牢地握住那盏灯；同时，凭着他一脸惊恐的表情，清楚地表明在做出好斗的表示之前，他确实需要来点刺激，需要狠狠地刺激一下——当然，对付贫民或专门被驯服的人或人们，那是例外。

"你是个傻瓜，"邦布尔太太回答道，"你最好闭嘴。"

"如果他不能小声点说话，那么，他来之前最好先把舌头割掉，"蒙克斯阴森森地说道，"哦！他是你的丈夫，是吗？"

"他，我的丈夫！"女总管吃吃地笑道，不作正面回答。

"你们进来时，我就是这么想的，"蒙克斯回答道，注意到那个太太说话时对她的配偶怒目而视，"这样更好。当我发现你们两人之间完全一致时，我与你们两个打交道就更不必犹豫了。我是认真的。听着！"

他将手伸进侧面口袋，掏出了一只帆布袋子，数出二十五个英镑硬币放到桌上，然后将它们推到那个女人面前。

"好啦，"他说道，"把它们收起来，然后，待这阵该死的响雷过去之后——我觉得这阵雷就要在这屋顶上炸开了似的——我们再听你述说。"

雷声似乎近多了，而且几乎就要在他们头上粉碎、炸开似的。这阵雷声过去后，蒙克斯从桌上抬起头来，身子前倾去听那个女人的陈述。这两个男人俯身在小桌上，心急火燎地准备倾听，而那个女人也俯身向前，好让她的悄悄话使他们听得更清楚时，三个人的脸几乎要碰在一起了。吊灯如豆的光线直接投射在他们身上，加重了他们面色的惨白和焦虑程度：在最阴森、最幽暗的笼罩下，他们的脸色看上去苍白如纸。

"我们都管她叫老萨利的这个女人临终的时候，"女总管开始说道，"和我单独在一起。"

"旁边没有别人吗？"蒙克斯同样沉闷、低声地问道，"其他床上就没有别的病人或白痴吗？没有人会听见，或可能会晓得吗？"

"一个人也没有，"这女人回答道，"只有我们两个人在一起。当死神突然降临时，她的尸体旁只有我一个人。"

"好，"蒙克斯目不转睛地注视着她，说道，"说下去。"

"她提到一位年轻女子，"女总管继续说道，"这女子若干年前生了一个孩子，不仅在同一个房间里，而且就在她临终躺的那张床上。"

"啊，原来如此！"蒙克斯说道，他嘴唇发抖，匆匆地往背后看了一眼，"该死！情况是怎样发生的？"

"那个孩子就是你昨天晚上对他提起的那个。"女总管漫不经心地对她丈夫点点头，说道，"就是这个护士偷了他母亲的东西。"

"在她生前偷的？"蒙克斯问道。

"在她死后。"女总管像是有点发抖地回答道，"那位过世的母亲临终前恳求她替她的婴儿保存一件东西，可她一断气，护士就从尸体上将东西偷走了。"

"她将它卖掉了吗？"蒙克斯迫不及待地大声说道，"她将它卖掉了没有？在哪里？什么时候？卖给了谁？多久以前卖掉的？"

"当她非常吃力地告诉我她已将它卖掉了时，"女总管说道，"她的身子往后一仰，就咽气啦。"

"没有再说些什么吗？"蒙克斯大声说道，他说话的声音因受压抑，似乎变得越发暴躁了，"这是扯谎！我才不上当呢。她还说了一些别的话。我哪怕要了你们俩的命，也要把真相挖出来。我终究会明白真相的。"

"她没有再说一句话，"这女人说道，显然不为陌生人的激烈言辞所动（邦布尔先生就差得远了），"但是她用一只手死命地抓住我的睡衣。她那只手中紧握着什么东西。我见到她已经咽了气，就用力把她的手掰开，发现她紧紧地捏着一张脏兮兮的纸。"

"它包着——"蒙克斯将身子往前探出，插话道。

"什么也没有，"这个女人回答道，"是一张当铺的当票。"

"什么东西的当票？"蒙克斯问道。

"我很快就会告诉你，"这女人说道，"我估计她把那件小玩意儿保存了一些时候，希望更好地利用它，后来又将它典当了，并且想法攒钱年年支付当铺老板的利息，不使它过期，以便有机会仍然可以把它赎回来。结果一直没有机会，所以，正如我对你说的，她死的时候手里捏着一张破旧不堪的纸。当时再过两天当票就过期了。我也认为有一天可能会有用处，就赎回了典当物。"

"它现在在哪儿？"蒙克斯急忙问道。

"你瞧，"这女人回答道，仿佛她很乐意摆脱它似的，迅速地将一只仅够容纳一块法国手表的小山羊皮包扔到桌上。蒙克斯猛然扑过去攥住它，以颤抖的双手撕开它，里面装有一只小金盒，金盒里有两绺头发和一枚朴素的金质结婚戒指。

"戒指的内侧刻有'艾格尼丝'字样，"女总管说道，"有一处留着空白，以便填上姓氏，接下来是日期。这个日期离孩子的诞生不到一年。这是我后来发现的。"

"都在这儿了？"蒙克斯对小皮包里的东西做了一番仔细、急切的检查之后，说道。

"全在这里。"女总管回答道。

邦布尔先生深深地抽了一口气，仿佛他很高兴她的陈述已经结束似的，而蒙克斯也没有再提及要回那二十五英镑的事。现在，他鼓足了勇气抹去说话期间止不住从鼻子上直淌下来的汗水。

"除了我所能够猜测的之外，我对这一事件的真相一无所知，"沉默了一会儿之后，邦布尔太太对蒙克斯说道，"我也不想知道，因为不知道会更安全些。不过，我可以问你两个问题吗？"

"你可以问，"蒙克斯显得有点惊讶，说道，"至于我回不回答，那是另一回事。"

"——这就变成三个问题了。"邦布尔先生试着来一句诙谐妙语，说道。

"这就是你指望从我这儿得到的东西吗？"女总管问道。

"是的，"蒙克斯回答道，"另一个问题呢？"

"你打算用它来做什么？你会用它来对付我吗？"

"决不会，"蒙克斯回答道，"也不会用它来对付我自己。注意！可别再往前一步，否则，你的生命就不值一根纸莎草。"

　　说罢，他突然把桌子推到一边，拉起地板上的一只铁环，揭开一道大活板门。活板门就从邦布尔先生的脚边打开，吓得这位先生急忙后退了好几步。

　　"往下看吧，"蒙克斯说着，把那盏提灯放入深坑里，"不用怕我。倘若我存心害你们的话，刚才你们坐在活板门上时，我完全可以悄悄地把你们丢下去。"

　　受他这句话的鼓舞，女总管走近了深坑边缘，甚至邦布尔先生本人受好奇心的驱使，也大胆走上前来。因暴雨而涨起的混浊的河水在下面奔腾流过；河水在绿色的、黏滑的基桩上溅泼和旋转的响声吞没了其他一切声音。过去底下曾经是一个水力磨坊，潮水泛着泡沫，冲洗着那几根腐烂的磨桩和机器的残片。当潮水摆脱了那些徒然地试图堵住其前进方向的障碍物时，它似乎以一种新的冲力向前奔流。

　　"如果把一具尸体扔到下面去，明天早晨它会在何处呢？"蒙克斯说着，让那盏提灯在黑幽幽的深坑里来回摆动。

　　"在河的下游十二英里处，而且被扯成碎片。"邦布尔先生回答道。一想到这他便畏葸不前。

　　蒙克斯掏出刚才匆匆塞入怀里的那只小皮包，把它缚在一块放在地板上的铅锤上，铅锤原先是滑轮零件。而后，他将它投进河里。它笔直地往下掉，几乎听不到扑通一声就钻进水里，不见了。

　　三个人彼此面面相觑，似乎可以更自由地呼吸了。

　　"好啦！"蒙克斯将活板门关上说道，活板门重重地落回原处。"倘若如书本上所说的，大海即使会把它的死者交出来，也不会让人知道它的金银财宝的，这个废物也包括在内。我们再没有什么话可说的了。我们可以结束这次愉快的聚会了。"

　　"当然可以。"邦布尔先生欣然说道。

　　"你会对这件事保持沉默的，是吗？"蒙克斯带着威胁的神色说道，"我倒不担心你的妻子。"

"你可以相信我，年轻人。"邦布尔先生回答道，他彬彬有礼地鞠了一躬，慢慢地朝梯子走去，"为了每个人的利益，年轻人，也为了我自身的利益，你是知道的，蒙克斯先生。"

"听你这么说，我为你感到高兴，"蒙克斯说道，"把你的灯点起来！尽快地离开这儿。"

幸亏谈话在这时候结束，否则，一路鞠躬地走到离梯子仅六英寸的邦布尔先生必然会一头栽进下面的房间里的。他点上了蒙克斯从绳子上拆下来现在提在手里的那盏灯。他并不想延长说话，便默默地下了梯子，后面跟着他的妻子；蒙克斯殿后，他先在梯子上停下来，确实弄清楚除了户外噼噼啪啪的雨水声和下面哗啦哗啦奔腾的河水声外再也没有别的声音后才下楼。

他们缓慢地、小心翼翼地穿过下面那个房间，因为影子也使蒙克斯心惊胆战。邦布尔先生把那盏灯举在离地面一英尺的地方，不仅走得特别小心，而且像他这样的身材的人脚步如此轻盈简直不可思议。他提心吊胆地往四下里看，提防隐秘的活板门。蒙克斯轻轻地拔掉门闩，打开他们进来的那道门。这对夫妇跟他们这位相识只是彼此点了点头，便消失在外面黑沉沉的雨夜中了。

他们一走，蒙克斯就呼喊一直藏在下面某个地方的男仆。蒙克斯看来对独自留下来无人陪着极为反感。他吩咐男仆提着灯笼在前面引路，自己在后头跟着，回到刚才离开的房间。

第三十九章　介绍读者已经熟悉的一些体面人物，并叙述蒙克斯和犹太人如何一起策划

上一章提到那三个宝贝处理掉所述的那一小笔交易之后的第二天傍晚，威廉·赛克斯先生从小睡中醒来，睡眼惺忪地嘟哝着问现在是晚上几点了。

赛克斯先生打盹的房间并不是彻特西之行以前住过的那些房间之一，尽管它在伦敦的同一个区里，与先前的住处相隔不远。但这是一个面积很小、装饰得很差的简陋的屋子，表面上不如他的旧住处合意。种种迹象表明这位可敬的先生近来非常落魄：家具远远不够用，无舒适可言，甚至连富余的衣服和内衣之类的小动产都见不到，说明他处于极端贫困的状态之中。倘若这些迹象还需要别的证据，赛克斯本人那副瘦削、虚弱的模样就是最充分的证明。

这个破门盗贼躺在床上，把白大衣裹在身上当作晨衣。他那苍白的病容、加上那顶脏兮兮的睡帽和已有一星期没刮的又硬又黑的胡子，丝毫也不能使他的容貌有所改观。他的狗蹲在床边，时而以渴望的神色注视他的主人，时而竖起耳朵倾听。每逢街上或楼下有什么响声吸引它的注意，它便发出低声的嗥叫。窗子旁边坐着一个女

孩，正忙着补一件旧背心。它是抢劫犯的便服之一。由于护理病人及生活品的匮乏使她的脸色变得如此苍白、消瘦，要不是她回答赛克斯问话的声音，简直很难认出她就是本故事中已描绘过的那位南希小姐。

"刚刚过7点，"姑娘回答道，"你晚上觉得怎样，比尔？"

"身体非常虚弱，"赛克斯说道，又诅咒起自己的眼睛和四肢来了，"喂，帮我一把，无论如何让我离开这张破床。"

生病并未能使赛克斯先生的脾气变好一点。姑娘把他扶起来，搀他朝一张椅子走过去时，他低声地咒骂她笨手笨脚，还打了她。

"你在哭，是吗？"赛克斯说道，"得啦！别站在那儿哭泣。要是你光会哭，什么也做不来，那干脆分道扬镳算了。你听见了没有？"

"我听见了，"姑娘回答道，她侧过脸去，勉强笑了笑，"你现在脑子又在想些什么啦？"

"哦！你又改变主意了，不走啦，是不是？"赛克斯咆哮着说道，注意到她的眼眶噙着泪水，"这样对你更好。"

"什么，你该不是说你今晚还会使我难堪吧，比尔？"姑娘说着，把一只手搭在他肩上。

"没错！"赛克斯嚷道，"为什么不？"

"这么多个夜晚，"姑娘带着一点女性的温柔说道，这种温柔使她的声音里露出些许悦耳的声调，"这么多个夜晚，我这么耐心地护理你、照料你，仿佛你是个小孩似的。直到现在我头一回看到你有点像你原来的样子，如果你想想这些，就不会像刚才那样待我了，是吧？得啦，得啦，说你不会那样待我。"

"那好吧，"赛克斯先生回答道，"我不会那样啦。唔，该死，这姑娘现在又哭鼻子啦！"

"没什么，"姑娘说着，一屁股坐进一张椅子里，"你无论如何别管我，一会儿就过去了。"

"什么就过去了？"赛克斯先生凶巴巴地问道，"现在你又在搞什么名堂了？起来，干活去，别用女人的愚蠢举动来烦我。"

在别的时候，这一告诫及其使用的语调定会收到理想的效果的；但是这姑娘实在太虚弱、太筋疲力尽了，赛克斯先生还来不及发出几声适合时宜的诅咒——在类似的场合，他习惯以这些诅咒来点缀自己的威胁——她的脑袋便在椅背上一歪，昏过去了。赛克斯不太晓得在这不寻常的紧急情况下该怎么办。南希小姐的歇斯底里病的发作通常来势凶猛，病人只有靠自己拼力挣扎着熬过去，旁人帮不了忙。赛克斯先生尝试了一下辱骂的办法，发现这种治疗方式完全无效之后，就喊人来帮忙。

"这儿出了什么事了，亲爱的？"费金问道，眼睛朝里窥视。

"帮忙照料这个姑娘，好吗？"赛克斯不耐烦地回答道，"别站在那儿对我唠唠叨叨、龇牙咧嘴的！"

费金发出一声惊叫，赶快过来抢救这个姑娘，而跟着他的恩师走进来的杰克·道金斯（又名机灵的蒙骗者）急忙把扛着的一包东西放在地板上，从紧随其后的查利·贝茨少爷手中抢过了一只瓶子，瞬息之间用牙齿拔去瓶塞，自己先尝了一口以防搞错，然后往病人的喉咙倒入一些药液。

"用吹风器给她吹一点新鲜空气，查利，"道金斯先生说道，"费金，你拍拍她的手，比尔，把她的衣服解开。"

这些全力以赴施予她的恢复健康之物①，特别是委托给贝茨少爷的那项差事——他似乎把自己承担的这项任务看作是件空前绝后的乐事——很快地产生了理想的效果。姑娘逐渐地恢复了知觉，跌跌撞撞地向床边的一对椅子走去，将脸埋入枕头中，让赛克斯先生去面对新到的客人，对他们意外的出现感到有点儿诧异。

---

① 指恢复健康或体力之物（如补剂、新鲜空气等）。

"哎呀,什么阴风把你们吹到这儿来了?"他问费金道。

"根本没有什么阴风,亲爱的,因为阴风吹起来对每个人都不利。我带来了一些你乐意看的好东西。蒙骗者,亲爱的,把包裹打开,将今天早晨我倾资购买的那些小玩意儿送给比尔。"

机灵的蒙骗者遵照费金先生的吩咐,将一个体积很大、由一条旧桌布打成的包裹解开,把里面装的东西一件一件地交给查利·贝茨。查利把它们放在桌上,对它们的珍奇和精美赞不绝口。

"这么好的兔肉馅饼,比尔,"这位年轻的先生惊叫道,向他展示一块大馅饼,"如此细嫩的动物,四肢娇嫩无比,比尔,因此,连骨头都会在你口中融化,根本用不着剔骨头;半磅绿茶,每磅七先令六便士,浓极啦,如果你用开水泡,它几乎会把茶壶盖给掀掉;一磅半的糖,有点潮,那些黑人一定是偷懒,根本不干活,才会把它搞成这副德行——哦,自然没有好好干!两条两磅重的麦麸面包;一磅上等的鲜肉;一块一级的格罗斯特干酪①;最后,还有一些你曾经喝过的味道最醇浓的酒!"

贝茨少爷发出了最后一句赞美之后,从他的一只大口袋里掏出一大瓶用塞子塞得严严实实的酒来。与此同时,道金斯先生从他拿着的酒瓶里倒出满满的一杯纯烈酒。赛克斯接过来,毫不迟疑地将脖子一仰,一饮而尽。

"啊!"费金心满意足地搓着手说道,"你行啦,比尔,你现在没事啦。"

"没事!"赛克斯先生大声说道,"在此之前有多少回我差点完蛋了,你也没为我做点什么。三个多星期你让一个人处于这种状态,安的是什么心,你这个虚情假意的无赖?"

---

① 格罗斯特系英国格罗斯特郡的首府,以产干酪闻名。一级干酪是用全脂乳制成的。

"孩子们，听听他说的什么话！"费金耸了耸肩说道，"而我们给他带来了这么多好东西。"

"东西本来倒不错，"赛克斯先生说道，当他匆匆地往桌上扫了一眼时，气有点消下去了，"可是，你还有什么可为自己辩解的？为什么把我撂在这儿，垂头丧气、身体虚弱、身无分文，以及其他种种不如意的事儿。把我撂在这儿长时间不理会我，好像我是这儿的那条狗似的——查利，把它赶下来！"

"我从未见过这么有趣的一条狗，"贝茨少爷喊道，照着赛克斯的吩咐做，"像一个上市场的老太婆那样不停地嗅着食物！让这条狗上台表演一定能够发财，而且还能复兴戏剧。"

"别出声，"赛克斯喊道。那条狗退到床底下去时还愤怒地发出猖猖声。"你还有什么可为自己辩解的吗，你这个接受贼赃的、干瘪的老浑蛋？"

"我离开了伦敦一个多星期，亲爱的，处理有关赃物的事。"犹太人回答道。

"还有另外两星期呢？"赛克斯问道，"你把我撂下、让我像洞里的一只病鼠一样躺在这儿的另外那两个星期呢？"

"我没有办法，比尔。在同伴们面前我不能作冗长的解释；但是我实在没有办法，我以我的名誉担保。"

"以你的什么担保？"赛克斯非常反感，怒气冲冲地说道，"喂！你们哪一位给我切一块馅饼来，以便除去我嘴里的酒味，否则它会把我呛死。"

"别发脾气，亲爱的，"费金唯唯诺诺地规劝道，"我从未曾把你忘掉，比尔，一次也没有。"

"没有！我敢肯定你没有，"赛克斯苦笑着回答道，"当我躺在这儿浑身发抖、发着高烧的每个小时里，你一直不停地搞阴谋诡计，想让比尔干这，让比尔干那；比尔的病一好，什么事都得比尔干，廉价透顶，替你干活穷得叮当响。要不是这个姑娘，我早就死啦。"

"你看多好，比尔，"费金迫不及待地接过这个话茬儿，规劝道，"要不是这个姑娘！除了可怜的老费金，谁有办法让你身边有这么一个得心应手的姑娘？"

"他这句话说得够实在的。"南希急忙跑上前来说道，"别为难他，别为难他。"

南希的出现使他们改变了话题。孩子们接受小心翼翼的老犹太人丢来的狡猾的眼色，开始频频地向她劝酒。然而，她却很有节制。费金却装出罕见的兴致勃勃的样子，假装把赛克斯的威胁看作有趣的小玩笑，此外，又故意开怀大笑，因为赛克斯喝了很多酒之后放下架子开的一两个粗俗的玩笑，渐渐地使赛克斯先生的脾气好了起来。

"一切都很好，"赛克斯先生说道，"不过，今晚你得给我弄点现金。"

"我身上一个子儿也没有。"犹太人说道。

"那么你家里有好多啰。"赛克斯反驳道，"我必须从那里弄一些。"

"好多！"费金举起双手，大声说道，"我并没有多到会——"

"我不晓得你有多少钱，我想你自己也不太清楚，因为要花很长时间才数得清，"赛克斯说道，"可是我晚上必须要一些，就这么决定了。"

"好吧，好吧，"费金叹了一口气说道，"我马上派机灵鬼去取。"

"你可别这么干，"赛克斯先生回答道，"这个机灵鬼过于机灵了。如果你叫他去的话，他不是忘了送来，就是迷了路，或设圈套逃避，他总会找出种种借口。南希到窝里去取最稳妥。她去的时候我想躺下来打个盹。"

经过一番激烈的讨价还价，费金将赛克斯要求预支的金额从五英镑杀到三英镑四先令六便士，并再三庄严地声称，这样将使他只剩下十八便士来料理家事。赛克斯先生满脸不高兴地说，如果弄不到更多的钱，他只好对此感到满足。南希预备跟费金回家，蒙骗者和贝茨少爷将食物放进食橱。然后，费金向他挚爱的朋友告辞，在南希和孩子们的陪伴下往回走。与此同时，赛克斯先生倒在床上，静下心来在睡眠中打发时光，等着年轻小姐的归来。

他们终于来到了费金的住处。在这里，他们发现托比·克雷基特和奇特林先生正在专心地玩第十五盘克里比奇牌戏①。几乎不用说，奇特林先生输掉这盘了；同时，也输掉了他的第十五个和最后一个便士，令他的年轻朋友们都觉得很开心。克雷基特先生显然对于被发现与一个在地位和智力天赋如此不如自己的人玩牌感到有些惭愧。他连连地打着呵欠，问起赛克斯的健康情况，拿起帽子就要离开。

"没有人来过吗，托比？"费金问道。

"一个也没有。"克雷基特先生将衣领竖起，回答道，"无聊得很，像低级啤酒那么淡而无味。费金，你应该好好地犒劳我，因为我替你看了这么长时间的家。他娘的，我像个陪审员一样无精打采。倘若我不是脾气那么好来给这个小伙子逗乐，我早就睡着了，睡得像新兴门监狱那么酣畅安稳了。无聊透了，哎呀，实在太无聊了！"

托比·克雷基特先生说完这些及其他类似的话之后，将赢的钱扫成一堆，然后摆出一副高傲的神态，将它们塞进自己的背心口袋，仿佛像他这么一个有身份的人对这么几个小银币简直不屑一顾似的。而后，他大摇大摆地走出房间，那么温文尔雅，那么风度翩翩，以至于奇特林先生对他的双腿和靴子投以羡慕的目光，直至再也见不到它们，并对同伴断言，他认为花十五个便士结识这么一个朋友很便宜，还说他并不把弹指间的损失当做一回事。

"你真是一个古怪的家伙，汤姆！"贝茨少爷说道，对他的这一

---

① 一种二人、三人或四人玩的纸牌戏，用插在有孔的记分板上的，小钉记分。

断言觉得很有意思。

"一点也不怪,"奇特林先生回答道,"我怪吗,费金?"

"一个非常聪明的人,亲爱的。"费金说道。他拍了拍他的肩膀,又向他的其他弟子使眼色。

"克雷基特先生是一位了不起的人物,是不是,费金?"汤姆问道。

"那是毫无疑问的,亲爱的。"

"结识他是一件值得称道的事,是不是,费金?"汤姆继续追问道。

"确实很值得称道,真的,亲爱的。他们只是妒忌,汤姆,因为他不同他们结交。"

"啊!"汤姆洋洋得意地喊道,"问题就在这儿!他把我的钱全赢走了,可是,只要我愿意,我还可以再去挣回来,是不是,费金?"

"你肯定可以,而且你越快去挣,越好,汤姆,所以,马上把你的损失补回来,别再耽误时间了。蒙骗者!查利!该是你们出去干活①的时候了。得啦,都快10点了,还什么事也没干。"

孩子们遵从这一暗示,向南希点点头,拿起帽子离开房间。蒙骗者和他的活泼朋友边走边说了许多俏皮话,一味地拿奇特林先生开心。说句公道话,奇特林的行为并没有什么非常引人注目或特别之处,因为伦敦城血气方刚的年轻人多的是,他们为了让人看见与上流人士交往而付出了比奇特林先生更高昂的代价。还有许多优秀的先生(组成前面所述的上流社会)在几乎与派头十足的托比·克雷基特一样的基础上建立起了他们的名声。

"现在,"他们都离开了房间时,费金说道,"我去给你拿现金,南希。我只是用小橱将孩子们弄来的零零碎碎的东西锁起来,亲爱的。我从未曾把钱锁起来,因为我没有钱可锁,亲爱的——哈!哈!哈!——没有钱可锁。这是个穷行当,南希,而且没有功劳。我只是

---

① 原文使用俚语"lay",指偷盗、拦劫之类的"活儿"。

喜欢看到年轻人在自己身边，因此，我承受一切。我承受一切。嘘！"他说道，急忙将钥匙藏进怀里，"那是谁？听！"

南希双臂交叉放于胸前，一直坐在桌旁，对来访者似乎一点也不感兴趣，也一点不在意是否有人来，不管他是什么人，直到来访者轻轻的说话声传到她耳里。她一听到这个声音，便以闪电般的速度，扯掉无边女帽和围巾，把它们猛塞到桌子下面。不久之后，犹太人回过头来时，她小声地抱怨太闷热了，其倦怠的腔调与刚才迅猛的动作形成了鲜明的对照。然而，当时背向着她的费金没有注意到。

"呸！"费金悄声说道，仿佛被这一打扰惹怒似的，"他是我原先等待的人，他下楼了。他在这里的时候，关于钱的事你一个字也别提，南希。他不会待很久的，不会超过十分钟，亲爱的。"

犹太人将瘦骨伶仃的食指搁在嘴唇上，举起一支蜡烛朝门口走去，因为这时已经可以听到外面楼梯上传来了一个男人的脚步声。犹太人走到门口，与此同时，来访者匆匆地走进房里，快走到南希身边了，他才发现她。

来访者是蒙克斯。

"她只是我的一位年轻朋友，"费金注意到蒙克斯一见到陌生人就往后退缩，"别走，南希。"

姑娘往桌子边更靠近些，漫不经心地瞥了蒙克斯一眼，就将目光移开。可是，当蒙克斯把目光转向费金时，她偷偷地瞅了他一眼——如此敏锐、果断，倘若有旁观者来观察这种变化，他简直不能相信前后看了这两眼的竟然出于同一个人。

"有消息吗？"费金问道。

"重要消息。"

"也是——也是——好消息？"费金问道。他犹豫着，仿佛生怕由于自己过于自信而令对方不快似的。

"总之不坏，"蒙克斯微笑着回答道，"这一回我干得敏捷利索。

让我跟你说句话。"

　　姑娘又往桌子边挨得更近些，无意主动地离开房间，尽管她看得出蒙克斯有意要她离开。犹太人也许担心如果自己竭力地摆脱她，她可能会大声地说出取钱的事。因此，他往楼上指了指，把蒙克斯带出房间。

　　"别到我们上回去的那个地狱般的脏地方。"南希可以听见他们上楼时那个男人说的话。费金哈哈大笑，回答的话她没听到。根据木板的吱吱嘎嘎声判断，他似乎把他的伙伴带到了三楼。

　　在他们的脚步声在房里停止回响之前，姑娘已匆匆地脱下鞋子，将裙子拉翻过来，松散地盖在自己头上，把自己两只胳膊包裹在裙子里，站在门口，全神贯注地听着。他们的脚步声一停，她就悄悄地溜出房间，以令人难以置信的轻柔，一声不响、蹑手蹑脚地上了楼梯，消失在楼上的黑暗中。

　　楼下的房间有一刻多钟空无一人，姑娘依然神不知鬼不觉地溜了回来。不久，她可以听见那两个男人下楼的声音。蒙克斯马上离开走到街道上，犹太人则再次上楼取钱。他回来时，南希正在整理围巾和女帽，仿佛准备要走的样子。

　　"哎呀，南希，"犹太人惊叫道，放下蜡烛时，他吓得直往后退，"你的脸色多苍白啊！"

　　"苍白！"姑娘随声附和道，用双手遮在眼睛上方，像是要沉着地面对他似的。

　　"太可怕啦。你做了什么啦？"

　　"据我所知，什么也没有，只是坐在这个密不透风的地方不晓得有多久，"姑娘毫不在意地回答，"好啦！让我回去，这才像话。"

　　犹太人如数点出那些钱放到她手里，每点一枚钱币就叹息一声。他们没有再交谈，只是彼此道一声"晚安"，就分手了。

　　姑娘进入了空旷的大街上时，就在一户人家门前的石阶上坐下来。她似乎完全给搞糊涂了，无法继续往前走。她蓦地站起身，匆匆忙忙地朝着赛克斯正等待着她回去的相反方向走去。她加快了步伐，终于变成了奔跑。在彻底的筋疲力尽之后，她停下来歇了一口气，同时，她仿佛突然想起来似的，哀叹自己爱莫能助，力不从心，绞扭着双手，突然放声大哭起来。

也许她的眼泪使她觉得好受些，也许她感到自己完全处于无助的境地。她趔了回来，几乎以同样的速度往相反的方向赶，一方面为了弥补失去的时间，另一方面为了赶上她自己激烈的思想浪潮。她很快地抵达原先离开破门盗贼的那个住处。

当她出现在赛克斯先生面前时，倘若暴露出什么焦虑不安的话，他根本也觉察不出，因为他只是问她是否把钱带来了，得到了肯定的答复后，他发出了满意的咕哝声，重又将脑袋放回枕上，又继续被她打断了的睡眠。

她倒是很幸运，赛克斯有了钱后第二天就忙着大吃大喝。此外，他变得心平气和起来了。因此，他没有时间，也不想过分苛求她的行为举止。南希显得心不在焉、紧张不安，是想采取某个大胆的和危险的行动之前的一种心态。但需要经过激烈的思想斗争她才下得了决心。目光敏锐的犹太人对此会一目了然的，极有可能立即引起他的警觉。可是赛克斯先生缺乏精细的辨别力，也不为微妙的疑惑所苦恼；一旦产生什么疑惑，只会演变成对任何人的固执和粗暴的行为。加之，如前所述，他的心情正处于异常愉快的状态，因此，他看不出她的举止有什么反常。事实上，他对她一点也不在意，即使她的焦虑不安情绪比现在明显得多，很可能也不会引起他的怀疑。

到了黄昏时分，姑娘的心情愈加激动了；夜幕降临时，她坐在旁边，等候破门盗贼喝醉后自己去睡。她的脸特别苍白，双眼迸发出激情的火花，以致连赛克斯也吃惊地注意到了。

赛克斯先生因患热病，身体虚弱，正躺在床上喝着为减少刺激作用而掺热水的杜松子酒。有三四次他将空杯子推到了南希跟前，要她斟满酒。就在这个时候，他第一次觉察出南希的这些异样。

"啊唷，真该死！"赛克斯说着，用双手撑起身子，盯着南希的脸看，"你看上去像一具复活的僵尸。出了什么事啦？"

"什么事！"姑娘回答道，"什么事也没有。你为什么这么盯着我？"

"究竟是什么愚蠢的念头呢？"赛克斯问道，紧紧地抓住她的胳膊，粗暴地摇着，"这是怎么回事？你这是什么意思？你脑子里在想些什么？"

"想了许多事，比尔，"姑娘回答道。她说话时浑身直哆嗦，双手捂住眼睛，"可是，大啊！那又有什么关系呢？"

最后一句那强颜欢笑的语调，似乎比先前狂乱、刻板的神色对赛克斯产生更为深刻的影响。

"我告诉你究竟怎么回事吧，"赛克斯说道，"如果你没有染上热病，现在又没有发作的话，似乎有什么不寻常的事要发生了，而且还是危险的事。你该不是要——不，该死！你不会那么干的！"

"干什么？"姑娘问道。

"没有一个，"赛克斯眼睛盯着她，喃喃自语道，"在现在的女孩子中，没有一个比她更坚强可靠的了，否则，我三个月前就会割断她的喉管。她准是热病发作，就这么回事。"

赛克斯以这一断言来使自己振作起来，将那杯酒一饮而尽，然后嘴上不断地咕哝着诅咒，嚷着要吃药。姑娘极其敏捷地跳了起来，迅速地把药倒出来，但她背向着他，然后将杯子递到他的嘴边，让他把药喝下去。

"好了，"抢劫犯说道，"过来坐在我身边，摆出你平时的模样来，否则，我会彻底地改变你的面孔，叫你再也认不出自己。"

姑娘听从吩咐。赛克斯紧紧地抓住她的一只手，一头倒在枕上，眼睛转过来，盯着她的脸。他眼睛闭起来，又睁开，再闭起来，又再睁开。他焦躁不安地改变睡姿，一次又一次地打了两三分钟盹之后，常常带着满面恐惧的神色跳了起来，神情茫然地环顾四周。突然，当他像要起立时，竟突然沉沉地入睡了，抓住她的那只手也松开了，抬高的胳膊软弱无力地垂到他的侧边。他躺在那儿，陷入昏睡之中了。

"鸦片酊终于生效了，"姑娘从床边站起来，小声地说道，"不过现在可能太迟了。"

她急忙戴上女帽，披上围巾，惊恐万状地不时往四下里看看，仿佛尽管有那一剂安眠药水，她仍无时无刻地感到赛克斯的那只笨重的手搁在她肩上的压力似的。而后，她轻轻地俯身于床上，在抢劫犯的嘴上吻了一下，然后一声不响地打开房门，又随手关上，匆匆地离开那幢房子。

在一处黑咕隆咚的小巷里，更夫已报过 9 点半。南希得经过这条小巷才能到达大街。

"9 点半过了很久了吗？"姑娘问道。

"再过一刻钟就敲 10 点了。"更夫说着，举起灯笼照了她的脸。

"至少要一小时以上我才到得了那儿。"南希咕哝道。她敏捷地和他擦肩而过，迅速地沿大街而行。从斯皮托尔菲尔兹到伦敦西区，她沿途穿过的偏僻小巷和小路上的许多商店已经陆续打烊。大钟敲了十时，她心里更加焦躁不安了。她沿着狭窄的人行道狂奔，一路上用肘部把过往行人推向一边，几乎在马头下面猛冲着穿过拥挤的马路，这里，一群群行人正在急不可耐地等着马车过去再走。

"这女人疯啦！"当她猛冲过去时，人们目送着她的背影，说道。

她来到了伦敦更富裕的地区时，街道上的行人较少。不过，在这儿，她的快速前进激起了那些游荡者们更大的好奇心。有些人在她后头加快了步伐，仿佛想看看她这么步履匆匆想往何处去；少数人冲到她前面，然后回过头来看她，对她没有减速感到诧异，但他们又都一个个地落在她后面了。她接近目的地时只剩下她一人了。

这是海德公园附近一条僻静而美观的街道上的一家家庭旅馆①。它门前耀眼的灯光指引她来到这个地点时，大钟敲了 11 时。她在外面闲逛了几步，仿佛还犹豫不决，是否要进去似的。然而，那钟声促使她下了决心。她走进了旅馆大厅。服务员的座位空着。她疑惑地往四下看了看，然后朝楼梯走去。

"喂，姑娘！"一位穿戴入时的女子从她背后的一道门探出头来喊道，"你到这儿找谁呀？"

"一位住在这家旅馆的小姐。"姑娘回答道。

"一位小姐！"对方的回答伴随着轻蔑的神色，"哪位小姐？"

"梅利小姐。"南希说道。

这位年轻女子此刻已注意到了她的外表，只是以无恶意的、轻视的一瞥代替回答，然后叫一个男仆来答复她。南希把自己的来意向男仆重复了一遍。

"我通报的时候该叫你什么名字？"侍者问道。

"什么名字也不用说。"南希回答道。

"也不用说有什么事？"这位男仆说道。

"是的，这也不用提，"姑娘回答道，"我必须见这位小姐。"

"得啦！"这个男仆说着，把她往门外推，"别来这一套。滚开！"

"要我走，除非把我抬出去！"姑娘凶狠地说道，"而且，我可以使这成为一件你们俩谁也不愿干的费劲的活儿。这儿有人吗？"她环顾四周，问道，"哪一位愿意为像我这样的可怜人捎个简单的口信？"

这一恳求打动了一位面貌和气的男厨子，他和几位仆人正在旁观。于是，他走上来干预。

"替她把口信递上去吧，乔，好不好？"这个厨子说道。

"有什么用呢？"乔回答道，"你该不会认为那位小姐会见像她这样的人吧，是不是？"

---

① 以优惠价接待携带家属者的旅馆。

这句暗示南希可疑名声的话，在四个女仆纯洁的胸中激起了无比的愤慨。她们慷慨激昂地说，这个女人对女性来说是一大耻辱，强烈地建议无情地将她扔进阴沟里。

"你们爱怎么处置我都行，"姑娘说罢，又把脸转向那些男仆，"可是先照我的要求去做。我要求你们看在全能之神的分上，给我捎这个口信。"

软心肠的厨子又进一步地调解，最终由最早露面的那个男仆负责递送口信。

"口信是什么内容？"这个男仆问道，一只脚已踩在楼梯上。

"你就说有个年轻女子迫切地要求与梅利小姐单独面谈，"南希说道，"并且说，如果小姐愿意听她要说的第一句话，她就知道是听她把话说完呢，抑或把她当做骗子撵出门去。"

"喂，"这男仆说道，"你也太过分了！"

"你就给我捎这个口信，"姑娘坚定地说道，"让我听她的回音。"

这个男仆跑着上楼去了，南希留下来。她脸色惨白，倾听着那些贞洁的女仆频频嘲笑她的言辞，气得嘴唇都发抖。当那个男仆回来，叫南希上楼时，她们的风言风语愈加肆无忌惮了。

"在这个世上循规蹈矩是没有用的。"第一个女仆说道。

"黄铜胜过经受烈火炼过的黄金。"第二个女仆说道。

第三个女仆只满足于想知道"怎样才算有身份的女士"；而第四位女仆唱了一首四重唱的第一句"丢脸！"其他独身主义者们[①]则用"丢脸！"来结尾。

南希对这一切并没有放在心上，因为她心里有更重要的事。她四肢发抖地跟着那个男仆来到了一间小接待室。接待室天花板上悬挂着一盏灯用来照明。男仆把她留在这儿，自己退了出去。

---

① 指其他贞洁的女仆们。

第四十章　后续上一章的一次奇怪的会面

　　南希姑娘的生命一直无谓地浪费在街头，以及伦敦最臭气冲天的贫民区和贼窝之间。然而，她身上依然保留着几分女性的某些天性。当她听到轻轻的脚步声走近她进来那道门对面的另一道门时，想到再过一会儿这个小房间和现在将有天壤之别，那种自惭形秽之感压得她喘不过气来；她畏缩了，仿佛不敢面对这位自己请求会见的小姐。

　　然而，与这种良知作斗争的是自尊心——最卑劣、最下贱的人身上的这一不良习气并不亚于地位高、自信心强的人。作为一个窃贼和恶棍的可怜的同伴、低级巢穴的堕落的流浪汉、监狱和囚船中的社会渣滓的伙伴，在绞刑架的阴影中生活——即使这么堕落的女子都感到如此自尊，以至于丝毫不愿显露出女人特有的情感。她认为这种情感是软弱的表现，但只有这情感才将她与人性联系在一起。她那耗尽天良的生活自孩提时代起就已经湮没了许多许多人性的痕迹了。

　　她抬起双眼，足以看清出现在面前的是一位苗条的、漂亮的女孩子；然后，她将目光转移到地板上，假装若无其事地将头一甩，说道：

"要见你一面可真不容易啊，小姐。如果我赌气走掉，就像许多人会赌气走掉一样，那么，有一天你会后悔的，而且有理由后悔的。"

"如果有人对你粗暴无礼，我很抱歉，"罗斯回答道，"别放在心上。告诉我你为什么想见我。我就是你要见的人。"

她回答时的友好语气、悦耳的声音、文雅的举止、不带半点傲慢或不快的腔调，使南希大为诧异，她突然放声大哭起来。

"哦，小姐，小姐！"南希说道，动情地两手交叉搁在面前，"如果多一些像你这样的人，就会少一些像我这样的人，一定会的，一定会的！"

"坐下来，"罗斯诚挚地说道，"如果你处于贫穷或苦难之中，我将非常乐意竭力救助你——我真的乐意。请坐！"

"让我站着吧，小姐，"姑娘仍然哭泣着说道，"在你对我更了解之前，对我说话别这么客气。夜渐渐深了。那——那——那道门关了吗？"

"关了，"罗斯说道，往后退了几步，仿佛万一需要帮助时便于别人前来接应，"怎么啦？"

"因为，"姑娘说道，"我打算把自己的生命以及别人的生命都托付给你。小奥利弗走出彭顿维尔那幢房子的那天晚上就是我将他拉回老犹太人的贼窝的。"

"是你！"罗斯·梅利惊叫道。

"是我，小姐！"姑娘回答道，"我就是你听说过的那个恶名昭彰的家伙，生活于盗贼中间，自从我能回忆自己开始混迹于伦敦街头的一刹那起，除了他们给予我的生活外，从不晓得还有什么更美好的生活或更亲切的话语。愿上帝助我！你尽可以离我远一点，小姐。看看我，我比你想象的还要年轻些，可是，我对这种情况已习以为常了。当我沿着拥挤的人行道行走时，最贫穷的女人都会往后退。"

"这些事太可怕了！"罗斯说道，不自觉地从这位陌生的来客身边退后几步。

"跪下来感谢上苍吧，亲爱的小姐，"姑娘大声地说道，"因为你小时候有许多朋友照料你、抚养你；因为你从未处于饥寒交迫之中，从未处于恣情逸乐、酩酊大醉之中，甚至——甚至——还有更糟糕的。我从摇篮时期起就一直处于这些状态之中。我可以使用'摇篮'这个字眼，因为小巷和街沟是我的摇篮，它们也将是我的临终灵床。"

"我同情你！"罗斯以不连贯的声音说道，"听了你的遭遇，我心如刀绞！"

"愿上帝保佑你这样的善心人！"姑娘回答道，"假如你知道我有时候是什么样的人，你确实会同情我的。可是，我是悄悄溜出来，前来告诉你我所听到的秘密的。那些人如果知道我在这儿，肯定会把我杀掉，你认识一个叫蒙克斯的男人吗？"

"不认识。"罗斯说道。

"他认识你，"姑娘回答道，"而且还知道你在这儿，我是听到他说出这个地方才找到你的。"

"我从未听说过这个名字。"罗斯说道。

"那么，他在我们当中使用化名了，"姑娘回答道，"我以前就常常这样怀疑过。一段时间以前，就在奥利弗被塞进你们家进行抢劫的那个晚上之后不久，我——因为怀疑这个人——偷听了他和费金的一次秘密谈话。我从所听到的谈话内容发现蒙克斯——就是我问你认不认识的这个男人，你也知道——"

"是的，"罗斯说道，"我明白。"

"蒙克斯，"姑娘继续说道，"在我们第一次丢失奥利弗的那一天，我偶然发现蒙克斯跟我们的两个男孩在一起，并且马上知道奥利弗就是他一直在寻找的那个孩子，尽管我不晓得他为什么要找他。蒙克斯与费金达成了一笔交易，就是如果能把奥利弗找回来，费金可以得到一笔赏钱；如果能使奥利弗变成一个贼——这是蒙克斯出于个人的目的所希望的——费金将可以得到更多的赏钱。”

“出于什么目的？”罗斯问道。

“当我正在偷听，希望查明真相的时候，他看见了我投在墙上的影子，”姑娘说道，“在这种情况下，除了我之外，没有几个人能够及时地逃脱，不被他们发现。可是我逃脱了。直到昨天晚上我才又见到他。”

“后来发生了什么事？”

“我会告诉你，小姐。昨天晚上蒙克斯又来了。他们再次上楼密谈。我用裙子把自己蒙起来，生怕影子暴露了我，我又在门外偷听。我听见蒙克斯开头说的几句话是：‘所以，可以证明那个男孩身份的仅有的证据已经沉入河底，而从他母亲那儿拿到这些证据的那个老丑妇正在棺材里腐烂。’他们哈哈大笑，认为他这件事干得很漂亮。蒙克斯再谈及奥利弗时，变得狂怒不已，说他虽然现在已经安然地得到了小魔鬼①的钱，但他倒希望用别的方式得到它，因为通过迫使奥利弗蹲遍伦敦的每一座监狱，等费金从他身上赚了一大笔钱之后，再易如反掌地设法让他犯上死罪，然后打发他上绞刑架，从而挫败他父亲在遗嘱中夸下的海口，这一招才高呢！”

“这一切究竟是怎么回事？”罗斯问道。

“虽然是从我嘴里说出来的，但这是事实，小姐。”姑娘回答道，“然后，他又以一连串的诅咒——这对我来说已司空见惯了，可是对你来说却是陌生的，说如果他能结束这孩子的生命而不必冒被绞死的危险，并以此来报仇雪恨的话，他会这么干的。可是由于他办不到，他会等待奥利弗一生中的每一个关键时刻来对付他；如果他利用他的出身和经历，他仍然可以伤害他。‘总而言之，费金，’他说道，‘尽

---

① 指奥利弗。

管你是一个犹太人，但你从未曾设下像我对付我弟弟奥利弗这样的圈套。'"

"他弟弟！"罗斯惊叫道。

"那是他亲口说的。"南希说着，局促不安地往四下里扫了一眼，自从她开始说话以来，她几乎不停地环顾四周，因为赛克斯的幻影不断地萦绕在她心头，"还有，当他谈到你和另一位太太的时候他哈哈大笑，说苍天或魔鬼似乎有意要跟奥利弗过不去，竟然会落到你们手里；还说这倒值得安慰，因为，为了知道你们那只两条腿的哈巴狗是什么人，几千英镑，几万英镑你们都愿意给的，如果你们出得起的话。"

"你该不是说，"罗斯的脸色变得异常苍白，说道，"他说这话是认真的吧？"

"从来没有一个人像他说得那么一本正经、怒气冲冲的，"姑娘摇了摇头，回答道，"当他正在气头上时，他是认真的。我见识过许多干了更多坏事的人，但是我宁愿十次八次地听他们说话，却一次也不愿听这个蒙克斯说话。时候不早了，我得在到家的时候不被怀疑曾经为这件事出来过。我必须赶快回去。"

"可是我能做些什么呢？"罗斯说道，"你走了之后，这个消息对我又有什么用处呢？回来！你为什么想回到你描述得如此可怕的同伴中去？我可以马上从隔壁房间请来一位先生，如果你把这条消息向他重复一遍，那么，不用半小时，你就可以被送到一个安全的地方了。"

"我想回去，"姑娘说道，"我必须回去，因为——我怎能对像你这样的一位天真的小姐讲这些事呢？——因为在我已经给你讲述过的这些男人中，我不能离开其中一个最胆大妄为的强盗。不，哪怕把我从现在过的生活中拯救出来，我也不能离开他。"

"你过去曾经为了这个可爱的孩子而出面干预，"罗斯说道，"你冒着这么大的危险到这儿来，把你所听到的话告诉我；你的态度——它使我相信你所说的话的真实性，你的明显的悔悟和羞耻感，这一切都使我相信你还是可以感化的。哦！"这位热心肠的小姐说道，她十指交叉，泪水从她的脸上淌下来，"我们同是女人，不要对一个女人的恳求充耳不闻。我确实相信，我是第一个——第一个曾经以怜悯和同情的声音请求你的人。一定要听我的话，让我挽救你，你还可以干更合适的事。"

"小姐，"姑娘跪了下来，大声说道，"亲爱的、可爱的、天使般的小姐，你是第一位曾经以这样的语言为我祝福的人；如果我多年以前就听到这些话，它们本可以使我放弃罪恶和悲哀的生活的，可是现在为时已晚了，为时已晚了！"

"悔过和赎罪永远不嫌迟。"罗斯说道。

"太迟了。"姑娘大声地说道，内心极其痛苦地扭动身子，"我现在不能离开他！我可不能使他丧命！"

"怎么会呢？"罗斯问道。

"什么都挽救不了他，"姑娘大声说道，"如果我把告诉了你的事再告诉其他人，会导致他们被捕，那么他就死定了。他是最胆大妄为的，而且十分残酷！"

"为了这么一个男人，"罗斯大声说道，"你竟能够放弃将来的一切希望，放弃马上得救的机会，这合乎情理吗？真是蠢极了。"

"我不懂得这是什么，"姑娘回答道，"我只知道情况就是如此，而且不仅仅对我来说是如此，对许许多多像我一样邪恶、一样可怜的其他人来说也是如此。我必须回去。这是不是上帝对我做过的坏事的惩罚，我不知道，尽管我一次次地受苦和遭虐待，但我还总是想回到他那里去；我相信，如果我知道自己最终将死在他手里，我也会回到他那儿。"

"我该怎么办呢？"罗斯说道，"我不该让你这样从我这儿离开。"

"你应该让我离开，小姐，我知道你会让我离开的，"姑娘站起来说道，"你不会阻止我走的，因为我相信你的善良，也没有强迫你做作出任何承诺。我本来是可以这么做的。"

"那么，你提供的这一消息有什么用呢？"罗斯说道，"这一秘密必须调查清楚，否则，对我透露这个秘密怎能对你急于想帮助的奥利弗有好处呢？"

"你身边想必有一位仁慈的先生，他听了这条消息后既愿意为你保密，又能给你出出主意。"姑娘回答道。

"可是，必要的时候我还能在哪儿找到你呢？"罗斯问道，"我不想了解这些可怕的人住在何处，可是，你从现在起在固定的时间里会在哪儿散步或路过吗？"

"你能向我保证你会严守秘密，单独前来或仅仅和知道这个秘密的另一个人一起来，并保证我不会被监视或跟踪吗？"姑娘问道。

"我郑重地向你保证。"罗斯回答道。

"每星期天晚上从 11 时至大钟敲 12 时为止，"姑娘毫不犹豫地说道，"只要我活着，我都会在伦敦桥①上散步。"

"再等一会儿，"姑娘匆匆地朝门口走去时，罗斯喊住了她，"再考虑一下你自己的情况以及你逃脱的机会吧。你对我有提出要求的权利，不仅作为一个自愿地带来了这条消息的人，而且也作为一个几乎堕落得无法赎罪的女人。当一句话就能挽救你的时候，你还愿意回到那帮盗贼、回到那个男人身边去吗？究竟是什么魔力吸引你回去，使你不愿放弃邪恶和痛苦呢？噢，难道你心里没有一根我可以触动的弦吗？难道你心里就不残留着我能够求助的对付这种可怕的痴迷的东西吗？"

"像你们这么年轻、善良和标致的小姐公开地吐露心迹之后，"

———————————

① 1209 年所建，横跨泰晤士河。

　　姑娘镇定地回答道，"爱情将会使你们达到不遗余力的地步——即使像你这么一位有家、有朋友、有其他爱慕者及其一切来填补内心空虚的人，而像我这样一个上无片瓦，唯有棺材盖，生老病死没有朋友照顾，唯有医院护士陪伴的人，将我的腐烂的心寄托在一个男人身上，让他来填补我们不幸的一生中始终空着的位置，谁还能指望我们改正恶习？可怜我们吧，小姐——可怜我们只剩下这么一种女人的情感了，而且，严厉的天罚已经把此种慰藉和自豪的情感变成暴力和苦难的一种新的手段。"

　　"你愿意接受我给你的一点钱吗？"罗斯顿了一下后，说道，"它无论如何可以使你过上诚实的生活——直到我们再次见面。"

　　"一分钱也不要。"姑娘摆了摆手，拒绝道。

　　"不要拒绝我为了帮助你而做出的努力，"罗斯轻轻地往前跨了几步，说道，"我确实想帮助你。"

　　"如果你能马上夺走我的生命，"姑娘绞扭着双手，回答道，"这将是对我最大的帮助，小姐，因为我今晚比以往的任何时候都更悲痛地想到自己是怎样的一个人。不死在我一直生活其间的地狱中，这多少是一种安慰。愿上帝保佑你，可爱的小姐。我给自身带来了多少的耻辱，就愿上帝赐与你多少幸福！"

　　说罢，这位不幸的人呜咽着转身离开了。这次不寻常的会面，与其说是真实发生的，不如说更像是一场稍纵即逝的春梦，使罗斯·梅利无法忍受。她倒进一张椅子里，力图清理一下自己纷乱的思绪。

第四十一章 本章包含着一些新发现，并表明意想不到的事像祸不单行一样，总是接踵而至

诚然，罗斯处于异常麻烦的困难的处境。虽然，她怀着最迫不及待和焦灼的心情想揭开神秘莫测的奥利弗身世之谜，然而，她又不得不把刚才与她谈话的这个可怜的姑娘对她这样一个年轻、单纯的女孩子的信赖视为神圣。她的言谈举止已经打动了罗斯·梅利的心。与罗斯对自己所保护的孩子奥利弗的爱交织在一起的，在真诚和热情方面几乎同样强烈的，是把她争取过来，使她痛改前非、重新做人的天真愿望。

他们打算在伦敦逗留三天，然后前往某个遥远的海滨地区，在那儿大约待三星期。现在是他们逗留在伦敦的第一天的子夜。她能制定出什么能在四十八小时内采取的行动方案吗？或者她如何推迟这次旅行而又不引起怀疑呢？

洛斯伯恩医生跟他们在一起，今后的两天亦然；可是，罗斯对这位贤良的先生的急躁情绪太熟悉不过了；她清楚地预见到他在大发雷霆之后，定会以极大的愤慨来看待重新劫走奥利弗的傀儡的，因此，不能把秘密告诉他，除非她为这位姑娘辩解时能得到有经验

人士的支持。如果她将这消息告诉梅利太太,也必须十分小心、谨慎。梅利太太的第一个念头肯定是同可敬的医生商议这个问题。至于求助于法律顾问,即便她已懂得怎么做,也由于同样的理由而几乎不予考虑。她曾经想到寻求哈里的帮助,可是这唤起了她对上一次分手的回忆。看来她似乎不宜把他叫回来,因为这时候他也许已学会如何忘掉她,学会如何在分离的情况下更快活自在——当这一连串的想法萦绕在她心头时,她的双眼已噙满了泪水。

罗斯受这些不同想法的困扰,度过了一个焦虑的不眠之夜。各种念头相继在她脑海里出现的时候,她时而倾向于这个方案,时而倾向于另一个方案,时而对所有的方案都畏葸不前。第二天,经反复思考后,她决定孤注一掷,找哈里来商量。

“倘若他回到这儿来对他来说是痛苦的,”她心里想道,“那么,对我来说又是多大的痛苦啊!然而,也许他不会回来;他可以写信,或者可以亲自回来,却刻意地避免与我见面——他上次离开的时候就是这样做的。我当时几乎没有想到他会这样。不过,这对我们俩都更好些。”想到这儿,罗斯放下了笔,掉过脸去,仿佛连将成为她的使者的信纸都不该见到她哭泣似的。

她再次提起同一支笔,又多次地搁下来,反复考虑信的第一行该写什么,仍然一个字也没有写下来。这时,由贾尔斯充当保镖上街去散步的奥利弗气喘吁吁地跑进屋来,神情异常激动,像是又有什么令人恐慌的事要发生似的。

“什么事使你显得这么慌张?”罗斯迎上前去,问道。

“我简直不晓得该怎么说,我觉得好像要透不过气来似的,”奥利弗回答道,“哦,天啊!你想想看,我终于可以再同他见面了,你们也可以知道我对你们说的全是实话!”

“我从来没有认为你对我们说的不是实话呀,”罗斯安慰他道,“可这究竟是怎么回事?——你说的是谁?”

"我看见那位先生了,"奥利弗回答道,几乎连话也说不清楚,"那位待我特好的先生——我们经常谈起的布朗洛先生。"

"在哪儿?"罗斯问道。

"他下了公共马车,"奥利弗流着喜悦的泪水回答道,"走进一幢房子。我没有跟他打招呼——我不能跟他打招呼,因为他没有看见我,而且我浑身抖得这么厉害,以致无法走到他跟前。可是,贾尔斯替我查问他是否住在那儿,他们说他就住在那儿。你瞧,"奥利弗说着,打开了手中的一张纸条,"在这儿,这就是他住的地方——我马上就要到那儿去!哦,天啊,天啊!当我终于可以见到他,再次听到他说话的时候,我该怎么办呀?"

这一切大大地分散了罗斯的注意力,她又不连贯地发出了好多声快乐的惊叹之后,这才看纸上写的地址。它就在斯特兰德区的克雷文街。她立即决定抓住这一新发现。

"快!"她说道,"叫他们雇一辆出租马车,你准备好跟我一道去。我马上带你去那儿,一分钟也不耽误。我只想告诉伯母我们要外出一小时,你要尽快地准备好。"

奥利弗不需要任何催促,不到五分钟,他们就已经在前往克雷文街的路上了。他们抵达那儿时,罗斯借口让老先生有接纳他的思想准备,把他留在马车上。然后她让仆人把自己的名片递上去,说有急事求见布朗洛先生。仆人很快就回来请她上楼。梅利小姐跟着他走进楼上的一个房间,被引见给一位身穿深绿色外套、外貌慈祥的上了年纪的老先生。离他不远处坐着另一位身穿本色布马裤和绑腿或长筒鞋的老先生。他看上去不怎么厚道,十指交叉撑在一根粗手杖顶部,托住自己的下巴。

"哎呀,"穿深绿色外套的老先生赶忙彬彬有礼地站起来,说道,"对不起,小姐——我还以为是一位纠缠不休的客人呢——请原谅。请坐吧!"

"你就是布朗洛先生吧？"罗斯的目光从另一位先生移到这位说话的先生身上，问道。

"没错，"老先生说道，"这一位是我的朋友格里姆威格先生。格里姆威格，你离开我们几分钟好吗？"

"我想，"梅利小姐插话道，"在我们会面的这一阶段，不麻烦这位先生回避。如果我没有搞错的话，我要对你说的这件事他也知道。"

布朗洛先生点了点头。已经很生硬地向她鞠了一躬的格里姆威格先生从椅子里站起来，又很生硬地鞠了一躬，然后坐进椅子里。

"毫无疑问，我会让你感到非常意外的，"罗斯说道，自然感到十分局促不安，"可是你曾经对我的一个非常可爱的年轻朋友表现出极大的仁慈和善心，我相信你会有兴趣再次听到有关他的消息的。"

"当然！"布朗洛先生说道。

"你知道有一个叫奥利弗·特威斯特的孩子。"罗斯说道。

她这句话一脱口，一直假装在浏览桌上一本大部头的书的格里姆威格先生就啪的一声把书翻了个身，将身子往椅背一靠，脸上的各种表情顿时消失，只留下一脸的惊讶，茫然地瞪着双眼愣在那儿。然后，仿佛因流露出这么多的情感而感到惭愧似的，他惊厥地将身子猛一振作，又回复到原来的姿态，眼睛直视正前方，吹了一个长长而低回的口哨。这声口哨似乎最后不是在空中，而是在他腹部的最深处消失。

布朗洛先生也吃惊不小，尽管他表达惊讶的方式并不那么古怪。他将自己的椅子往梅利小姐身边挪近了点，说道：

"亲爱的小姐，请答应我，别再提你所说的善心和仁慈的问题了。对于这个问题，别人一点也不知道；倘若你能提供任何证据，改变曾经导致我对这个可怜的孩子持有的不好的看法，那么，看在老天爷的分上，请告诉我吧。"

"一个坏蛋！要是他不是一个坏蛋，就砍我的脑袋。"格里姆威格先生咆哮着说道。他是以某种口技技巧说这句话的,脸上的肌肉纹丝不动。

"他是一个具有高尚的天性和善心的孩子,"罗斯红着脸说道,"而且,那个认为在他小小的年纪考验他正合适的神灵,已经在他心中灌输了慈爱和情感,这种慈爱和情感也会令超过他六倍以上年纪的人肃然起敬的。"

"我才六十一岁,"格里姆威格先生说道,脸上依然是一副刻板的表情,"而我敢保证,奥利弗至少也有十二岁了,因此,我不晓得你这句话指的是谁?"

"别理会我的朋友,梅利小姐,"布朗洛先生说道,"他是在开玩笑。"

"不对,我是当真的。"格里姆威格先生咆哮道。

"是的,他是在开玩笑。"布朗洛先生说道。他说话时怒气明显地上升了。

"如果我不是当真的,就把我的脑袋砍啦。"格里姆威格先生咆哮道。

"如果他是当真的,他的脑袋就该砍下来。"布朗洛先生说道。

"我特别喜欢看哪个人愿意干这事。"格里姆威格先生以手杖敲击地板,回答道。

至此,两位老先生都大动肝火。而后,他们又根据一成不变的习惯,握手言和。

"得啦,梅利小姐,"布朗洛先生说道,"回到你的仁慈如此关注的话题上来吧!把你对这个可怜的孩子所知道的情况告诉我好吗?请允许我作为前提先说明一下,我已在自己力所能及的范围内想尽一切办法寻找他;自从我出国以后,我当初的看法已大大地动摇了。当时我以为他欺骗了我,受他过去同伙的劝诱来抢劫我的钱财。"

罗斯已有时间集中思想,立即三言两语叙述了奥利弗离开了布朗洛先生家之后所发生的一切，保留了有关南希报信的那条消息，等待单独告诉布朗洛先生，并很自信地推断，奥利弗过去几个月来的唯一遗憾，就是未能与从前的恩人和朋友见面。

"谢天谢地！"老先生说道，"真是喜从天降！喜从天降！可是你还没有告诉我他现在在哪儿，梅利小姐。你必须原谅我找你的岔子——可是你为什么不把他带来呢？"

"他正在门口一辆马车上等着呢。"罗斯说道。

"就在我家门口！"老先生大叫了起来。他二话没说就大步走出房间，下了楼，登上马车踏脚板，走进马车里。

当房间的门在他身后关上的时候，格里姆威格先生抬起头来，把椅子其中的一条腿作为枢轴，自己始终坐在椅子里，借助于手杖和桌子在原地转了三圈。做完了这个动作之后，他站起来，尽快地一瘸一拐地在房间里至少来回走了十二次，然后突然停在罗斯面前，未打任何招呼就吻了她。

"嘘！"当这一不寻常的举动使这位年轻小姐有些惊慌失措地站了起来时，他说道，"别害怕。我已经很老了，足够当你的爷爷了。你是一个可爱的姑娘，我喜欢你。他们来啦！"

当他敏捷地一个跃身，跳进原来的座位时，布朗洛先生由奥利弗陪着已回来了。格里姆威格先生非常亲切地欢迎他。倘若此刻的喜悦是罗斯为奥利弗所付出的焦虑和操心的唯一奖赏，那么，她已经得到了很好的回报了。

"顺便提一句，还有一个人我们不应该忘记她，"布朗洛先生说着，摇了摇铃，"请叫贝德温太太上这儿来。"

这位老管家应老先生之召赶快上来，在门口行完了屈膝礼，等候吩咐。

"噢，贝德温，你的视力一天不如一天了。"布朗洛先生有点急躁地说道。

"是呀，我的视力是这样的呀，先生，"老太太回答道，"像我这把年纪的人的视力不可能越老越好呀，先生。"

"我本来可以告诉你的，"布朗洛先生回答道，"不过，你戴上眼镜，看看你能不能弄清楚为什么叫你来，好吗？"

老太太开始在口袋里翻找眼镜。可是奥利弗再也沉不住气了。他一跃扑到了她怀里。

"大慈大悲的上帝啊！"老太太一把抱住他，大声说道，"原来是我那个无辜的孩子！"

"我亲爱的老保姆！"奥利弗喊道。

"他会回来的—— 我知道他会回来的。"老太太将他搂在怀里，说道，"他看上去身体多棒，他的穿戴又多么像一个绅士的孩子！这么长时间你一直在哪里？啊！还是那张可爱的脸蛋，可是不那么苍白了；还是那副温和的眼神，可是不那么哀愁了。我从未忘记这些，以及他那文静的微笑；我每天都听到、看到了这些音容笑貌和我自己亲爱的孩子们的音容笑貌在一起。我的孩子在我还是一个无忧无虑的年轻女子时就都死了。"这位好人就这样滔滔不绝地讲个不停，时而让奥利弗离她一臂之遥，看看他长多高了，时而把他紧紧地搂在怀里，满怀深情地用手指掠过他的头发，伏在他脖子上笑一阵、哭一阵。

布朗洛先生让她和奥利弗从容不迫地叙叙旧，自己带路，把罗斯领进另一个房间。在这儿，他倾听罗斯详尽地叙述了她与南希的会面。这引起了他的极大惊奇和困惑。罗斯还解释了起初不向她的朋友洛斯伯恩医生吐露秘密的种种原因。这位老先生认为她此事办得很谨慎，表示乐意承担与这位可敬的医生本人认真商谈的任务。为了让他尽早有机会实施这一计划，据安排，他那天晚上 8 点必须到旅馆作短暂的拜访，同时，必须把所发生的一切谨慎地告诉梅利太太。这些准备工作安排停当之后，罗斯和奥利弗才回家。

罗斯一点也没有过高地估计这位医术高明的医生的愤怒程度。南希叙述的内容刚向他披露,他便劈头盖脸地发出一阵夹杂着威胁的痛骂,威胁着要让布莱塞斯先生和达夫先生通力合作,运用智谋,使南希成为他们的第一个牺牲品,还真的戴上帽子,预备出发,去寻求那些大侦探的帮助。如果洛斯伯恩医生不是部分地受到布朗洛先生(他本人也是个性情暴躁的人)相应猛烈的制止,部分地受到大家的争辩和批评的制止(似乎劝他别头脑发热最合适),那么,毫无疑问在开头一时的盛怒之下,他一定会把自己的意图付之实施、一刻也不顾及后果的。

"那么,究竟该怎么办呢?"当他们重新回到两位女士那儿时,急躁的医生问道,"难道我们要通过一项议案,对所有这些男女恶棍表示谢意,恳求他们每人各接受一百英镑左右的奖赏,作为我们报答他们对奥利弗的好意而表示的一点敬意和感激之忱吗?"

"不完全如此。"布朗洛先生笑着回答道,"不过我们必须小心谨慎行事。"

"小心谨慎,"医生惊叫道,"我要把他们统统送到——"

"别在意送往何处,"布朗洛先生插话道,"不过要考虑将他们送往何处是否能够达到我们预定的目的。"

"什么目的?"医生问道。

"只是查明奥利弗的身世,同时,如果情况属实的话,夺回他应得的遗产。"

"啊!"洛斯伯恩医生说道,一边用手帕扇风,为自己降温,"我刚才差点儿把这个忘了。"

"你瞧,"布朗洛先生继续说道,"对这个可怜的姑娘完全可以撇开不予考虑,即使能把这些恶棍缉拿归案又不危及她的安全,这会给我们带来什么好处呢?"

"至少绞死其中的几个,这是完全可能的,"医生建议道,"然后

可是奥利弗再也沉不住气了。他一跃扑到了她怀里。

让其余的去过流放的生活。"

"很好，"布朗洛先生微笑着回答道，"不过时机一到，毫无疑问他们自己会落到这种下场的。倘若我们出面干预，抢在他们之前采取行动，在我看来，我们所做的将完全是堂吉诃德的举动，直接违背了我们自己的利益——或者至少违背奥利弗的利益，反正两者是一致的。"

"为什么？"医生问道。

"是这样的，显然，要弄清这个秘密的真相，我们将会遇到很大的困难，除非我们能够制服这个名叫蒙克斯的人。要制服他只能靠智谋，在他不在这些人当中的时候将他逮住。因为，假使他被警察逮捕了，我们也没有足以对付他的证据。就我们所知，或就事实看来，他甚至与这伙人的任何盗窃案都没有牵连。即便法官没有将他无罪释放，那么，除了将他当作无赖和恶棍送入监狱外，他不可能受到进一步的惩处。而且，从此以后，他肯定会固执地守口如瓶，以致对我们来说，他还不如一个聋子、哑巴、瞎子和白痴来得有用。"

"那么，"医生冲动地说道，"我再提出一点请你考虑：你认为信守对这个姑娘的承诺是否明智？一个以最好的、最善良的愿望作出的承诺，但实际上——"

"请不要讨论这一点，亲爱的小姐，"罗斯正要发言，布朗洛先生打断她的话，说道，"诺言必须遵守。我认为，它丝毫也不会妨碍我们的行动。可是，在我们能采取明确的行动方案之前，同那个姑娘见一次面是必要的，以便确定如果蒙克斯交由我们，而不是交警察处理，她是否愿意把他指出来；或者，倘若她不愿意，或不能这样做，可从她那里获得有关蒙克斯常去的地点及有关他本人的相貌的描述，使我们能够认出他。我们要等到星期天晚上才能再见到南希。今天是星期二。依我看，在这段时间里，我们一点风声也不能走漏，对这些问题严守秘密，甚至不让奥利弗知道。"

虽然，洛斯伯恩医生扮着各种鬼脸来接纳一项耽误整整五天时间的建议，但他不得不承认，眼下他也想不出什么更好的办法。由于罗斯和梅利太太都坚决地支持布朗洛先生，因此，他的建议获得了一致的通过。

"我想，"布朗洛先生说道，"我想请求我的朋友格里姆威格的帮助。他人很怪，却很精明，可以证明对我们很有实际帮助。可以说，他学的是法律，由于二十年来只收到一份案情摘要，自然只向法院提出过一次申请，结果便厌恶地放弃了律师职业。虽然，我的介绍是否称得上一份推荐信，必须由你们来决定。"

"如果我可以寻求我的朋友的帮助，我不反对你寻求你的朋友的帮助。"医生说道。

"我们必须提请大家表决，"布朗洛先生回答道，"你的朋友是谁呢？"

"这位太太的儿子，也是这位小姐的——多年的朋友。"医生说着，向梅利太太点头示意，最后，又意味深长地向她的养女瞥了一眼。

罗斯羞得满脸绯红，但她对这一动议没有提出任何反对意见（也许觉得如果反对，她将会处于绝望的少数的境地）。于是，哈里·梅利和格里姆威格先生都加入到这个委员会中来了。

"只要这项调查工作存在着一线成功的希望，"梅利太太说道，"我们当然要继续待在伦敦。为了大家这么关注的目的，我将不惜任何的麻烦和代价。只要你们能向我保证有任何希望存在，哪怕在这儿待上十二个月，我也心甘情愿。"

"好！"布朗洛先生回答道，"由于我从你们大家脸上的表情看出，你们都很想问我，我为什么突然离开英国，而无法进一步证实奥利弗的故事的真伪。让我提出一个条件：在我认为讲述自己的故事是妥当的之前，你们不要问我问题。我提出这个请求是有正当理由的，真的。因为要不然的话我可能激起注定永远无法实现的希望，只会增加已经够多了的困难和失意。好啦！晚餐已经准备就绪了，独自一人待在隔壁房间的小奥利弗这时候可能开始以为我们已厌倦了他的陪伴，正在搞什么恶毒的阴谋，准备把他赶出门去呢。"

说罢，这位老先生向梅利太太递过一只手，陪同她走进晚餐室。洛斯伯恩医生领着罗斯紧随其后。商讨会实际上暂时终止了。

第四十二章 奥利弗的一位显示出明显的天才特征的 老相识成了伦敦的知名人士

就在南希哄赛克斯先生入睡之后，肩负着自愿承担的使命，匆匆地赶去与罗斯·梅利会面的那个晚上，有两个人经由大北路向伦敦进发。本故事应该对他们给予一定的关注是得当的。

他们是一男一女，或者，也许将他们描写为一个男子和一个女子更合适。前者属于四肢细长、双膝外翻、脚步蹒跚、骨瘦如柴的那类人，其年龄很难确定——当他们还是孩子的时候，看上去像是发育不全的成年人；当他们已经差不多成年的时候，看上去却像是长得太大的孩子。那个女人很年轻，但体格强壮，她也需要这样的体格来承受背在背上大包裹的重负。她的同伴没有携带很多行李，只是在肩头扛着一根棍子，上面悬挂着用普通手帕捆成的一个小包，显然很轻。这种状况，加上他的腿特长，使他轻而易举地领先同伴五六步。他偶尔不耐烦地扭过头来面对她，像是在责备她的动作缓慢、催促她再加把劲似的。

于是，他们艰难地沿着尘土飞扬的道路行进，一点也不在意眼前看到的景物，除非他们闪到一边，给疾驰着离开伦敦的邮车让路。

直到他们穿过了海格特拱门。这时，走在前面的旅行者不耐烦地对他的同伴喊道："快，你不能快点吗？你真是个懒骨头，夏洛特。"

"这包袱太沉啦，真的。"那个女子赶上来，几乎累得上气不接下气地说道。

"太沉！你这是什么话？你生来那么健壮是干什么用的？"那个男性旅行者将肩上的小包袱换到另一个肩上，说道，"噢，你看，你又休息了！唉，真不知道还有什么人比你更令人无法忍受！"

"还很远吗？"那女子问道，将身子倚在斜坡上，抬头仰望，汗水从脸上淌了下来。

"哪里很远！可以说已经到啦，"长腿的徒步旅行者指着正前方，说道，"瞧！那些就是伦敦的灯光。"

"它们离这儿至少有两英里。"女人沮丧地说道。

"别管它离这儿两英里或二十英里了，"诺亚·克莱波尔——那个男旅行者就是诺亚·克莱波尔——说道，"赶快起来，跟我走，否则我要踢你啦，我先警告你。"

当诺亚的红鼻子因生气而变得更红的时候，当他一边说着，一边穿过马路，仿佛完全准备好要将威胁付之实施时，那个女子二话没说就站了起来，拖着沉重的脚步在他身边继续朝前走。

"诺亚，你打算在哪儿停下来过夜？"他们又走了几百码之后，她问道。

"我怎么知道呢？"诺亚回答道。因长途跋涉，他的火气已经变得很大。

"我希望就在附近。"夏洛特说道。

"不，不是在附近。"克莱波尔先生回答道，"好啦！不是在附近，你别有这个念头。"

"为什么不呢？"

"我对你说我不打算做一件事，这就足够了，你不必问为什么，也不必问理由。"克莱波尔先生神气十足地回答道。

"好吧,你不必这么生气嘛。"他的同伴说道。

"如果我们在伦敦城外的第一家客栈落脚,结果让跟在我们身后的索尔贝里追上来,用手铐把我们铐起来,装上马车,把我们抓回去,那就完蛋了,是吧?"克莱波尔先生以嘲弄的口吻说道,"不!我将继续往前走,在最狭窄的街道里消失得无影无踪,在我们走到我所见到的最偏僻的客栈之前不能停下来。天啊,你应该谢天谢地,庆幸我有见识。因为要不是起初我有意走错路,又穿过乡间趑回来的话,你早在一星期前就被严严实实地关进牢房了,夫人。要是那样的话你也活该,谁叫你那么傻。"

"我晓得自己不如你那么狡猾,"夏洛特回答道,"可是别把责任全推到我身上,说我该被关进牢里。假如我被关了进去,你也会被关进去。"

"你从钱柜里拿钱,我知道你拿了。"克莱波尔先生说道。

"我是为了你而拿的,诺亚,亲爱的。"夏洛特回答道。

"钱由我保管吗?"克莱波尔先生问道。

"没有。你信赖我,你像一个可爱的人那样让我带在身上,你确实是个可爱的人。"那女人抚摸着他的下巴说道,又将一只胳膊挽住了他的胳膊。

情况确实如此。可是,由于盲目地、愚蠢地信赖任何人不是克莱波尔先生的习惯,因此,为对这位先生公正起见,应该注意到他这样信赖夏洛特的目的是如果他们受到追捕的话,那些钱会从她身上搜查出来,这将使他有机会坚称自己没有犯任何盗窃罪,从而便于逃脱。当然,他这时候对自己的动机避而不谈。他们亲亲热热地一起继续赶路。

在执行这一谨慎计划时,克莱波尔先生马不停蹄地继续往前走,直到抵达伊斯林顿的安吉尔客栈。见到这儿拥挤的人群和大批的车辆，他精明地判断伦敦真的到了。他只停下来观察哪几条街道看上去最拥挤，因而也最该回避，然后便踅入圣约翰路，很快就深入到了错综复杂和肮脏不堪的小巷的阴暗处。这些小巷位于格雷客栈巷和史密斯菲尔德之间，这一带成了伦敦改建后遗留下来的最糟糕的地区。

诺亚·克莱波尔拽着夏洛特穿越这些小巷，时而走进简陋的住所，瞥一眼某家客栈的整个外部特征；时而缓慢地往前走，某种凭空想象出来的外观诱使他认为这家客栈人多眼杂，不合他的要求。他终于在一家外观比他见过的任何一家都更为简陋、更加肮脏的客栈前面停下来。他穿过马路，从对面的人行道对它审视了一番之后，才愉快地宣布他打算在这儿投宿。

"好了，把包袱给我，"诺亚说着，把那个包袱从女人的肩膀上解下来，背在自己的肩上，"除非有人跟你打招呼，否则别说话。这家叫什么客栈——三—— 二什么？"

"三瘸子客栈。"夏洛特说道。

"三瘸子客栈，"诺亚重复道，"而且是一个很好的招牌。好啦！紧跟在我后面，快点。"发出了这道命令之后，他用肩膀推了一道咯咯作响的门，走进了客栈。他的同伴紧随其后。

售酒柜台除了一个年轻的犹太人外空无一人。这犹太人的两只肘支在柜台上，正在看一份脏兮兮的报纸。他恶狠狠地盯着诺亚，诺亚也不甘示弱地盯着他。

倘若诺亚身穿他的慈善儿童服装，这个犹太人把眼睛睁得这么大还有点道理；可是，他已丢弃了上衣和徽章，在皮短裤上又穿了一件短罩衫，他的外表似乎没有什么特殊理由在客栈里惹起人们这么大的注意。

"这是三瘸子客栈吗？"诺亚问道。

"它正是本客栈的店名。"犹太人回答道。

"在我们从乡下进城的路上，我们遇到的一位先生推荐我们上这儿住宿。"诺亚以肘部轻推着夏洛特说道，也许为了叫她注意这种引起人们尊敬的最别出心裁的方法，也许为了警告她别露出惊讶的神情，"我们晚上要在这儿过夜。"

"我没有把握你们能不能在这儿过夜，"巴尼说道，他就是本书中不时出场的小精灵，"不过，我去给你们问问看。"

"告诉我们酒吧间在哪儿，给我们先弄点冷盘肉和啤酒，然后再去问，好吗？"诺亚说道。

巴尼遵照他的要求，把他们带进一间密室，将所点的食物放在他们面前。而后，他告诉这两位旅客晚上可以在这里住宿，然后离去，让这可爱的一对吃点心、喝饮料。

原来，这间密室就在吧台后面低几级台阶的地方，因此，与客栈有关的任何人拉开一道小帘子——它遮住了离地板大约五英尺高的密室墙上的唯一一扇玻璃窗——不仅可以俯视密室内的客人而不会有被发现的危险（那扇玻璃窗因安在暗墙角里，介于墙角和一根垂直大梁之间，因此，监视者的身体必须硬插进去），而且，将耳朵贴近隔板，可以相当清楚地听到他们谈话的内容。客栈主人的眼睛离开这个窥视点还不到五分钟，巴尼也刚刚转达了上述的信息回来。这时，在夜间出来活动的费金走进了吧台，查问他的一些小徒弟的情况。

"嘘！"巴尼说道，"隔壁有客人。"

"客人？"犹太人小声重复道。

"是啊！而且是些古怪的家伙，"巴尼补充道，"从乡下来的，却有点像是搞你这一行的，要不然是我弄错了。"

费金听到这条消息似乎很感兴趣。他站到一张凳子上，小心翼翼地将眼睛凑近那扇玻璃窗。从这个秘密的窥视点，他可以看到克莱波尔先生正在吃盘中的冷牛肉、喝壶里的黑啤酒，并分给夏洛特极少量的牛肉和啤酒。她顺从地坐在他身边吃着、喝着。

"啊哈!"他掉头对巴尼悄悄地说道,"我喜欢那个小伙子的外貌。他将对我们有用。他已经晓得如何调教那个女孩。别发出任何声音,连小老鼠那样的声音都别发出来,亲爱的,好让我听见他们说话——让我听他们说些什么。"

他再次将眼睛凑近玻璃,耳朵向着隔板聚精会神地倾听,脸上露出微妙的、急切的神色,很像一个老妖魔。

"因此,我打算成为一名绅士,"克莱波尔先生伸开双腿,继续说道,费金来得太晚了,说话的开头没有听到,"再也见不到那些破棺材了,夏洛特,我将过上绅士的生活。假如你愿意的话,你可以成为一名贵妇。"

"我太愿意了,亲爱的,"夏洛特回答道,"可是,不能天天把钱柜倒空,也不能在倒空之后天天将追上来的人甩掉呀!"

"该死的钱柜!"克莱波尔先生说道,"除了钱柜外,可以倒空的东西还多着呢。"

"你指的是什么?"他的同伴问道。

"口袋、女人的手提网兜、住宅、邮车、银行!"克莱波尔先生黑啤酒一下肚,越说越来劲了。

"可是所有这些你干不来,亲爱的。"夏洛特说道。

"我将留神竭力跟他们结交,"诺亚回答道,"他们将能够使我们多少成为有用的人。噢,你一个人就可以顶许多人。如果我放手让你自行其是的话,我还从未见过一个像你这么狡猾和不诚实的人呢。"

"老天爷啊,听你这么说我实在太高兴了!"夏洛特惊叫道,在他那张丑陋的脸上使劲地吻了一下。

"好,行啦,你别太多情了,免得我对你生气。"诺亚一本正经地挣脱开来,说道,"我想当一伙贼帮的头子,可以随时鞭打他们,跟踪他们,而他们什么也不知道。这才中我的意呢,如果有可观的收入的话。要是我们能够跟一个这样的人拉上关系，我看就是付出你拥有的那二十英镑，也是划算的——尤其是我们自己不太晓得如何处理掉这笔钱。"

克莱波尔先生发表了这一看法之后，摆出了一副很睿智的样子往啤酒壶里窥视，将它狠狠地摇了一阵，自以为高人一等地向夏洛特点点头，喝了一口啤酒，显得精神大为振作的样子。他正想再呷一口，这时门突然开了，一位陌生人的出现打断了他的思路。

这位陌生人就是费金先生。他看上去非常和蔼可亲，边往前走边深深地鞠了一躬，在最挨近他们的桌子旁边坐下来，向龇牙咧嘴的巴尼要了一些饮料。

"一个晴朗的夜晚，先生，不过，就一年的这个时候而言，这样的天气太凉爽了。"费金搓着手说道，"我想，你们从乡下来的吧，先生？"

"你怎么看出来的？"诺亚·克莱波尔问道。

"我们伦敦没有那么多尘土。"费金指了指诺亚的鞋，又指指他同伴的鞋，再指指他们的两个包袱，说道。

"你是一个精明的人。"诺亚说道，"哈！哈！你听听他怎么说的吧，夏洛特！"

"噢，在这座城市里生活，精明是少不了的呀，亲爱的，"犹太人回答道，他把说话的声音压得很低，使之成了窃窃私语，"这是千真万确的。"

费金继说了这番话后，又以右手食指轻敲鼻子的一侧——诺亚试图模仿的一个姿势，尽管没有成功，因为他的鼻子不够大。然而，费金先生似乎把这一尝试视为跟他的意见完全一致，非常友好地把巴尼重新出现后端上来的酒请对方品尝。

"确实是好酒。"克莱波尔先生咂着嘴巴，津津有味地说道。

"天啊！"费金说道，"一个人如果经常喝这样的酒的话，他需要经常倒空钱柜或口袋或女人的手提网兜或住宅或邮车或银行。"

克莱波尔先生一听到自己的谈话被引用，就往椅背上一靠，眼睛看看犹太人，又看看夏洛特，脸色惨白，惊慌失措。

"别在乎我说的话，亲爱的，"费金将椅子挪近了点，说道，"哈！哈！幸亏只被我偶然听到，幸亏只有我听到。"

"钱不是我偷的，"诺亚结结巴巴地说道，再也不像一个有主见的绅士那样伸开双腿，而是尽量地在椅子下面将腿盘绕起来，"这都是她干的。这下子你要受到惩罚了，夏洛特，你知道你要受到惩罚了。"

"不管谁会受到惩罚或谁干的，亲爱的！"费金回答道，仍然以鹰一般锐利的目光扫视了那个女孩和两个包袱一眼，"我自己也是干这一行的。我希望你们也来入伙。"

"干哪一行？"克莱波尔先生有点回过神来，问道。

"干这行买卖，"费金回答道，"客栈里的人也是干这一行的。你找对人了，而且安全得不能再安全了。整个伦敦再也没有一个比三瘸子客栈更安全的地方了。也就是说，如果我想使它成为伦敦最安全的地方的话。况且，我已经开始喜欢你以及这位年轻女子了，所以我才说这句话，你们尽管放心好了。"

诺亚·克莱波尔听了这一保证之后本来可以放心的，可是他坐立不安，不断地挪动和扭动他的身体，做出各种笨拙的姿势，同时，怀着既害怕又狐疑的心情端详着他的新朋友。

"我还可以告诉你，"费金向夏洛特友好地频频点头和悄声鼓励几句，使这个女孩子消除了疑虑之后，继续对诺亚说道，"我有一位朋友，我想他能够满足你的迫切愿望，把你送上正道。在那儿，你可以开始干自己认为最合适的行当，然后再学习其余的。"

"听你说话的口气好像是认真的。"诺亚回答道。

"如果不是认真的，那对我有什么好处呢？"费金耸了耸肩，反问道，"得啦！让我到外面去跟你说一句话。"

"我们不必费神挪动了，"诺亚说道，他渐渐又将双腿伸开了，"这会儿她会把行李带到楼上。夏洛特，看好那些包袱！"

以极大的威严发出的这道命令得到了毫无异议的服从；当诺亚打开门，等候她出去时，她拿起包袱赶快走了出去。

"我把她调教得还过得去，是不是？"他回到自己的座位上时问道，那口气是驯养过野生动物的饲养员的口气。

"太完美了，"费金轻轻地拍了拍他的肩膀，回答道，"你是个天才，亲爱的。"

"怎么，我想如果我不是天才的话，我就不会在这儿了，"诺亚回答道，"可是，如果你不抓紧时间，她很快就回来了，真的。"

"好了，你认为怎么样？"费金问道，"如果你喜欢我的朋友的话，跟他入伙是再合适不过了！"

"他干的那个行当是赚钱的买卖吗？这是问题的关键！"诺亚眨着他的一只小眼睛回答道。

"顶尖的行当，雇用了一大帮人手，在同行中有着最好的朋友。"

"是可靠的城里人吗？"克莱波尔先生问道。

"他们当中没有一个乡下人。如果他们眼下不是很缺人手的话，即使有我的推荐，我想他们也不会接纳你的。"费金回答道。

"我得把钱交上去吗？"诺亚拍拍裤袋问道。

"不交钱无论如何是不行的。"费金以最坚决的态度回答道。

"不过，二十英镑——这可是一大笔钱啊！"

"如果是一张你无法处理掉的票据，那就另当别论了，"费金反驳道，"我看，票据的号码和日期被记下了吧。银行停付了吧？啊，它对他没有多少价值。他得把它弄到国外去，他在市场上也卖不了几个钱。"

"我什么时候可以跟他见面？"诺亚疑惑地问道。

"明天上午。"

"在哪儿?"

"这儿。"

"嗯!"诺亚说道,"工资多少?"

"过着绅士般的生活——食、宿、烟、酒免费供给,可以得到你所挣得的一半和那个年轻女人所挣得的一半。"费金先生回答道。

如果诺亚·克莱波尔是一个能完全按自由意志行事的人,凭着他那副无所贪的德行,甚至是否会同意这些优惠的条件,还是很值得怀疑的;可是当他想起如果他拒绝的话,他的新相识有权立即将他扭送法院审判(这种情况是很可能发生的),因此,他渐渐地有所收敛,说他认为这对他很合适。

"可是,你瞧,"诺亚说道,"由于她能够干很多的活,所以我想干些很轻的活儿。"

"干点儿讨巧的活儿?"费金建议道。

"啊!类似的活儿,"诺亚回答道,"你看我现在适合干什么活儿?某种不太费劲又不太危险的活儿,你也知道,就这类活儿!"

"我听到你提起监视别人的行当,亲爱的,"费金说道,"我的朋友非常需要一个这方面干得很出色的人才。"

"哦,我确实提到过,有时我倒也想从事这项工作,"克莱波尔先生慢吞吞地说道,"可是,单单这件事是无利可图的,你也知道。"

"这是千真万确的!"犹太人说罢,沉思默想或假装沉思默想起来,"是的,这也许是无利可图的。"

"那么,你的看法呢?"诺亚焦急地看着他问道,"偷偷摸摸的行当中的某种活儿,既非常稳妥,又不怎么会比待在家里危险。"

"你认为那些老太太怎么样?"费金问道,"抢她们的手提包或包袱,然后跑着绕过拐角,可以赚好多钱。"

"她们会大喊大叫起来,有时甚至把你抓伤,是吗?"诺亚摇摇头反问道，"我认为这不能解决问题。再没有其他值得考虑的行当了吗？"

"有啊！"费金将一只手搁在诺亚膝上说道，"洗钱^①。"

"那是什么玩意儿？"克莱波尔先生问道。

"洗钱嘛，亲爱的，"费金说道，"就是在母亲们以六便士、一先令等零钱叫她们的孩子出来购物时把他们的钱夺走——因为孩子们常常把钱捏在手里——然后将他们推到路边的下水道里，再慢慢地走开，小孩掉进水沟里除了受点伤外，什么事也没有发生似的。哈！哈！哈！"

"哈！哈！"克莱波尔先生也大笑不已，欣喜若狂地踢起双腿，"天啊，正是这种活儿！"

"那还用说，"费金回答道，"你可以在卡姆登镇、巴特尔桥以及孩子们常出来购物的此类街坊中标出几条常走的路线。你想要推倒多少个小孩，就可以推倒多少个小孩；你想在一天的什么时候推倒，就什么时候推倒。哈！哈！哈！"

接着，费金用肘轻触了克莱波尔先生的肋部，于是，他们一起爆发出长时间的、高声的狂笑。

"好啦，就这么着吧！"诺亚从兴奋中恢复过来时说道，这时，夏洛特也回来了，"我们明天什么时候见面？"

"10 点行吗？"当克莱波尔先生点头同意之后，费金又补充问道，"我该告诉我的好朋友你叫什么名字？"

"博尔特先生，"诺亚回答道，他早已做好了应急的准备，"莫里斯·博尔特先生。这位是博尔特太太。"

"博尔特太太的恭顺的仆人，"费金说着，以怪诞的风雅给她鞠了一躬，"但愿我很快就能更了解她。"

---

① 抢夺（或偷窃）外出购物的小孩的钱。

"这位先生的话你听见了没有，夏洛特？"克莱波尔先生吼道。

"听到了，诺亚，亲爱的！"博尔特太太伸出一只手来，回答道。

"她叫我诺亚，是一种昵称，"莫里斯·博尔特先生——以前的克莱波尔把脸转向费金，说道，"你明白吗？"

"噢，明白，我明白——完全明白，"费金回答道，他就这一回讲了真话，"晚安！晚安！"

费金先生又再三地道别并表达了良好的祝愿，这才动身离去。诺亚·克莱波尔要他太太听着，开始把他已经做出的有关安排告诉她，摆出了一副不仅是男子汉大丈夫，而且也是一名绅士的那种傲气十足和狂妄自大的神态。这名绅士充分地意识到在伦敦及其周围洗钱的特殊任命是多么威严。

第四十三章　本章描述机灵的蒙骗者如何陷入困境

"原来你那位朋友就是你自己，对吧？"克莱波尔先生，又名博尔特先生问道，这时，根据他们两人之间达成的协议，他第二天已搬进费金的住处了，"天啊，我昨天晚上已经料到了！"

"每个人都是他自己的朋友，亲爱的，"费金回答道，脸上露出了极为谄媚的笑容，"无论在什么地方，他都无法找到一位像他自己那样的好朋友。"

"有时候例外，"莫里斯·博尔特摆出一副老于世故的神态，回答道，"有些人的敌人不是别人，恰恰是他们自己，你也知道。"

"别信那一套。"费金说道，"如果一个人的敌人是他自己，那只是因为他对自己这个朋友好得太过分了，而不是因为他关心大家，不关心自己。呸！呸！世界上没有这样的事。"

"如果有也是不应该的。"博尔特先生回答道。

"这合乎情理。有些魔术师说三号是个有魔力的数字，有些说是七号。两者都不是，朋友，一号才是真正有魔力的数字。"

"哈！哈！"博尔特先生大笑起来，"永远是一号。"

"在像我们这样的小社区里，亲爱的，"费金说道，他觉得有必要明确一下这种见解，"我们有一个共同的一号。也就是说，你如果不把我及其他所有的年轻人也都看作一号，就不能把自己看作一号。"

"噢，太伤脑筋了！"博尔特先生惊叫道。

"瞧，"费金假装不理会他的插话，继续说道，"我们混为一体，我们的利益完全一致，因此我们不得不这样。譬如说，你的目的是关照一号——就是你自己。"

"当然，"博尔特先生回答道，"这还差不多。"

"可是！如果你不关照我这个一号，你就不能关照你自己那个一号。"

"你的意思是二号吧？"博尔特先生说道。他天生私心极重。

"不对，我不是这个意思！"费金反驳道，"我对于你的重要性，犹如你对于你自己那么重要。"

"我说呀，"博尔特先生插话道，"你这个人很好，我很喜欢你，不过，咱们两人的关系还没有达到这么亲密的程度。"

"你想想看，"费金耸了耸肩，伸出双手说道，"你考虑考虑，你已经干了一件多么漂亮的事，我也因此才喜欢你，然而，这样一来也就在你的脖子上打了领带。这可是很容易拴紧却很难解开的哟——用易懂的英语说就是'绞索'！"

博尔特先生伸手摸了摸自己的领带，仿佛觉得它特别紧似的；他咕哝着表示赞同，不过，只是从语气上，而不是从实质表示赞同。

"绞刑架，"费金继续说道，"亲爱的，绞刑架是块丑陋的指路牌。它指出一道急转弯，断送了许多冒失者的远大前程。走在平缓的道路上，与绞刑架保持一定的距离，这是你的一号目标。"

"这是理所当然的，"博尔特先生回答道，"你讲这些东西做什么？"

"只是想把我的意思跟你讲清楚，"犹太人扬了扬眉毛，说道，"为了能够做到这一点，你必须依靠我；为了使我的小买卖能够顺利地做下去，我得依靠你。前者是你的一号目标，后者是我的一号目标。你越是珍惜你的一号，对我的一号就必须愈加关心；因此，我们最终达到了我起初告诉你的结果，即对一号的关心使我们大家团结一致。我们也必须这么做，如果我们不想一块儿完蛋的话。"

"确实如此，"博尔特先生若有所思地回答道，"噢，你真是一个狡猾的怪老头！"

费金高兴地看到，对他的才能的这一夸奖不仅仅是出于恭维，而且是他诡计多端的天赋给这位新成员留下了深刻的印象。在他们开始结识时，博尔特先生应该抱有这种观念，这是至关重要的。为了加强这一理想的、有用的印象，费金继之又稍微详细地把他的行动计划的重要性和范围告诉他，将事实与虚构糅合在一起，以便最好地达到自己的目的；同时，把两者运用得非常巧妙，博尔特先生对他的敬意明显地增强，但也掺杂着某种程度的有益的恐惧。在他心中唤起这种恐惧是极其可取的。

"正是我们彼此之间的这种相互信任，使我在遭受重大损失时感到宽慰，"费金说道，"昨天早晨我失去了一员最得力的干将。"

"你的意思该不是说他死了吧？"博尔特先生大声问道。

"不是，不是，"费金回答道，"没有这么糟，还不至于这么糟。"

"那么，我想他是——"

"被通缉，"费金打断了他的话，"是的，他被通缉了。"

"情况很独特吗？"博尔特先生问道。

"不，"费金回答道，"不怎么独特。他被指控试图扒别人的口袋。他们在他身上搜出一只银质鼻烟盒——那是他自己的鼻烟盒，亲爱的，因为他把鼻烟盒带在身上，对它爱不释手。他们把他扣押到今天，因为他们以为他们知道鼻烟盒的主人。啊！他本人值五十个鼻烟盒，我愿出同样多鼻烟盒的价钱将他赎回来。要是你认识我们的蒙骗者就好了，亲爱的，要是你认识我们的蒙骗者就好了。"

"哦,我会认识他的,但愿如此,难道你认为不会吗?"

"我对此感到怀疑,"费金叹了一口气说道,"倘若他们找不到新的证据,那么,这只是简易判罪①,六周左右之后我们就可以把他弄回来。可是,如果他们找到了新证据,那便是流放的问题。他们晓得他是个多么聪明的小伙子,因此,他将被判无期徒刑。他们完全会判蒙骗者无期徒刑的。"

"你说的'流放'和'无期徒刑'指的是什么?"博尔特先生问道,"你对我讲这些有什么用?为什么不对我讲得明白一点,好让我听懂?"

费金正要重新用通俗的语言来表达这些神秘的词句,因为经他一解释,博尔特先生就会晓得它们表示"终生流放"。就在这时,贝茨少爷的进来打断了他们的谈话。贝茨少爷双手插在裤袋里,脸上露出显得有点滑稽的愁眉苦脸的神色。

"一切都完蛋了,费金。"查利经介绍和新伙伴认识之后,说道。

"此话怎讲?"

"他们已经找到了鼻烟盒的主人,又有两三个人前来指认他。机灵的蒙骗者这下子可是已经购买了流放的船票了。"贝茨少爷回答道,"在他动身旅行之前,我必须穿一身丧服、戴黑帽进去探监。你想想看,杰克·道金斯——顶呱呱的杰克——蒙骗者——机灵的蒙骗者——竟然因为一个两便士半的鼻烟盒而被流放!我过去以为惹祸的东西至少不会低于金表、表链和图章。唉,为什么不去抢一位有钱的老先生的所有值钱的东西,然后自己也作为一个有身份的人远走高飞,而不是像个臭名昭著的扒手那样没有面子、丢人现眼!"

贝茨少爷对他的不幸朋友发表了这番感慨之后,满脸的懊恼和沮丧,在最近的一张椅子上坐下来。

---

① 指不需要陪审团参与的直接定罪,又称"即决裁定"。

"你为什么说他没有面子、丢人现眼？"费金愤怒地对他的徒弟看了一眼，大声说道，"在你们当中，难道他不是一直身居高位、养尊处优的吗？在寻找线索方面，你们有哪一个能比得上他或接近他的，嗯？"

"一个也没有，"贝茨少爷回答道，他说话的声音因懊悔而变得沙哑了，"一个也没有。"

"那么，你在说什么屁话？"费金气愤地说道，"你为什么这样牢骚满腹、哭诉不休？"

"因为这件事没有记录在案，是吧？"查利说道，深深的懊悔使他全然不顾这位可尊敬的朋友了，"因为它不可能出现在起诉书上，因为没有一个人完了了解他是个什么样的人物。他在新兴门监狱的审问记录单上能有什么突出的地位？哦，天啊，天啊，这是多么大的打击！"

"哈！哈！"费金伸出右手，把脸转向博尔特先生，发出一阵咯咯的笑声，笑得浑身颤动，仿佛痉挛似的，"你看看他们对自己从事的职业感到多么自豪，亲爱的。这不是太妙了吗？"

博尔特先生点头表示同意。对查利·贝茨的忧伤想了片刻之后，费金心满意足地走到这位小绅士的跟前，拍了拍他的肩膀。

"别担心，查利，"费金安慰他道，"这件事会出现在起诉书上的，肯定会出现在起诉书上的。他们大家将会知道他是一个多么聪明的人。他自己也会显示出这一点的，不会给他的老朋友和师傅们丢脸的。想一想他还那么年轻！查利，在他这么小小的年纪就被流放，这是多么大的荣誉啊！"

"是啊，这确实是一种荣耀！"查利有点宽慰地说道。

"他可以得到他想要的一切，"犹太人继续说道，"他会像一个绅士那样被关在石罐①里，查利，像一个绅士那样！天天有啤酒喝，口

---

① 指监牢。

袋里还有钱做掷钱游戏①，尽管没地方花钱。"

"我不信，他真的能够得到这一切吗？"查利·贝茨大声说道。

"当然可以，"费金回答道，"我们将聘请一位大法官，查利，口才最好的大人物来为他辩护。他自己也可以发言，如果他愿意的话。我们将在各大报上读到这方面的报道《机灵的蒙骗者——尖声大笑——法官们此刻笑得前俯后仰》，是吗，查利，是吗？"

"哈！哈！"贝茨少爷大笑道，"这太有意思了，是不是，费金？我说呀，机灵鬼会让他们大伤脑筋的，是不是？"

"当然！"费金大声说道，"他能够——他一定会的！"

"啊，他一定会的。"查利搓着双手重复道。

"我现在好像看到了他。"犹太人把目光转向他的徒弟，大声说道。

"我也是，"查利·贝茨喊道，"哈！哈！哈！我也是。我看到这一切全在我眼前，我敢发誓，我看到了，费金。多有趣啊！简直太好玩了！所有的大人物都试图摆出一副庄重的脸孔，而杰克·道金斯却语气亲切、悠然自得地对他们讲话，仿佛是法官的亲生儿子在宴会之后发表演说似的——哈！哈！哈！"

事实上，费金先生如此迁就他这位年轻朋友的古怪性情，以致最初倾向于把被监禁的蒙骗者看作一个受害者的贝茨少爷，现在已把他视为在最不寻常和极度幽默场面中的主要演员，并迫不及待地盼望他的老搭档显示自己能力的有利时机的到来。

"我们必须采用某种方便的办法了解他今天过得怎么样。"费金说道，"让我想想。"

"要不要我去走一趟？"查利问道。

"绝对不必，"费金回答道，"你疯啦，亲爱的，彻底地疯啦，竟

---

① 玩者用硬币投向目标，投币离目标最近的优胜者可将所投的所有硬币捡起上抛，落地时正面向上的归其所有。

然要去那个地方——不，查利，不。一次损失一个已经足够了。"

"我想，你该不是打算亲自去吧？"查利幽默地斜睨了他一眼，说道。

"那也不太合适。"费金摇摇头回答道。

"那么，你为什么不派这位新伙计去？"贝茨少爷将一只手搁在诺亚的胳膊上，问道，"谁也不认识他。"

"对啊，如果他不介意——"费金说道。

"介意什么！"查利插话道，"他有什么好介意的？"

"真的没有什么好介意的，亲爱的。"费金面向博尔特先生说道，"真的没有什么。"

"哦，我对此有不同的看法，你也知道，"诺亚说罢，朝门口退去，颇为恐慌地连连摇头，"不，不——不要那样。这不是我的专长，这不是。"

"他有什么专长，费金？"贝茨少爷极其厌恶地打量着诺亚细长的体形，问道，"出了什么问题就想逃之夭夭，平安无事的时候就拼命吃饭，这就是他的专长吗？"

"你管不着，"博尔特先生回嘴道，"你对长者别太放肆了，小伙子，否则，你将会发现自己找错对象了。"

贝茨少爷对这一夸大其词的威胁发出一阵猛烈的狂笑，以致过了好长一会儿费金才插得上话。费金向博尔特先生解释说，他到警察分局去走一趟不会遭受什么危险。而且，由于对他卷入的那件小事的通报，以及对他本人的外貌的描述都尚未寄到伦敦，很可能甚至尚未怀疑到他已前来伦敦落脚；同时，如果他适当地加以化装的话，他到这个地方会如同他到伦敦的任何地方一样安全。因为在所有的地方中，这是人们最不可能想到他会出于自愿而经常出没的地方。

博尔特先生部分地被这番话说服了，但在更大的程度上是害怕费金，终于非常勉强地答应去探监。根据费金的指点，他立即将自己的衣服换成马车车夫穿的长外衣、棉绒裤和皮绑腿。这些东西都是犹太人手头现成的。他头上还戴了一顶上面以通行税票装饰得很漂亮的毡帽，手里握了一把车夫的鞭子。这样打扮之后，他打算逛进警察局，犹如从科文特加登市场过来的乡下人为了满足其好奇心可能会逛进来那样。费金先生正需要这么一个笨拙、难看和骨瘦如柴的人。他相信诺亚会完美地充当这个角色。

这些准备工作完成之后，他们把辨认机灵的蒙骗者的必要手势和暗号告诉了他。贝茨少爷还领着他穿越许多昏暗、蜿蜒的小巷，走到距博街很近的地方。查利·贝茨描述了警察局的确切情况，还附带大量的说明：他该如何径直沿着过道走，然后进入院子时，如何选择楼上靠右手边的那道门，走进房间时，又如何脱掉帽子等等。而后，查利·贝茨叫他赶紧独自走下去，并答应在他们分手的地方等着他回来。

诺亚·克莱波尔或莫里斯·博尔特（读者可悉听尊便）郑重其事地遵照获得的这些指点行事。由于贝茨少爷对这个地方了如指掌，因此，这些指点太精确了，以至于他不必问任何问题，途中也没有遇到任何阻挠，就见到了地方保安官①的仪容。他不知不觉被推推搡搡地拥进了一群人当中。他们多数是妇女，挤在一间肮脏、邋遢的房间里。房间最里面的一端是一个垫高的站台，栏杆将它与其他部分隔开。左边靠墙的地方是犯人的被告席，中间是证人席，右边是法官席。上述这个威严的地方由一块隔板隔开，使法官席避开众人的目光，让平民百姓去想象（如果他们会想象的话）司法的威严。

被告席上只有两个女人，她们正在向赞赏的朋友们点头致意，而书记员正在向两名警察和俯身于桌上的一名便衣念证词。一名监

---

① 地方保安官指有权审判地方法庭、违警罪法庭案件的官员。

狱看守斜倚在被告席的围栏上，正用一把大钥匙无精打采地轻叩自己的鼻子，只是偶尔宣布肃静，以抑制住游手好闲者当中不应有的窃窃私语，或者当司法的庄严受到某个瘦弱的婴儿在母亲围巾里发出半窒息的、微弱的哭声的干扰时，他才严厉地抬起头来，叫那个妇女"把婴儿带出去"。房间散发出闷热的、难闻的气味，墙壁沾满了污垢，天花板熏得黑不溜秋。壁炉台上面有一尊熏脏的半身旧塑像，被告席上有个积满灰尘的时钟——在场的唯一一件似乎该照常继续运行的东西，因为堕落、贫困或对两者的经常了解已经给一切生物留下了不可磨灭的痕迹，就令人恶心的程度而言，简直不亚于皱眉旁观的一切非生物表面上的厚厚的、油腻腻的浮垢。

诺亚急不可耐地环顾四周，寻找蒙骗者。可是，虽然有几个女人完全可以充当这位杰出人物的母亲或姐姐，而且不止一个男人可以被认为长得很像他父亲，然而，根本见不到一个符合向他描述过的那位道金斯先生容貌的人。他怀着忐忑不安的心情等待着，直到被送去受审的女人洋洋得意地走出去。接着，进来的另一个犯人的外貌使他立即松了一口气，他觉得这个犯人正是他要打听的目标。

这个人确实是道金斯先生。他依然像平常那样卷起大衣袖子，左手插在口袋里，右手拿着帽子，拖着脚走进法庭。他以令人难以形容的摇摇摆摆的步态走在监狱看守前面。在被告席就座之后，他以听得见的声音问为什么将他置于这么不光彩的位置上。

"你给我闭嘴！"监狱看守说道。

"我是一个英国人，是吧？"蒙骗者回答道，"我的特权哪儿去了？"

"你很快就会得到你的特权的，"看守回嘴道，"而且还外加胡椒呢。"

"我们倒想看看内务大臣对那些地方保安官有什么看法。"道金斯先生回答道，"好呀！这究竟是怎么回事？如果地方保安官马上处理这件小事，而不是坐在那儿看报，耽误我的时间，我会感谢他们的，因为我跟伦敦城里的一位先生有约。由于我是一个讲信用的人，对事务问题非常守时，如果到时候我不在场的话，他就会走掉。那时候，我将会对法官采取行动，要求赔偿我未能赴约而蒙受的损失。噢，我不要求赔偿才怪呢！"

这时，蒙骗者摆出了一副以后打算提出诉讼的样子，要求看守"把坐在法官席上那两个狡猾的家伙的名字"通报上来，把听众逗得哈哈大笑起来。他们简直笑得跟贝茨少爷一样开心，如果他听到这个要求的话。

"喂，请肃静！"看守喊道。

"这是怎么回事？"其中一位地方保安官问道。

"一起扒窃案，阁下。"

"这男孩以前来过这儿没有？"

"他应该来过好多回了。"看守回答道，"在其他的每个地方他也几乎都去过。我对他了如指掌，阁下。"

"哦，你认识我，是吗？"机灵鬼喊道，一边把这句话记了下来，"很好，无论如何，这是一起毁誉案。"

此刻，法庭又爆发出另一阵哄堂大笑，然后又是要求肃静的喊叫声。

"喂，证人在哪儿？"书记员问道。

"啊！这就对啦，"蒙骗者又说道，"他们在哪儿呢？我倒想见见他们。"

这个愿望立即得到了满足，因为一名警察走上前来。这位证人见到被告在人群中企图扒窃一位陌生绅士的口袋，并确定从他的口袋里掏出一条手帕。因这条手帕已经很破旧了，他拿它擦了一下脸后，又不慌不忙地将它放回去。由于这个原因，他一挨近他，就将蒙骗者拘留。搜查蒙骗者之后，发现他身上有一只银质鼻烟盒，盒盖上刻着主人的名字。通过查阅了《名绅录》，找到了这位绅士。他此刻在场，曾发誓说这只鼻烟盒是他的，说他前天一从上述人群中出来时就丢失了。他还说人群中有一位小绅士特别卖力地替他开路，而这位小绅士正是他面前的被告。

"你有什么问题要问这位证人吗，孩子？"

"我不愿意降低自己的身份去跟他说话。"蒙骗者回答道。

"你究竟还有什么话要说吗？"

"你听到了大人阁下问你还有什么话要说吗？"看守用肘轻推了一下默不作声的蒙骗者，问道。

"对不起，"蒙骗者一副心不在焉的样子，抬起头来说道，"你刚才在跟我说话吗，老兄？"

"我从来没有见过这么一个彻头彻尾的无赖，阁下，"警察笑嘻嘻地说道，"你有什么话要说吗，你这个小骗子？"

"没有，"蒙骗者回答道，"我不在这儿说，这儿不是公正的办案场所。况且，我的律师今天早晨正在和众议院副议长共进早餐。不过，在别的地方我会有话说的，我的律师，我的无数体面的熟人也会站出来说话的，结果将会使那些地方保安官巴不得自己未曾出生，巴不得在今天上午对我粗暴无礼之前就叫他们的男仆把他们吊死在帽钉上。我要——"

"够啦！完全可以将他投入监狱！"书记员插话道，"把他带走！"

"走吧。"看守说道。

"啊呀！我这就走，"蒙骗者用手掌拂了一下帽子，回答道，"啊！（对着法官席）你们看上去显得那么恐惧也没有用，我决不会对你们心慈手软的，一点也不！你们要为此付出代价的，尊贵的朋友们。我无论如何也不会像你们那样！现在，如果你们跪下来求我，我也不愿意获得自由。喂，把我带到牢里去！把我带走！"

说完最后几句话之后，蒙骗者听任自己被看守扭住领口带走，一边还不断地威胁着要提请议会来处理此事，直到进入院子，然后，欢天喜地、自鸣得意地冲着看守的脸咧嘴而笑。

诺亚看见他被单独地关在一间小牢房里之后，赶紧以最快的速度回到了与贝茨少爷分手的地点。诺亚在这儿等了一会儿后，这位小绅士才跟他会合。贝茨少爷先从一个秘密的隐蔽处小心翼翼地四处张望，弄清他的新朋友没有受到任何不相干的人的跟踪，才审慎地露面。

他们两人一起赶回家，向费金先生传递这一令人兴奋的消息：蒙骗者充分地展示了他的真正价值，并为自己确立了光荣的名声。

第四十四章　南希对罗斯·梅利践约的时间到了，
　　　　　　但她未能前往

　　南希姑娘尽管精通奸诈和伪装的一切技巧，但是她未能完全掩饰她所采取的步骤对自己精神上产生的影响。她记得诡计多端的犹太人和残酷无情的赛克斯曾经向她吐露的各种计划——这些对其他所有的人都是隐瞒的。他们充分信任她，认为她值得信任，不容置疑。尽管那些计划卑劣无耻，尽管它们的策划者胆大妄为，尽管她对费金怀有满腔仇恨——他将她一步一步地、越来越深地引入罪恶和苦难的深渊而使之在劫难逃——然而，她曾经多次对他动过恻隐之心，生怕她的揭发会使他落入他已逃脱了这么久的铁掌，生怕他最终竟会栽在她手里，尽管他落此下场是罪有应得的。

　　但是，这些只是她思想上的动摇，她无法完全脱离旧同伴和旧关系，尽管它可以稳固地集中于某个目标，并决意不受任何因素的影响而转变方向。她对赛克斯的顾虑倒是她退缩的最强有力的诱因。可是她已坚决地要求别人应该严守她的秘密，她从未遗落下可能导致他被发现的任何线索，她甚至为了他的缘故，放弃了从包围着她的一切罪行和不幸中得救的机会——她还能有什么办法呢？她已经铁了心了。

虽然，她的一切思想斗争都以这样的结论告终，然而，它们三番五次地在她身上表现出来，并留下痕迹。没几天的工夫，她便变得脸色苍白、消瘦不堪。她常常不留意眼前发生的事，或者不参与谈话，而过去她总是讲得最起劲、最大声的。在其他时候，她没有欢乐也会大笑起来，也会无缘无故、毫无意义地大吵大闹。有时——常常过了一会儿之后，她会坐在那里，一声不吭，垂头丧气，双手抱住脑袋苦思冥想。正是她想重新振作起来的努力，比这些迹象更有力地显示出她心神不宁，显示出她脑子所关心的问题与同伴正在谈论的问题迥然不同、相去甚远。

这是一个星期天晚上，最邻近的教堂的大钟正在报时。赛克斯和犹太人正在谈话，但他们停下来倾听。南希姑娘从她蜷缩的低矮座位上抬起头来，她也在倾听报时。11 点。

"差一小时半夜了，"赛克斯说着，拉起窗帘朝外看，然后又回到自己的座位上，"天又黑又阴沉。这正是适合干活儿的夜晚。"

"啊！"费金回答道，"太遗憾了，比尔，亲爱的，要干的活儿还尚未完全准备停当呢。"

"你就这一次说对啦。"赛克斯粗暴地回答道，"太遗憾了，我也是这样的心情。"

费金叹了一口气，失望地摇了摇头。

"等我们把事情安排妥当以后，必须把损失的时间补回来。我只知道这一点。"赛克斯说道。

"说得不错，亲爱的，"费金冒昧地拍拍他的肩膀，回答道，"听你说话对我很有益。"

"对你有益，是吧！"赛克斯大声说道，"哦，但愿如此！"

"哈！哈！哈！"费金哈哈大笑起来，仿佛即便是这么一个小小的让步他都感到宽慰似的，"今晚你才像你自己，比尔！很像你自己。"

"当你把那干瘪的爪子放在我肩上时，我就没有像自己的感觉。所以，把你的爪子拿开。"赛克斯说罢，把犹太人的手甩掉了。

"这使你感到紧张不安，比尔——使你想起被逮住，是不是？"费金说道，他决意不生气。

"使我想起被魔鬼逮住，"赛克斯回敬道，"从来没有第二个人长着你这样的嘴脸，除非他是你父亲；不过，我想现在他那花白的胡子正在燃烧[①]。要不然你直接来自那个老魔鬼——他与你之间根本不存在父子关系。如果真是这样，我一点也不感到惊讶。"

费金对这一恭维不作回答，却拉着赛克斯的衣袖，用手指了指南希。她利用他们谈话之机戴上了女帽，现在正要离开房间。

"嘿！"赛克斯喊道，"南希，你一个女孩子家这么晚了还要上哪儿？"

"不远。"

"这算什么回答？"赛克斯反驳道，"你要到哪儿去？"

"我说不远嘛。"

"可是我问你上哪儿？"赛克斯回嘴道，"你听见我说的话了吗？"

"我也不知道上哪儿。"姑娘回答道。

"那么，我知道，"赛克斯说道，与其说他真的反对姑娘到她想去的地方，不如说是出于固执这样说，"你哪儿别去，坐下来！"

"我身体不舒服，我以前就告诉过你了，"姑娘回答道，"我想出去透透气。"

"把你的脑袋伸到窗外去。"赛克斯回答道。

"那不够，"姑娘说道，"我要到街上透透气。"

"那无论如何也不行，"赛克斯说完，站起身来，将门锁上，拔出钥匙，将她头上的女帽拉下来，扔到一个旧衣橱上。"好啦，"抢劫犯

---

① 暗示地狱之火烧他的胡子。

说道，"现在你给我乖乖地待着，好吗？"

"不是一顶帽子就能阻止我的，"姑娘说道，脸色变得煞白，"你这是什么意思，比尔？你知道自己在干些什么吗？"

"知道我在——噢！"赛克斯侧过身去对费金大声说道，"她疯啦，否则她不敢这样对我说话。"

"你会逼得我干出什么拼命的事来的，"姑娘喃喃道，将双手搁在胸脯上，仿佛全靠气力硬将满腔的怒火压下去似的，"让我走，好吗？——此时此刻。"

"不！"赛克斯说。

"叫他放我走，费金。他最好让我走。这对他会更好些。你听见我说的话了吗？"南希在地板上直跺脚，嚷道。

"听见你说的话！"赛克斯从坐着的椅子里转过身来面对她，重复道，"啊！如果我再听你说半分钟，那条狗将紧紧地咬住你的喉咙，让你不会这样尖声叫嚷。你怎么啦，你这个荡妇！究竟怎么啦？"

"放我走，"姑娘更加急切地说道，然后，她便坐在门前的地板上，"比尔，放我走，你不知道自己在做些什么。你不知道，真的。我只要一小时——放我走——放我走！"

"这姑娘要不是疯得胡话连篇，"赛克斯粗暴地抓住她的胳膊大声说道，"就把我的四肢一只只地砍掉！站起来！"

"直到你放我走——直到你放我走——决不——决不！"姑娘尖叫道。赛克斯旁观了一会儿，伺机突然抓住她的双手，把她拖进隔壁的小房间。她一路挣扎、跟他扭斗。他坐在一条长凳上，把她猛然推在一张椅子里，用力按住。她挣扎一阵、哀求一阵，直到12点响过，然后，疲惫不堪、筋疲力尽的南希，才不再进一步为这一目的而抗争。赛克斯警告她那天晚上别再想出去，又发出一连串咒骂，这才让她去慢慢恢复，自己回到费金那儿。

"哎呀！"抢劫犯擦去脸上的汗水，说道，"多么古怪的姑娘！"

"你完全可以这么说，比尔，"费金若有所思地回答道，"你完全可以这么说。"

"你想她为什么今天晚上突然心血来潮想出去呢？"赛克斯问道，"喂，你应该比我更了解她。这是什么意思？"

"固执，我看是女人的固执，亲爱的。"

"嗯，我想是这样的，"赛克斯咆哮道，"我本来以为已经把她驯服了，可是她仍像从前那么不听话。"

"还更不听话了。"费金若有所思地说道，"我还从未见到过她为了这么一点小事而大吵大闹的。"

"我也没见过，"赛克斯说道，"我想她生来血液里就有那么一点热病，又出不来，是吧？"

"很像是这样。"

"如果她再这样的话，我就不必麻烦医生了，要给她放一点血。"赛克斯说道。

费金对这一治疗方案意味深长地点头赞同。

"当我患病卧床不起的时候，她日日夜夜地守在我身边，而你呢，像一只黑心狼一样躲得远远的。"赛克斯说道，"当时我们一直很穷。我想，这种情况多少使她感到担心、发愁，况且，在这儿关了这么久，也使她坐立不安，是不是？"

"说对啦，亲爱的。"犹太人低声说道，"嘘！"

他说这句话时，姑娘本人出来了，又坐回她原先的座位上。她的眼睛又红又肿，在椅子里来回摇动身子，将头一甩，突然大笑起来。

"嘿，现在她又变换策略了！"赛克斯惊讶万分地瞅了同伴一眼，惊叫道。

费金点点头，示意他此刻先别理她。过了几分钟之后，她平静下来了，又恢复了她原来的举止。费金和赛克斯交头接耳地说，她再也不会故态复萌了，于是拿起帽子，向他道了晚安。他走到房门时顿了一下，回过头来看了看，问哪一位愿意掌灯照他下楼。

"掌灯照他下楼，"赛克斯正在装一袋烟，说道，"他若折断颈骨，令观光者失望，那就太遗憾了。替他掌灯照明。"

南希拿着一支蜡烛跟着老头下楼。他们到了过道时，他将一只手指放在嘴唇上，接近姑娘，悄声说道："南希，怎么回事，亲爱的？"

"你这是什么意思？"姑娘以同样的声调回答道。

"这一切的原因，"费金说道，"如果他"——他用瘦骨伶仃的食指指着楼上——"待你这么冷酷（他是个畜生，南希，一头没有理性的野兽），你为什么不——"

"怎么啦？"当费金顿了一下，嘴巴几乎触及她耳朵，眼睛直盯着她的眼睛时，姑娘问道。

"眼下没事儿。这件事咱们以后再谈吧。我是你的朋友，南希，一位坚强的朋友。我手头有缜密的方法。如果你想报复把你当作一条狗看待的人—— 条狗！甚至比他的狗还不如，因为他有时还迁就他的狗—— 那就来找我吧。我说呀，来找我。他不过是一个昙花一现的卑鄙小人。可是你老早就认识我了，南希。"

"我很了解你，"姑娘回答道，丝毫不显露出自己的情感，"晚安！"

费金主动地要握她的手时，她退缩了，不过又以沉着的声音道了晚安，对他临别时丢过来的眼色会意地点了点头，然后将门关上。

费金朝自己的家里走去，脑海里活跃着种种念头。他已经形成了这样的想法——不是从刚刚过去的这件事，尽管此事给他提供了佐证，而是慢慢地、逐渐形成的——即南希已经移情别恋，对某个新朋友产生了爱慕之情。她态度的改变、经常独自离家、对过去曾经如此热心的同伙的利益相对地漠不关心，此外，那天晚上在特定的时间里那么迫不及待地要出门，这一切都证实了自己的推测，并使这种推测至少在他看来几乎是确实无疑的。她的这位新欢不在他的忠实的追随者们当中。有了南希这样的助手，她的新朋友将是一位不可多得的人才，于是费金认为必须马上将他弄到手。

他还想达到另一个更为阴险的目的。赛克斯知道的事太多了。他的蛮横的辱骂依然大大地伤害了费金，尽管这些创伤隐而不露。这姑娘想必知道得很清楚，如果她把他甩了，他免不了要对她暴跳如雷、狂怒不已，肯定会对她的新朋友进行报复的——或残害其肢体，甚至令他命归黄泉。"稍加劝说，"费金想道，"她怎么会不同意把赛克斯毒死呢？在此之前，女人为了达到同样的目的也曾干过这样的事，甚至比这更恶劣。我所憎恨的人——这个危险的恶棍将会消失，另一个人将会顶替他的位子，而她有了这一罪恶的把柄捏在我手里，我对这个姑娘便有无穷的支配力了。"

费金在破门盗贼赛克斯房间里独自坐着的短短的时间里，这些想法已在他心中闪过。由于他脑海里占据着这些最主要的想法，后来他在分手时乘机通过闪烁其词的暗示对姑娘进行试探。姑娘没有露出任何惊讶的表情，也没有假装不懂得他的意思。显然，这姑娘已心领神会。她临别时的那一瞥说明了这一点。

然而，也许她会对结束赛克斯的生命的阴谋畏缩不前，而这是必须达到的主要目的之一。"我怎样才能加强对她的影响呢？我能获得什么新的力量呢？"费金蹑手蹑脚地在走回家去的路上思考着。

这样的脑子多是应急办法。倘若他不想逼她本人坦白，而是通过监视，找到她移情别恋的目标，威胁她，如果她不参与他的计划，就把全部真相对赛克斯和盘托出（她对赛克斯相当害怕），难道他还不能逼她就范吗？

"我可以叫她就范，"费金几乎说出声来，"那时候她不敢拒绝我。无论如何不敢拒绝我。无论如何不敢！我想出办法来了！手段是现成的，必须着手行动。我现在非叫你就范不可！"

他回过头来对着已经离开的那个更胆大妄为的坏蛋居住的地方恶狠狠地看了一眼，一只手做出了个威胁性的动作，又继续赶路了；

一双皮包骨的手忙着猛力地拧着他的破外套的褶层，仿佛随着他手指的每一次拧动，都有一个他所憎恨的人被碾得粉身碎骨似的。

第四十五章　费金雇用诺亚·克莱波尔履行一项秘密使命

翌日清晨，老犹太人准时起床，焦急地等待着他的新伙伴的到来。新伙伴拖拖拉拉，过了很久终于来了，并开始狼吞虎咽地吃起早饭。

"博尔特。"费金说道。他拉过一张椅子，在莫里斯·博尔特对面坐下来。

"唉，我在这儿呢，"诺亚回答道，"什么事？等我吃完以后再叫我干活吧。这是此地的最大毛病，吃饭的时间总是不够。"

"你可以边吃边谈，对吧？"费金说道，从心底诅咒他这位年轻朋友的贪婪。

"啊，是的，可以谈，我谈话的时候吃得更快。"诺亚切了一大片面包，说道，"夏洛特哪儿去啦？"

"出去了，"费金说道，"我一早就打发她和另一位年轻女子出去了，因为咱们需要单独待一会儿。"

"哦！"诺亚说道，"我倒希望你先吩咐她去做一些黄油面包。好啦，继续说吧，不会妨碍我吃饭的。"

确实的，似乎不用怎么担心有什么东西会妨碍他吃饭，因为他坐下来时显然已决心要饱餐一顿了。

"你昨天干得很好，亲爱的，"费金说道，"干得太漂亮了！头一天就捞到六先令九便士半！洗钱会使你发财的。"

"你可别忘了还得外加三只品脱壶和一只牛奶罐。"博尔特先生说道。

"不会，不会，亲爱的。弄到那些壶是天才之举，但牛奶罐却是完美的杰作。"

"我想，对于一个新手来说相当不错了，"博尔特先生沾沾自喜地说道，"壶是从高高的栏杆上拿下来的，牛奶罐却孤零零地放在一家客栈的外头。我想它遇到下雨会生锈，或者受凉，你是知道的，是不是？哈！哈！哈！"

费金假装非常开心地哈哈大笑；博尔特先生尽情地笑过之后，接连咬了几大口，将第一片黄油面包干掉，旋即又开始吃第二片。

"博尔特，"费金俯身子餐桌上说道，"我要你替我做一件事，亲爱的。这事需要十分谨慎小心。"

"我说呀，"博尔特回答道，"你别把我硬推入危险中了，也别再派我去警察局了。这对我不合适，确实不合适，真的。"

"这事一点也不危险——一点也不，"犹太人说道，"只是去盯一个女人的梢。"

"老太婆？"博尔特先生问道。

"年轻的。"费金回答道。

"这我知道自己可以干得很好，"博尔特说道，"我上学的时候就是一个狡猾的老告密生。为什么要盯她的梢呢？不是要——"

"什么也不做，只要告诉我她上哪儿，见了什么人，如果可能的话，她说了些什么。如果是一条街，要记住那条街名；如果是一幢房子，要记住房号；把你能够搜集的一切情况给我带回来。"

"你给我什么酬劳？"诺亚放下杯子，眼巴巴地直视他的雇主。

"如果你干得好，一英镑，亲爱的。一英镑。"费金说道，希望竭力引起他对这一诱饵的兴趣，"对于从中得不到任何有价值的报酬的工作，我还从未曾给过这么多呢。"

"她是谁？"诺亚问道。

"我们当中的一员。"

"噢，天啊！"诺亚撅起鼻子，大声喊道，"你怀疑她，是不是？"

"她找到了一些新的朋友，亲爱的，我必须了解他们是谁。"费金回答道。

"我明白啦，"诺亚说道，"只是想了解他们这些人是不是体面，是吗？哈！哈！哈！我是你最合适的人选。"

"我知道你适合，"费金大声地说道，为自己这一计划的成功而得意扬扬。

"当然，当然，"诺亚回答道，"她在哪儿？我在哪儿等她？我该上哪儿？"

"这一切我会告诉你的，亲爱的。在适当的时候我会把她指认给你。"费金说道，"你做好准备，其余的事交给我。"

那天晚上，以及第二天、第三天晚上，这位密探脚蹬靴子、身穿马车夫服装，随时准备奉费金之命出发。六个晚上过去了—— 六个令人厌倦的、漫长的夜晚——每一个晚上费金都垂头丧气地回来，简单地透露时机尚未成熟。第七天晚上，他比平常早些回来，喜悦的心情溢于言表。这一天是星期天。

"她今晚会出去活动，"费金说道，"而且我相信她正是去干这件事，因为她一整天独自一人，她所害怕的那个男人要天亮后才回来。跟我来，快！"

诺亚二话没说便一跃而起，犹太人极大的兴奋状态大大地感染了他。他们悄悄地离开房子，匆匆地穿过了迷宫般的街道，终于来到了一家客栈的前面。诺亚认出这正是他抵达伦敦的头一个晚上过夜的那家客栈。

这时已经过了 11 点了，客栈的门已关闭。费金低声地吹了一声口哨，门轻轻地开了。他们一声不响地走进去，门在他们背后关上了。

费金和为他们开门的年轻犹太人不敢交头接耳，却以手势代替谈话，把那扇玻璃窗指给诺亚看，以手势叫他爬上来观察隔壁房间那个人。

"就是那个女人吗？"他问道，说话的声音没有超过他的气息声。费金点头称是。

"我看不清楚她的脸，"诺亚低声说道，"她正在朝下看，而且背着烛光。"

"待着别动。"费金小声说道。他对巴尼打了个手势，年轻人退下去了。一会儿之后，年轻人走进隔壁房间，假装剪烛花，将蜡烛移到了需要的位置上，然后跟那个女孩子打招呼，让她抬起头来。

"我现在看见她啦。"密探喊道。

"看得清楚吗？"

"就是千人之中我也能认出她。"

那道门打开的时候，他急忙走下来。接着，姑娘走出来了。费金把诺亚拉到一道用帘子隔开的一个角落。他们屏息着。姑娘从离他们隐蔽处仅几英尺的地方走过，然后从他们进来的那道门走出去。

"嘘！"开门的年轻人大声说道，"行啦！"

诺亚与费金互相交换了一下眼色，便猛冲出去。

"左边，"年轻人低声说道，"走左边，靠马路的对面走。"

他照这样做了。借助于灯光，他看到了姑娘离去的身影——已经在他前面有一段距离了。他在自己认为谨慎的范围内尽量挨近她，并保持在马路对面行走，以便更好地观察她的行动。她有两三次紧张不安地回过头来看了看，有一次停下来让紧随其后的两个男人走过去。她朝前走的时候似乎在给自己鼓气，走路的步伐更加坚定、有力了。密探始终与她保持一段距离，眼睛盯住她，紧追不舍。

第四十六章　践约

当两条人影出现在伦敦桥时，教堂的大钟敲响了 11 点 3 刻。其中，以敏捷快速的步伐行进的是个女人的身影，她频频地左顾右盼，仿佛在寻找一个等待的目标；另一个是男人的身影，他鬼鬼祟祟地潜入所能找得到的最黑暗的阴影里，同时与她保持着一定的距离，使自己的速度与她保持一致。她停他亦停；她继续走，他也偷偷摸摸地、蹑手蹑脚地继续走。不过，在他起劲的跟踪中，他从不允许自己逼近她的脚步。于是，他们从米德尔塞克斯过桥到了萨里河岸。这时，女人焦急不安地仔细观察着行人，显然感到失望，便踅了回来。她的动作太突然了，可是监视她的男人并没有因此而猝不及防，他退缩到桥墩顶上的一个凹进处，俯身子栏杆之上，以便更好地隐蔽起来，让她从对面的人行道上走过去。当她在前面又与他保持和原先差不多的距离时，他悄悄地溜下来，继续跟踪她。她在接近大桥中心的地方停下来。他也停了下来。

这是一个漆黑的夜晚。白天的天气一直很糟，此时此地几乎很少有人出来走动了。无论如何，那些匆匆而过的行人很可能没有看见、但肯定没有去注意那个女人和监视她的男人。他们的出现，不可能引起那晚碰巧从桥上经过为寻找一个冰冷的拱洞或无门的陋屋暂栖身的伦敦贫民的多大注意。他们默默地站在桥上，既不跟任何行人说话，行人也不跟他们搭腔。

迷雾笼罩着泰晤士河，使停泊在各个码头的小船的灯火的红光显得更强烈，也使两岸上昏暗的建筑物变得更加阴暗和模糊了。两岸被煤烟熏黑的旧仓库笨拙而单调地从一片密密麻麻的屋顶和山形墙赫然耸起，凛峻地对着黑得连它们笨重的形状都映不出来的河面皱眉蹙额。在朦胧中，长期以来守护着历史悠久的伦敦桥的巨人卫士古老的圣救世主教堂的塔楼和圣马格纳斯教堂的塔尖依稀可见。然而，桥下林立的船桅和桥上密集分布的教堂塔尖却几乎都看不见。

姑娘焦虑地来回转了几圈——同时受到隐藏的密探的严密监视——这时，圣保罗教堂深沉的钟声敲响了，宣告一天又结束了。子夜已经降临到这座拥挤的城市。子夜降临到宫殿、低级地下室酒店、监狱、疯人院，降临到有人出生或死亡的房间、健康人或病人的房间，降临到尸体僵硬的脸上和安然入眠的小孩身上。

子夜的钟声响过不到两分钟，一位年轻小姐在一位头发灰白的老先生的陪伴下从离大桥不远处的出租马车上下来。他们将马车打发走之后，径直朝大桥走过来。他们一踏上大桥的人行道，姑娘就突然跳了起来，马上向他们奔去。

他们继续往前走，带着对某种机会的实现不抱多少希望的神态往四下里看了看。这时，姑娘突然出现在他们面前。他们马上止步，惊叫了一声，又马上忍住，因为就在这时候一个身穿乡下人服装的男人走上前来——其实几乎与他们擦肩而过。

"别在这儿，"南希匆匆说道，"我不敢在这儿跟你们谈话。咱们离开大路——到那边的台阶下吧！"

她说了这些话，又用手指着她希望他们行进的方向时，那个乡下人回过头来瞅了他们一眼，粗鲁地问他们为什么把整个人行道堵住，然后走了过去。

姑娘所指的那些台阶在萨里堤岸上，与圣救世主教堂同在大桥的一侧，是从泰晤士河上岸的台阶。那个一身乡下人打扮的人神不知鬼不觉地匆忙朝这个地点赶去。他对这地方观察了一会儿之后便开始下台阶。

这些台阶是大桥的一部分，由三段楼梯组成。往下走，就在第二段楼梯的末端下面，左边石墙的尽头是一根面向泰晤士河的装饰性壁柱。下面的台阶从这里开始变宽。因此，要是他绕过这个墙角，任何人碰巧待在他上面的台阶上，哪怕只高他一级台阶，也肯定看不见他。乡下人来到这里，匆匆往四下里看了一眼；由于似乎再没有更好的藏身之处，且潮水已退，有许多空位可以容身，于是，他悄悄地溜到一边，背向壁柱等待着，非常肯定他们不会下到比这更低的台阶，而且，即使他听不见他们说的话，也可以安然地继续跟踪他们。

时间在这处荒凉的地方过得如此缓慢，密探又如此心急火燎地想了解与他原先所预料的迥然不同的会面动机，因此，他不止一次地认为这事已经没有指望了，并确信他们或者停在离这儿很远的高处，或者换一个地点去举行他们的密谈。他正要从躲藏处走出来，重新回到上面的大路上去时，他听到了脚步声，紧接着听到了几乎就在他耳际的说话声。

他紧靠着墙挺直身子，屏息着，聚精会神地倾听。

"够远的了，"一个声音说道，显然是那位老先生的声音，"我不让这位年轻小姐再往下走了。许多人根本不相信你，不会到这么远的地方来的。不过，你可以看出我愿意迁就你。"

"迁就我！"他所跟踪的姑娘大声地说道，"你考虑得很周到，真的，先生。迁就我！算啦，算啦，这无关紧要。"

"嘿，"这位先生以更和蔼的语气说道，"你把我们带到这个陌生的地方目的何在？为什么不让我在上面跟你谈话，那儿有灯光，又有人走动，却把我们带到这么一个黑灯瞎火、惨淡凄凉的鬼地方？"

"我前面已经告诉你了，"南希回答道，"我害怕在那儿跟你们谈话。我不知道为什么会这样，"姑娘打了个寒噤，说道，"可是我今天晚上心里太害怕，太恐惧了，简直受不了了。"

"怕什么？"这位先生问道，似乎很同情她。

"我也不知道怕什么，"姑娘回答道，"但愿我知道。我一整天脑子里充满着可怕的死亡的念头和血迹斑斑的裹尸布，太可怕了，好像我自己被架在火上焚烧一样。今天晚上我在看一本书消磨时间时，同样的东西出现在书本上。"

"是幻觉吧。"老先生安慰她道。

"不是幻觉，"姑娘以嘶哑的声音回答道，"我发誓我看见书上的每一页都用黑体大写字母写着'棺材'两字——唉，今天晚上有人在街上抬了一口棺材从我身边过去。"

"这是很平常的事，"老先生说道，"人们常常抬着棺材从我身边经过。"

"那些是真正的棺材，"姑娘回答道，"而这一口不是。"

南希的态度如此异乎寻常，以致隐蔽的偷听者听到这些话时不觉汗毛倒竖、不寒而栗。当他听到年轻小姐以悦耳的嗓声恳求她镇静，别让自己成了这些可怕幻想的牺牲品时，他从未体验到比这更大的宽慰。

"和蔼地跟她说话，"年轻小姐对同伴说道，"可怜的人儿！她似乎需要和蔼。"

"你们这些高傲、虔诚的人见到我晚上这副模样，定会昂起头来，就地狱之火和惩罚的问题训诫再三的，"姑娘大声地说道，"啊，亲爱的小姐，为什么那些自称是上帝子民的人不能像你那样温柔、仁慈地对待我们可怜的人呢？你年轻、漂亮、拥有他们已经失去的一切，本来你是可以有点傲慢的，而不是这么谦恭！"

"啊!"老先生说道,"土耳其人祷告的时候洗净脸面向东方,而这些虔诚的人将他们的脸与世人一触碰便失去了笑容,居然常常转向天国最阴暗的一面。就穆斯林和法利赛人[①]两者相比较而言,我宁要前者!"

这番话看来好像是对年轻小姐说的,也许目的是为了使南希有时间让自己平静下来。之后不久,老先生又向南希讲话。

"上星期天晚上你没有上这儿来。"他说道。

"我来不了,"南希回答道,"我被关在屋里了。"

"被谁?"

"我以前告诉年轻小姐的那个男人。"

"但愿你没有被怀疑今夜跟人谈我们想知道的这件事吧?"老先生问道。

"没有,"姑娘摇了摇头回答道,"除非他知道理由,否则我要离开他不那么容易。上一回要不是我在离开之前让他喝了鸦片酊,本来也脱不了身、见不到这位小姐的。"

"你回家之前他醒过来了没有?"老先生问道。

"没有。他和他们任何一个都没有怀疑我。"

"好,"老先生说道,"现在听我说。"

"我随时洗耳恭听。"他顿了一会儿时,南希回答道。

"这位年轻小姐,"老先生开始道,"已经把两周前你对她说的话告诉我及其他一些完全可靠的朋友了。我得向你承认,起初对于究竟该不该无保留地相信你,我是有疑虑的,但是现在我坚定不移地相信你是可靠的。"

"我当然可靠。"姑娘认真地说道。

---

① 公元前 2 世纪至公元 2 世纪犹太教的一派,标榜墨守传统礼仪。

"我再重复一遍,我对此事坚信不疑。为了向你证明我愿意相信你,我可以毫无保留地告诉你,我们打算利用蒙克斯这个人的恐惧逼他供出这个秘密,不管它是什么秘密。可是如果——如果——"老先生说道,"如果抓不到他,或者如果抓到了他,而他不按我们的意愿行事,你必须把犹太人交出来。"

"费金!"姑娘畏缩地喊道。

"你必须亲自将那个人交出来。"老先生说道。

"我不干!我决不干这样的事!"姑娘回答道,"尽管他是个恶棍,而且他一直待我比恶棍还要坏,我也决不干这样的事。"

"你不干?"老先生说道,对她的这一回答似乎有了充分的准备。

"决不!"姑娘回答道。

"告诉我为什么。"

"原因之一,"姑娘断然说道,"原因之一这位年轻小姐知道,她也会支持我,我知道她会支持我的,因为我得到了她的允诺;此外,还有另一个原因是,虽然他过着邪恶的生活,但我也过着邪恶的生活。我们许多人都有着同样的生活经历。我不愿意背叛他们——本来他们任何一个都可以背叛我,可是他们没有这样做,尽管他们很邪恶。"

"那么,"老先生迅速地说道,仿佛这正是他一直想达到的目的似的,"把蒙克斯交给我,让我来对付他。"

"如果他背叛其他人怎么办?"

"在这种情况下,我答应你,如果强行从他那儿获得了真相,那么这事就可以到此为止;奥利弗简短的身世中想必有难以告人的隐痛,因此,我们一旦得到了真相,他们就可以免受惩罚。"

"可是如果得不到真相呢?"姑娘说道。

"那么,"老先生继续说道,"未经你的同意,我们不会将这个费金缉拿归案。在这种情况下,我想我可以向你说明道理,劝你同意。"

"我能不能得到这位小姐的保证?"姑娘问道。

"你能得到,"罗斯回答道,"你得到了我真诚的、可靠的保证。"

"蒙克斯永远也不知道你们怎么会晓得这些事?"姑娘顿了一会儿之后,问道。

"永远也不知道,"老先生回答道,"我们会用这条消息来对付他,使他永远也猜不出。"

"我一直是个说谎者,从小就在说谎者当中生活,"姑娘沉默了一会儿之后又说道,"可是我愿意相信你的话。"

在他们两位保证说她可以毫无危险地这么做之后,她开始描绘那家客栈的名称及地点(今天晚上她被跟踪的那家客栈)。她说话的声音压得很低,因此偷听者甚至难以听出其中的大意。从她偶尔停顿的样子推测,似乎老先生正在迅速地记录她所提供的情况。当她仔细地介绍那个地方的方位、监视它而不被人察觉的最佳位置以及蒙克斯习惯上那儿的夜晚和钟点时,她似乎考虑了一会儿,目的在于回想在她记忆中印象最深的蒙克斯的外貌特征。

"他高个子,"姑娘说道,"体格强壮,但并不胖,走起路来鬼鬼祟祟的,经常回头看,先向一边,后向另一边看。别忘了他那双眼睛凹得比任何人都深,你几乎单凭这一特征就可以把他认出来。他的脸很黑,像他的头发和眼睛一样;虽然他的年纪不过二十七八岁,却显得憔悴不堪。他的嘴巴常常毫无血色,并因齿痕斑斑而变得很丑陋,因为他的病发作起来很可怕,有时甚至把自己的双手咬得伤痕累累——你为什么大吃一惊?"姑娘突然停下来问道。

老先生匆匆地回答说,他没有意识到自己吓了一跳,请求她继续往下说。

"一部分情况,"姑娘说道,"是从我对你们提起的那个屋里的其他人口中得到的,因为我只见过他两次。这两次他都裹着一件大斗篷。我想,这就是我所能提供给你们去认识他的全部线索。不过,等一等，"她补充道，"他的喉咙上有一道……部位很高，因此当他把脸转过来的时候，你可以在他围巾下方看到。"

"一道宽宽的红疤，像是烧伤或烫伤的，是吗？"老先生大声说道。

"怎么回事？"南希说道，"你认识他！"

年轻小姐也发出了一声惊叫。他们有一会儿谁也不吭声，偷听者可以清楚地听到他们呼吸的声音。

"我想我认识他，"老先生打破沉默，说道，"凭你的描述我好像认识他。我们不久就会明白的。许多人彼此之间长得特别像，也许不是同一个人。"

当他装做漫不经心地表达了这一看法时，他朝隐蔽着的密探走近了一两步，这可以从他听到老先生咕哝着"准是他！"的清晰程度判断出来。

"好了，"老先生说道，从他说话的声音判断，他似乎又回到了原来站的地方，"你已经给了我们最宝贵的帮助，姑娘，但愿这对你反而有好处。我能为你做点什么呢？"

"什么也不用。"南希回答道。

"你别老是这么说，"老先生说道，他说话的声音和语气那么和蔼，因此，即使是一颗更铁石心肠、更冷酷无情的心也会为之感动的，"现在考虑考虑，然后告诉我。"

"什么也不用，先生，"姑娘流着泪回答道，"你做什么也帮不了我。其实，我已经无可救药了。"

"你使自己置于为社会所不容的境地。"老先生说道，"过去，你已经可悲地浪费和滥用了你的青春活力，挥霍掉了造物主只能赐予我们一次、再也不会给我们了的这些无价之宝。可是，你可以期待未来。我不是说我们能够为你提供心灵的平静，因为那是必须经过你的寻求才能达到的；但是如果是一处庇护所，在英国也可以；倘若你害怕待在这儿，在国外某个国家也可以，这不仅是我们力所能及的，而且也是我们殷切的愿望。在黎明来临之前，在泰晤士河迎来了第一道曙光之前，必须把你完全置于你先前的同伴够不着的地方，同时，在你身后不留下任何痕迹，仿佛你此刻业已从地球上消失一般。注意！我不要你回去跟任何老伙伴再说一句话，不要对任何的老巢穴再看上一眼，也不要再呼吸一下对你来说是瘟疫和死亡的空气。把它们统统放弃吧，趁现在你还有时间和机会！"

"现在我们可以说服她了，"年轻小姐大声说道，"我相信她在犹豫。"

"恐怕不是如此，亲爱的。"老先生说道。

"没错，先生，我没有犹豫，"姑娘经过短暂的思想斗争之后回答道，"我已摆脱不了过去的生活了。如今，我厌恶这样的生活、憎恨这样的生活，可是我不能离开这样的生活。想必我已经走得太远而无法回头了——不过我也不晓得，因为如果你早些时候对我这样说的话，我会对它一笑置之。可是，"她匆匆地往四下里看了一眼，说道，"我忽然又感到这种恐惧了。我必须回家。"

"家！"年轻小姐重复道，在"家"字上特别加重了语气。

"家，小姐，"姑娘回答道，"回到以我毕生精力为自己建立起来的家。咱们分手吧。我会遭人监视或被人看见的。走吧！走吧！如果我已经帮了你们什么忙的话，现在我所要求的是你们离开我，让我独自离去。"

"毫无用处，"老先生叹了一口气说道，"也许我们待在这儿危及到了她的安全。我们可能把她耽搁得太久了，超出了她原先的预料。"

"是的，是的，"姑娘催促道，"你们把我耽搁了。"

"这个可怜的人儿一生会有什么样的结局呀！"年轻小姐大声说道。

"什么结局！"姑娘重复道，"看看你的面前吧，小姐。看看那黑色的河水。你们有多少回从书本上读到了像我这样的人跳进潮水中，没有人会替他们操心，为他们哀悼。也许过几年后，也许只要几个月，但我最终也会落到这个地步的。"

"请别这么说。"年轻小姐呜咽着回答道。

"我的结局永远不会传到你的耳朵里，亲爱的小姐。但愿这些恐怖的事不会传到你的耳朵里！"姑娘说道，"晚安，晚安！"

老先生转过脸去。

"这只钱包，"年轻小姐大声说道，"看在我的分上收下它吧。这样，在你遇到困难或麻烦的时候，你可以有些应付的办法。"

"不！"姑娘坚决地回答道，"我不是为了钱才干这件事的。让我怀有这 纯洁的动机吧。不过——给我一点你身上戴的东西——不，不，不要戒指——你的手套或手帕——任何属于你的我可以留作纪念的东西。好啦，上帝保佑你！愿上帝保佑你。晚安，晚安！"

因为姑娘的心情异常激动，又担心姑娘如果被发现可能遭到的虐待和暴力，这些似乎是老先生决定照她的请求离开她的原因。他们离去的脚步声依稀可闻，一切又归于寂静。

不久之后，年轻小姐及其同伴的人影出现在大桥上。他们在台阶顶上停了下来。

"听！"年轻小姐大声说道，侧耳倾听着，"她刚才在喊吧！我好像听到了她的喊叫声。"

"没有，亲爱的，"布朗洛先生难过地回头望了一眼，回答道，"她还没有走，会等到我们走了，她才会离去。"

罗斯·梅利迟迟不愿离去，但老先生挽起她的手臂，以轻柔的力量带着她离开。他们消失的时候，南希几乎全身伸直躺倒在一级台阶上，伤心地落泪，以发泄内心的极度痛苦。

过了一会儿，她爬起来，以虚弱、踉跄的步子登上大街。后来，惊诧不已的偷听者依然一动不动地在原地待了几分钟，小心谨慎地往四下瞥了几眼，弄清只剩下他一人了，才慢慢地从藏匿处走出来，像他走下来时一样偷偷摸摸地从墙壁的阴暗处往回走。

诺亚·克莱波尔走到了台阶顶上，不止一次地往外窥视，确信没有被人发现之后，这才以最快的速度猛冲，拼命地朝犹太人的住处奔去。

第四十七章　致命的后果

黎明前大约两小时。在秋天，这个时候可以名副其实地称为夜阑人静。街道上一片寂静，空无一人，连声音也似乎进入了睡眠状态，放荡和狂欢已经蹒跚地回家，入了梦乡。费金正是在这一寂然无声的时刻仍坐在他的贼窝里彻夜不眠。他的脸如此扭曲、苍白，两眼熬得通红、血丝密布，他看上去与其说像一个人，倒不如说像一个从阴湿的坟墓里爬出来的受恶鬼困扰的幽灵。

他弓着腰坐在冷冰冰的炉边，身上裹着一条破床罩，脸转向放在身边桌子上的一根残烛。他的右手抬到嘴边，当他一边呆呆地默想，一边咬着又长又黑的指甲时，在牙齿几乎已掉光的牙床中露出了几颗本该狗或猫才有的尖牙。

地板上的一张床垫上躺着诺亚·克莱波尔。他伸展着身子，睡得很酣。老头子的眼睛不时地朝他瞅上一会儿，然后目光又重新落到那根蜡烛上。早已烧过的烛芯低垂得几乎重叠，滚烫的烛泪滴到桌上凝结成块，这些都清楚地表明他心不在焉。

确实如此，他因如意算盘落空感到有失面子；对敢于与陌生人瞎扯的姑娘感到憎恨，对她拒绝将他供出来的诚意深表怀疑，对自己未能向赛克斯报复感到大失所望,对自己罪行的败露,对毁灭和死亡的恐惧,以及被这一切激起的狂暴的、难忍的盛忍,所有这些易动感情的因素迅速地、不停地旋转,一个紧接一个地从费金的脑海里一掠而过。与此同时,每一个邪恶的念头和不可告人的目的正在他心中酿成。

他就这样坐着,丝毫也不变换姿势,也没有留意时间的过去,直到街上的脚步声似乎吸引了他灵敏的耳朵的注意。

"终于来了,"他喃喃道,抹了一把他那干燥发烧的嘴巴,"终于来了!"

他正说着,门铃便轻轻地响起来了。他悄悄地爬上楼去开门,不久,回来时由一个用围巾裹到下巴、腋下夹着一只包裹的男人陪着。这个男人坐了下来,揭去了外衣,现出了赛克斯粗壮的身躯。

"好啦!"赛克斯将包裹放在桌上说道,"看管好这个包裹,尽你最大的力量看管好。搞到这玩意儿可真够费劲的。我本来以为三小时以前就能到这儿了。"

费金把包裹拿过来,将它锁在小橱里,一声不吭地重新坐下来。然而,在完成这个动作的整个过程中,他的目光自始至终没有离开过这个抢劫犯;现在既然他们重又面对面地坐在一起,他索性眼睛定定地盯着赛克斯。他的嘴巴这么猛烈地哆嗦着,支配着他的情感使他的脸部表情起了这么大的变化,以致破门盗贼无意识地把椅子往后挪动,以真正恐怖的神情打量着他。

"怎么啦?"赛克斯大声说道,"你为什么这样盯着我?"

费金抬起右手,在空中猛摇着他颤抖的食指,然而他太激动了,竟一时说不出话来。

"该死!"赛克斯说道,惊慌失措地摸了摸自己的胸部,"他疯啦。我在这儿要提防着点。"

"不,不,"费金开口说道,"不是你——你不是令我气愤的人,比尔。对于你我找不出——找不出任何岔子。"

"噢，找不出，是吗？"赛克斯严厉地瞪着他说道，并炫耀地将一把手枪换到另一只更顺手的口袋里，"这倒是幸运——对我们中的一个来讲是幸运的。至于是你还是我，则无关紧要。"

"我有件事要告诉你，比尔，"费金说着，将椅子挪近了一些，"它会使你比我还要气愤。"

"是吗？"抢劫犯以怀疑的神态回答道，"马上讲！快点，否则南希会以为我完蛋了"。

"完蛋！"费金大声说道，"在她心里，她早已对你做这样的安排了。"

赛克斯直视着犹太人的脸，样子极为困惑。因为从他的脸上看不出对这个谜有任何令人满意的解释，便伸出一只大手揪住犹太人的外衣衣领，狠命地摇他。

"你说不说！"他说道，"或者如果你不说，你就别想呼吸。开口，把你想说的话坦率、明白地说出来。说出来，你这个老浑蛋，说出来！"

"要是躺在那儿的小伙子——"费金开始说道。

赛克斯向着诺亚正在睡觉的地方回过头去，仿佛他以前没有注意到他似的。"怎么！"他说道，又恢复了原来的姿势。

"要是那个小伙子去告发，"费金继续说道，"把我们大家都告发出去——为达到这一目的先找出合适的人选，然后在街上同他们会面，描述我们的相貌，叙述他们可以借以认出我们的每个特征，以及最容易逮到我们的店家；要是他出于自己的意愿干了这一切，此外，还告发了我们大家的藏身之处——不是被逮住、被诱捕、被审问、被牧师暗中挑拨，也不是只靠面包和水维持生命而落到此等地步，而是出于自己的意愿；为了迎合他自己的口味，深更半夜偷偷溜出去寻找那些最有兴趣对付我们的人，向他们告密。你听见我说的话了吗？"犹太人眼中冒出怒火，大声说道，"要是他干了这一切，怎么办？"

"怎么办！"赛克斯回答道，继而发出了一声可怕的诅咒，"如果我来的时候他还活着，我要用我的靴子的铁后跟把他的脑壳碾得粉碎，叫碎片的数目与他的头发一样多！"

"如果是我干的，怎么办呢？"费金大声地说道，几乎喊了起来，"假如是知道得这么多内情、除了我之外还可以把那么多人送上绞刑台的我干的，怎么办呢？"

"我不知道，"赛克斯回答道，一听到这一假设便咬牙切齿、脸色煞白，"我会在监狱里闹出什么名堂来，让他们把我戴上镣铐；如果我和你一道受审，我就用镣铐在法庭上袭击你，在公众面前把你打得脑袋开花。我有这么大的力气，"抢劫犯咕哝道，肌肉发达的手臂摆出了某种姿势，"可以把你的脑袋捣得粉碎，仿佛被载重的运货马车碾过似的。"

"你会这么干？"

"那还用说！"破门盗贼说道，"你来试试看。"

"如果是查利干的，或蒙骗者，或贝特，或——"

"我不管是谁干的，"赛克斯不耐烦地回答道，"不管是谁干的，我都会同样对待的。"

费金紧紧地盯着抢劫犯，示意他安静，俯身于地板上的床垫前，想把睡觉的人摇醒。赛克斯坐在椅子里，探过身去，双手放在膝上旁观着，仿佛想知道这一切暗示性的询问和准备工作究竟会导致什么样的结局似的。

"博尔特，博尔特！可怜的孩子！"费金说道，他带着极大的期待的神情抬起头来，慢条斯理地并着力以强调的语气说，"他累啦——因为监视她这么久而累啦——监视她，比尔。"

"你这是什么意思？"赛克斯的身子往后缩，问道。

费金不作回答，却又俯身审视了一下睡觉的人，拉着他坐起来。当诺亚的假名被重复地唤了几次之后，他揉了揉眼睛，困倦地打了个呵欠，睡眼惺忪地往四下里看了看。

"再把那件事对我说一遍——再说一遍，好让他也听听。"犹太人一边说，一边指着赛克斯。

"对你说什么？"昏昏欲睡的诺亚怒气冲冲地摇着自己的脑袋。问道。

"关于南希的事，"费金说道，他紧紧地抓住赛克斯的手腕，仿佛为了阻止他尚未听清就离开房子似的，"你不是去跟踪她吗？"

"是啊。"

"跟踪到伦敦桥？"

"是的。"

"她在那儿跟两个人碰头？"

"没错。"

"她去见的一位是先生，一位是她以前找过的小姐。他们叫她交出所有的同犯，首先是蒙克斯，她照办了；要她描述蒙克斯的相貌特征，她也照做了；还问她我们在哪家客栈会合、经常去哪家客栈，她也说啦；而且问她从哪儿可以最有效地监视客栈，她也照说不误；又问她人们什么时候上那儿，她也说了。她全都说啦。她是在毫无威胁、一声不吭的情况下告诉他们这一切的——她是这样的，不是吗？"费金大声说道，几乎快气疯了。

"对呀，"诺亚摇了摇头，回答道，"情况正是如此！"

"关于上星期天他们说了些什么？"

"关于上星期天！"诺亚考虑了一会儿，回答道，"什么，我已经告诉你了呀。"

"再说一遍，把这件事再说一遍！"费金大声说道。他把赛克斯抓得更紧了，另一只手高高地挥舞着，唾沫四溅。

"他们问她，"诺亚说道，当他更清醒些时，他似乎渐渐地明白了谁是赛克斯了，"他们问她上星期天为什么答应来又没有来。她说她来不了。"

"为什么——为什么？把这告诉他。"

"因为她被比尔强行留在家里。比尔就是她以前对他们提起的那个男人。"诺亚回答道。

"关于比尔她还说了些什么？"费金大声说道，"关于她以前对他们提起的那个男人，她还说了些什么？把这告诉他，把这告诉他。"

"唔，她说除非他知道她上哪儿，否则她不能轻易地出门，"诺亚说道，"因此，她第一次去见那位小姐的时候，她——哈！哈！哈！她说那句话时我忍不住要发笑，确实如此——她让他喝了鸦片酊。"

"她要受到炼狱之火的惩罚的！"赛克斯猛然从犹太人的掌握中挣脱开来，"放我走！"

赛克斯推开老贼，冲出房间，怒气冲天地直奔楼上。

"比尔，比尔！"费金在后面紧追着，喊道，"再听我说一句话，只一句话。"

要不是破门盗贼开不了门，这句话可能就没有机会说出来。赛克斯打不开门，正在破口大骂和使用暴力时，犹太人气喘吁吁地跑上了楼。

"放我出去，"赛克斯说道，"别跟我说话。这是不安全的。放我出去。喂！"

"听我说句话，"费金的手按住门锁回答道，"你不要太——"

"怎么？"对方说道。

"你不要太——太过火啦，好吗，比尔？"

天快亮了，已经有足够的光线可以看清彼此的面孔。他们互相瞥了一眼。两个人的眼里都有一股怒火，这是错不了的。

"我的意思是，"费金说道，表明他觉得现在一切伪装都没用了，

"为了安全起见，别太过火了，要狡猾，比尔，不要太冒失了。"

赛克斯没有回答，却将犹太人已打开锁的那道门拉开，猛然冲入寂然无声的大街。

他没有停顿，不假思索；不曾左顾右盼，不曾仰望天空，也不曾俯视地面，凶狠、坚定地直视正前方。他的牙关咬得这么紧，以致绷紧的下颌好像要刺穿皮肤似的。抢劫犯继续朝前猛冲，没有嘀咕一声，没有放松一块肌肉，直到抵达自己的家门口。他掏出钥匙轻轻地开门，悄悄地大步爬上楼梯，走进自己的房间，在门上上了两道锁，抬了一张很沉的桌子抵住房门，然后拉开床幔。

南希半穿着衣服正躺在床上。他将她唤醒。她带着慌张和吃惊的神色直起身来。

"起来！"这男人喊道。

"是你呀，比尔！"姑娘说道，见他回来很高兴。

"正是。"对方回答道，"起来！"

一支蜡烛还燃着，可是赛克斯迅速地把它从烛台上拔出来，扔进炉栅底下。姑娘见到了户外熹微的晨光，便站起身要拉开窗帘。

"别动它，"赛克斯伸手拦住她，说道，"这样的光线对我要干的事足够了。"

"比尔，"姑娘惊恐地低声说道，"你为什么那样看着我！"

抢劫犯坐下来注视了她一会儿，他的鼻孔张大、胸部剧烈地起伏着；接着，他抓住她的脑袋和喉咙，把她拖到房间中央，再次往门上望了一眼，用一只粗大的手捂住了她的嘴。

"比尔，比尔！"姑娘极为恐惧，拼力挣扎，直喘粗气，"我——我不叫也不喊—— 一次也不——听我说——对我说——告诉我，我做错了什么？"

"你自己知道，你这个女魔鬼！"抢劫犯憋住气回答道，"晚上有人跟踪你。你说的每一句话都被人听到了。"

"那么,看在上帝的分上,饶我一命吧,正如我饶了你的命一样,"姑娘紧紧地抱住他,说道,"比尔,亲爱的比尔,你不会忍心把我杀了吧。哦!想一想就在今晚我为你而放弃的一切吧。你必须有时间想一想,免得你犯下这一罪行。我不会松手的,你无法把我甩掉。比尔,比尔,看在亲爱的上帝的分上,为了你自己,为了我,在把我杀死之前住手吧!凭着我有罪的灵魂起誓,我对你一直是忠贞不渝的!"

赛克斯猛烈地挣扎着,以便自己的双臂挣脱出来,可是它们被姑娘的胳膊紧紧地搂住,尽管他拼命用劲,但就是无法挣脱。

"比尔,"姑娘竭力把脑袋偎依在他胸脯上,大声说道,"那位老先生和可爱的小姐今晚跟我谈到了国外的一家收养所。在那儿,我可以独自平平安安地度过余生。让我再和他们见一次面,跪下来求他们对你也发同样的慈悲和善心吧;让我们俩都离开这个可怕的地方,互相离得远远的,去过更美好的生活,同时,除了祈祷时永远不再提我们过去的生活,彼此永不再见面。悔改永远不嫌迟,他们是这样告诉我的——现在我体会到这点了——可是我们必须有时间——有一点点时间!"

破门盗贼抽出一只手臂,握住了他的手枪。即使在盛怒之下,他的脑海里依然闪现出这样的念头:如果他开枪,肯定马上被察觉。他使出全身力气,用手枪对着那张几乎与他的脸相碰的、上仰的脸击了两下。

她身子摇晃了一下,倒下去了。鲜血从她额角上一道又深又长的口子涌出来,血流如注,几乎使她的眼睛什么也看不见。然而,她艰难地直起身来,跪在地上,从她怀里掏出一条白手帕——罗斯·梅利的手帕——双手十指交叉地将它举起来,以她微弱的力量尽量朝上高高地举起,然后低声地祈求造物主的慈悲。

这是一幕惨不忍睹的恐怖景象。凶手跌跌撞撞地退回到墙角,用一只手遮住视线,另一只手抓起一根大棒,把她击倒在地。

第四十八章　赛克斯的逃亡

　　自夜幕降临以来，偌大的伦敦城内在黑暗的掩护下所发生的一切坏事中，这一件是最恶劣的；在清晨的空气里，带着血腥气味出现的一切恐怖事件中，这一件是最险恶、最残忍的。

　　太阳——给人类不仅带来光明，而且带来新生、希望和活力的灿烂的太阳——以其清亮、耀眼的光辉，突然照耀着这座拥挤的城市。光芒四射、普照大地的阳光从豪华的彩色玻璃和纸糊的窗户，也从大教堂的圆屋顶和风化的裂缝中射出来。它照亮了横陈着一具女尸的房间。它确实被照亮了。赛克斯试图将阳光关在门外，可是它偏偏照射进来。倘若在朦胧的清晨这是个可怕的景象，那么，现在在灿烂的阳光下，这又是一幅怎样的惨象！

　　赛克斯一动也不动，他一直不敢动弹。房间里曾经传来了受害人的呻吟声，她的手也曾经动弹了一下。由于狂怒加上恐惧，他一再地猛击她。他曾经在她身上扔下了一块小地毯；可是幻想她那双眼睛，想象它们朝他看着，比真的看见它们向上怒目而视，仿佛在注视着在阳光里颤动的那摊血在天花板上的倒影还要糟。他又将地毯揭去，于是，尸体就躺在那儿——只是血和肉，死了——然而，这是怎样的肉，又哪里来的这么多的血！

他划了一根火柴，生起炉子，将木棒插进炉火里。木棒的一端粘上了她的头发。头发一着火便化成弯曲的轻灰，被空气截住，旋转着升入烟囱。尽管他身强力壮，但甚至连这玩意儿也使他心惊肉跳。不过，他依然拿着这件凶器，直到它被烧断，然后把它扔到木炭上，让它在文火上渐渐烧成灰烬。他洗了个澡，擦去衣服上的血迹；有些血渍擦不掉，他便拿剪子把那几处剪下来烧掉。满屋子血迹斑斑，连那条狗的脚上也沾满了鲜血。

他的眼睛始终没有离开那具尸体；不，一刻也不曾离开。这些准备工作完成之后，他向后朝门口退去，把狗也一起拉走，生怕它重新弄脏了脚，把新的罪证带上街。他轻轻地关上门，将它锁上，拔出钥匙，离开了房子。

他穿过了马路，抬起头来看了窗户一眼，确信从外面什么也看不见。窗帘依然垂着，她本想拉开窗帘让光线进来。这光线她再也见不到了。她几乎就躺在窗口底下，他对此十分清楚。天啊，阳光怎么偏偏泻进那块地方！

他对窗户的这一瞥是一瞬间的。离开了这个房间使他如释重负。他向狗吹了一声口哨，便迅速地走开了。

他穿过艾斯灵顿大街，迈开大步登上海格特①山丘，上面屹立着惠廷顿②纪念碑。拐进海格特山丘后，他拿不定主意，不晓得该往何处去。他几乎一从山丘上下来，就又朝右边走去。他走过横穿田野的

---

① 指海格特墓地，位于伦敦北部。后来，马克思及其家人也葬于此。

② 惠廷顿（1358-1423），诨名 Dick，英国商人，三次任伦敦市长（1397-1420），传说原为穷苦孤儿，因摩洛哥鼠害甚烈，国王出高价买了他的猫而使他成为巨富。

人行小径，绕过凯恩树林，于是来到了汉普斯特德荒野。他横越赫尔思山谷旁边的凹地，登上对面的斜坡，穿过连接汉普斯特德和海格特两个村庄的道路，沿着余下的一段荒原走到伦敦北区的田野。他在其中一块田野的树篱下躺下来睡觉。

不久，他又爬起来赶路——不是深入到乡村中去，而是沿公路朝伦敦方向往回走。穿过了他已横越过的同一地域的另一部分，然后在田野里徘徊，或躺在沟渠边休息，或突然一跃而起，匆匆地朝另一个方向走去，又躺下来休息，而后又继续漫游。

为弄到食物和饮料，他上附近哪儿去找一个不算人多眼杂的地方呢？亨登！那是一个好地方，既靠近这儿，又很偏僻。于是他朝那个方向走去，时而奔跑，时而一反常态，慢条斯理地闲荡，或者完全停下来，游手好闲地用木棍损坏树篱。可是当他抵达亨登时，他遇到的每个人——甚至在门口的儿童——似乎都以怀疑的目光看待他。他又踅了回来。尽管他已经有好几个钟头没吃东西了，但他还是没有勇气去购买食物或饮料。他再次在荒野上闲逛，不晓得该往何处去。

他漫无目的地闲逛了好几英里，仍然回到了老地方。上午、中午已经过去了，一天即将结束了。然而，他依然来来回回、上上下下、一圈又一圈地闲逛，依然停在同一个地方。最后，他终于离开那里，朝着哈特菲尔德的方向走去。

当这个疲惫不堪的男人和他那条不习惯户外活动的一瘸一拐的狗由恬静的乡村教堂拐入山丘，沿着一条小巷吃力地、缓慢地行走，最后蹑手蹑脚地走进一家小客栈时（它的昏暗的灯光指引他们到达这里），已经晚上9点了。酒吧间有炉火，一些乡下劳工正围在炉火前喝酒。他们为这位陌生人让出空位，可是他在最远的角落里坐下来，独个儿吃、喝，或者更确切地说，跟狗一起吃、喝。他不时地扔一口食物给它。

聚在这儿的人的谈话内容是关于邻近的土地和农民。这些话题枯竭以后，他们便开始议论星期天出殡的某位老人的年纪。在座的年轻人认为他很老了，而在座的老年人则声称他还很年轻———位白发苍苍的老大爷说他比自己年轻，如果好好保养的话——如果好好保养的话，他至少可以再活十年至十五年。

这样的谈话既没有什么可以引起注意的，也没有什么可大惊小怪的。抢劫犯付了账之后默默地、不惹人注目地坐在角落里，几乎不知不觉地睡着了。这时，一位新来者进来时的喧闹声差不多将他吵醒了。

新来者是个滑稽的人，半是货郎、半是江湖骗子。他徒步在乡下兜售磨石、磨剃刀的皮革、剃刀、香皂、马具软膏、治狗治马的药、廉价香水、化妆品和诸如此类的货品。他用一只箱子将这些货品扛在背上。他进来后乡下人跟他无拘无束开着各种玩笑，直到他吃完了晚饭才有所收敛。这时，他打开珍宝箱，巧妙地把做生意和娱乐结合在一起。

"那是什么东西？是什么好吃的东西吗，哈里？"一个笑嘻嘻的乡下人指着箱子角落里的一些混合的饼状物问道。

"这个嘛，"货郎取出一块，说道，"这是一种万无一失的、千金难买的合成肥皂，可以去掉丝绸、缎子、亚麻布、麻纱、棉布、绉织物、呢绒、地毯、美利奴毛织物、薄纱织物、邦巴辛毛葛或毛料上的各种污渍、锈斑、污垢、霉点、脂肪、斑点、油渍。不论是葡萄酒、水果和啤酒渍，油漆、沥青污迹，还是什么污迹，只要使用这种万无一失的、千金难买的混合物，统统一擦就掉。倘若一位女士玷污了她的贞操，她只需吞服一小块这东西，马上药到痛除——因为它是毒药；倘若一位先生想证明自己的名节，他只需囫囵吞下一小方块这玩意儿，他的名节就立即不容置疑，因为它确实像手枪子弹那么奏效，只是味道要糟得多了，因此，将它吃下去也就更值得称道。一方块卖一便士。这么多优点，一方块只卖一便士！"

话音刚落，立即就有两个人购买，而且，显然还有更多的听众正在犹豫不决。货郎见状，更加喋喋不休地推销起来。

"这玩意儿供不应求，一生产出来就被抢购一空，"货郎说道，"眼下十四座水磨、六台蒸汽机、一个伽伐尼电池组①不停地生产这种东西，但还是供不应求；尽管工人十分卖力，以致一个接一个地死去，他们的寡妇可以立即领到抚恤金，每个孩子一年二十英镑，双胞胎每年五十英镑。一便士买一方块！两个半便士一个样，四个四分之一便士也欢迎。一便士买一方块！葡萄酒渍、水果渍、啤酒渍、水渍、油漆污迹、沥青污迹、泥迹、血迹！这位先生的帽子上有一点污迹，在他请我喝一品脱啤酒之前，我就可以把它擦干净。"

"哈！"赛克斯惊跳起来，大声说道，"把帽子还给我。"

"在你还没过来拿走之前，先生，我就可以把它擦干净了。"货郎向大伙儿使眼色，回答道，"各位先生，请看这位先生帽子上的这个黑点，只有一先令硬币那么宽，不过比二先令六便士硬币还要厚。不论是葡萄酒渍、水果渍、啤酒渍、水渍、油漆污迹、沥青污迹、泥迹或血迹——"

货郎没有继续往下说，因为赛克斯发出了一声可怕的咒骂，推翻桌子，从他手里夺走帽子，冲出客栈。

反常的心情和摇摆不定的情绪不由自主地纠缠了他一整天，这个凶犯发觉并没有被人跟踪，人们很可能以为他是个情绪低落的酒鬼，于是又从镇上往回走。他避开停在街上的一辆公共马车的刺眼的灯光，从旁边走过去，这才认出它是来自伦敦的一辆邮车，并看见它停在一个邮电所旁边。他几乎猜到将会有什么事发生，但他还是穿过马路，侧耳倾听。

---

① 即伏打电池组。

公共马车管理员站在门口，等待邮袋。这时一个像猎场看守人打扮的男人走上来，管理员就将预先放在人行道上的一只篮子交给了他。

"这是给你家人的。"管理员说道，"喂，里面的人快点，好吗？这该死的邮袋，前天晚上也没有准备好，要知道，这样可不行！"

"伦敦有什么新闻吗，本？"猎场看守问道，他退回到窗板那里，以便更好地观赏那些马匹。

"没有，据我们所知没有什么新闻，"管理员戴上手套，回答道，"谷物的价钱涨了一点。我还听说斯皮塔尔菲尔兹发生了一起谋杀案，可是我对这件事不怎么相信。"

"噢，这是千真万确的，"车上的一位先生说道，他这时正将头探出窗外，"而且是一起骇人听闻的谋杀案。"

"是吗，先生？"管理员以手触帽檐向他致意，问道，"请问被杀害的是男人还是女人，先生？"

"女人。"那位先生回答道，"据推测——"

"喂，本。"马车夫不耐烦地催促道。

"这该死的邮袋，"管理员说道，"你们在里面都睡着了吗？"

"来了！"邮电所所长跑出来，大声说道。

"来了。"管理员咆哮着说道，"啊，你就像那个打算爱上我的有钱的年轻女人，天晓得何年何月能够兑现！喂，递给我，让我抓牢，行啦！"

喇叭欢快地响了几声，邮车开走了。

赛克斯依然站在大街上，显然对刚才听到的事无动于衷。除了拿不准该往何处去外，也没有什么更强烈的情感使他焦虑不安。他终于又往回走了。这一次他选择了从哈特菲尔德通往圣奥尔本斯的道路。

他继续固执地往前走。可是，当他将这座城镇丢在后头，突然陷入旅途的孤独和黑暗时，他感到一种彻底令他震撼的恐怖和畏惧渐渐地涌上心头。他面前的每一件物体，每道影子，不论是静的还是动的，都像某个吓人的东西。然而，与在他头脑里作祟的幻觉相比——仿佛今晨老缠住他的那个可怕的人影紧跟在身后，这些恐惧算不了什么。在黑暗中，他可以勾勒出它的影子，知道它轮廓最细微的部分，并注意到它似乎多么僵硬、严肃地想高视阔步地朝前迈。他可以听见它的衣服在树叶中发出窸窸窣窣的声音，而且每一阵风都送来最后那声微弱的呻吟。如果他停下来，它也停下来；如果他跑步，它也跟着——它并不跟着跑，它跑的话倒好了，而是像一具赋予生命的机械的尸体，由一股永不兴衰的缓慢的、忧郁的风吹送着。

他时时不顾一切地转过身来，决心将这个幻影击退，哪怕它瞪一眼会将他置于死地；然而，他还是感到毛骨悚然、血液凝固，因为它也随着他转身，又出现在他背后了。那天早晨，它一直在他面前，现在却在他背后——老是在他背后。他把自己的背靠在堤岸上，却觉得它站在他的上方，在寒冷的夜空的衬托下清晰可见。他一下子倒在路上——仰躺在路上。它一声不响地、直挺挺地、一动不动地站在他的脑袋旁边，犹如一座用鲜血书写的活墓碑。

别奢谈什么杀人犯可以逍遥法外，或者暗示上帝一定是疏忽了。像这样遭受一分多钟极度的痛苦，能抵得上惨遭几百次的横死。

他路过的一块地里有间棚屋可供他过夜，门前有三棵高大的白杨树，遮得棚屋里很幽暗，阵风带着凄凉的呼啸掠过这些白杨。在天亮之前他再也无法继续前进了。他就在这里靠墙的地方伸一伸懒腰——忍受新的折磨。

因为此刻，一个跟他刚摆脱的那个同样恒久不变的、更加可怕的幻影又出现在他面前。那双睁得大大、凝视的眼睛出现在黑暗中。它们那么暗淡无光，那么呆滞无神，以致他宁可与之面对，也不愿去思考它们。这双眼睛本身会发光，却不能照明任何物体。它们只是两只眼睛，却无所不在。倘若他闭上眼睛，他脑海里便闪现出了那个摆着各种熟悉的物件的房间——诚然，如果他凭记忆盘算一下房间里的东西，有些他恐怕已经忘记了——每一件都在它惯常的地方。尸体也还在那儿，眼睛也仍然是他溜走时所看到的样子。他蓦地爬起来，冲到户外的田野上。那条人影就跟在他后面。他重新进入棚屋，再次蜷缩起来，尚未躺好，那双眼睛又出现了。

于是，他继续待在这里，其内心的恐怖只有他自己明白。他吓得四肢直哆嗦，冷汗从每一个毛孔直冒出来。这时，夜风中突然传来了远处的叫喊声，还夹杂着恐慌和惊讶的喧闹声。在这个人迹罕至的地方，任何人的声音，即使是不祥的预兆，对他来说都是值得聊以自慰的。考虑到可能遭遇到的危险，他重新鼓起劲，一跃而起，冲到户外。

广阔无垠的天空像是着了火似的。一阵阵的火花扑入空中，火花一片高过一片，把方圆几英里的大气照得如同白昼，滚滚浓烟猛烈地朝他站着的地方袭来。当新的声音加入到这片喧闹声时，喊叫声更响了。他可以听到"失火啦"的喊叫声，警铃的响声、笨重物体的坍塌声，以及火舌吞噬物体后仿佛添了燃料似的高高地往上蹿起发出的噼噼啪啪的响声交织在一起。他站在一边观火时，喧闹声渐渐增大了。那儿，男男女女已经出现了，灯火闪闪、熙熙攘攘。这对他来说像是遇到一个新的机会。他横冲直撞地往前冲，飞快地冲过野蔷薇丛和灌木丛，像他的狗那样疯狂地跃过篱笆门和栅栏。他的狗狂吠着猛蹿到他前面。

赛克斯来到了火灾现场，但见衣衫不整的人影来回奔跑，有的竭力想把受惊的马匹从马厩拉走，有的想把牲口赶出院子和棚屋，有的冒着火星坠落和炽热桁条倒塌的危险从燃烧的建筑物里往外搬东西。一小时前有门窗的洞口露出了一片熊熊的烈火，墙壁摇晃着坠入燃烧的楼梯井中，白热的熔化铅水和铁水不断地流到地面上。

妇女和儿童发出尖叫，男人们则大声地叫喊和喝彩，彼此互相勉励。抽水机发出的叮当声，以及水浇到燃烧的木头上发出的喷射声和咝咝声，使鼎沸的嘈杂声变得更加震耳欲聋。赛克斯也跟着大喊大叫起来，直喊到嗓门嘶哑。为了逃避记忆和自我，他钻进了最密集的人群中去。

这一夜他到处上蹿下跳，时而在抽水机旁抽水，时而匆匆地穿过浓烟、烈焰，但始终在声音最大、人群最密集的地方忙活着。他在梯子上蹿上蹿下，爬上屋顶，越过在自身的重压下摇摇晃晃和颤动不已的地板，不顾落下的砖石，出现在这场大火的每个角落。然而，他的生命像是具有魔力似的，身上甚至连一点擦伤或青肿都没有。他既不觉得疲倦，也没有别的念头，直到第二天黎明，这儿只剩下缕缕的浓烟和一片烧焦的废墟。

这阵狂热的兴奋过去之后，他又比原先强烈十倍地意识到自己犯下的可怕罪行。他疑神疑鬼地环顾四周，因为人们三五成群地交谈着，他担心自己成为他们谈论的对象。他的狗听从了他的手指那意味深长的召唤，他们一起悄悄地离去。他从一台抽水机旁边经过，坐在那儿的一些男人招呼他一块用茶点。他吃了点面包和熟肉。正当他在喝啤酒的时候，他听到来自伦敦的消防队员在谈论那起凶杀案。"听说凶手已经逃往伯明翰去了，"其中的一个消防队员说道，"不过，他们还是会将他逮住的，侦探已经派出去了，到了明天晚上整个乡下就将传得沸沸扬扬了。"

他赶快离开，一直走到几乎累倒在地，而后才在一条小路上躺下来睡觉。他睡了很久，不过风声鹤唳，他时而被惊醒，很不安稳。他又继续徘徊，心里犹豫不决，拿不定主意，且因害怕另一个孤单的夜晚而感到压抑。

他突然不顾一切地决心返回伦敦。

"无论如何，那里还有人可以讲讲话，"他心里想道，"而且也是一个很好的藏身之处。我在乡下留下了这些踪迹之后，他们将永远也不会指望在伦敦逮住我。我何不休息它一星期左右，然后强行从费金那儿挖出一些现金，逃到法国去？该死，我豁出去啦！"

他毫不迟疑地凭一时的冲动行事。他选择了人们最不经常行走的道路，开始了返回伦敦的旅程。他决定在离伦敦不远的地方潜伏下来，然后，在黄昏时刻，由迂回的路线进入伦敦，然后径直朝他已选定为目的地的那个街区走去。

但是狗怎么办呢？如果有什么关于他的特征公布出来，狗不见了，而且很可能在他身边，这点决不会被疏忽掉。这可能会使他在过马路的时候被逮住。他决定把狗溺死。他继续朝前走，东张西望地寻找一口池塘。他一边走，一边捡起一块大石头，将它缚在手帕上。

主人在做这些准备工作的时候，那条狗仰起头来直盯着他的脸。究竟是它的本能领会到他这些准备工作的目的，抑或抢劫犯对它的斜视比平常更严厉些，反正它在后面比平常躲得更远了点，也畏首畏尾地以更慢的速度往前走了。它的主人在一个池塘旁边停下来，并回过头来喊它时，它立刻停住。

"你听见我在喊吗？过来！"赛克斯喊道。

狗仅仅出于习惯而走上前来，可是当赛克斯弯腰将手帕系在它的脖子上时，它发出一声低声的嚎叫，蓦地往后退缩。

"过来！"抢劫犯喊道。

他的狗摇了摇尾巴，可就是不移动。赛克斯做了一个活套索，再次喊它回来。

它往前进，向后退，停了一会儿转过身去，然后，以最快的速度飞也似的跑掉了。

赛克斯一次又一次地吹口哨，坐下来等待，希望它会回来，可是根本见不到那条狗的影子。他终于又继续赶路了。

第四十九章　蒙克斯和布朗洛先生终于会面。他们的谈话，以及打断这次谈话的消息

布朗洛先生从停在自家门口的出租马车下来、轻轻地敲门时，暮色已经渐渐地浓了。屋里的门打开后，一个身强力壮的男人下了马车，站在马车脚踏板的一侧，另一个一直坐在驭者位上的男人也步下马车，站在脚踏板的另一侧。在布朗洛先生的示意下，他们从车上扶出第三个男人，将他夹在中间，匆匆地把他带进屋里。最后下车的这个男人就是蒙克斯。

他们就这样一声不吭地上楼，布朗洛先生在前面带路，把他们领进后间。到了这房间的门口，本来上楼时显然就不愿意的蒙克斯停住了。站在他左右的两个男人都朝老先生看，仿佛在等待他的命令似的。

"他懂得做出抉择，"布朗洛先生说道，"如果他对你们的吩咐犹豫不决或胆敢采取什么行动，就把他拖到街上，求助于警察，以我的名义控告他犯有重大罪行。"

"你怎么敢这样说我？"蒙克斯问道。

"你怎么敢逼我这样说，年轻人？"布朗洛先生反问道，以坚定

的神色面对他，"难道你真的那么蠢，真的要离开这幢房子吗？放开他。喂，老兄，你可以走啦，我们可以在后头跟着。可是，我警告你，对着我视为最庄严、最神圣的一切东西起誓，你一旦踏入大街，我就控告你欺骗和抢劫，让警察把你抓起来。我是坚定不移、毫不动摇的。如果你决心一意孤行的话，后果由你自负！"

"你凭什么在街上绑架我，并让这两个家伙把我带到这儿？"蒙克斯对站他身边的两个男人——一看了一眼后，问道。

"凭我的权力，"布朗洛先生说道，"这两位是由我保护的。如果你埋怨自己的自由被剥夺了，在你和我们一道过来时，你有权力和机会重新获得它。不过，你还是认为保持沉默更可取。

我再说一遍，完全依靠法律来保护你吧。我也会求助于法律的；可是，如果你走得太远而无法后退的话，别向我请求宽大，因为那时候权力已经在别人手里了。你也别埋怨我让你陷入自己一头栽进的深渊。"

蒙克斯显然感到仓皇失措，也不胜恐慌。他犹豫了。

"你要赶快决定，"布朗洛先生说道，态度十分坚定、沉着，"倘若你希望我公开指控你，使你受到惩罚——其惩罚程度我无法控制，但可以不寒而栗地预见得到——那么，我再说一遍，随你的便！倘若你不希望这样，而是求助于我的宽容，以及曾经被你深深伤害过的那些人的慈悲，那你就一声不响地坐在那张椅子上。它已经整整等你两天了。"

蒙克斯低声地咕哝了一些含混不清的话，但依然犹豫不决。

"你要快点拿定主意，"布朗洛先生说道，"只要我一句话，选择的机会就一去不复还了。"

蒙克斯还是拿不定主意。

"我无意跟你谈判，"布朗洛先生说道，"况且，由于我维护的是别人的最大利益，我没有这种权利。"

"有没有——"蒙克斯支支吾吾地问道,"有没有——折中办法?"

"没有。"

蒙克斯以焦虑的目光望着老先生,然而,从他的脸部表情只能看出严厉与坚定,于是,他只好走进房间,耸了耸肩,坐了下来。

"从外面将门锁上,"布朗洛先生对随从说道,"我打铃时你们才能进来。"

两名随从遵照吩咐,屋里只剩下布朗洛先生和蒙克斯两人单独在一起。

"这可是受到我父亲最亲密的朋友的'优待'啊,先生。"蒙克斯扔下他的帽子和斗篷,说道。

"正因为我是你父亲最亲密的朋友,年轻人,"布朗洛先生回答道,"正因为我青年时代的希望和愿望与他息息相关,与那个年纪轻轻就回到上帝那儿、把我孤苦伶仃地撇在这里的漂亮姑娘息息相关,她与你父亲有着同胞血缘关系;那大早晨他和我跪在他唯一的姐姐的临终床边,当时他还是个小孩——那天早晨她本来将成为我的年轻妻子的,可惜天不遂人愿;正因为我这颗枯萎的心从那个时候起一直关注着他,一直到他去世,尽管他经历了种种磨难,犯过不少错误;正因为我心中充满着对往事的回忆和联想,甚至一见到你就会重新勾起我对他的思念;正因为这一切驱使我现在待你这么客气——是的,爱德华·利福特,甚至现在——还为你配不上这个姓氏而感到羞愧。"

"这个姓氏跟这件事有什么关系?"蒙克斯半是默默无言、半是固执地感到惊奇,仔细地考虑了对方的激动情绪之后,问道,"这和姓氏有什么关系?"

"什么关系也没有,"布朗洛先生回答道,"毫无关系。然而,这是她的姓氏。即使时隔这么多年了,只要听到陌生人重新提起这个姓氏,都会使我这样的老头子回忆起自己曾经感受到的喜悦和激动的心情。你已经把姓氏改了，我感到非常高兴——非常——非常高兴。"

"这好极啦，"在长时间的沉默之后，蒙克斯（暂且保留他的假名）说道。这期间，他绷着脸，不顺从地来回扭动身子，布朗洛先生则以手遮脸坐着。"可是，你究竟找我有什么事？"

"你有一个弟弟，"布朗洛先生重新振作起来，说道，"一个弟弟。我刚才在街上走在你身后，在你耳旁悄声地说出了你弟弟的名字，这本身就足以使你惊奇、恐慌地跟我们上这儿来。"

"我没有弟弟，"蒙克斯回答道，"你知道我是独子。为什么你要跟我谈起兄弟的事呢？这事你知道得跟我一样清楚。"

"注意听我所知道而你可能不知道的事，"布朗洛先生说道，"我很快就会使你发生兴趣的。我了解这桩不幸的婚姻。家庭的自尊和最卑鄙、最狭隘的全部抱负，迫使你不幸的父亲在他还只是一个孩子的时候就接受了这门亲事，而你正是那唯一的、最不自然的后代。"

"我不介意这些难以入耳的辱骂的语言，"蒙克斯发出一阵嘲笑，打断了他的话，"你知道这一事实，这对我来说就足够了。"

"可是我还知道，"老先生继续说道，"我还知道了这桩不般配的婚姻的不幸、缓慢的折磨和持久的痛苦。我知道这可怜的一对各自多么无精打采和疲惫不堪地拖着沉重的枷锁，走完了对他们俩都怀有恶意的一生。我知道，冰冷的俗套之后如何演变成公开的辱骂；冷漠如何让位于厌恶，厌恶如何让位于怨恨，怨恨如何让位于憎恨，直到他们终于把当啷当啷作响的锁链拧断，各奔东西，每人拖着一截只有死亡才能打开的可恨的锁链，试图在新的社会环境中以他们可能装出的最快乐的样子将它隐藏起来。你母亲成功了，她很快就将这截锁链忘掉。可是另一截锁链多年来却在你父亲的心中生锈、溃烂。"

"没错，他们分居了，"蒙克斯说道，"可那又怎么样呢？"

"他们分居了一段时间之后,"布朗洛先生继续说道,"你母亲完全沉溺于欧洲大陆的娱乐活动,把整整小她十岁的年轻丈夫忘得一干二净。而你父亲因前景已化为泡影,继续待在国内,不期然地置身于新的朋友之中。你至少已经知道了这种情况了吧。"

"我不知道,"蒙克斯说道,他把眼睛转向一边,一只脚拍击着地板,就像一个决心否定一切的人那样,"我不知道!"

"你的态度和行为一样使我确信你从未忘记、也从未停止痛苦地想起这件事,"布朗洛先生回答道,"我说的是十五年前的事。当时你最多十一岁,你父亲也只有三十一岁——我重复一遍,当你父亲还是一个小伙子时,你爷爷就命令他结婚。非要我追溯会对你父亲的名声投下阴影的往事吗,或者你愿意略去它,而将真相向我透露?"

"我没有什么可透露的,"蒙克斯回答道,"如果你愿意,你就继续说下去吧。"

"当时你父亲认识的一位新朋友,"布朗洛先生说道,"是一位刚退役的海军军官。他的妻子大约半年前去世,给他留下了两个孩子——本来还有更多人,但只有两个孩子幸存下来。这两个都是女儿,一个美丽的姑娘十九岁,另一个小女孩只有两三岁。"

"这和我有什么关系?"蒙克斯问道。

"他们住在你父亲彷徨中经常去的乡下,"布朗洛先生仿佛没有听到他的插话,继续说下去,"后来你父亲也在那儿住下来。他们相识了,他们之间的友谊迅速地建立起来。你父亲是个少有的天才,几乎没有什么人能及得上他。他具有他姐姐的心灵和人品。当这位老军官对你父亲越来越了解时,他渐渐地喜欢上他了。我倒希望事情到此为止。他女儿也渐渐地爱上了你父亲。"

老先生顿了一下;蒙克斯咬住嘴唇,双眼盯着地板。布朗洛先生看到这样,立即又继续说下去:"一年下来,他与军官的女儿订婚了，正式地订婚了。他得到了一位纯情姑娘第一次真正的、热烈的和唯一的恋情。"

"你的故事可真长呀。"蒙克斯在椅子里不安地扭动身躯，说道。

"年轻人，这是一个忧伤、磨难和悲痛的真实故事，"布朗洛先生说道，"这类故事通常都很长。如果纯粹是欢乐和幸福的故事，它就会非常短。最后，你们家的一位有钱的亲戚死了。他为了巩固家族利益和名望曾牺牲了你父亲的幸福（此事已司空见惯，别人也常常如此）。为了补偿他所造成的这一痛苦，这位亲戚为你父亲留下了解除一切忧伤的万灵药——金钱。你父亲必须立即奔赴罗马。这位亲戚一直在那儿疗养，不幸却在那里去世，使他的事务陷入一片混乱。你父亲去了罗马，却在那儿得了不治之症。你父亲患病的消息一传到了巴黎，你母亲就带着你随后也到了罗马。她抵达罗马后的第二天，你父亲就去世了，没有留下遗嘱——没有遗嘱——结果全部财产都理所当然地由你母亲和你继承。"

蒙克斯对这部分的叙述屏息静听，一脸渴望的样子，尽管他的眼睛并没有朝讲述者看。布朗洛先生停下来时，蒙克斯换了一个姿势，像是突然感到如释重负的样子，擦了擦他发烫的面颊和双手。

"你父亲出国之前路过伦敦，"布朗洛先生始终盯着对方的脸，缓慢地说道，"他来找过我。"

"这我从未听说过，"蒙克斯插话道，其声调本来打算表示怀疑的，却更多地显示出他的不愉快和惊奇。

"他来找过我，给我留下了一些东西，其中有一幅画——他自己画的一幅肖像画——这位可怜的姑娘的肖像。他不想把它留下来，但在这次仓促的旅行中却又无法带走它。忧虑和悔恨几乎使他消瘦得不成样子。他怒气冲冲、心烦意乱地谈到了由自己一手酿成的毁灭和耻辱，并向我吐露他无论付出多大的代价，都打算把全部财产换成金钱，同时，将新近从那位有钱的亲戚获得的遗产的一部分给他妻子和你之后，决定到国外去，永不回国。我非常清楚，他不会独自离开英国的。即使对我这样一位早年的老朋友，他也不愿过多地吐露心曲。我们之间深厚的情谊，已经在埋着一位对我们俩来说都是最亲爱的人的土地上扎下了根。他只答应会写信把一切情况告诉我，还答应以后会再来和我见一次面——他在世的最后一次见面。唉! 这次见面竟成了永诀! 我没有收到他的信，也未再跟他见面。"

"当一切都结束了的时候，"布朗洛先生稍微顿了一下之后，又继续说道，"我到了他那问心有愧的爱情的发生地——我使用世人通用的措词，因为世俗的严厉或宽容现在对他来说都已完全一样了——决意如果自己所担心的事发生了，那位误入歧途的姑娘应该找到一颗同情她的心和一个容她居住的家。她家一星期以前就已经离开这个地区了; 他们甚至还清了微不足道的债务，把所有的债务一一清偿了，然后在夜里离开这个地方。为什么离开，到何处去，谁也不知道。"

蒙克斯的呼吸更自如了，他带着胜利的微笑环顾了一下四周。

"当你弟弟，"布朗洛先生把自己的椅子往对方挪近了点，说道，"当你弟弟，一个身体虚弱、衣衫褴褛、未被妥善照管的孩子，在比机缘更强有力的安排下让我遇见时，并把他从邪恶和不光彩的生活中营救出来时——"

"什么?"蒙克斯喊道。

"由我把他救出来，"布朗洛先生说道，"我刚才对你说过，我很快就会令你感兴趣的。我说由我——我知道你狡猾的同伙向你隐瞒了我的姓名，因为他以为反正我的名字你听起来相当陌生。你弟弟当时被我救出来，躺在我家里养病。由于他与我提到的那幅肖像画中的姑娘长得太像，使我大为诧异。我第一次见到他的时候，即便他浑身污垢、境遇悲惨，然而，他脸上留下的表情给我的印象，犹如看见一位老朋友闪现在栩栩如生的睡梦中一般。我还不知道他的身世，他就被拐走了。这我就不必告诉你啦——"

"为什么？"蒙克斯匆忙问道。

"因为你知道得一清二楚。"

"我！"

"向我否认是徒然的，"布朗洛先生回答道，"我将向你表明我知道的还不止这么多。"

"你——你——无法提出任何对我不利的证据，"蒙克斯结结巴巴地说道，"我倒想看看你能拿出什么证据！"

"我们等着瞧吧，"老先生锐利的目光盯了他一眼，回答道，"我丢失了这个小男孩。无论我费多大的劲都无法重新把他找回来。既然你母亲已经过世了，我知道如果有人能解开这个谜，那就只有你了。我上一次听到有关你的消息时，你正在西印度群岛自己的庄园里。于是我便航行到西印度群岛。你知道得很清楚，你母亲一去世，你就退隐到那儿，以逃脱你在这里犯下的种种恶行的后果。你好几个月前就离开西印度群岛了。人们猜想你在伦敦，可是谁也说不上你在哪儿，于是我返回了伦敦。你的代理人也不知道你的住处。他们说你来无影去无踪，还是像以前那么古怪：有时连续出现好几天，有时则好几个月不来，显然还是老去那些低劣的场所，依然和那些声名狼藉的人混在一起。他们是你在凶顽的、无法无天的孩提时代的同伴。我不断地请求他们帮忙打听你的下落，令他们感到很不耐烦。我日夜地在街上来回走动，可是，直到两小时以前，我的一切努力都毫无结果，甚至连一瞬间也未曾见到你。"

"现在你确实见到我了，"蒙克斯放肆地站起来说道，"那又怎么样呢？欺诈和抢劫是夸大的字眼——单凭某个小家伙长得很像一个死人生前画的一幅无聊、拙劣的画像，你认为这种行为是正当的吗？有一个弟弟！你甚至不晓得这感情脆弱的一对有没有生过孩子。你连这点都不晓得。"

"我过去不晓得，"布朗洛先生也站起来回答道，"可是在过去的两周里，我什么都明白了。你有一个弟弟。你知道这一点，而且也认识他。有一份遗嘱被你母亲销毁啦，因此，她去世之后就将这一秘密和获得的财富遗给了你。遗嘱提到了一个孩子，他很可能就是这段可悲的姻缘的结晶。这孩子后来生下来了，并意外地被你碰上了。他长得很像他父亲，这首先引起了你的怀疑。你赶到了他的诞生地点，那儿保存着他的出生情况和父母身份的证据——长期被隐瞒的证据。这些证据已经被你毁了。喏，用你自己对同谋者犹太人说的话是：'那个男孩的身份的唯一证据已经沉入河底了，而从他母亲那儿得到这些证据的那个老丑妇正躺在棺材里腐烂。'你这个不肖子、懦夫和说谎者！你夜间同窃贼和凶手在密室中策划；你的阴谋已导致一位比你强无数倍的人惨遭杀害；你从小就一直是你父亲的一块心病。一切邪恶的情感、罪恶和放荡都在你身上溃烂，直到通过一种可怕的疾病发泄出来。这种疾病已使你的脸成了你心灵的反映；爱德华·利福特，你还敢向我挑战吗？"

"不敢，不敢，不敢！"这个懦夫被这一大堆指控吓破了胆，连声说道。

"每一句话！"老先生说道，"你和那个可憎的恶棍之间所说的每一句话，我都知道。墙上的影子听到了你们的窃窃私语，并传到了我的耳朵里；见到那个孩子遭虐待，给一个堕落的姑娘勇气，激发了她近乎美德的品性，改恶从善。谋杀业已发生，即便你不是此案的真正当事人，但是道义上你对此罪责难逃。"

"不，不，"蒙克斯插话道，"我——我——对此事一无所知；我正想了解此事的真相就被你逮住了。我不知道你为什么逮住我。我还以为是一般的争吵呢。"

"这只是对你的秘密的部分揭露。"布朗洛先生回答道，"你愿意公开全部秘密吗？"

"愿意，我愿意。"

"你愿意着手写一份事实与真相的说明，并在证人面前复述一遍吗？"

"这我也可以答应。"

"好好待在这儿，把这份证据写出来，然后跟我到一个我认为最合适的地方，以证实你的证据的真实性。"

"如果你坚持这样，我也可以照办。"蒙克斯回答道。

"你必须做的还不止这些，"布朗洛先生说道，"把财产归还给那个无辜的和无害的孩子。他确实是一个无辜的和无害的孩子，尽管他是这段愧疚的和最痛苦的爱情的产物。你没有忘记那份遗嘱的条文吧。有关你弟弟的条文，你必须逐条执行，然后你高兴上哪儿就上哪儿。在这个世界上，你们兄弟无须再见面。"

当蒙克斯一方面被恐惧，另一方面被仇恨搞得心烦意乱，正在房里来回踱步，并带着阴沉邪恶的神情默默地考虑这个建议，以及回避它的可能性时，房门被匆匆地打开了，一位先生（洛斯伯恩医生）极为激动地走了进来。

"那个人将会被逮住的，"他大声说道，"他今天晚上就将被逮住！"

"凶手吗？"布朗洛先生问道。

"是的，是的，"对方回答道，"人们已发现他的狗潜伏在某个老贼窝里。看来，毫无疑问，它的主人要么此刻就在那儿，要么将趁着夜色抵达那儿。各个方向都有密探守候。我已跟负责缉拿凶犯的人士交谈过。他们告诉我凶手逃不掉。今晚政府已宣布悬赏一百英镑捉拿凶手。"

"我愿意再增加五十英镑，"布朗洛先生说道，"如果我能够抵达那儿的话，我要当场亲口宣布。梅利先生在哪儿？"

"你是说哈里吗？他一看见你这位朋友和你安然地坐在马车里，

便匆忙地赶到他听到这条消息的地点,"医生回答道,"然后跨上他的马,出发到他们约定的郊区某处参加第一批追捕队去了。"

"那么费金呢,"布朗洛先生说道,"他的情况如何?"

"我得到的最新消息是,他尚未被逮捕。不过,此刻他将被逮住,或也许已被逮住了。他们有把握逮住他。"

"你拿定了主意了吗?"布朗洛先生低声地问蒙克斯道。

"拿定主意了,"他回答道,"你——你会替我保密吗?"

"我会的。待在这儿,直到我回来。这是保住你安全的唯一希望。"

他们离开了房间,门又锁上了。

"你做了些什么?"医生悄声问道。

"所有我希望能做的,我都做了,甚至还更多呢。我把那个可怜的姑娘的情报和我以前了解的情况,以及我们的好朋友在现场的调查结果结合起来,滴水不漏,不留任何破绽,使他无法逃脱;同时,揭穿了他的全部恶行,根据这些事实,他的全部恶行已昭然若揭了。写信通知大家,并约定后天晚上 7 点钟会面。我们将提前几小时抵达那里,但现在需要休息,尤其是那位年轻小姐。她也许需要更坚强些,这是你我眼下所无法预见的。可是我现在热血在沸腾,想替这位被残害的可怜的姑娘报仇。他们走哪条路?""直接乘马车到警察局,你还可以赶上他们,"洛斯伯恩医生回答道,"我留在这儿。"

两位先生匆匆地分手,他们彼此心中都激动不已,完全难以自持。

第五十章　追捕与逃亡

靠近罗瑟莱思教堂，毗连泰晤士河那个地区，两岸的建筑物最脏，河上的船只也被运煤船的煤尘和稠密低矮房子的烟尘染得最黑。这当中还有一处隐藏于伦敦的最污秽、最陌生和最特别的地方，完全不为大多数居民所知，甚至连名称也没有。

为了到达这个地方，来访者不得不穿过迂回、拥挤、狭窄、泥泞的小街。这里挤满了滨水区最粗野、最贫穷的人，他们专心从事着他们认为可以招徕顾客的买卖。一家家商店里堆放着最廉价、最粗糙的食物；质量最次、最低劣的衣物悬挂在商贩门前，从室内的栏杆和窗户飘出来。他（来访者）不得不在最低阶层的失业工人、压舱物搬运工、卸煤工、厚颜无耻的贱妇、衣衫褴褛的儿童以及大河的废物和垃圾之中推推搡搡、举步维艰地前进。令人作呕的景象和扑鼻难闻的气味不时地从左右分岔的狭窄小巷向他袭来，笨重的运货马车的嘎嘎声震耳欲聋。这些货车从筑在各个角落里的货仓的货堆中搬运大批货物。他终于来到了比原来路过的那些街道更为偏僻、更为人迹罕至的穷街陋巷，在伸出人行道上方的摇摇欲坠的房屋正面底下行走。被拆毁的墙壁在他走过的时候似乎摇摇晃晃；烟囱一半已被捣毁，一半还悬着，不愿倒塌；防护窗户的生锈铁栅因年代久远和尘埃污垢，几乎已被腐蚀掉了，处处是一派可以想象得到的凄凉和破败的景象。

雅各布岛位于这一地区，在南沃克自治市的多克赫德那边。岛的四周由一条混浊的明沟环绕着。涨潮时，这条沟有三英尺至八英尺深，十五英尺至二十英尺宽，曾一度被称为"磨坊池"，但在本故事的时代通称为"愚蠢沟"。它是泰晤士河的一条小溪或水湾。打开利德磨坊（其旧名称系由此而来）的闸门，总可以将此沟灌满水。这时，陌生人站在从磨坊巷横跨过去的一座木桥上，可以看到两岸居民从他们家的后门或后窗放下吊桶、提桶及各种家用器皿到沟里打水。他的目光从这些汲水活动移向他们的房子本身时，眼前的景象使他大为诧异。五六幢房子后面共用一条破烂的木走廊，透过走廊上面的破洞可以看见底下的污泥；修补过的破窗户伸出一根根晾衣竿，却几乎从未见过衣服；房间那么小、那么脏、那么窄，因此，这儿的空气即使就它们遮蔽的污垢而言也似乎太臭气熏天了；木头房子伸出在淤泥的上方，随时都有掉进淤泥的危险——有些已经掉进去了，涂满污垢的墙壁和腐烂不堪的地基，所有可能令人厌恶的贫穷特征，所有可能令人恶心的污秽、腐物和垃圾，点缀着"愚蠢沟"的两岸。

在雅各布岛上，货仓没有屋盖，而且空空如也；墙壁坍塌，窗口已经没有窗扉，门扇掉落到街上；烟囱被熏得黑黑的，可是它们并不冒烟。三四十年前，在经济亏损和大法官法庭的诉讼发生之前，这是一个繁荣的地方。可如今它确实成了一个荒芜的小岛了。房子没有主人，有胆量的人破门而入，非法占有；他们就住在那儿，死在那儿。到雅各布岛藏身的人，要么一定有寻找一个秘密住处的强有力的动机，要么一定是穷困潦倒，无处栖身。

在其中一幢房子楼上的一间屋子里聚集着三个男人。这是一幢面积相当大的独立房子，其他部分皆已破败不堪，但门窗却还坚固。如前所述，它的后面俯临着"愚蠢沟"。这三个男人带着露出茫然不知所措和期待的神色，不时地举目凝视对方。他们心情阴沉、忧郁，默不作声地坐了一些时候了。其中一个是托比·克雷基特，另一个是奇特林先生，第三个是五十岁的抢劫犯，他的鼻子在过去的一场混战中几乎被砸碎，脸上一道难看的伤疤很可能也可以追溯到同一场打斗。此人是个已回国的流放犯，他的名字叫卡格斯。

"在那两个老巢不太安全的情况下，"托比转向奇特林先生说道，"你该挑个别的地方，不要上这儿来，老弟。"

"你为什么不另找个房子，猪脑瓜！"卡格斯说道。

"唉，我原以为你们不会这么不喜欢见我。"奇特林先生神情沮丧地回答道。

"喂，小绅士，"托比说道，"一个像我这么孤僻、从不与人来往的人，并依靠这种方法才有了一个舒适温暖的窝，没人来窥探、打听。如今有像你这种处境的小绅士光临，着实是件恼人的事（不论在方便的时候你可能是个多么体面、多么讨人喜欢的牌友）。"

"尤其是这位孤僻的年轻人家里还有一位客人。他从国外流放回来比预料的要早一些，况且又太谦虚，回来时不想在法官面前露面。"卡格斯先生补充道。

短时间的沉默之后，托比·克雷基特似乎绝望地放弃了继续维持通常那副无法无天的傲慢态度的努力，掉过头跟奇特林说道："那么费金是什么时候被抓走的？"

"就在吃午饭的时候——下午两点被抓走的。我和查利幸亏从洗衣房的烟囱里逃出来。博尔特头朝下钻进一个盛雨水的空桶，可是他的两条腿实在太长了，露出桶外，因此，他也被抓走了。"

"贝特呢？"

"可怜的贝特！她去看南希的尸体，去跟她的遗体告别，"奇特林回答道，他的脸色变得越来越阴沉了，"却因此而发疯了，尖声大叫，胡言乱语，拿头去撞木板。因此，他们给她套上了约束衣①，把她送进医院。她现在就在医院里。"

"贝茨少爷怎么啦？"卡格斯问道。

"他在外头闲荡，天黑以后才会上这儿来。不过，他很快就会来了，"奇特林回答道，"现在已没有别的地方可去了，三瘸子客栈的人都被拘留了，而窝里的酒吧挤满了警察——我去过那里，我亲眼看到的。"

"这是毁灭性的打击，"托比咬着嘴唇说道，"这场打击中看来不止一人要丧命。"

"治安法庭正在开庭，"卡格斯说道，"如果他们审讯结束，同时，博尔特供出对同犯不利的证据：根据他所说过的话，他肯定会招供的。那么，他们可以证明费金是事前从犯②，并于星期六举行审判。这样，老天作证，从现在起再过六天，他就得上绞刑架！"

"你应该听听民众的呼声，"奇特林说道，"警官死命地保护着，否则，他们会把费金撕成碎片。他曾经被击倒过一次，但警官们绕着他围了一圈，往前打开一条出路。你还没有见到他浑身污泥，血流不止，紧抱住警官不放的情形，仿佛他们是他最亲密的朋友似的。现在我依稀可以见到那些警官因受到人群的挤压，无法挺立。他们把费金夹在中间，拖着他往前走。我依稀可以看见人们一个接一个地从彼此的背后跳起来，龇牙咧嘴地吼叫着，向费金扑来；听见女人们叫喊着渐渐地挤进街角的人群中，发誓要把他的心扯下来！"

被这个场面吓得惊恐万状的目击者奇特林双手捂住耳朵，闭起眼睛，站了起来，像发了疯似的来回踱步。

---

① 用于束缚疯子或狂暴的犯人双臂用的衣服。
② 指怂恿主犯，参与预谋等的"事前从犯"。

他正踱着步，另外两个男人一声不吭地坐在旁边，眼睛盯住地板的时候，楼梯上传来了嗒嗒嗒的声音，赛克斯的狗跳进了房里。他们赶忙朝窗口跑过去，然后下楼，冲到街上。狗刚才是从一个敞开着的窗口跳进来的。它不想跟着他们，它的主人也没有露面。

"这作何解释呢？"他们重新跑回来后，托比说道，"他不可能上这儿来。但——但愿他不会来。"

"如果他到这儿来，他就会跟狗一起来，"卡格斯说着，弯下腰仔细地观察这条狗，它气喘吁吁地躺在地板上，"喂！咱们给它喝点水。它跑得快昏过去啦。"

"它把水全喝光了，一滴也不剩，"奇特林默默地观察它一会儿之后，说道，"它浑身是泥——瘸腿——眼睛半瞎——它准是从老远的地方跑来的。"

"它还能从哪儿来？"托比大声说道，"它当然到过其他的窝，发觉那些地方尽是陌生人，就上这儿来了。这里它来过好多次，也经常来。可是它最初可能从哪儿来呢？它怎么没有跟它的主人一块来呢？"

"他，"——（他们谁也不叫凶手以前的名字）——"他不可能自杀吧。你看呢？"奇特林问道。

托比摇了摇头。

"如果他自杀，"卡格斯说道，"狗就会想把我们带到他自杀的地点。不！我看他已经逃离这个国家，却把这条狗丢下了。他想必用了什么办法才把它甩掉的，否则它不会那么顺从。"

这一解释看来最可信，所以被认为是正确的。狗爬到一张椅子底下，蜷缩着躺在那儿睡觉，再也没有引起任何人的注意。

现在天黑了，窗板已经关闭。他们点燃一支蜡烛放在桌上。最近两天里发生的可怕事件已经对他们三人产生了深刻的影响。他们自身的处境的危险性和不确定性又增强了这种影响。他们将各自的椅子拉得更靠近些，一有风吹草动就胆战心惊。他们很少开腔，即便说话声音也压得很低，这种沉默寡言和凛然敬畏的样子仿佛被杀害的姑娘遗体就停放在隔壁房间里。

他们就这样坐了一些时候，突然，从下面传来了一阵急促的敲门声。

"贝茨少爷。"卡格斯说道。他生气地环顾四周，以抑制自己的心中的恐惧。

敲门声再次响起，不，这不是他。他从不会这样敲门。

克雷基特走到窗口，浑身哆嗦着把头缩了回来。没有必要告诉他们来者是谁了，他苍白的脸色就足以说明一切。狗也马上警觉起来，哀号着朝门口跑去。

"我们必须让他进来。"他说着，把蜡烛举起来。

"难道真的没有什么办法了吗？"另一个人以嘶哑的声音问道。

"没有办法了，必须让他进来。"

"别让我们待在黑暗中，"卡格斯说着，从壁炉架上拿下一根蜡烛。他点蜡烛的那只手抖得那么厉害，以致门上又传来了两次敲门声后他才点着。

克雷基特下楼开门，回来时后面跟着一个男人。他脸的下半部用一条手帕遮住，脑袋用另一条手帕扎起来再戴上礼帽。他慢慢地脱去帽子，解开手帕，露出了一张苍白的脸孔，他眼睛凹陷，双颊深陷，三天没刮胡须，身体消瘦，呼吸短促、沉重。这正是赛克斯的幽灵。

他伸手抓住位于房间中央的一张椅子，可是当他正要落座时便浑身战栗起来。于是，他把椅子往后拉，尽量靠近墙壁，最后让它抵住墙壁，然后才坐下来。

他们谁也不说一句话。赛克斯默默地把他们一一看了一遍。倘若有人偷偷地抬起眼睛，与赛克斯的目光相遇，他也会立即把眼睛移开。当赛克斯以沉闷的声音打破沉默时，其他三个人全都吓了一跳。他们以前似乎从未听到过这种声调。

"这条狗怎么会跑到这儿来的?"他问道。

"它自己跑来的。三小时以前来的。"

"今晚的报纸说费金被捕了,是真的,还是假的?"

"真的。"

他们又再次沉默了。

"你们这些混账东西!"赛克斯伸手摸了一下额头,骂道,"难道你们没有什么话要对我说吗?"

他们三人不自在地动了一下,但谁也不吭声。

"你是这里的主人,"赛克斯将脸转向克雷基特,说道,"你打算出卖我呢,还是让我隐藏在这儿,直到这场追捕结束?"

"如果你认为这里安全,你可以待在这里。"克雷基特犹豫了一会儿之后回答道。

赛克斯缓慢地将眼睛抬向他背后的墙上——与其说真的想看墙,不如说他想转动一下脑袋——并且说:"那——那具尸体——埋了没有?"

他们摇了摇头。

"为什么还不把它埋掉!"他反驳道,眼睛依然瞥了一眼他背后的墙,"他们为什么要把这么丑陋的东西留在地面上呢?——谁在那儿敲门?"

克雷基特离开房间时打了个手势,暗示没有什么可惊慌的。不久他就回来了,后面跟着查利·贝茨。赛克斯坐在门的对面。因此,这小伙子一踏入房间,劈面就见到他的身影。

"托比,"当赛克斯把目光转向查利时,小伙子往后退缩,说道,"刚才在楼下的时候你为什么不把这种情况告诉我?"

三个人那副畏葸不前的样子想必太可怕了,以致这个穷凶极恶的人甚至愿意讨好这个小伙子。他对他点点头,装作要跟他握手的样子。

"让我到另一个房间去。"小伙子退得更远些，回答道。

"查利!"赛克斯进前一步，说道，"难道你——你不认识我了吗?"

"别靠近我，"小伙子继续往后退，回答道，眼里充满恐惧地盯着杀人犯的脸，"你这个凶残的野兽!"

赛克斯中途止步，他们四目相对，可是赛克斯的目光渐渐地垂到地上。

"你们三位作证，"小伙子挥动着攥紧的拳头，大声说道，他越说越慷慨激昂，"你们三位作证——我不怕他——如果他们到这儿来抓他，我一定会把他交出去，我一定会的。我同时向你们讲明白了，如果他愿意，或者如果他胆敢的话，他可以把我杀死。可是如果我在这儿，我一定把他交出去。他就是会被活活地下油锅，我也要把他交出去。杀人啦! 救命啊! 如果你们三个人有点男子汉的勇气，就应该帮助我。杀人啦! 救命啊! 把他抓起来!"

贝茨少爷发出了这些叫喊，又伴随着剧烈的手势，真的单枪匹马地向这个强壮的汉子猛扑过去，因用力猛，竟出其不意地将对方重重地扳倒在地。

三位旁观者似乎都吓呆了，他们谁也没有介入。于是小伙子和那个男人一起在地上打滚; 前者不顾雨点般向他飞来的拳头，越来越紧地扭住杀人犯胸前的衣服，一边不停地、拼命地呼救。

然而，这场搏斗的双方力量毕竟太悬殊了，无法持久。赛克斯把他压在下面，膝盖顶住小伙子的喉咙。这时，克雷基特神色惊慌地将赛克斯往后拉了一把，并指着窗外。下面灯火闪烁，传来了高声的、郑重其事的谈话声和步履匆匆的脚步声——似乎有不计其数的人越过最近的那座木桥。人群中似乎有人骑马，因为从高低不平的人行道上传来了滴滴答答的马蹄声。灯火越来越明，脚步声越来越密集、响亮。接着，传来了一阵急促的敲门声；而后，众多愤怒的声音汇成一阵嘶哑的嗡嗡声。这声音足以使最胆大包天的人心惊胆战。

"救命！"小伙子的尖叫声划破夜空。

"他就在这儿！把门打破！"

"以国王的名义逮捕你。"户外众人的声音喊道。嘶哑的嗡嗡声再次升起，但比以前更响了。

"把门打破！"小伙子尖叫道，"我告诉你们，他们决不会开门的。直接跑到有灯光的那个房间，把门打破！"

他的话音刚落，密集、沉重的敲击乒乒乓乓地落在门上和较低的窗板上。人群中突然爆发出惊天动地的"好哇"的欢呼声，使听者第一次对人群的人数之众有了足够的认识。

"找个可以把这个大喊大叫的野孩子锁起来的地方，把门打开，"赛克斯恶狠狠地喊道，他来回奔跑，现在可以易如反掌地拖着小伙子了，仿佛他是一只空麻袋似的，"开这道门，快！"他将小伙子丢进去，闩住门，转动钥匙，将门反锁起来，"楼下的门关牢了没有？"

"上双重锁，且用链条扣住。"克雷基特回答道。他和另外两个男人依然感到茫然不知所措。

"嵌板呢——它们坚固吗？"

"衬着铁板。"

"窗户也是吗？"

"是的，窗户也衬着铁板。"

"混账！"亡命之徒拉上框格窗，威胁着向人群喊道，"有什么手段尽管使出来吧！我照样可以用智谋挫败你们！"

在凡人曾经听说过的一切可怕的呐喊中，没有哪一种呐喊能够超过被激怒的人群发出的惊天动地的怒吼。有的大声地叫唤最挨近房子的人放一把火把房子给烧了，其余的则咆哮着叫警察开枪把他击毙。在所有的人当中，谁的狂怒都比不上那个骑马的人。他一骨碌

"别靠近我，"小伙子继续往后退，回答道，眼里充满恐惧地盯着杀人犯的脸。

从马鞍上跳下来，像分开水流一样地分开众人，以盖过所有其他人的声音在窗户底下喊道："谁去拿一把梯子来，给他二十个几尼！"

最靠近他的人把这句话传下去，于是数以百计的人都随声附和着。有的叫拿梯子，有的叫拿锤子，有的举着火把来回奔跑，像是在寻找这些东西，然后又重新回来继续喊叫；有的徒费唇舌，光站在一边诅咒和恶骂；有的像发了疯似的往前挤，结果妨碍了下面的人的前进；有些胆子大的人试图利用排水管和墙上的裂缝爬上去；所有的人都在底下的黑暗中来回晃动，宛如一片在狂风中摇动的玉米田，还不时地加入一阵高声的怒吼。

"潮水，"杀人犯放下框格窗，把黑压压的一片面孔关在外面，跌跌撞撞地走回房里说道，"我刚才上来的时候潮水已经上涨了。给我一条绳子，一条长绳子。他们全都在房子的正面。我可以跌落到'愚蠢沟'里，从那边逃走。给我一条绳子，否则，我就把你们三个都干掉，然后自杀。"

三个惊恐万状的男人指出了放绳子的地方。杀人犯匆匆地选了一条最长、最结实的粗绳子，赶忙爬上屋顶。

除锁住贝茨少爷的那个房间的一个小活动天窗外，这栋房子后面的所有窗户早已被砖头堵死了，况且天窗也太小，杀人犯的身体也过不去。可是，贝茨少爷从这个孔洞不断地叫户外的人守住屋子后面。因此，当杀人犯终于从顶楼的门爬上屋顶时，一声大喊把这一新动向通报给房了正面的那些人。他们立即拥到屋后，一股川流不息的人群互相向前推搡着。

赛克斯把特意抬上去的一块木板牢牢地固定在屋顶门上。这样，要从里面打开这道门想必是一件非常困难的事。而后，他蹑手蹑脚地爬过了瓦屋顶，从低矮的扶墙上往下望。

潮水已经退了，沟底尽是淤泥。

在短短的一瞬间，人群已经安静了下来，密切地注视着他的一举一动，却拿不准他到底想干什么。可是，他们刚明白他的意图已化为泡影时，就爆发出一阵胜利的欢呼和咒骂，声浪一浪高过一浪。相比之下，他们先前的一切叫喊只是耳语罢了。那些站得太远、不知道究竟是怎么回事的人也跟着喊。声音发出回响，回响，接连不断，仿佛整座城市的居民都倾城而出，前来诅咒他似的。

房子正面的人群不断地向前推进——推进，推进，推进。一张张愤怒的脸孔汇成了一股强大的斗志昂扬的潮流，处处有耀眼的火把为他们照明，把完全处于愤怒和激奋状态中的人们送出去。人群已经拥进了沟对面的房子里，框格窗已被推拉起来或整个被扯下来。每个窗口都露出层层重叠的脸孔，每个屋顶都站满了一群群的人，每座小桥（可以看得见三座）都被站在上面的人群的重量压弯。然而，潮水般的人群依然继续涌来，以便寻找一个角落，从那儿可以发出他们的呐喊，亲眼看一看那个恶棍，哪怕只是一瞬间。

"他现在已经在他们的掌握之中了。"一位站在最近的木桥上的人喊道，"好哇！"人们因脱去帽子、光着脑袋，心情变得轻松愉快，呐喊声又一次骤然升高了。

"我愿意出五十英镑，"站在同一个地方的一位老先生喊道，"赏给活捉凶手的人。我将留在这里，专候他前来领赏。"

人群中又发出一阵大声的呐喊。此刻，从人群中传来了房门终于被砸开，第一个叫人拿梯子的人已冲进屋里的消息。这消息一传十，十传百，人群猛然转向，在窗口观看的人们见到桥上的人往回涌，也纷纷离开原来的位置，冲进街道里，与正一窝蜂地涌向他们原先离开的地点的人群汇合。人们彼此互相挤压争斗，气喘吁吁、迫不及待地要靠近门口，以便警官把罪犯带出来时能够先睹为快。被挤得几乎透不过气来的或在混乱中被踩倒或遭践踏的人们的叫喊声和尖叫声太可怕了；狭窄的小巷已完全被堵死。这时，有的想冲到房子的正面以重新取得立足之地，其他的则徒劳地挣扎着，想从人海中挣脱出来，因此，分散了眼下对凶手的注意力，尽管人们对逮捕他的迫切程度增强了。

由于完全被人群的凶猛镇住，又加上不可能逃脱，凶手畏缩了。然而，人群这一突然的变化虽快，凶犯看出这一变化的速度更快。他一跃而起，决定跳进沟里，为自己的逃命作最后一搏，同时，冒着被窒息的危险，乘黑暗和混乱，悄悄地溜之大吉。

他重新振作起来，鼓起新的力量，在表明有人已冲进房里的声响的驱动下，用脚抵住烟囱，将绳子的一端牢牢地拴在烟囱上，另一端则借助于双手和牙齿，几乎仅片刻的工夫就打了一个很牢固的活套索。他可以利用这根绳子使自己降到离地面不到自己身高的距离之内，手里备好一把刀，到时候砍断绳子，让自己掉落在地。

当他把活绳圈先套在头上，然后再滑落到腋窝底下时，当上述那位老先生（他紧紧地扶住木桥的围栏，以抵挡人群的压力，保住自己的位置）郑重其事地警告身边的人，说凶手正打算往下跳时——就在这时候，凶手回头看了身后的屋顶一眼，把双臂猛地伸过自己的头上，发出一声恐惧的叫喊。

"又是那双眼睛[①]！"他发出一声鬼怪的尖叫。

他仿佛遭闪电袭击似的身体摇摇晃晃，失去平衡，从低矮的扶墙上坠落下来。活套索挂在他的脖子上。套索因他的体重而将他往上拉起，绷得像弓弦那么紧，又像一支离弦的箭那样直往下坠落了三十五英尺。套索猛拉了一下，他的四肢惊人地抽搐着。于是，他被吊在那儿，正在变得僵硬的手里还紧握着一把打开的小折刀。

破旧的烟囱经这么一震而颤动起来，可是它毅然地挺住了。已经断了气的凶手摆动着往墙上撞；而那位被凶手关起来的小伙子将

---

① 指南希被赛克斯杀害后的那双死不瞑目的眼睛不断地引起他的幻觉（参见第四十八章的开头部分）。

遮住他视线的悬荡着的尸体猛推向一边，呼唤人们看在上帝的分上，前来把他放出去。

迄今，那条狗一直躲着。现在，它凄厉地长嚎一声在屋顶的扶墙上来回奔跑。然后，往下跳之前它竭力镇定了一下，便朝着死者的肩膀上跳下去。它跳下去时偏离了目标，在空中打滚，掉进沟里，头撞到一块石头上，脑浆迸裂。

第五十一章　本章对不止一个秘密提供了说明，还包括了一次不涉及嫁妆和私房钱的求婚

　　上一章叙述的事件才过去两天，下午 3 点，奥利弗不觉已坐上旅行马车，飞快地驶往他的诞生地了。跟他一道前往的还有梅利太太、罗斯、贝德温太太以及那位医术高明的大夫。布朗洛先生坐一辆驿递马车跟在后面，由另一位未曾提及姓名的人陪着。

　　他们一路上谈话不多，因为奥利弗的心情处于激动不安和变化无常的状态，这使他的思想无法集中，也几乎使他说不出话来，同时，似乎对同伴们产生的影响几乎不亚于他本人。他们至少跟他怀着同样的心情。布朗洛先生已经将迫使蒙克斯承认的实况详细地告诉奥利弗和两位女士。尽管他们知道此行的目的是为了这项有良好开端的工作圆满结束，然而整件事疑问重重、神秘莫测，使他们处于最紧张的悬念之中。

　　在洛斯伯恩医生的协助下，同一位仁慈的朋友还谨慎地堵住了一切消息渠道。本来通过这些渠道，他们可以得知最近发生的可怕

事件。"没错,"他说道,"他们不久必定会知道的,但是,以后知道比现在更合适,反正不可能比现在更糟。"于是,他们默默地继续赶路,各自忙着思考使他们走到一起来的这件事,谁也不愿用话语来表达萦绕在大家心头的想法。

可是,倘若奥利弗受这些思绪的影响,在他们沿着一条他从未走过的道路,朝他出生地前进的时候还能保持沉默,那么,当他们踅入他曾经徒步穿越的那条路时,一个无家可归、四处飘零的男孩,没有一个朋友可以帮助他,没有一个地方可供他栖身,这时,他的整个思绪会怎样地回到往昔的岁月啊,他的心中又会唤起何等多的情感啊!

"瞧那儿,那儿!"奥利弗急不可耐地抓住罗斯的手,指着车窗外大声叫道,"那是我越过的树篱两侧的台阶,我曾经悄悄地爬到那几道树篱后面,生怕有人会追上我,逼我回去!远处是横贯田野的小路,通往我小时候居住的旧房子!啊!迪克,迪克,我亲爱的老朋友,要是现在我能见到你该多好哇!"

"你马上就可以见到他了,"罗斯安慰道,双手轻轻地握住他那双十指交叉的手,"你可以告诉他,你现在多么幸福,你已经变得多么富有。而在你所有的幸福中,最大的幸福莫过于回来,让他也感到幸福!"

"是的,是的,"奥利弗说道,"而且我们——我们将带他离开这儿,让他有衣穿,有书读,把他送到一个僻静的乡村,让他在那儿长得身强力壮、健健康康的——好不好?"

罗斯点头表示赞成,这孩子正噙着如此幸福的泪花微笑,以至于她说不出话来。

"你会对他仁慈、待他好的,因为你对待每个人都是这样的。"奥利弗说道,"我知道,你听了他可能向你诉说的事将会流泪,不过,没关系,没关系,一切都会过去的。我还知道,一想到他的变化多么大，你就会重新露出笑容的。你过去对我就是这样。我逃跑的时候，迪克曾对我说'愿上帝保佑你'，"奥利弗突然迸发出诚挚的情感，哭诉道，"现在，我要对他说，'愿上帝保佑你'，并告诉他，因为这句话我多么爱他！"

他们到了镇上，马车终于在狭窄的小巷穿行时，要想抑制奥利弗的情感，将其限制在适当的范围内，竟成了一件难事。殡仪员索尔贝里的店铺还是原来那副老样子，只是小了点，外表上也不如他记忆中的那么堂皇。所有那些熟悉的商店和房子，几乎都跟他多少有点联系：甘菲尔德过夫拥有的那辆运货马车依然停在客栈门口，那所济贫院——他少年时期凄凉的监狱——阴暗的窗户险恶地面朝着大街，站在大门口的还是同一个精瘦的守门人。奥利弗一见到他就不由自主地朝后退缩，然后嘲笑自己的愚蠢，接着放声大哭，而后又哈哈大笑。在一些门口和窗户里还有许许多多他非常熟悉的面孔，几乎什么东西都没有变化，仿佛他昨天才离开似的，而他最近的生活只不过是一场春梦罢了。

然而，这纯粹是严肃的、快乐的现实。他们径直驱车来到镇上第一旅馆门口（奥利弗过去常常怀着敬畏的心情抬头仰望，认为它是一座多么庞大的宫殿，但不知怎地它在豪华和宏伟方面已经较前逊色了）。格里姆威格先生早已在这儿等着迎接他们了。他们从马车上下来时，他吻了年轻小姐，又吻了老夫人，仿佛他是这一行人的老爷爷似的。他满脸笑容和蔼可亲，再也不说要砍他的脑袋了——不，一次也没说过，即便在哪条路通往伦敦最近的问题上他与一位非常年迈的邮递员意见相左时，他也没说这话。他坚持认为自己最熟悉这条路，尽管这条路他才走过一次，而且当时他正在醋睡。正餐已经备好，寝室已收拾停当，一切都已不可思议地安排好了。

尽管如此，最初半小时的忙乱结束之后，这趟旅行中显示出来的沉默和局促不安又占了上风。布朗洛先生没有跟他们一道用餐，却留在自己的房间里。另外两位先生神色焦虑、步履匆匆地进进出出，即便他们待在屋里短暂的时间里也是单独交谈着。梅利太太曾一度被叫走。大约一小时之后她回来时眼睛都哭肿了。这一切使不知任何内情的罗斯和奥利弗心里忐忑不安，感到很不自在。他们默默地坐在那儿，惊诧不已；或者如果交换上几句话，也是轻声细语的，仿佛害怕听到他们自己的声音似的。

最后，到了晚上9点，他们开始认为今晚再也听不到什么消息了时，洛斯伯恩医生和格里姆威格先生走进房间，后面跟着布朗洛先生和一个男人。奥利弗见到这男人惊讶得几乎尖叫起来，因为他们对他说这个男人是他哥哥，而且，他正是奥利弗在集镇遇到过的、且又看见他伙同费金从外面往他的小房间里窥视的那个人。蒙克斯恶狠狠地瞥了惊讶的孩子一眼——即便到了这个时候，他仍然无法掩饰这种憎恨的眼神，并在靠门的地方坐下来。布朗洛先生手里拿着文件，走到靠近罗斯和奥利弗坐着的一张桌子边。

"这是一件费力的活儿，"布朗洛先生说道，"可是，当着许多位先生的面在伦敦签了字的这些口供必须在这里大体地重复一下。我倒想饶了你，使你免受羞辱。但是在我们离开之前，我们得听你亲口把这些口供再重复一遍，你也知道理由。"

"继续说下去，"蒙克斯将脸侧向一边，说道，"快点，我想要我做的，我也已经做得差不多了，别把我扣留在这儿。"

"这个男孩，"布朗洛先生把奥利弗拉到自己身边，一只手搁在他头上，说道，"是你的异母兄弟；是你父亲、也是我的好朋友埃德温·利福特的私生子，系可怜的年轻的艾格尼丝·弗莱明所生。她一生下他就去世了。"

"没错，"蒙克斯瞪眼怒视着这个瑟瑟发抖的男孩说道，他也许可以听得见这孩子扑通扑通的心跳声，"这就是他们的野种。"

"你使用的字眼，是针对早已不受世人的愚蠢非难所左右的人，这些字眼除了对你自己外，不会给任何活着的人带来耻辱。此事就让它过去吧！奥利弗是在这座小镇出生的。"

"在镇上的济贫院出生的，"蒙克斯满脸不高兴地回答道，"你那里都有记述了。"他说话时不耐烦地指着布朗洛先生手中的文件。

"你也必须在这儿重复一遍。"布朗洛先生环视了一下四周的听众，说道。

"那好，你们大家听着！"蒙克斯回答道，"他父亲在罗马病倒，早已跟他分居的妻子，即我母亲前往探望。她从巴黎带我去，就我所知，目的是为了料理他的财产。因为她对他没有什么感情，他对她也同样没有感情。他对我们的到来一无所知，因为他已经病得神志不清。他昏睡到第二天就死了。在他书桌里的所有文件中，有两份注明了他刚发病那个晚上寄给你亲收的信，"蒙克斯这番话是对布朗洛先生说的，"函内给你的附件只有几行字，在封袋上提示：须待他死后转交。这两份文件中有一份是给名叫艾格尼丝姑娘的信，另一份则是遗嘱。"

"信中说些什么？"布朗洛先生问道。

"信？——只不过是一张纸，上面的字句涂了又涂，既有悔罪的自白，也有请求上帝帮助她的祈祷。他对这个姑娘撒谎，说今后有一天会解释明白的某个秘密阻止他现在跟她结婚。于是她耐心地等着，对他深信不疑，直到信任得太过分，失去了任何人也无法还给她的贞操。那时候她离分娩只剩下几个月了。他把自己为了使她不蒙受耻辱打算做的一切告诉她——如果他活着的话；倘若他死了，祈求她不要诅咒他的亡魂，不要认为他们的罪孽的后果会降临到她或他们的孩子头上，因为一切的罪过在于他一人。他提醒她他赠给她的那只小纪念盒，以及上面刻着她的教名的那枚戒指，还有戒指上留出的空白处——他希望有朝一日能把自己的姓氏给予她，祈求她能把纪念盒珍藏着，像以往那样挂在胸口。接着，他狂乱地、接连不断地重复着同样的几句话，仿佛他已经精神失常似的。我相信他已经神经错乱了。"

"那份遗嘱呢？"布朗洛先生问道。奥利弗的眼泪已扑簌簌地直往下掉。

蒙克斯一声不吭。

"遗嘱的实质和信一样，"布朗洛先生替他说道，"他谈到他妻子给他带来的痛苦，谈到了作为他独子的你的忤逆不驯的性情、恶习和很早形成的邪恶欲念，以及你一直被你母亲训练用来憎恨他，还谈到他给你和你母亲各留下八百镑的年金。他大部分的财产平分成两份：一份给艾格尼丝·弗莱明，另一份给他们的孩子——如果能够活着生下来并到达法定的年龄的话。如果生下来的是个女孩，她可以无条件地继承这笔财产；但是如果是男孩，则必须符合一个条件，在他未成年的时候，不得以任何耻辱、卑鄙、懦怯或罪恶等公开的行为玷污自己的姓氏。他说他之所以这么做，是为了表明对孩子的母亲的信任，也表明他的信念，即孩子一定会具有她温柔的心地和高尚的天性——这种信念由于他濒于死亡而更加坚定。如果他对这一期望感到失望，那么，这笔财产就由你蒙克斯继承，因为那时候，而且只有到了那个时候——当两个孩子都是一样的孽种时，他才愿意承认你对财产的继承有优先权。你什么也没有留在他心中，却从小就以冷漠和憎恨令他反感。"

"我母亲做了一个女人应该做的事，"蒙克斯提高声音说道，"她把这份遗嘱烧了。另外那封信也不曾抵达目的地。她把这封信及其他证据保留着，以防他们试图用谎言来诋毁这一品行上的污点。艾格尼丝的父亲从她那儿获得了真相。我母亲以极端的仇恨——现在我还因此而爱她——对此事千方百计地添油加醋。羞愧和耻辱驱使艾格尼丝的父亲带着两个女儿逃到威尔士的一个偏僻的角落，甚至连自己的名字都改了，结果他的朋友们永远也不晓得他的隐居处。

而后不久，人们发现他死在自己床上。他大女儿几星期前就偷偷地离家出走了，他徒步到邻近的每座城镇和乡村去找她，在他确信她为了掩饰她和他的羞耻而结束自己的生命时，他回到家里。当晚，他那颗年迈的心碎了。"

此刻，出现了短暂的沉默，直到布朗洛先生重新回到正题上来。

"多年以后，"布朗洛先生说道，"这个蒙克斯——即爱德华·利福特的母亲前来找我。他才十八岁就离开了他母亲，抢走了她的珠宝首饰。他嗜酒如命，挥霍成性，伪造欺诈，后来逃往伦敦。在那里的两年里，他结交了伦敦最低下的流浪汉。她患上了一种痛苦的不治之症，身体日渐衰弱，渴望在她临死之前能重新找到他。她四处打听，仔细查寻，好长时间他一直杳无音讯，但最终还是找到了他。他跟她回到了巴黎。"

"她的病拖了很久之后，在巴黎去世了，"蒙克斯说道，"临终时，她把这些秘密，连同她对涉及这一秘密的所有人的难以抑制的、不共戴天的仇恨都传给了我——尽管她根本不需要把她的仇恨遗留给我，因为我早就继承它了。她不相信这个姑娘已经自杀，并一起除掉了这个婴儿。在她的印象中她老是认为一个男孩已经诞生，而且还活着。我向她发誓，什么时候他被我撞上，我一定对他穷追不舍，让他永不安宁；怀着最势不两立的和最冷酷无情的深仇大恨追踪他，向他发泄我心中深深的仇恨，如果可能的话，将他拉下水，直到把他推到绞刑架下，向那份空洞无物、自吹自擂的侮辱性遗嘱啐唾沫，以示轻蔑。她的想法没有错，这个男孩终于被我撞上了。刚开始时我得心应手。要不是那个多嘴多舌的娼妓把秘密抖搂出去，我一定能够善始善终，大功告成！"

这个坏蛋紧紧地交叉着双臂，怀着莫名其妙的恶意，无能为力地咒骂自己时，布朗洛先生转过身来，向身边被吓得目瞪口呆的人们解释说，那个犹太人一直是蒙克斯的老同谋和密友，他因诱使奥利弗中了他的圈套而获得一大笔酬金。如果奥利弗一旦被救了出去，费金就得退还部分酬金。在这个问题上的一次争执导致他们暗访了乡村别墅，目的是为了认明那究竟是不是奥利弗。

"那么，小纪念盒和戒指呢？"布朗洛先生回过头来问蒙克斯道。

"我从向你提起的那一对男女那里把它们买下了。那是他们从一个看护妇那儿偷来的，看护妇则是从死人身上偷来的。"蒙克斯没有抬起眼睛，回答道，"你知道它们后来到哪里去了。"

布朗洛先生只是向格里姆威格先生点了点头，后者便极其敏捷地消失了，不久又回来了，前头推着邦布尔太太，后头还拉着她不愿进来的丈夫。

"我眼睛没有看错吧！"邦布尔先生拙劣地装出一副热情的样子，大声说道，"这不是小奥利弗吗？啊，奥——利——弗，要是你晓得我一直为你感到多么伤心——"

"闭嘴，傻瓜。"邦布尔太太咕哝道。

"这难道不是人之常情——常情吗，邦布尔太太？"济贫院主持人争辩道，"我在教区创办的济贫院里把他养大，现在我看到他坐在最和蔼可亲的先生们和女士们当中，难道我不该感到兴奋？我过去一直喜欢这个孩子，仿佛他是我的——我的——我的亲爷爷。"邦布尔先生说道，为了找个恰当的比喻而说得结结巴巴，"奥利弗少爷，亲爱的，你还记得那位穿白背心的有福的先生吗？啊！他上星期进天国了，安放他的是一口栎木棺材，还带有镀银把手，奥利弗！"

"得啦，先生，"格里姆威格先生尖刻地说道，"抑制住自己的情感吧。"

"我会竭力抑制住的，先生，"邦布尔先生回答道，"你好吗，先生？但愿你身体很好。"

他这是在向布朗洛先生致意。布朗洛先生已经走到了这对体面的夫妇跟前。他指着蒙克斯，问他们道：

"你们认识这个人吗？"

"不认识。"邦布尔太太回答得很干脆。

"你大概也不认识吧？"布朗洛先生问她丈夫道。

"我一生从未见过他。"邦布尔先生说道。

"大概也不曾卖过任何东西给他吧？"

"是的。"邦布尔太太回答道。

"你们恐怕从未拥有过一只金质纪念盒和一枚戒指吧？"布朗洛先生继续问道。

"当然没有。"女总管回答道，"为什么带我们到这儿来回答这样荒谬的问题？"

布朗洛先生再次向格里姆威格先生点头示意，他再次极为乐意地、一瘸一拐地走开了，但这次回来时不是带进一对矮胖的夫妇，而是领来两个中风的老太太。她们走起路来颤巍巍的。

"老萨利死的那个夜里你把门关上了，"走在前面的那位抬起一只干瘪的手，说道，"可是你关不住声音，也堵不住门上的裂缝儿。"

"对，对，"另一位往四下里看了看，那张没有牙齿的嘴喋喋不休地说道，"对，对，对。"

"我们听到萨利想告诉你她所做的事，还看见你从她手里接过一张票据，第二天还注视着你走进当铺。"第一位说道。

"对，"第二位补充道，"它是一只纪念盒和一枚金戒指。我们打听清楚了，还看见东西交给了你。我们就在旁边。噢！我们就在旁边。"

"我们知道的还多着呢，"第一位继续说道，"因为萨利很久以前就常对我们说，那位年轻的母亲曾经告诉她，由于感到自己无法康复，在她生病的时候，她正在前往孩子父亲坟墓的途中，想死在他的墓旁。"

"你们想见见那位当铺老板本人吗？"格里姆威格先生作出朝门

外走的姿态,问道。

"不必了,"女总管回答道,"如果他(她指着蒙克斯)——是个胆小鬼,什么都承认了——我看他已经承认了,况且,你们又调查了这么多老丑妇,直至找到了合适的证人,我也没有什么话可说了。我确实把东西卖啦。它们已在你们永远得不到的地方了,那又怎么样呢?"

"没有怎么样,"布朗洛先生回答道,"只是这件事有待我们关心一下,你们俩再也不能担任负责工作了。你们可以走啦。"

"但愿,"当格里姆威格先生领着那两位老太婆出去时,邦布尔先生极后悔地环顾一下四周,说道,"但愿不会因这件不幸的小事免去我在教区的职务吧?"

"当然会免去你的职务,"布朗洛先生回答道,"你必须接受这一无法避免的事实,并认为自己是幸运的呢。"

"这都怪邦布尔太太,她偏要这么干。"邦布尔先生掉头看了一眼,弄清他老伴已经离开房间了,才恳求道。

"这不能成为理由,"布朗洛先生回答道,"毁掉这些首饰的时候你在场。而且,从法律的角度来看,你比她的罪更重,因为法律认为你妻子是受你指使的。"

"如果法律这么认为,"邦布尔先生使劲地捏住他的帽子说道,"那么,法律是蠢驴,是白痴。如果这是法律的见解,那么,法律是个单身汉;这是我最不希望法律沦为的最坏的情况,但愿经验能够使法律睁开眼睛。经验!看看丈夫能不能指使妻子!"

邦布尔先生着重地把"经验"两字重复了一遍,然后紧紧地戴上帽子,双手插进口袋,跟着他的伴侣下楼去了。

"小姐,"布朗洛先生转身对罗斯说道,"把手递给我。别发抖,你不用害怕听到我们不得不说的剩下的几句话。"

"倘若它们——我不知道你要说的是什么,可是,倘若它们——

与我有什么关系的话，"罗斯说道，"请让我改日再听吧。我现在没有力气、也没有勇气了。"

"不，"老先生挽起她的胳膊说道，"我相信你的意志够坚强的。你认识这位小姐吗，先生？"

"认识。"蒙克斯回答。

"我以前从未见过你。"罗斯有气无力地说道。

"我常常见到你。"蒙克斯回答道。

"这位不幸的艾格尼丝的父亲有两个女儿。"布朗洛先生说道，"另一个女儿——那个小女孩——的命运如何呢？"

"那个小女孩，"蒙克斯回答道，"她父亲客死他乡，没有留下一封信、一个本子，或一张纸条可以提供任何一点线索找到他的朋友或亲戚——那个小女孩被一户穷困潦倒的村民领去作为自己的亲生女儿抚养。"

"继续说下去，"布朗洛先生做手势叫梅利太太走上前来，说道，"继续说下去！"

"你根本找不到这些村民经常去的地点，"蒙克斯说道，"可是，在友谊无能为力的地方，仇恨常常会有办法。我母亲经过了一番费心的寻找，终于找到了这个地点——啊，也找到了这个小女孩。"

"她将她带走了，是吗？"

"没有。这户村民很穷，并开始对自己高尚的人道行为感到厌倦——至少那位男村民是如此。于是，我母亲让她留在那里，送给他们维持不了多久的一点钱，答应以后再给，但她从未打算再寄钱。然而，她不怎么指望他们的不满和贫穷足以给这个小女孩带来不幸，又将她姐姐的羞耻事告诉他们，随心所欲地极尽歪曲之能事；还要他们好好地提防她，因为她出生于不道德的家族，甚至对他们说她是非婚生的，早晚必然要出事。表面情况看来是这样，那户村民完全相信了。小女孩在那儿过着悲惨的生活，悲惨得令我们感到满意，直到当时居住在切斯特的一位孀妇偶然地见到了她、可怜她，并把她带回家。我想，有某种可恶的魔法在跟我们作对，因为尽管我们费尽心机，她依然留在那儿，过得很幸福。两三年前我再也见不到她，只是几个月前才重新见到她。"

"你现在见到她了吗？"

"见到了，她就靠在你的手臂上。"

"她仍然是我的侄女，"梅利太太把行将昏厥的姑娘抱住，大声说道，"仍然是我最亲爱的孩子。即便以世界上的一切金银财宝来换，我现在也不愿失去她。她是我可爱的同伴，我自己亲爱的女儿！"

"你是我唯一的朋友，"罗斯紧紧地依偎着她说道，"最仁慈、最好的朋友。我的心要破裂了。我无法承受这一切！"

"你已经承受过了更多的磨难，在这一切的磨难中，你始终是给你认识的每个人带来欢乐的最慈善、最温柔的人，"梅利太太亲切地拥抱着她，说道，"好啦，好啦，亲爱的，别忘了谁在等着拥抱你了，可怜的孩子！喂，你瞧，亲爱的！"

"不是姨母，"奥利弗双手搂住罗斯的脖子，大声说道，"我永远不会叫你姨母的——姐姐，你是我亲爱的亲姐姐，不知怎的从一开始就教我从心底这么深情地喜欢你！罗斯，亲爱的，亲爱的罗斯！"

让两个孤儿之间在长时间的、紧紧的拥抱中掉下的眼泪和彼此倾诉的断断续续的话语成为神圣吧！在这一刹那间，父亲、姐姐、母亲得而复失，欢乐和忧伤在一杯酒中掺和在一起。然而没有辛酸的泪水，因为即使忧伤本身的出现也是如此温和，充满着甜蜜和亲切的回忆，以至于它成了一件庄严的乐事，失去了一切痛苦的特征。

他们单独待了很久很久，门上传来了轻轻的叩门声，最终通报门外有人来了。奥利弗打开门，悄悄地溜走了，让位于哈里·梅利。

"我什么都知道了，"哈里说着，在可爱的姑娘身边坐了下来，"亲爱的罗斯，我什么都知道了。"

"我不是偶然到这儿来的，"在持续地沉默了一段时间之后，他补充道，"我也不是今晚才知道这一切的，我昨天就知道了——也是昨天才知道的。你猜到我是来提醒你许下的诺言的吗？"

"等一等，"罗斯说道，"你真的什么都知道了？"

"全知道了。你允许我在一年的任何时间里重提我们上次谈论的话题。"

"没错。"

"不是要强迫你改变自己的决心，"年轻人继续说道，"而是要听你重复你的决心，如果你愿意的话。我打算把自己可能拥有的任何地位和财富献在你的脚下。倘若你仍然坚持你先前的决心，我发誓不以任何言行试图改变它。"

"当时影响我的那些同样的理由，现在照样还会影响我。"罗斯坚定地说道，"如果我在任何时候对她负有绝对的、不容改变的责任——她的善良把我从贫穷和痛苦的生活中解救出来——那么，我今晚比任何时候都更加深刻地体会到这种责任。这是一场斗争，"罗斯说道，"但进行这样的斗争我感到自豪；这是一种极度的痛苦，但承受这种痛苦我责无旁贷。"

"今晚事实的披露——"哈里又开口道。

"今晚事实的披露，"罗斯温和地回答道，"使我对于你的态度依然跟以前一样。"

"你对我太心狠了，罗斯。"她的心上人坚持道。

"噢，哈里，哈里，"小姐突然大哭起来，说道，"但愿我能够对你这样，使我不必遭受这种痛苦。"

"那么，你为什么把痛苦强加在自己头上呢？"哈里牵着她的手说道，"想一想，亲爱的罗斯，想一想你今晚所听到的。"

"我又听到了什么啦！我又听到了什么啦！"罗斯大声说道，"只不过是深深的耻辱感强烈地影响着我生身父亲，使他避开众人——

好啦，我们已经谈得够多了，哈里，我们已经谈得够多了。"

"还没有，还没有，"年轻人在她要站起身时阻止道，"我的一切希望、愿望、前程和情感，总之，我一生中的每个想法已起了变化，除了对你的爱依旧没变。现在，我要为你提供的——在芸芸众生中没有什么显赫之处，也不与充满恶意和诽谤的世界相混杂——在这个世界里，诚实的人们并不是因为真的干了什么丢脸的和羞耻的事而感到无地自容，我要为你提供的，只是一个家——一颗心和一个家——是的，亲爱的罗斯，这些，并且只有这些，就是我必须提供给你的一切。"

"你这是什么意思！"她支支吾吾地说道。

"我的意思只是说，当我上回离开你的时候，我就是带着消除你我彼此之间一切想象出来的隔阂的坚强决心离开的。我拿定主意，如果我的世界不能成为你的世界，我愿将你的世界变成我的世界。我决不让门第的骄气对你鄙夷地撇嘴，以示轻蔑，因为我倒想放弃这样的骄气。我已经这么做了。那些因此而回避我的人也照样回避了你，并证明你是多么正确。过去向我微笑的那些权贵和庇护人，以及有影响、有地位的亲戚们，如今都对我冷眼相看；可是，在英格兰最富饶的一个郡，有一片欢乐的田野和波状起伏的树林，在一座乡村教堂旁边——我的教堂，罗斯，我自己的教堂！——坐落着一幢乡村小屋。你能够使我对这幢小屋，比我已放弃的一切希望更感到自豪——自豪一千倍。这就是我现在的地位和身份。在此，我将它奉献在你的脚下！"

"等待情侣用晚餐是一件令人难受的事。"格里姆威格先生醒过来，掀开了盖在头上的手帕说道。

老实说，这餐晚饭确实等得太久，几乎不合乎情理。梅利太太、哈里和罗斯（他们都一起进来了）都提不出一句辩解的话。

"今晚我还真想把自己的头吃掉，"格里姆威格先生说道，"因为起初我以为再没有什么别的可吃了。如果你们允许的话，恕我冒昧地向未来的新娘表示祝贺。"

格里姆威格先生不失时机地将这句话付诸行动，在满脸绯红的姑娘的脸上吻了一下。这个先例因具有感染力，医生和布朗洛先生都先后仿效。有人断言，人们看见哈里·梅利在隔壁的暗室里已最早开创了这一先例。然而，最优秀的权威人士们则认为这纯属流言蜚语，因为他很年轻，又是个牧师。

"奥利弗，我的孩子，"梅利太太说道，"你上哪儿去啦？你看上去为什么那么伤心？此刻还有泪水悄悄地从你的脸上淌下来。出了什么事啦？"

这着实令人大为失望，破灭了的常常是我们最珍惜的希望，以及给我们的天性带来最大荣誉的希望。

可怜的迪克死啦！

第五十二章 费金活着的最后一夜

刑事法庭从地板到天花板人头攒动，黑压压的一片。一双双好奇的、热切的眼睛从每一寸空间向外窥视。从被告席前面的栏杆到旁听席最靠边的小角落里，所有人的目光都盯着费金一人。费金站在那里，仿佛被一片苍穹围困住似的，前后、上下、左右，到处都是闪闪发亮的目光。

他就这样在众目睽睽之下，一只手靠在前面的木板上，另一只手挡在耳后，脑袋尽量往前伸，以便听清正在向陪审团宣布对他的指控的审判长说的每句话。他不时猛然地将眼睛转向陪审团，以便观察对他有利的最微不足道的印象。可是当审判长对他所指控的各条叙述得一清二楚时，他便将目光转向他的辩护律师，无声地恳求他即便如此，也还是要竭力为他辩护。除了表露出这些焦虑不安的神色外，他的手脚一动也不动。自从开审以来，他就几乎没有挪动一下身子。现在，审判长的讲话已经结束，但他的目光依然注视着他，保持一副同样全神贯注的紧张姿势，仿佛他还在洗耳恭听似的。

法庭上的一阵轻微的喧闹使他回过神来。他环顾四周，发现陪审员们都已转过身去考虑他们的裁决了。当他的目光移到旁听席时，他可以看到人们一个站得比另一个还高，彼此争相抢看一眼他的面孔，有的匆匆忙忙地戴上眼镜，有的带着充满厌恶的神色跟身边的人交头接耳。还有少数一些人对他似乎不以为意，不耐烦地看着陪审团，感到困惑不解：陪审团怎么还迟迟不作裁决。然而，他无法从哪一张脸上——甚至在座的许多妇女的脸上——觉察出对他有丝毫的同情，也觉察不出有什么别的看法，除了一致认为他应该伏法外。

正当费金以不知所措的目光看到这一切时，法庭上又一次出现了死一般的寂静。他回头一看，见陪审员们都已面朝着审判长。嘘！

陪审员们只请求允许离席告退。

他们一个接一个地走出去时，费金怅然若失地窥视着他们的每一张脸，仿佛想看出大多数人倾向于做出哪一方面的裁决，可是毫无结果。狱卒轻轻地在他肩上拍了一下，他机械地跟他走到被告席的尽头，在一张椅子上坐下来。这椅子还是狱卒给他指点的，否则他根本没看见。

他再次仰望了一下旁听席。有的人在吃东西，有的人在用手帕给自己扇风，因为这个拥挤的地方异常闷热，有个小伙子正在小笔记本上画他的脸部素描。他不晓得他画得像不像，在艺术家折断了铅笔尖，用小刀重新削铅笔的时候，他仍在旁边观看，就像一个无所事事的旁观者一样。

同样地，当他眼睛转向审判长时，他脑海里开始不停地想着审判长这套礼服的款式，它需要花费多少钱，如何穿上去的等等。法官席上还有一位胖墩墩的老先生，他大约半小时前走了出去，现在又回来了。费金心想这位老先生刚才是不是出去吃饭了，吃了些什么，在哪儿吃的。他继续漫不经心地沿着这一思路想下去，直到他的眼睛见到某个新的物体，又激起了他的另一番思绪为止。

并不是说在所有这段时间里，费金的脑子里一时摆脱了因他脚底下张开着的这座坟墓而带来的难以忍受的、压倒一切的感觉；这种感觉一刻也没有离开过他，只是有点模糊、笼统罢了，他的思想无法集中到这上面来。于是，即使他一想到迅速死亡会浑身发抖、全身发烫，他依然开始数着面前栏杆上的铁尖。他感到纳闷：其中一根铁尖的头怎么会断掉，他们是否会把尖头修补上，抑或就那样不管它。接着，他想起绞刑架和绞刑的可怖——然后停下来看一个人在地板上洒水降温——而后，又继续胡思乱想。

终于有人喊了一声肃静，大家屏息着，目光全投向门口。陪审团又回来了，一个个陪审员从他身边走过。他从他们的脸上看不出一点表情；它们还不如石头面孔来得有表情。接着，法庭一片静寂——没有一点窸窣声，没有任何声息。费金被裁定有罪！

一阵阵巨大的喊叫声响彻整座建筑物；接着，建筑物回响着闹哄哄的哼哼声；然后，随着这些哼哼声的逐渐增强，声音变得越来越大，宛如怒吼的雷声。这是法庭外民众响起的一阵响亮的欢呼声，欢呼费金将在星期一被处死的消息。

喧闹声消失了。法官问他对被判处死刑是否还有什么话说。这个问题被提出来时，他又恢复了洗耳恭听的姿势，目不转睛地注视着发问者；然而，直到这个问题重复了两遍，他似乎才听见；然后，只是咕哝着说他是个老人——是个老人——是个老人——所以嘛，他的声音降低成耳语，然后又不作声了。

审判长戴着一项黑帽，犯人依然以同样的神态和姿势站着。旁听席中的一位妇女因这一令人生畏的庄严气氛，竟发出了一声惊叫。犹太人迅速地抬起头来，像是对这一干扰感到愤怒似的，继而更加聚精会神地倾身向前。审判长的讲话既庄严又使人难忘，判决听起来令人胆寒。但是犹太人像一尊石雕似的站着，纹丝不动。他那张憔悴的脸依然朝前伸，下颌低垂，眼睛凝视前方。这时，狱卒用手拉住他的胳膊，唤他离开。他茫然若失地往四下里望了片刻，然后听从狱卒的命令。

他们押着他穿过法庭底下的一个地下铺石板的房间。这里，一些犯人正在等待提审，另一些则正和他们的朋友交谈。这些朋友聚集在面朝敞开的院子围栅的周围。那儿没有一个人跟他说话；可是当他走过去时，那些犯人往后退，使紧挨着法庭围栏的人们把他看得更清楚了：他们以辱骂、尖叫和嘘声轰赶他。他则向他们挥舞拳头，还想要啐他们，不过监管人员催他快走，穿过一条以几盏昏暗的灯照明的幽暗通道，进入了监狱的深处。

在这儿他被搜了身，以防他身上可能带有先于法律的行动①的工具。这道程序完成之后，他们把费金押入一间死牢里，让他独自待在那儿。

他在门对面的一条又当坐椅又当床架的石长凳上坐下来，一双布满血丝的眼睛盯着地面，试图集中思想。过了一会儿，他开始记起审判长所说的一些支离破碎的片言只语，尽管当时他似乎一句话也没有听到。这些片言只语渐渐地变得明朗起来，并逐渐地显出更多的意思，以至于一会儿之后，他几乎把审判长说的话都回忆起来了。将他处以绞刑——这是判决书上的最后一句。将他处以绞刑。

天黑时，犹太人开始想起他所认识的那些死于绞刑架上的人。他们中有些人是因为他要手段而走上断头台的。他们一个接一个如此迅速地站起来，以至于他简直数不过来。他曾经亲眼看着其中的一些人死去，还因为他们嘴里念着祷告死去而取笑他们。变化多么突然啊，随着绞刑架下的下落板咔嗒一声落下，他们从身强力壮的男人变成了悬荡着的一堆堆衣服！

他们当中的一些人可能恰好住过这间死牢，坐在同一个地点。天很黑了，他们怎么还不拿一盏灯来？死牢建造的年代已经久远了，想必许多死因犯在临死之前都在此待过。这犹如坐在堆满尸体的地

---

① 指犯人在被处决之前自杀。

下灵室里——帽子、绞索、被缚住的双臂、他熟悉的面孔,甚至在可怕的面纱底下的面孔。拿灯来!拿灯来!

终于,在他的双手在笨重的牢门和墙壁上打得疼痛不已时,两名狱卒来了。其中一个带来了一支蜡烛,将它插进固定在墙上的蜡烛架上;另一个拉来一个床垫,准备在这儿过夜,因为从现在起再也不能让囚犯单独待在死牢里。

后来,夜渐渐深了——漆黑、凄凉、寂静的夜晚。其他守夜者喜欢听到教堂大钟敲响,因为它们报告生命的诞生,也报告明天的来临。在费金看来,钟声给他带来了绝望。每一口铁钟的隆隆声都充满着一个深沉、空洞的声音——死亡。即使传入这儿的欢乐早晨的喧闹景象对于他又有何用呢?这只不过是丧钟的另一种形式,警告之外又加上嘲笑罢了。

白天结束了。这能算白天吗?根本没有白天。它一到来就消失了——夜幕又降临了。夜这么漫长,又这么短暂;漫长在于它可怕的寂静,而短暂则在于它的稍纵即逝。他时而胡言乱语、口出恶言,时而号啕大哭、揪扯头发。同教派的德高望重人士前来他身边祷告,可是他破口大骂,将他们撵走;他们继续着他们的慈善努力,他却将他们轰了出去。

星期六夜晚,他只能再活一夜了。当他想到这点时,天亮了——星期天来到了。

直到这可怕的最后一天夜里,一种无助的、绝望的毁灭性感觉,才突然极其强烈地向费金那希望破灭的灵魂袭来;并不是他怀有任何被饶恕的明确的希望,而是在这之前他充其量只能迷迷糊糊地想到这么快就要死去的可能结局。他很少跟这轮番看住他的狱卒谈话。他们彼此轮流看守着他。就他们来说,他们不想引起他的注意。他坐在那儿醒着做梦。现在,他每一分钟都会突然惊起,嘴巴喘着粗气、皮肤发烫,以这样的一阵恐惧和愤怒匆匆地来回踱步,以致对这种情景已司空见惯了的狱卒都吓得直往后缩。最后，受自己邪恶的良心百般煎熬的他变得如此可怕，狱卒不堪坐在那儿单独看守他，只好由两人共同看守。

费金蜷缩在石床上，回想起他的往事。在他被捕的那一天，他被人群中扔来的石块砸伤了，头部还用纱布包扎着。他的红头发垂到毫无血色的脸上；他的胡须被扯乱了，缠绕成结；他的眼里闪着可怖的凶光；肮脏的皮肤因耗尽体力的高烧而皲裂了。8点——9点——10点。倘若这不是吓唬他的花招，而是一个挨一个接踵而至的真正的钟点，那么，当它们再轮一圈的时候，他会在何处呢？11点！前一个钟头的报时还在他耳际回荡，另一个钟头的钟声又敲响了。明天8点，他将成为自己出殡行列中的唯一送葬人；明天11点——伦敦新兴门监狱的那些可怕的围墙，不仅把这么多的不幸和难以形容的痛苦掩盖起来，而且长期以来往往瞒住了人们的思想，然而这些围墙却从未曾目睹过如此可怕的景象。少数人从监狱经过时留恋不走，且感到纳闷：明天将被绞死的那个人现在在干什么？如果他们能够见到他，他们那个晚上一定睡不好觉。

从傍晚到将近子夜，人们三三两两地来到门房，神情焦虑地询问是否接到任何缓刑令。当他们得到否定的答复时，便互相奔走相告，把这个好消息转告给街上的一群群人。他们互相指点，死囚犯将会从哪道门出来，绞刑台搭在何处，依依不舍地走开，却又折回去想象即将发生的场面。他们渐渐地一个个地离去。过了一小时，在夜晚万籁俱寂之时，大街已陷入一片荒凉和黑暗之中。

监狱前面的场地已被清理过了，路上已经横着一些漆成黑色的坚固的障碍物，以减轻预料之中的人群的压力。这时，布朗洛先生和奥利弗来到了边门，出示了由行政司法长官签署的允许探视犯人的命令。他们马上被准许进入门房。

"这位小伙子也要进去吗，先生？"领他们进来的狱卒问道，"这里不宜让儿童观看，先生。"

"确实如此，朋友，"布朗洛先生回答道，"可是我跟这个囚犯谈的事与这孩子密切相关。而且，由于这孩子见过了该犯人处于春风得意和作恶多端时的样子，因此，我想他现在可以见他，哪怕需要付出的代价是一些痛苦和恐惧。"

这些话是他们在一边私下里说的，奥利弗没有听见。狱卒用手触帽向他行礼，有点好奇地望了奥利弗一眼，把他们进来那道门对面的另一道门打开，领着他们穿过幽暗、曲折的通道，继续朝牢房走去。

"这儿，"狱卒在一处阴暗的通道上停下来，说道。这里有几个工人正在一声不响地做些准备工作——"这儿是囚犯要通过的地方。如果你们打这边走，你们就可以看到他将走出来的那道门。"

他领着他们走进了一间石砌的厨房。厨房里配备了为犯人做饭用的好几口铜铸大锅。他指着一道门，门上有敞开着的格栅，从那儿传来了男人的说话声，还夹杂着锤击声和木板扔在地上的声音。工人们正在搭绞刑架。

他们从这儿穿过了好几道其他狱卒从里面打开的坚固大门，然后进入一个空旷的庭院，登上一段狭窄的台阶，来到了一个左边有一排坚固的房门的过道。狱卒招手示意他们待在原地，自己用手中那串钥匙敲了其中的一道门。里面那两个值班员交头接耳了一会儿之后，走到过道里伸伸懒腰，仿佛为这短暂的放松感到高兴似的，并点头示意两位来访者跟着狱卒进牢房。他们跟着进去了。

死刑犯坐在床上，身子来回摇动，其面部表情与其说像一个人，倒不如说像一头落入陷阱的困兽。显然，他正在回想起过去的生活，因为他的嘴里不停地嘟哝着，似乎没有意识到他们的存在，只是把他们当作是他幻觉的一部分。

"好小子，查利——干得好——"他咕哝道，"奥利弗也是，哈！

哈！哈！奥利弗也是——现在简直是个小绅士了——简直——带这个孩子去睡觉！"

狱卒拉着奥利弗那只空着的手，悄声地叫他不要惊慌之后，默默地站在一边观望。

"带他睡觉去！"费金喊道，"你们听见了没有？他一直是——不晓得什么缘故——他一直是这一切的起因。把他培养成材花些钱是值得的——比尔，割博尔特的咽喉，别在意那个姑娘①——你尽量地把博尔特的咽喉往深里割，把他的头锯掉！"

"费金。"狱卒说道。

"到！"犹太人大声应道，立即转入他受审时所采取的洗耳恭听的姿势，"我是个老人了，老爷，一个很老的老人了！"

"这儿有人要见你，"狱卒将一只手按住他的胸部，不让他站起来，"我想他们要问你一些问题。费金，费金！你是个人吗？"

"马上就不是啦，"他抬起头来回答道，脸上毫无表情，唯有狂怒和恐惧，"把他们统统干掉！他们有什么权利来谋害我？"

他说话时，一眼看到了奥利弗和布朗洛先生。他马上退缩到石床的最远角落，喝问他们来这儿干什么。

"镇定，"狱卒依然按住他说道，"好了，先生，有话就对他说吧。请你们快点，因为他的状况越来越糟了。"

"你手头有一些文件，"布朗洛先生走上前去，说道，"那是一个名叫蒙克斯的人为了更保险起见而交到你手里的。"

"这完全是谎言，"费金回答道，"我什么文件也没有—— 一份也没有。"

"看在上帝的分上，"布朗洛先生严肃地说道，"现在你已濒临死亡，别再说这样的话了，告诉我它们放在哪里。你知道赛克斯已

———————

① 指南希姑娘。

经死了,蒙克斯业已自首,再没有希望得到什么利益了。那些文件放在哪儿?"

"奥利弗,"费金向他招手,大声说道,"喂,喂!让我悄悄地告诉你。"

"我不害怕。"奥利弗松开抓住布朗洛先生的那只手,低声地说道。

"那些文件,"费金把奥利弗拉到近旁,说道,"装在一只帆布包里,藏在顺着顶楼客厅的烟囱往上不远处的一个洞里。我想跟你谈谈话,亲爱的。我想跟你说说话。"

"好的,好的,"奥利弗回答道,"让我做个祷告。来吧!让我先做个祷告。只做一个,跟我一块跪下来吧,然后,我们可以谈到天亮。"

"到外面去!到外面去!"费金把面前的奥利弗往门口推,回答道,并神情茫然地从他的脑袋上方看过去,"你就说我已经睡着了——他们会相信你的。如果你这样带着我,你可以把我带出去。赶快,赶快!"

"噢!愿上帝饶恕这个可怜的人吧!"这孩子突然哭着说道。

"说得对,说得对,"费金说道,"这对于我们有好处。先出了这道门。如果我们通过绞刑架的时候我浑身哆嗦,你别在意,赶快继续往前走。快!快!快!"

"你们再没有什么别的要问了吗,先生?"狱卒问道。

"没有别的问题了,"布朗洛先生回答道,"我本来只是希望能使他清醒地意识到自己的处境——"

"那一点用处也没有,先生,"狱卒摇摇头回答道,"你们最好离开他。"

死牢的门开了,那两个值班员又回来了。

"赶快往前走,赶快往前走,"费金大声说道,"轻轻的,可是别这么慢吞吞的,快点!快点!"

狱卒们抓住费金，让奥利弗从他的手里挣脱出来，将他挡了回去。他不顾死活地挣扎了一会儿，接着发出一声又一声的喊叫。这叫声甚至透过监狱的那些高墙，直至他们来到了空旷的庭院，还在他们的耳际回荡。

他们过了一会儿才离开监狱。奥利弗经过这可怖的一幕之后几乎昏了过去。他身体如此虚弱，以致有一个多小时他根本没有力气走路。

他们离开监狱、再次出现在大街上时，天刚蒙蒙亮。街上已经聚集了一大群人；每扇窗户都挤满了人，他们或抽烟或打牌，以消磨时间；人群推推搡搡、吵吵嚷嚷、谈笑风生。一切都显得生机勃勃，只是在他们的中央立着黑乎乎的一簇东西——黑色的绞刑架、横梁、绞索，以及所有那套可怕的死刑装置。

第五十三章　尾声

　　本故事中出现的这些人物的命运几乎都已有了结果了，作者已经没有多少可以叙述的了，仅以简单的三言两语一带而过。

　　过了不到三个月，罗斯·弗莱明和哈里·梅利就在乡村教堂结了婚。从此以后，这座教堂就成了这位年轻牧师的工作场所。同一天，他们就迁入新居，拥有了他们自己幸福的家。

　　梅利太太开始同儿子和媳妇一起住，以便在平静的有生之年享受年高德劭者才能体验到的最大幸福——看到这对新人幸福美满。她未曾虚度的一生始终将最热烈的情感和最体贴的关怀倾注在他们身上。

　　据全面仔细的调查，经蒙克斯挥霍后剩下的财产如果在他本人和奥利弗之间平分，每人只能得到三千镑（这些产业无论在他的掌管中或在他母亲的掌管中都从未兴隆过）。根据他父亲遗嘱的规定，奥利弗有权得到全部财产。可是，布朗洛先生不愿剥夺长子改邪归正、从事正当职业的机会，于是提出了这种平分的分配方式。对此，他照管的孩子（奥利弗）欣然接受。

　　蒙克斯仍然使用这个化名，带着他的这份财产退居美洲新大陆的一个边远地区。在那儿，他很快就将这笔财产挥霍殆尽，再次重操旧业。由于又犯下诈骗罪而遭受长期监禁之后，终于旧病复发，死在牢里。他的朋友费金一伙的主要余党同样地也都客死他乡。

布朗洛先生认奥利弗做义子。他带着奥利弗和年迈的女管家搬到离他亲爱的朋友牧师的住宅不足一英里的地方，了却了奥利弗那热情、诚挚的心中剩下的唯一一桩心愿，这样，形成一个小小的社交团体。他们的生活几乎达到了在这个变幻莫测的世界上所能达到的最美满幸福的境地。

这对年轻人结婚后不久，那位可敬的医生就回到彻特西去了。在那儿，根本见不到老朋友，他很可能牢骚满腹，脾气暴躁，然而他完全不是这样的性情。两三个月来，他只是暗示说他担心这里的空气开始使他感到不适；接着，发现这地方对他来说真的已再也不是过去的样子了。于是，他将业务交给他的助手，自己在他年轻朋友当牧师的那个村子外面租了一幢单身汉乡间别墅住下来。他的身体即刻康复。在这里，他开始从事园艺、植树、垂钓、木工，以及各种其他类似的爱好，每一种爱好都倾注了他特有的狂热，因此，他后来变得样样精通、名闻遐迩，成为在各方面造诣很深的权威。

在他迁居之前，他就已经设法与格里姆威格先生结下莫逆之交。这位怪僻的老先生对此也做出了友好的回应。格里姆威格先生在一年期间曾拜访了他好多回。每次造访，他都兴致勃勃地跟他一起植树、垂钓、做木工活。他干每一样的方法都与众不同、绝无仅有，但总是喜欢断言他的方法是正确的。每个星期天，他总是当着年轻牧师的面对布道评头品足。事后，他又私下秘密地对洛斯伯恩医生说，他认为哈里的布道十分出色。不过，他认为还是不这么说好。布朗洛先生老是喜欢挖苦他过去对奥利弗所作的预言，并使他回想起他们俩中间放着一块表，坐着等待奥利弗回来的那个夜晚；可是格里姆威格先生认为他基本上是正确的。为证明这一点，他指出奥利弗当时毕竟没有回来；这总是引起他哈哈大笑，提高了他的兴致。

诺亚·克莱波尔先生因自首并告发费金，被女王赦免无罪，又因顾及他的职业并非他所想的那么安全，曾一度找不到轻松的谋生手段。经过一番考虑之后，他充当了告密者。靠着这种职业，他过上了颇有派头的生活。他的谋生办法是：身穿体面服装，由夏洛特陪着，在人们上教堂做礼拜的时候出去散步，每星期一次。女士（夏洛特）在善心人开的酒店门前晕倒过去，先生（克莱波尔）受优待弄到了价值三便士的白兰地使她恢复知觉，第二天他就去告发①，把一半的罚款装进自己腰包。有时候是克莱波尔先生本人晕倒，但结果也是一样。

邦布尔夫妇被免去了圣职之后，逐渐变得穷困潦倒，终于成为他们过去曾经在那儿发号施令的同一所济贫院的贫民。有人曾听到邦布尔先生说过，由于他命蹇时乖、落魄不堪，甚至没有那份心绪为自己与妻子分居的事而感到欣慰。

至于贾尔斯先生和布里特尔斯，他们依然留任，只是前者已经秃顶，后头提到的这个男仆的头发也白了许多了。他们睡在牧师寓所，然而对这家人以及奥利弗、布朗洛先生和洛斯伯恩医生侍候得一样周到，以致时至今日，村民们还无法明白他们严格地说应属于哪一家的仆人。

被赛克斯的罪行吓得魂不附体的查利·贝茨少爷开始进行了一连串的反思：靠正当的收入生活终究是不是最佳的选择？当他得出了当然是最佳的选择的结论之后，便毅然地与过去的生活决裂，决心从事某一新的工作以痛改前非。他曾一度艰难地挣扎，吃了不少苦。但是，由于他有着知足常乐的天性和一心向善的目标，他终于如

————————

① 根据英国当时的法律，凡教堂做完礼拜之前售酒，将被处以罚款，告发者可得罚款的一半。

愿以偿；开头给一位农夫干苦活，然后给一名搬运夫当伙计，如今是整个北安普敦郡最快活的年轻牧场主。

现在，在接近完成任务时，笔者写下这些词句的手颤抖了，并愿沿着这些奇遇的主线，把篇幅编得更长一点点。

我很愿意跟自己交往了这么久的几位书中人物再逗留一会儿，通过竭力地描写他们的幸福来与他们一块分享这种幸福。我愿展现成为少妇以后的罗斯·梅利的全部风韵，柔和的阳光倾泻在她僻静的人生道路上，洒落在跟她踏上这条人生道路的那些人身上，照得他们心里亮堂堂；我愿描绘她炉边的家庭圈子和欢乐的消夏群体；我愿在午间跟着她穿过灼热的田野，在月夜的散步中倾听她甜美的低声细语；我愿留心观察她在外慈悲为怀、乐善好施，在家笑容可掬、不知疲倦地履行自己的家庭义务；我愿描写她和已故姐姐的孩子彼此相亲相爱，接连几小时聚在一起，共同描述他们多么悲痛地失去了的亲朋好友；我愿再次地把群集在她膝前的那群快乐的儿女唤到自己跟前，听着他们兴高采烈、咿咿呀呀的学语声；我愿回想起她那清脆的笑声，想象出她温柔的蓝眼睛里闪烁着同情的泪花。所有这些以及此外她的许许多多的音容笑貌、思维与语言的特征——我都愿一一地回想起来。

布朗洛先生日复一日地、不断地以丰富的知识来充实他义子的头脑、并且，当奥利弗的先天秉性得到了发展、表明自己正是老先生所希望成为的苗壮成长的幼苗时，布朗洛先生变得愈加喜欢他了。他从奥利弗身上找到他早年的朋友的新的性格特征，这些特征在他心中唤起了对往昔的回忆——既令人伤感，又带来甜蜜和慰藉。同时，两个历经逆境磨炼的孤儿记住了这样的教训：宽厚待人、互相友爱、真诚感谢保佑和保全他们的上帝——凡此种种，皆已无需赘述了。我已经说过，他们确实很幸福。没有强烈的爱，没有仁爱之心，没有对以慈悲为准则、以对世间众生的爱心为伟大特征的上帝的感激之忧，是永远得不到幸福的。

在古老的乡村教堂的祭坛里面，竖立着一块白色的大理石碑，迄今为止它上面只刻着一个人的名字："艾格尼丝"。那座坟墓里没有灵柩。但愿过了好多年、好多年之后，上面才会刻上另一个人的名字！然而，倘若死者的灵魂曾经重返人间，游历洋溢着他们在世时所认识的那些人的爱——坟墓以外的人间之爱——的圣地，我相信艾格尼丝的幽灵有时也会徘徊在那个庄严的凹角处的。因为这凹角处就在教堂里，尽管她脆弱和误入歧途，对此，我依然深信不疑。

（全文完）